LE REFUGE DU LAC

Du même auteur

La Confidente, Lattès, 1997.
Trahison conjugale, Lattès, 1998.
Trois Vœux, Lattès, 1999.

Barbara Delinsky

LE REFUGE DU LAC

Roman

Traduit de l'américain par Laure Joanin

JC Lattès

Titre de l'édition originale
LAKE NEWS
publiée par Simon & Schuster Inc.

« Rien n'est si beau, si pur et en même temps si grand qu'un lac, étalé à la surface de la terre. L'eau du ciel. Il n'a besoin d'aucune barrière. Les nations vont et viennent sans le profaner. C'est un miroir qu'aucune pierre ne peut briser, dont jamais le vif-argent ne s'efface, dont la dorure naturelle ne s'écaille ; aucune tempête, aucune poussière ne peut brouiller son onde toujours fraîche ; un miroir dans lequel se noient toutes les impuretés, balayé et lavé par l'effleurement brumeux du soleil ; Voici ce léger chiffon à poussière, qui ne retient aucun souffle mais qui envoie le sien loin dans les nuages, au-dessus de l'eau, et se reflète calmement en son sein. »

Walden, Henry David Thoreau

1

Lake Henry, New Hampshire

Près du lac, l'aube arrivait toujours en temps voulu. L'obscurité paisible de la nuit s'épaississait en un minuit bleuâtre puis s'éclaircissait par trouées paresseuses, laissant progressivement place à la crête d'un arbre, l'avancée du toit d'un cottage, la langue d'un dock en bois usé par le temps – et cela lorsque le jour était clair. Ce matin-là, le brouillard ralentissait ce phénomène, donnant au lac l'apparence d'un bassin de verre laiteux. Le rivage ressemblait à un lavis brumeux d'orange, de vert et d'or. Habituellement, les couleurs de l'automne y étaient plus intenses. On apercevait par instants une canneberge ou un éclair bleu marine indiquant l'emplacement d'une maison au bord du lac, mais les détails se perdaient dans la brume. La côte était à peine visible. On aurait dit un cocon protecteur, impression renforcée par l'air calme et serein.

L'instant était unique. La seule chose que John Kipling aurait voulu changer, c'était le froid. Il n'avait pas envie de voir arriver la fin de l'été mais les journées étaient visiblement plus courtes et les froidures de la nuit se prolongeaient. Il le sentait. Les canards plongeons également. Les deux couples qu'il regardait, deux adultes et leurs petits, resteraient sur le lac encore cinq semaines mais l'impatience les gagnait.

Ils flottaient sous ses yeux dans le brouillard, à distance de son canot, non loin de la minuscule île plantée de sapins dans laquelle ils avaient passé l'été, retranchés dans une baie abritée. Le lac Henry était agrémenté de nombreux îlots. Attirés par la clarté de ses eaux, la quiétude du site et l'abondance de petits poissons, les plongeons y revenaient irrésistiblement, année après année, car ils ne se plaisaient pas beaucoup sur terre. Ils construisaient leurs nids sur le bord du rivage, d'où ils accédaient plus facilement au lac. John souffrait en les regardant sortir de l'eau et tituber pour regagner la rive.

Ces canards méritaient l'admiration. Depuis leur naissance en juillet, les petits avaient perdu leur plumage noir de bébé, qui avait d'abord viré au brun pour devenir ensuite ce gris un peu terne propre aux jeunes canards. Mais ils avaient le même bec effilé que leurs parents, le même cou brillant et promettaient d'être aussi beaux. Même à l'automne, malgré leurs plumes qui commençaient à ternir, même ce matin-là à travers le voile de brume cendrée, ces canards étaient superbes. Leurs yeux rouges, ronds et fixes les rendaient encore plus impressionnants. John avait entendu dire que cette couleur améliorait leur vision sous-marine. Il était prêt à le croire. Leur regard ne laissait presque rien échapper.

Les oiseaux se trouvaient maintenant dans une eau peu profonde, nageant tranquillement autour de la petite baie, roulant sur eux-mêmes, se contorsionnant pour immerger leurs têtes et attraper des poissons. Lorsqu'un des adultes comprimait son corps pour plonger, la puissance de ses palmes le propulsait en profondeur. John savait que ce dernier pourrait avaler au moins quinze vairons avant de refaire surface un peu plus loin. Il scruta le brouillard jusqu'à ce qu'il le repérât de nouveau. Sa compagne nageait toujours près de l'île mais tous deux étaient en alerte, leurs becs pointus dressés légèrement vers le ciel, le regard perdu dans la brume à la recherche d'informations.

Plus tard dans la matinée, ils quitteraient leurs petits, s'élanceraient laborieusement à la surface du lac et s'envoleraient dans les airs. Après avoir fait un tour ou deux et pris assez d'altitude pour dépasser la cime des arbres, ils iraient plus loin rendre visite à d'autres canards. La reproduction était une période solitaire et ce couple avait bien travaillé. Après des mois de vigilance auprès de leurs deux oisillons, ils devaient réapprendre un comportement social afin d'être prêts à hiverner au sein de groupes d'oiseaux plus importants, sur la côte plus chaude de l'Atlantique.

Depuis plusieurs siècles, les plongeons répétaient ce rituel. Leur intelligence, qui avait assuré leur survie pendant si longtemps, les avertissait que la mi-septembre était arrivée. Octobre amènerait des jours plus froids et des soirées de gel, et novembre, la neige ou la glace. Comme ils avaient besoin d'une étendue d'eau claire pour prendre leur envol, ils devaient quitter le lac avant qu'il ne gèle. Durant les années passées près du lac, enfant ou plus tard à l'âge adulte quand il y était revenu pour les observer, John n'avait pas vu beaucoup de canards pris dans les glaces. Leur instinct les trompait rarement. Pas comme lui. Il souhaitait tellement que l'été se prolonge que, ce matin, il était sorti vêtu d'un short et d'un T-shirt et il se retrouvait maintenant les fesses gelées. Il avait souvent du mal à accepter l'idée qu'il n'avait plus vingt ans. La quarantaine passée, il mesurait toujours son mètre quatre-vingt-sept et était en forme ; son corps cependant ne répondait plus comme avant. Il avait des douleurs aux genoux, des rides autour des yeux, les tempes dégarnies et les extrémités froides.

Froid ou pas, il n'avait pas l'intention de partir. Pas encore. Il n'y avait pas là matière à écrire un best-seller mais il voulait continuer à goûter la présence des plongeons. Il resta assis sans bouger au fond du canot, les mains au creux de ses aisselles pour les réchauffer, les rames levées. Ces canards étaient habitués à sa présence, rien n'était pourtant acquis. Aussi longtemps qu'il garderait ses distances et respecterait leur espace, ils le récompenseraient en se lissant les plumes et en chantant. Lorsqu'il régnait un calme inquiétant – la nuit, à l'aube, ou les matins comme celui-ci lorsque le brouillard étouffait tous les bruits du lac – le chant vacillant des oiseaux s'élevait. Le voilà qui montait maintenant : un trémolo saisissant, primitif, libéré par le tremblement d'une mâchoire, si merveilleux, si mystérieux et sauvage que cela lui en donna la chair de poule.

Il véhiculait aussi un message. Le vibrato était un cri d'alarme. Cet air-là était plaintif, il ne s'agissait donc que d'un avertissement, mais John n'avait pas l'intention de l'ignorer. Il leva sa rame, qui émit un léger grincement en heurtant la fibre de verre. L'eau clapota doucement sur le flanc de l'embarcation quand il la manœuvra en arrière. Il s'arrêta trois mètres plus loin et s'immobilisa. Les coudes posés sur les cuisses, il resta assis, attentif. Soudain, le canard le plus proche tendit son cou et poussa une longue plainte. Le son ressemblait un peu au cri d'un coyote mais la complainte du plongeon était à la fois plus primitive et plus délicate.

Cette fois-ci c'était le prélude à un dialogue. Grâce à une succession de sons obsédants, l'un des adultes appela celui qui se trouvait au loin.

John frémit. C'était pour cela qu'il était revenu vivre près du lac – qu'il avait fait machine arrière à quarante ans après s'être juré de fuir à jamais le New Hampshire à l'âge de quinze ans. D'après certains, c'était à cause de son travail, pour d'autres de son père, mais en vérité, d'une façon indirecte, c'était pour ces oiseaux. Ils représentaient une sorte de force originelle et sauvage, simple et droite, sécurisante. La vie d'un canard plongeon consistait à manger, à se laver et à se reproduire. Une existence honnête, dénuée de prétention, d'ambition et de cruauté : il ne se battait que lorsque sa vie était menacée. John trouvait ça totalement reposant.

C'est ce qui le poussait à rester – même s'il pensait qu'il aurait dû s'en aller. On était lundi. Le *Lake News* devait être chez l'imprimeur mercredi à midi. Il avait déjà récupéré les articles de ses correspondants, au nombre d'un par ville. En admettant que les papiers promis par les « grands pontes » locaux – c'était un terme relatif – se trouvent bien dans les corbeilles appropriées, il aurait devant lui de nombreuses heures de lecture, de mise en pages, de frappe, de copiés-collés. Si les textes n'étaient pas arrivés, il appellerait les quatre villes voisines de Lake Henry, noterait les informations au téléphone et écrirait lui-même ce qu'il pourrait. S'il restait de la place, il publierait d'autres textes de Thoreau.

Il n'y avait pas de quoi écrire un roman, se dit-il. Un livre se devait d'être original. Ses carnets de notes fourmillaient d'idées ; depuis son retour en ville, il avait réuni des douzaines et des douzaines d'anecdotes dans des chemises épaisses, mais rien ne pressait... Il ne se hâtait que pour boucler le *Lake News*, essentiellement entre le mardi et le mercredi midi. Il s'y mettait à la dernière minute. Il travaillait mieux dans l'urgence, il aimait la précipitation qui régnait dans une salle de rédaction active et bruyante, la perversion qui consistait à maintenir le directeur de la rédaction sous pression. Aujourd'hui, il était son propre patron. Il cumulait les casquettes de rédacteur en chef, d'iconographe, de chef du service société, de chef maquettiste. Le *Lake News* n'était pas le *Boston Post*. Il s'en fallait de beaucoup... et certains jours, cela l'ennuyait. Pas aujourd'hui cependant.

Ses rames étaient toujours accrochées et les plongeons continuaient de chanter. Il y eut un silence et John osa imiter leur cri. Un des oiseaux lui répondit et, pendant cet instant troublant, il eut le sentiment de faire partie de leur bande. Une seconde après, lorsque le dialogue reprit entre les deux canards, il fut de nouveau exclu. La sensation de froid avait disparu. Le brouillard se consumait sous un soleil éclatant. Quand des trouées bleues apparurent sous la brume, John devina qu'il était presque neuf heures. Il allongea les jambes et s'étira. Tournant son visage vers le ciel, il ferma les yeux, respira avec satisfaction et écouta le silence, l'eau et les oiseaux.

Au bout d'un moment, lorsque le soleil commença à lui chauffer les paupières et que le poids des responsabilités devint impossible à ignorer, il se redressa. Durant quelques minutes encore, il observa le lac, se nourrissant de la présence des plongeons. Puis, doucement et silencieusement, comme à regret, il décrocha ses rames et reprit le chemin du retour.

Grâce à sa barbe, John n'avait pas à se raser. Il la portait très courte, ce qui l'obligeait à des retouches occasionnelles mais il ne connaissait plus les séances de torture quotidiennes. C'était la même chose avec les cravates. Ici, aucun besoin d'en porter. Pas plus que de chemises repassées. Il n'avait besoin que d'un jean. Il n'avait même pas à se soucier d'assortir ses chaussettes puisqu'il avait les pieds nus ou enfilait des Birks en été et des bottes en hiver. Il arrivait à se laver, s'habiller, partir en dix minutes et... sur quelle route ! Aucune circulation. Aucune autre voiture. Aucun klaxon. Aucun flic. Aucune limitation de vitesse. Bordée d'arbres à la cime dénudée par l'automne, la route serpentait en lacets autour du lac, cahoteuse et craquelée par des années de gel. Contrairement aux autres villes situées au bord de l'eau, rien n'était prévu pour les touristes. Il n'y avait pas d'auberge. Aucune petite boutique chic. Malgré de nombreuses polémiques sur la législation de l'État, il n'y avait aucun accès public au rivage. Ceux qui se rendaient sur le lac étaient soit des résidents, des amis de résidents ou des gens qui violaient une propriété privée.

À cette période de l'année, après le départ des vacanciers, la ville comptait mille sept cent vingt et un habitants. On attendait la naissance de onze bébés, et douze citoyens étaient irrémédiablement âgés ou mourants ; un fragile équilibre. Vingt-huit jeunes étaient actuellement à la fac. Reviendraient-ils ? Il y avait une chance sur deux. À l'époque de John, ils partaient et ne revenaient jamais, mais les choses commençaient à changer.

Il fit une brève halte à l'épicerie où il se trouva engagé dans une conversation politique avec Charlie Owens, l'épicier. Puis, Annette, la femme de Charlie, lui apprit que la fille de Stu et Amanda Watson, Hillary, qui poursuivait ses études à la fac, était rentrée chez elle pour une journée après avoir décidé de passer le semestre suivant à l'étranger. Comme Hillary avait travaillé pour lui deux étés auparavant, il s'intéressait personnellement à son succès. Il fit donc un détour par chez elle pour l'interviewer, la prendre en photo et lui souhaiter bonne chance.

De retour dans le centre-ville, il tourna au coin du bureau de poste et poursuivit sa route jusqu'au bâtiment victorien de couleur jaune. En descendant de la camionnette – un Chevy Tahoe, un des avantages du boulot – il attrapa son attaché-case sur la place du passager et en sortit quatre différents journaux du matin, un paquet de beignets et une Thermos. Le sac coincé entre les dents, il chercha sa clef en remontant l'allée mal entretenue qui menait à la porte arrière de la maison. Perdu dans la contemplation de son trousseau, il poussa la grille d'un coup d'épaule. La porte d'entrée en acajou vernie avait été sculptée par un artiste local. Dans sa partie basse, se trouvait une douzaine de petites boîtes aux lettres avec des plaques en laiton. Tel un œilleton en haut de la porte, une plaque plus large, sans boîte aux lettres, indiquait : *Lake News*.

Quand John introduisit la clef, la porte vibra. Alors qu'il la tenait ouverte avec le coude, le téléphone sonna.

— Jenny ? appela-t-il. Jenny ?

Un cri lui parvint.

— Aux toilettes !

Rien de nouveau ici, pensa-t-il. Mais au moins elle était venue.

Il jeta ses clefs sur la table de la cuisine, grimpa l'escalier quatre à quatre, et monta jusqu'au troisième niveau. La pièce du haut, sans cloison, était la plus spacieuse de la maison. Dotée de nombreuses fenêtres et de lucarnes, elle était aussi la plus claire. Mais c'était la seule qui avait vue sur le lac. Le paysage n'y était pas aussi beau que celui qu'il admirait de chez lui, c'était cependant mieux que rien. Mieux en tout cas que le panorama qu'offraient les pièces du bas : trois saules, plus gros que grands. Depuis son retour en ville, trois ans plus tôt, il avait établi ses pénates dans le grenier, assez vaste pour abriter le service des ventes du journal, la fabrication et l'éditorial. Sans cette vue, John aurait été incapable de se concentrer sur son travail.

Le téléphone continuait de sonner. Après avoir posé ses papiers sur le bureau, il lança par-dessus le sac acheté chez Charlie, déposa la Thermos à côté et ouvrit la fenêtre en grand. Le ciel était clair. Le soleil se déversait sur les collines à l'est, embrasant les feuillages avant de se jeter dans l'eau. Un mois auparavant, il aurait illuminé la douzaine de bateaux pilotés par les derniers estivants qui profitaient des dernières précieuses minutes de vacances avant de lever le camp. Aujourd'hui, on n'apercevait que l'un des Chris-Craft onéreux de Marlon Dewey. Le soleil se réfléchissait sur son pont de bois poli et faisait briller l'écume.

Il décrocha le téléphone.

— Bonjour, Armand.

— T'en as mis du temps, dit l'éditeur d'une voix rauque. Où étais-tu ?

John suivit la course du magnifique voilier. Marlon était à la barre, avec ses deux petits-enfants venus lui rendre visite.

— Oh, ici et là !

La voix du vieil homme s'adoucit.

— Oh, ici et là ! Tu me dis ça à chaque fois et tu sais que je ne peux rien répondre. Il y a trop de courbes sur ce foutu lac, alors je n'arrive pas à voir ce que tu fais. Mais ce journal est la seule chose qui compte et tu t'en occupes très bien. Tant que tu tiendras le rythme, tu pourras dormir aussi longtemps que tu veux. As-tu récupéré mon article ? Liddie l'a glissé dans la boîte.

— Il est là, dit John sans vérifier, car la femme d'Armand Bayne était totalement fiable. Elle était aussi complètement dévouée à son mari, satisfaisant le moindre de ses désirs.

— As-tu d'autres choses ? demanda le vieux monsieur.

John coinça le combiné contre son épaule et tira une poignée de papiers de sa sacoche. Il avait mis en pages le numéro de la semaine chez lui, la veille au soir. Il étala les feuillets.

— J'ai fait la une avec le rapport sur le projet de loi de l'Enseignement qui est passé devant le Parlement. L'article fait trois colonnes. Avec une photo en bas. J'y ai ajouté les réactions du représentant local et du directeur de l'école élémentaire Cooper.

— De quoi parle ton édito ?

— Tu le sais bien.

— Les gens d'ici ne vont pas aimer.

— C'est possible, mais soit on finance les écoles aujourd'hui, soit ce sont les allocations demain...

Le vrai problème était où prendre l'argent. Comme il ne tenait pas à en discuter à nouveau avec Armand qui était l'un des propriétaires terriens les plus riches et qui serait mis à contribution si les taxes foncières doublaient, il sortit une autre maquette.

— J'ouvre la page trois sur le compte-rendu du procès de Chris Diehl – je rappelle les conclusions, les délibérations du jury, le retour de Chris chez lui. J'ai également un papier sur la répartition des profits à l'usine et un autre sur les réductions des dépenses de la maison de retraite. Le portrait de la semaine, c'est Thomas Hook.

— Je peux pas supporter ce type, grommela Armand.

John déboucha la Thermos.

— C'est parce qu'il sait mieux s'y prendre avec les ordinateurs qu'avec les gens. C'est d'ailleurs pour cette raison que son entreprise vaut vingt millions et est en pleine croissance.

— C'est un môme ! Que va-t-il faire avec ce fric-là ? demanda-t-il d'une voix indignée.

John remplit sa tasse de café.

— Il a trente-deux ans, une femme et trois enfants et, au cours des six derniers mois, il a fait tripler la taille de son habitation, procédé au reclassement de la route d'accès, mis des graviers, construit une autre maison pour faire un bureau à la place de l'horreur qu'il y avait avant et donc, il a fait travailler des artisans locaux, menuisiers, maçons, plombiers, électriciens...

— D'accord, d'accord, l'interrompit Armand en grognant. Quoi d'autre ?

En sirotant son café, John sortit une autre page.

— Une note informative de l'Académie – un message du directeur de l'école. Il fait le point sur la nouvelle année, les cent douze gamins venant de vingt-deux États, de sept pays. Puis j'ai des infos sur la police, les pompiers, la bibliothèque.

Il ouvrit en grand le *Wall Street Journal* et regarda les gros titres d'un air absent.

— Il y a la revue de presse des articles parus cette semaine à Boston, New York et Washington. Et des pubs, il y en a plein dans ce numéro – il savait qu'Armand apprécierait –, dont une de chez Conway. L'automne est toujours une bonne période pour la publicité.

— Dieu soit loué, dit Armand. Quoi d'autre ?

— Des informations sur l'école. Sur la société historique. Sur les clubs de foot des trois communes.

— Veux-tu une info choc ?

John était toujours preneur. C'était l'une des choses qui lui manquait le plus après avoir travaillé dans une grande ville. Sur le qui-vive, il s'enfonça dans son fauteuil, ouvrit une page vierge sur son écran et se prépara à taper.

Armand déclara :

— On vient d'ouvrir le testament de Noah Thacken et la famille est dans tous ses états. Il a légué la maison à sa deuxième fille. L'aînée menace de faire un procès et la benjamine de quitter la ville. Elles ne se parlent plus. Creuse un peu ça, John.

John avait ôté ses mains du clavier et se balançait sur sa chaise.

— C'est un truc privé.

— Privé ? Toute la ville sera au courant d'ici la fin de la journée.

— D'accord, alors pourquoi le mettre dans le journal ? En plus, on n'imprime que des faits.

— Ce sont des faits. Ce testament est un procès-verbal public.

— Le testament, oui, mais pas le traumatisme de la famille. C'est de la spéculation et de l'exploitation. Je pensais qu'on était d'accord...

— Peut-être, mais il n'y a rien d'autre de vraiment excitant dans le coin, fit remarquer le vieil homme en raccrochant.

Non, pensa John, il ne se passe pas grand-chose d'exaltant. Ce n'est pas avec un projet de loi sur l'Enseignement, un crack de l'informatique ou une querelle de famille que je vais écrire un livre fascinant ; et le procès pour fraude bancaire de Christopher Diehl était vraiment très loin de ressembler aux procès pour meurtre qu'il avait l'habitude de couvrir.

Ses yeux se posèrent sur le mur couvert de photos encadrées à l'autre bout de la pièce. Sur l'une d'elles, on le voyait au cours d'une interview au City Hall Plaza de Boston, sur une autre tapant sur son ordinateur avec le téléphone coincé contre l'oreille dans une salle fourmillant de reporters qui se livraient à la même occupation. Des clichés le montraient serrant la main d'hommes politiques d'envergure nationale ou éclatant de rire avec des collègues dans les bars de Boston. Il y en avait un pris au cours d'une fête de Noël – lui et Marley dans la salle de rédaction entourés d'une foule d'amis. Là, un agrandissement de sa photo de carte professionnelle au *Post* : cheveux courts, mâchoire serrée, yeux fatigués, teint pâle. Il ressemblait à un homme sur le point de louper le scoop de sa vie, ou en proie à une douloureuse crise de constipation.

Ces photos témoignaient de sa vie antérieure comme le scanner captant la police qu'il avait désactivé et rangé dans une armoire. Autrefois, il passait son temps à l'écouter. Toutes les salles de rédaction dignes de ce nom possédaient un appareil de ce genre. En prenant ses fonctions au *Lake News*, il en avait installé un, mais il avait été vite fatigué d'entendre pendant des heures des parasites sans jamais surprendre une parole. En outre, il connaissait tous ceux susceptibles de se trouver au cœur d'un scoop. Si quelque chose se produisait, on l'appelait et s'il ne décrochait pas, Poppy Blake savait où il était. Elle était son répondeur. Elle servait de standard téléphonique à la moitié de la ville. Si elle ne le trouvait pas à l'endroit indiqué, elle le dénichait ailleurs. En trois ans, il n'avait pas raté un seul appel urgent. Combien y en avait-il eu... deux... trois... quatre ? Non, décidément, aucun best-seller ne sortirait des informations « brûlantes » qu'il couvrait à Lake Henry...

Dans un soupir, il raccrocha le combiné, sortit un beignet du sac, se reversa une tasse de café et se carra au fond de sa chaise. Il était sur le point de croiser les jambes sur son bureau lorsque Jenny Blodgett apparut dans l'embrasure de la porte. Elle avait dix-neuf ans, était pâle et blonde, et si mince que sa grossesse se voyait doublement. Sachant qu'elle n'avait probablement pas pris de petit déjeuner, il redressa son siège, sauta sur ses pieds et lui apporta le sac.

— Ce n'est ni du lait ni de la viande, mais c'est mieux que rien, dit-il en lui faisant signe de redescendre les escaliers.

Son bureau se trouvait au rez-de-chaussée dans la pièce qui servait autrefois de salon. Il l'y suivit, jeta un œil sur les papiers étalés sur le bureau, en songeant qu'ils auraient dû être empilés.

— Comment ça va ?

Sa voix était douce et enfantine.

— Ça va.

Elle montra du doigt le tas de paperasses.

— Ce sont les lettres de l'année au directeur de la publication. Celle de l'année dernière et de l'année d'avant. Qu'est-ce que je fais maintenant ?

Il lui avait déjà dit deux fois. Mais elle travaillait de façon épisodique et n'était pas venue depuis le mercredi de la semaine précédente. Depuis ce jour-là, elle avait probablement vécu un cauchemar. Elle n'était pas vraiment compétente, avait à peine fréquenté le lycée et n'avait reçu aucun enseignement particulier. Cependant elle portait l'enfant de son cousin. Il voulait l'aider à se changer les idées.

Aussi lui répondit-il gentiment.

— Classe-les par ordre alphabétique et range-les dans l'armoire. As-tu tapé les étiquettes pour les dossiers ?

Son regard se perdit dans le vague. À voir ses yeux rougis on pouvait imaginer qu'elle avait dû passer une nuit blanche ou beaucoup pleurer.

— J'ai oublié, murmura-t-elle.

— Aucun problème. Tu peux le faire maintenant. Et si on se fixait un but ? Les étiquettes tapées et collées sur chaque dossier et les lettres rangées dans chaque chemise appropriée avant la fin de la journée. Ça te paraît bien ?

Elle hocha la tête.

— Mange d'abord, lui rappela-t-il en partant dans la cuisine chercher les poubelles.

De retour dans son bureau, il mangea son beignet près de la fenêtre surplombant le lac. Le *Woody* avait disparu et sa traînée d'écume s'était effacée mais l'eau n'était plus aussi lisse. Une légère brise la troublait. Derrière la vitre, les saules se balançaient dans un murmure. Après avoir rallumé l'écran de son ordinateur, il baissa la tête et se pencha au-dehors. Chez Charlie, on faisait cuire du bœuf haché. À sa gauche, six hommes âgés pêchaient au bout de la jetée qui avançait au-dessus d'une étroite langue de sable. À droite, des bouleaux à feuillage jaune faisaient de l'ombre à de petits massifs qui descendaient vers les rochers et le rivage. Un peu plus loin, on apercevait des maisons bien abritées dans de petites baies, dissimulées par les courbes du lac ou masquées par les îles. Il apercevait le haut de quelques docks, et un canot abîmé encore ancré au fond de l'eau. Il serait bientôt remorqué. Les pontons rangés et restaurés. Le lac serait comme nu.

Le téléphone sonna. Il attendit pour voir si Jenny

allait prendre l'appel. Au bout de trois sonneries, il décrocha.

— *Lake News* ?

— John, c'est Allison Quimby, dit une voix assurée. Ma maison tombe en ruine. J'ai besoin d'un bon bricoleur. Tous les ouvriers que j'ai employés jusqu'à présent travaillent chez Hook. Est-ce trop tard pour mettre une annonce ?

— Non, mais tu dois parler au service des ventes. Je te le passe.

Il la mit en attente, traversa la pièce en courant et saisit le téléphone posé sur le bureau du département en question.

— OK.

Il s'enfonça dans le fauteuil et ouvrit un des dossiers de l'ordinateur.

— Je consulte les annonces classées. Voilà. As-tu quelque chose d'écrit ?

Ce devait être le cas. Allison Quimby était la propriétaire de l'agence immobilière locale et respirait le professionnalisme. Elle avait de toute évidence rédigé quelque chose.

— Bien sûr, j'ai tout noté.

Elle lut. Il tapa, l'aida à améliorer le texte, suggéra un titre, lui proposa un tarif et prit le numéro de sa carte bancaire. Dès qu'il eut raccroché, il passa un coup de fil. Une voix fatiguée lui répondit :

— Ouais.

— C'est moi. Allison Quimby a besoin d'un ouvrier. Tu l'appelles ?

En entendant un juron, il répliqua :

— Tu as dessoûlé Buck et tu as besoin de ce job.

— Qui es-tu ? Mon putain d'ange gardien ?

John continua d'une voix basse et contenue.

— Je suis ton putain de cousin et ton aîné, celui qui s'inquiète pour la fille que tu as frappée, celui qui pense que tu ne vaux peut-être pas qu'on se batte pour lui mais il y a une future mère et un bébé. Allez, Buck. Tu es doué de tes mains, et tu peux faire le travail dont Allison a besoin. Elle paie bien et elle a des relations si elle apprécie ton boulot.

Il lui lut le numéro de téléphone, puis le répéta une nouvelle fois.

— Appelle-la, dit-il en raccrochant.

Quelques secondes plus tard, il se trouvait de nouveau près de la fenêtre devant le bureau éditorial. Il avait failli perdre patience. Après avoir contemplé longuement le lac, il se rappela que Buck et Jenny n'avaient pas sa chance. Eux, ils vivaient au Ridge, un endroit où les maisons étaient trop exiguës, trop près les unes des autres et trop sales pour soutenir le moral des hommes luttant contre l'alcoolisme, les mauvais traitements ou le chômage chronique. John le savait. Le Ridge coulait aussi dans ses veines. Il l'entendrait, le respirerait jusqu'à la fin de sa vie.

Un mouvement sur le lac attira son regard, un éclair rouge au loin sur un dock. Avec un léger sourire, il s'empara d'une paire de jumelles dans le dernier tiroir de son bureau et les braqua dans la direction. Shelly Cole était étendue dans une chaise longue, luisante d'huile solaire. C'était une femme bien faite, il devait l'avouer. Depuis trois générations, les filles Cole étaient la tentation des hommes de Lake Henry. Pour la plupart, elles étaient dignes de respect et devenaient de bonnes épouses et de bonnes mères. Shelly était différente. Dans une semaine, elle partirait pour la Floride, lorsqu'il ferait trop froid ici pour exhiber son bronzage. Elle ne lui manquerait pas. Comme n'importe quel mâle du coin, il aurait pu se laisser tenter, mais il ne prenait pas grand risque en la lorgnant à distance.

Il bougea légèrement ses jumelles et contempla l'île Hunter. Baptisé du nom de ses premiers propriétaires, et non pas à cause d'une quelconque activité qu'on y aurait pratiqué, c'était l'un des minuscules îlots du lac. Il abritait une demeure saisonnière. La famille Hunter y avait séjourné l'été pendant plus d'un siècle avant de la vendre aux propriétaires actuels. Aujourd'hui, les LaDuc apprenaient à leurs arrière-petits-enfants à nager le long de leur petite plage de galets.

C'étaient des gens étranges. Au fil des générations, il y avait eu chez eux presque autant de scandales que chez les Hunter. Enfant, John avait entendu moult rumeurs sur ces deux familles. Quand il était revenu, il avait fait des recherches, posé des questions, pris des notes. Elles étaient enfermées dans son armoire avec le reste de sa documentation privée, mais pas de quoi en faire un roman. Peut-être ne les avaient-il pas lues avec le bon état d'esprit. Peut-être faudrait-il les reprendre, les inventorier ou les classer par ordre chronologique. Quelque chose lui sauterait peut-être aux yeux. Au bout de trois ans, il aurait dû trouver une nouvelle piste.

Le téléphone sonna. Il décrocha dès la première sonnerie.

— *Lake News.*

— Salut, Kip. C'est Poppy.

John eut un large sourire. Comment s'en empêcher quand on évoquait Poppy Blake ? C'était une petite fée souriante, toujours gaie et optimiste.

— Salut, mon cœur. Comment ça va ?

— Débordée, dit-elle, donnant l'impression que c'était merveilleux. J'ai quelqu'un du nom de Terry Sullivan au téléphone pour toi. Veux-tu que je te le passe ?

Le regard de John fut attiré par les photographies sur le mur, particulièrement celle où il faisait la fête avec d'autres reporters. Terry Sullivan était le grand mince dont la moustache cachait un sourire méprisant. Celui qui ne se mêlait jamais aux autres afin de pouvoir les doubler lorsque surgissait une information de première importance. Il adorait la compétition et, égocentrique à l'extrême, ne connaissait la loyauté que contraint et forcé. Il avait trahi John à de nombreuses reprises. John se demanda comment il avait eu le culot d'appeler. Terry Sullivan avait été le premier à l'enfoncer quand il avait décidé de quitter Boston.

Intrigué, il prit l'appel.

— Ici, Kipling.

— Salut, Kip. C'est Terry Sullivan. Comment ça va, frangin ?

Frangin ? John prit son temps pour répondre.

— Ça va bien. Et toi ?

— Ah ! C'est toujours la même vieille bande de rats ici, tu sais de quoi je parle. Ça doit être sacrément calme chez toi. Par moments, je me dis que je vais me retirer dans un trou perdu puis en y réfléchissant... Ce n'est pas pour moi, si tu vois ce que je veux dire.

— Bien sûr. Les gens d'ici sont honnêtes. Tu détonnerais.

Il y eut un silence, puis un reniflement.

— C'est direct.

— Les gens du pays le sont aussi. Alors qu'est-ce que tu veux, Terry ? Je n'ai pas beaucoup de temps. Figure-toi que moi aussi j'ai une heure de bouclage.

— OK, OK. Laisse tomber ton petit discours. Je t'appelle de journaliste à journaliste. Il s'agit d'une femme du nom de Lily Blake qui est née par chez toi et qui vit à Boston. Dis-moi ce que tu sais sur elle.

John se carra au fond de son fauteuil. Lily était la sœur aînée de Poppy, elle était à peine plus âgée et devait avoir environ trente-quatre ans. Elle avait quitté Lake Henry pour aller à la fac et avait passé un diplôme en ville. De musique, pensait-il. Il avait entendu dire qu'elle enseignait et jouait du piano. Et qu'elle avait un physique de rêve. À Lake Henry, on parlait encore de sa voix. À cinq ans, elle chantait dans les églises mais John ne les fréquentait pas et avant qu'elle ait eu l'âge de chanter dans l'arrière-salle de chez Charlie, il avait quitté la ville.

Elle était revenue plusieurs fois depuis le retour de John – une fois pour l'enterrement de son père, puis pour Noël ou Thanksgiving, mais n'était restée qu'un jour ou deux. D'après ce qu'on disait, elle ne s'entendait pas avec sa mère. John n'avait jamais vu Lily, mais il connaissait Maida. C'était une femme dure. Il avait tendance à accorder à Lily le bénéfice du doute dans cette querelle familiale.

— Lily Blake ? demanda-t-il à Terry d'un air vague.

— Allez, Kip. Cet endroit est minuscule. Ne fais pas l'idiot.

— Si elle ne vit pas ici, comment bon Dieu suis-je supposé savoir des choses sur elle ?

— Très bien. Parle-moi de sa famille. Qui est encore en vie ? Qui ne l'est plus ? Que font-ils ? À quoi ressemblent-ils ?

— Pourquoi veux-tu savoir ça ?

— Je l'ai rencontrée. Je songe à sortir avec elle. Je veux savoir où je mets les pieds.

Sortir avec elle ? Mal barré. Lily Blake était bègue – et ce depuis l'enfance d'après ce qu'il avait compris – et Terry Sullivan ne sortait pas avec des femmes à problèmes. Elles demandaient davantage qu'il ne voulait donner.

— Cela a-t-il un rapport avec un article ? demanda John, bien qu'il eût du mal à imaginer quel rôle Lily pouvait jouer dans un reportage auquel Terry s'intéresserait.

— Nan. C'est purement personnel.

— Et tu m'appelles, moi ?

Ils avaient été collègues, certes, mais jamais amis. Terry ne comprit pas l'allusion. En riant, il ajouta :

— Ouais, moi aussi j'ai trouvé ça très drôle. Je veux dire, elle arrive d'une petite ville perdue au milieu de nulle part et, comme par hasard, c'est là que tu te caches.

— Je ne me cache pas. Je suis totalement visible.

— C'était une façon de parler. Serions-nous chatouilleux ?

— Non, Terry, je suis pressé. Alors, dis-moi pourquoi tu veux savoir des choses sur Lily Blake ou raccroche ce putain de téléphone.

— OK. Ce n'est pas moi. C'est mon pote. C'est lui qui veut sortir avec elle.

John savait reconnaître un mensonge quand il en entendait un. Il raccrocha sèchement mais laissa sa main sur le combiné. Après avoir attendu quelques secondes pour être sûr d'avoir coupé la communication, il décrocha de nouveau et appela Poppy.

— Hé, Kip ! dit-elle de sa voix souriante et malicieuse. Tu as fait vite. Que puis-je faire pour toi maintenant ?

— Deux choses, répondit John. Premièrement, ne laisse pas cet homme parler à quelqu'un en ville. Raccroche-lui au nez, coupe la ligne, fais ce que tu veux. Ce n'est pas un type bien. Deuxièmement, parle-moi de ta sœur.

— De Rose ?

— De Lily. Qu'est-ce qu'elle fait dans la vie ?

2

Boston, Massachusetts

Lorsque Lily Blake tenterait plus tard de comprendre pourquoi elle s'était retrouvée au cœur d'un scandale, elle se rappellerait qu'elle avait transformé le *Boston Post* en une boulette détrempée, ce lundi après-midi pluvieux, se demandant si l'une des divinités furieuses du journal lui avait jeté un sort pour la punir de son irrespect. Et pourtant elle voulait juste s'abriter de la pluie.

Elle avait attendu aussi longtemps qu'elle avait pu au pied de Beacon Hill, sous la large voûte de pierre de la petite école privée où elle enseignait, espérant que l'averse cesserait dans une minute ou deux, mais elle continuait de tomber en trombes glaciales... et les minutes défilaient. Elle ne pouvait pas s'éterniser indéfiniment. Elle devait jouer au club à 18 h 30 et repasser chez elle pour se changer.

— Au revoir, miss Blake, l'interpella un de ses élèves en passant près d'elle avant de se précipiter vers une voiture qui l'attendait.

Elle sourit et lui fit un salut de la main mais il était déjà parti.

— Voilà ce qu'on appelle un été indien, murmura Peter Oliver, surgissant dans son dos.

Ce professeur d'histoire, à la stature imposante et aux cheveux blonds, était adoré par presque toutes les femmes du collège. Il contempla le ciel d'un air renfrogné :

— Nous sommes fous, vous et moi. C'est sûr. Des fous consciencieux. Si nous avions aussi peu travaillé que les autres profs, nous serions partis deux heures plus tôt. Il faisait beau à ce moment-là.

Il poussa un grognement et regarda Lily.

— Où allez-vous ?

— Chez moi.

— Vous voulez d'abord boire un verre ?

Elle sourit et secoua la tête.

— Il faut que je travaille.

— Vous travaillez sans arrêt. Mais où est le plaisir ? demanda-t-il en ouvrant son parapluie.

Il descendit les marches en trottinant et s'éloigna dans la rue, l'air parfaitement au sec et satisfait. Lily lui envia son parapluie. Elle se dit qu'elle aurait dû accepter son invitation, ne serait-ce que pour se protéger de la pluie en rentrant chez elle. Par chance, l'averse aurait peut-être cessé pendant qu'ils prenaient un verre. Toutefois elle ne buvait pas et n'appréciait pas tellement Peter. Il avait beau être séduisant avec sa chemise bleu foncé et son short kaki, il était trop imbu de lui-même. Peter aimait Peter. Lily passait son temps à écouter ses histoires dans la salle des profs. Son autosatisfaction devenait fatigante. Et puis, elle n'avait réellement pas le temps. Sortant le *Post* de son attaché-case, elle l'ouvrit au-dessus de sa tête et descendit les marches en courant. Elle s'élança d'un pas rapide dans l'étroite rue pavée en haut de la colline, prit Beacon Street, attentive à ne pas glisser sur le trottoir mouillé. Sa mallette serrée contre sa poitrine, elle se fit aussi fine que possible sous le journal. Vu sa petite taille, cela aurait dû suffire, mais le *Post* se transforma vite en bouillie. Son débardeur et sa minijupe – qui avaient convenu à merveille pour la matinée torride – semblaient maintenant déplacés, exposant ses bras et ses jambes nus à la pluie glaciale. Elle continua à avancer, tête baissée, tourna à gauche sur Arlington et à droite sur Commonwealth. Malgré la protection des arbres, le vent d'ouest rafraîchissait considérablement l'atmosphère. Elle avança en luttant contre les rafales, contournant les pâtés de maisons. Lorsqu'elle dépassa le cinquième bloc d'immeubles, elle aurait pu tout aussi bien jeter le journal. Ses cheveux étaient aussi trempés que le reste.

En pénétrant dans le hall de son immeuble, elle tint la boulette de papier d'une main tout en cherchant ses clefs dans son attaché-case. Repoussant les mèches mouillées de son visage, elle passa devant l'ascenseur, se dirigea vers le local à poubelles pour y jeter le *Post*. Elle ne l'avait pas encore lu, mais elle ne devait pas manquer grand-chose. À part l'élévation au rang de cardinal de l'évêque Rossetti, dont on avait parlé abondamment le week-end précédent, il ne se passait presque rien en ville.

Elle entra dans le local du courrier – et le regretta immédiatement. Peter Oliver ne l'attirait pas, mais Tony Cohn, oui. Il habitait dans l'un des luxueux appartements du dernier étage et travaillait comme consultant d'affaires. Il était aussi brun que Peter était blond, et avait quelque chose en lui d'exotique et d'audacieux. Même quand toutes les conditions étaient réunies, Lily n'était pas une grande bavarde mais, face à lui, elle devenait positivement muette. Tony ne l'invitait jamais à sortir, à boire un verre ou à dîner. Hormis un léger signe de tête ou un petit mot quand ils se rencontraient dans l'ascenseur, il ne lui parlait jamais.

À cet instant-là, il la dévisageait carrément. Comment aurait-il pu ne pas remarquer l'état dans lequel elle se trouvait ? Aussi discrètement que possible, elle tira sur son débardeur mouillé qui collait à ses seins. C'était son meilleur atout mais c'était embarrassant. Il n'avait pourtant pas l'air impressionné.

— Vous vous êtes fait avoir, hein ? dit-il d'une voix suffisamment profonde et amusée pour qu'elle se sente humiliée.

En hochant la tête, elle se concentra sur l'ouverture de sa boîte aux lettres. Elle prit son courrier et essaya de trouver quelque chose d'intelligent à dire – elle savait que, malgré ses années de cours d'élocution, elle gâcherait tout en ouvrant la bouche et serait encore plus embarrassée – lorsqu'il referma sa boîte aux lettres et quitta la pièce.

Elle relâcha son souffle, écouta les bruits qui provenaient de l'entrée. Une minute plus tard, elle entendit l'ascenseur s'ouvrir dans un grincement puis se refermer. Il aurait pu l'attendre. Dieu merci, il ne l'avait pas fait. Résignée, elle s'éloigna et regarda les lettres qu'elle avait en main en attendant que l'ascenseur regagnât le rez-de-chaussée. Il y avait deux factures, deux contrats de travail et quatre prospectus. Avec un peu de chance, les contrats seraient accompagnés d'acomptes qui lui permettraient de payer les factures. Elle savait exactement ce qu'elle ferait des prospectus.

Elle descendit de l'ascenseur au quatrième étage au moment même où l'une de ses voisines y pénétrait. Élisabeth Davis dirigeait une agence de relations publiques en vogue et menait en conséquence une vie débridée. À son habitude, elle était vêtue de façon voyante. Elle portait un minitailleur écarlate, avait un rouge à lèvres ultrabrillant et tenait un immense parapluie noir. Devant le miroir du couloir, elle avait commencé à se mettre d'énormes boucles d'oreilles. En se glissant dans l'ascenseur pour terminer son ouvrage devant la glace intérieure, elle coinça son pied dans la porte pour la maintenir ouverte.

— Lily, ouf, dans les temps ! (La tête penchée, l'œil rivé sur le miroir, elle attachait sa seconde boucle.) J'organise une soirée pour les Kagan, ils postulent au Comité du gouverneur et j'ai besoin d'un pianiste pour de la musique d'ambiance, pas trop de chansons mais je vous ai entendue jouer au club et vous êtes parfaite.

À ce moment-là, elle regarda Lily, et lui jeta un coup d'œil consterné.

— Oh, mon Dieu ! Vous êtes trempée.

— Un peu, répondit Lily.

— Vous saurez bien réparer les dégâts. Je vous ai vue travailler. Vous possédez une élégance discrète, c'est ce que nous recherchons. Ce concert au profit d'une œuvre de bienfaisance aura lieu dans deux semaines demain. On ne peut pas vous payer – notre budget est ridiculement faible – mais je peux quasiment vous garantir que vous trouverez un ou deux contrats grâce à cette soirée car il y aura des gens importants. Comme vous le savez, ce genre de personnes organisent des fêtes, alors vous ne serez pas perdante. En outre, Lydia Kagan serait ce qui pourrait arriver de mieux aux femmes de cet État, donc c'est dans votre intérêt. Qu'en pensez-vous ?

Lily était flattée de cette proposition. Il ne se passait pas une semaine sans que le nom d'Élisabeth n'apparaisse dans le *Post*. Elle organisait des réceptions de premier ordre. Vu la date, Lily devinait qu'elle avait dû proposer le job à quelqu'un d'autre mais cela ne la gênait pas. Elle aimait se produire à des réceptions politiques. Plus il y avait de gens, plus il était facile de s'isoler dans la musique. D'ailleurs, elle partageait l'opinion d'Élisabeth sur Lydia Kagan.

— Je viendrai, dit-elle.

Élisabeth eut un large sourire et ôta son pied de la porte.

— Je vais le noter mais inscrivez-le sur votre agenda. Je compte sur vous.

L'ascenseur se referma. Lily était trop pressée pour ressentir plus qu'une satisfaction passagère. En toute hâte, elle pénétra dans son appartement, un minuscule deux pièces. Elle le louait directement à une propriétaire qui avait, comme elle, la passion du vert et dont la générosité lui avait permis de s'offrir ce loyer. Le petit salon était dominé par un piano droit et une bibliothèque bourrée à craquer. Un canapé, placé dos aux fenêtres surplombant le centre commercial et un fauteuil recouvert d'un tissu fleuri meublaient la pièce. À l'entrée, se trouvait une table en verre sur laquelle étaient posés un téléphone, une lampe et un lecteur CD qu'elle mit aussitôt en marche d'une simple pression du doigt. La douce musique de Chopin emplit l'espace. La cuisine communiquait avec le salon et la chambre était juste assez grande pour contenir un lit double mais tout l'appartement avait été rénové. Elle bénéficiait d'une salle de bains moderne en marbre avec une douche vitrée.

C'est là qu'elle se dirigea. Après avoir enlevé ses vêtements mouillés, elle se réchauffa sous le jet d'eau chaude, se savonna. En un temps record, elle se maquilla et sécha ses cheveux (coupés au carré pour leur redonner de la tenue). Elle avala rapidement un sandwich au beurre de cacahuète puis enfila une robe couleur prune qui tranchait avec sa peau blanche et ses cheveux noirs, une paire d'escarpins noirs, et mit de longues boucles d'oreilles brillantes en argent. Elle attrapa son parapluie, son sac à main et sortit.

Naturellement, lorsqu'elle arriva dans le hall, Tony Cohn n'était pas là mais au moins la pluie avait cessé.

Le club Essex était situé dans une large bâtisse de grès de l'autre côté de l'avenue Commonwealth, à trois pâtés de maisons de chez elle. Ce club-restaurant privé était décoré avec goût et dirigé avec talent. Soulagée d'être arrivée en avance, elle se présenta au bureau, où Daniel Curry, le propriétaire des lieux, un homme de quarante-cinq ans solidement bâti et aux joues rouges, notait une réservation de dernière minute. Il la salua d'un signe de tête et acheva sa conversation téléphonique. En attendant, elle rangea ses affaires dans le placard et jeta un coup d'œil au livre des réservations.

— Ça marche ?

— Très bien, pour un lundi. Il y encore quelques tables de libre mais dans une heure nous serons complets. Ce soir, c'est un public facile. Beaucoup de vieux amis.

Il nomma quelques couples que Lily avait appris à connaître en trois ans de présence au club.

— Des demandes particulières ? demanda-t-elle.

— Tom et Dotty Frische fêtent leur trentième anniversaire de mariage. Ils seront là à 20 heures, table 6. Il a commandé une douzaine de roses rouges et a demandé si tu pouvais jouer *The Twelth of Never* quand on débouchera le champagne.

Lily aimait exaucer ce genre de désirs.

— Bien sûr. Autre chose ?

Comme il secouait la tête, elle quitta le bureau et emprunta l'escalier en colimaçon qui menait à la salle à manger principale. Elle était décorée de bois sombre, comme dans la plupart des clubs, et de peintures à l'huile du XIXe siècle. Les tons de bordeaux et de vert qui dominaient sur les nappes, la porcelaine, les tapis et les rideaux donnaient une impression d'opulence très vieille Europe. La pièce dégageait une certaine distinction et semblait presque appartenir à l'Histoire.

Elle salua le maître d'hôtel et sourit aux habitués en traversant la salle. Le piano était un demi-queue, un Steinway, magnifiquement accordé et ciré. Parfois, elle se sentait fautive à l'idée d'être payée pour en jouer, mais jamais elle ne l'aurait avoué à son patron. Ses revenus de professeur de musique à l'école Winchester, ses cours de chant et de piano suffisaient à peine, après impôts, à payer sa nourriture et son loyer. Grâce à ce travail au club Essex et à ses concerts privés, elle arrivait à vivre correctement. Elle était venue à Boston pour cela. Ce club était beaucoup mieux que celui dans lequel elle jouait à Albany.

Elle s'assit confortablement sur le tabouret et se chauffa les doigts avec des arpèges doux. Les touches étaient fraîches et lisses. Ces premières notes étaient toujours les meilleures, un peu comme le premier café du matin. Quand elle contempla ses mains, ses cheveux lui tombèrent sur les yeux. Elle releva la tête, les rejetant en arrière avant de se laisser aller dans une œuvre musicale New Age, des refrains populaires auxquels elle donna un rythme différent, une nouvelle fluidité. Les habitués reconnaîtraient peut-être la chanson, cependant même les consommateurs les plus assidus n'entendaient jamais deux fois la même interprétation. Elle jouait d'oreille et d'instinct, aimait se perdre dans la musique en improvisant selon son inspiration. Elle n'utilisait de partitions que pour apprendre des œuvres classiques ou les paroles d'une chanson. Le plus souvent, elle se contentait d'acheter des CD. Dès qu'elle connaissait un air, elle était capable de l'interpréter à sa façon, en fonction de son public. Certains organisateurs de concerts privés lui demandaient de jouer des rocks, d'autres des tubes de Broadway, d'autres du Brahms. Adapter une chanson suivant l'occasion était l'une des choses que Lily préférait, chaque fois un nouveau défi, une impression de liberté.

Le piano se dressait sur une estrade dans un coin de la salle, ce qui lui permettait de regarder les gens tout en jouant. Elle salua d'un sourire les visages familiers et les nouveaux venus. Dan avait raison. Ce soir, la clientèle était détendue. Généralement, les premiers arrivés étaient âgés et conciliants mais le club possédait aussi son lot de râleurs. Elle n'en voyait aucun.

Elle fit une transition musicale et entama quelques vieux tubes mélancoliques, d'abord *Autumn Leaves* et *River Moon*, puis *Blue Moon* et *September*. À deux reprises, elle joua des airs qu'on lui réclama par l'intermédiaire du maître d'hôtel. Elle continua jusqu'à 19 h 30, lorsque Dan lui apporta un verre d'eau.

— Des questions ? lui demanda-t-il tandis qu'elle en avalait une gorgée.

Elle fit attention de ne pas regarder les convives.

— Davis est assis avec quatre personnes à la table 12. J'ai l'impression de les connaître mais... sont-ils membres ?

— Non. Ce sont les gouverneurs du New Hampshire et du Connecticut. Ils assistaient à une conférence en ville qui vient de s'achever. Tu as probablement vu leur photo dans le journal.

Voilà pourquoi ils lui semblaient familiers mais cela soulevait une autre question. Lily reconnaissait l'homme à la table 19. Cette grosse moustache sombre, pas d'erreur possible. C'était un reporter du *Post*.

— Terry Sullivan est-il là à cause des gouverneurs ? s'enquit-elle.

Dan eut un sourire condescendant.

— Pas à ma connaissance, sinon je ne l'aurais pas laissé entrer.

Le club protégeait ses membres. Les journalistes étaient les bienvenus lorsqu'ils étaient invités par un habitué. C'était le cas de Terry Sullivan. Ils avaient parfois des parrains mais rares étaient ceux qui avaient les moyens de devenir membre.

— Il doit aimer cet endroit. C'est... quoi ? La troisième fois qu'il vient en quelques semaines ?

— Oui, dit Lily. (Elle avait compté elle aussi.)

— Il t'apprécie.

— Non.

En réalité, elle savait plus ou moins que Terry était venue à cause d'elle.

— C'est pour le boulot. Il réalise une série de portraits sur les pianistes de Boston. Il veut écrire un article sur moi.

— C'est bien.

Lily n'en était pas sûre.

— Je n'arrête pas de refuser. Il me rend nerveuse.

— Ça doit être la moustache, dit Dan en regardant vers la porte. (Ses joues s'enflammèrent, il sourit et se redressa.) Ah ! Le voilà !

Il s'éloigna. Lily eut un large sourire en voyant apparaître Francis Rossetti. L'archevêque Rossetti. Nouvellement nommé cardinal Rossetti. Il allait falloir s'habituer à ce nouveau titre. Lily et le cardinal étaient amis de longue date. Elle était aussi fière de sa promotion que Dan, qui était marié à sa nièce.

Lily n'était pas catholique. Elle ne croyait pas en grand-chose mais pendant quelques minutes, en sirotant son verre d'eau, elle s'émerveilla devant le pouvoir de cet homme. Il ne portait aucune tenue élégante, aucun chapeau rouge. Ce qui serait son lot dans quelques semaines lorsqu'il irait à Rome pour son premier consistoire. Mais il n'avait pas besoin de robe pourpre ou de mitre pour être charismatique. Grand et mince, il avait belle allure et portait son habit clérical noir et raide, sa croix pectorale d'étain et ses épais cheveux gris avec distinction.

Lily l'avait déjà revu depuis sa promotion. Fréquemment invitée comme pianiste aux manifestations organisées par l'archevêché, elle avait joué au cours d'une fête en plein air à sa résidence la veille au soir, mais c'était la première fois qu'il venait au club. Inconsciemment, ses mains effleurèrent le clavier et jouèrent le thème musical du film *Les Chariots de feu*. Il l'entendit, leva la tête et lui fit un clin d'œil. Ravie, elle acheva la chanson et enchaîna. Elle avait joué assez souvent à son côté pour savoir quelles chansons il aimait. Ses goûts musicaux reflétaient son amour de la vie, tant dans son existence d'homme d'église que dans sa vie laïque.

Elle joua *Memory* puis *Argentina*, *Deep Purple*, la chanson d'amour de *Docteur Jivago*, avant d'entamer *The way we were*. À 20 heures, un couple s'installa à la table garnie de roses rouges. Peu de temps après, lorsque le serveur déboucha la bouteille de champagne, Lily se tourna vers le micro et joua le *Twelth of Never* chantant de sa belle voix grave d'alto qui se mariait si bien avec le riche décor du club.

Dotty Frische retint sa respiration. Elle jeta un coup d'œil rapide à la jeune pianiste puis se pencha vers son mari. Lily se sentit comblée. À la fin de la chanson, il y eut quelques légers applaudissements. Lily se lança dans un pot-pourri de tubes de Johnny Mathis avant de chanter d'autres refrains de Broadway. Quand elle referma le clavier, il était 20 h 30, le moment de la pause.

— Je reviens dans un quart d'heure, dit-elle au public.

Elle éteignit le micro pour faire cesser les applaudissements. Dan parlait au maître d'hôtel dans une alcôve à l'entrée de la salle à manger. Il leva le pouce dans sa direction à son approche.

— C'était bien. Il était au septième ciel.

— Tu ne m'avais pas dit que ton oncle devait venir, gronda-t-elle.

Dan jeta un coup d'œil derrière elle.

— Je te le dis maintenant. Le voilà.

Elle se retourna en souriant. Lorsque le cardinal

l'embrassa, elle lui rendit son baiser. Peu importait que l'homme fût un haut dignitaire de l'Église ; il était issu de ce qu'il était le premier à appeler une famille nombreuse au sens propre. Lily avait mis du temps à s'y habituer mais la simplicité et la pureté qu'il dégageait la ravissaient.

— Merci, lui dit-il.

— Pour quoi ?

— Pour avoir joué ma chanson. Toutes mes chansons. D'avoir joué la nuit dernière – et de m'avoir rapporté cette mélodie.

Il saisit Dan par l'épaule.

— Sais-tu ce qu'elle a fait ? Après avoir joué trois heures d'affilée, elle est repartie en voiture chez elle et m'a ramené une partition que je voulais.

Il se tourna vers Lily.

— Je l'ai jouée jusqu'à deux heures ce matin. C'est une œuvre merveilleuse.

— Comment est ta table ? demanda Dan.

— Super. La nourriture est vraiment excellente. Pas tout à fait comme celle que Mama avait l'habitude de nous faire, dit-il en évitant de se compromettre et en clignant de l'œil à Lily, mais presque.

Il lui pressa gentiment le bras et retourna dans la salle à manger. Lily grimpa l'escalier en colimaçon qui menait jusqu'aux toilettes du troisième étage ; juste au moment où elle en sortit, le reporter du *Post* émergea des toilettes des hommes. Il portait un blazer et un pantalon, il était grand, mince, séduisant, mais sa moustache restait son trait physique le plus fascinant.

— Vous avez une voix merveilleuse, dit-il.

Il lui avait déjà dit cela, deux fois au club, une fois quand il l'avait appelée chez elle. Elle ne lui avait pas donné son numéro de téléphone et n'était pas non plus dans l'annuaire. Mais l'école le connaissait. Terry l'avait soutiré à Mitch Rellejik, un de ses amis écrivains qui travaillait au noir comme conseiller auprès du journal de l'école. Mitch l'avait appelée pour lui dire à quel point Terry était un gars bien. Lily n'était pas convaincue. Peu désireuse de l'encourager et de faire la conversation, elle lui sourit, le remercia calmement et se dirigea vers l'escalier.

Il lui emboîta le pas.

— Vous n'êtes jamais décevante. Que ce soit ici ou dans les soirées, vous êtes excellente. Ravissante aussi, mais vous devez entendre ça tout le temps. En outre, vous ne sembliez pas nerveuse.

Lily ne s'arrêta pas sur le mot « ravissante » – elle ne l'entendait pas fréquemment et en tant que femme, apprécia le compliment – mais rétorqua :

— C'est mon métier.

— Je veux dire de jouer pour le cardinal. C'est un type important. Vous n'aviez pas peur de jouer devant lui ?

Elle étouffa un petit rire.

— Oh non ! Il m'a entendue trop de fois pour ça.

— Hum. C'est vrai. J'ai entendu dire qu'il aimait la musique.

— Il ne se contente pas de l'aimer. Il joue aussi très bien.

— Il chante ? Joue d'un instrument ?

— Les deux.

— C'est un homme universel, alors !

Était-ce de l'ironie ? Lily s'arrêta au bas des marches pour le regarder.

— En fait, oui.

Il sourit et leva les mains en geste d'excuse.

— Je ne voulais pas vous offenser. Moi aussi, je suis un de ses fans. Il me fascine. Je n'ai jamais rencontré d'homme d'Église comme lui. Il inspire la piété.

Lily se détendit un peu.

— Oui.

Terry plissa un œil.

— La moitié des femmes que je connais sont amoureuses de lui. C'est un type viril.

Lily se sentit gênée de penser à Fran Rossetti de cette façon-là.

— Ne me dites pas que vous ne l'avez pas remarqué ? demanda-t-il.

— En fait, non. Il est prêtre.

— Vous n'êtes même pas un petit peu amoureuse de lui ?

— Bien sûr que si. Je l'aime en tant que personne. Il est perspicace et très généreux. Il entend les autres, les écoute et leur répond.

— On dirait que vous le connaissez bien.

Elle fut fière de l'admettre.

— Entre nous, c'est une longue histoire. Je l'ai rencontré lorsqu'il était encore simple prêtre, sur le point d'être nommé évêque d'Albany.

— Vous êtes sérieuse ?

Sa nonchalance paraissait étudiée. Elle se souvint qu'il était reporter. Elle hocha la tête et vérifia sa montre.

— Il faut que je retourne travailler.

— Jusqu'à quelle heure jouez-vous ce soir ? s'enquit-il en marchant à côté d'elle.

— 22 h 30.

— Sans dîner ?

— J'ai mangé avant.

— Puis-je vous offrir une collation quand vous sortirez ?

Il lui avait déjà proposé cela quand il l'avait appelée chez elle. À l'époque, elle avait pensé qu'il cherchait à la convaincre de lui accorder une interview. Mais, là, face à lui – il mesurait la bonne taille, il avait l'âge qu'il fallait, et était célibataire, lui avait dit Mitch Rellejik –, c'était différent, cela sous-entendait presque autre chose. Il y avait toujours cette moustache, à la fois sévère et élégante. Mais ses yeux avaient une lueur qui ne lui plaisait pas...

Elle n'avait pas besoin à ce point-là d'un petit ami. À l'entrée de la salle à manger, elle sourit et secoua la tête.

— Merci quand même, dit-elle avant de s'éloigner.

De retour au piano, elle joua le répertoire qui plairait aux derniers convives. Elle chanta *Almost Paradise,*

Candle in the Wind et *Total Eclipse of the Heart*. Elle interpréta du Caly Simon, du James Taylor, du Harry Connick Jr. Elle aimait toutes ces chansons. Sans cela elle n'aurait pas pu les jouer. Elles lui apportaient tant d'émotions : c'étaient les tubes préférés de sa génération. Sans effort, elle tint le public en haleine. Tour à tour rejetant la tête en arrière pour chasser des mèches de cheveux de son visage, se penchant vers le micro, elle laissa parler son cœur. Chanter avait toujours été sa planche de salut, le seul moment où elle ne bégayait pas. Bien qu'avec le temps et la rééducation elle eût appris à mieux s'exprimer, chanter restait une expérience extraordinaire. Peut-être en aurait-elle été incapable sur une scène de Broadway, mais quand elle se perdait dans la mélodie, elle aurait pu se trouver n'importe où. Le plaisir, le succès, le pouvoir de s'évader étaient les mêmes.

Au milieu de la seconde partie, les Frische vinrent la remercier pour avoir fait de leur anniversaire un moment unique. Peu de temps après leur départ, un autre habitué, Peter Swift, s'assit à côté d'elle et mêla sa voix à la sienne. Il chantait merveilleusement bien et se joignait souvent à elle pour une ou deux chansons quand il venait dîner au club avec sa femme. La spontanéité d'un tel geste ne manquait jamais de plaire au public. Quand Peter fut retourné à sa table, le cardinal prit sa place. Elle jouait *I dreamed of a dream* des *Misérables*. Il l'accompagna sur une tonalité plus grave puis ils reprirent en chœur les accords lancinants de *Red and Black*. À la fin, il lui tapota doucement la main, rejoignit ses hôtes qui l'attendaient et quitta la salle à manger.

Ce fut un excellent spectacle. Quand Lily referma le clavier, elle était fatiguée mais heureuse. Une poignée de convives traînaient devant leur deuxième ou troisième tasse de café, mais la plupart des tables avaient été débarrassées et dressées à nouveau. La moitié des serveurs étaient partis. Le chef, George Mendes, qui avait été formé à New York et avait l'âge de Lily, s'était débarrassé de sa tenue blanche et l'attendait dans le bureau, vêtu d'un jean. Il lui tendit un sac.

— Tu aimes le risotto ? Ce soir, c'était génial.

Elle fut touchée de voir qu'il s'en rappelait. Cela faisait longtemps qu'il n'était pas venu au club et elle n'était pas la seule à tarir d'éloges sur sa cuisine.

— Merci, dit-elle émue en prenant le sac. Ce sera le dîner de demain. Tu rentres à pied ?

Il habitait dans la même direction qu'elle.

— Pas encore. Je dois voir quelques changements de menu avec Dan. Il est en haut.

Le troisième étage du bâtiment abritait des salles à manger privées et le quatrième, des sortes de chambres à coucher d'appoint. Lily savait par expérience que Dan pourrait être long et elle était trop fatiguée pour attendre.

— Alors je file, dit-elle. (En partant, elle lui lança par-dessus son épaule :) Merci encore pour le risotto.

Elle se disait que si George avait été hétéro, elle aurait pu sérieusement s'intéresser à lui lorsque, arrivant dans la rue, elle vit Terry Sullivan adossé au porche de pierre. Il paraissait assez inoffensif sous la lumière des lampadaires mais, au fond d'elle, elle commençait à se sentir harcelée. Elle lui avait dit non trois fois. Il était agaçant de la poursuivre ainsi. Elle descendit promptement les marches et s'élança sur le trottoir, prête à courir, espérant qu'il comprendrait qu'elle ne souhaitait pas sa présence.

— Hé hé ! (Il la rattrapa.) Où courez-vous ?

— Chez moi.

— Puis-je vous accompagner ?

— Ça dépend. Je n'ai pas changé d'avis à propos de l'interview.

— C'est idiot. Cela vous ferait beaucoup de publicité.

Lily aurait peut-être cédé quelques années auparavant car, à l'époque, elle galérait. Aujourd'hui, entre ses cours et le club, elle avait deux salaires réguliers par mois. Avec ce qu'elle gagnait au cours des soirées privées, elle était satisfaite. Elle ne désirait pas davantage, par conséquent elle n'avait pas besoin de publicité.

— Est-ce à cause de moi, demanda Terry ? Y a-t-il quelque chose en moi qui vous gêne ?

— Bien sûr que non, répondit-elle car ce n'était pas son genre de blesser les gens. Je suis juste un peu... secrète.

— C'est votre personnage public qui m'intéresse, celui qui côtoie des gens comme le cardinal Rossetti, pour être franc. (Il émit un sifflement.) C'était étonnant de vous voir tous les deux jouant ensemble ce soir. (Il reprit sa respiration.) Je veux réellement faire cette interview.

Ils atteignirent le coin de la rue. Elle secoua la tête, laissant passer les voitures avant de traverser en trottinant. Il lui emboîta le pas à la même allure.

— Êtes-vous sûre que ce n'est pas moi ? Préféreriez-vous parler à l'un de mes collègues ?

— Non.

— Ah ! Vous détestez la presse. Vous avez peur qu'on déforme vos paroles. Mais je suis un type bien, Lily. Comment ne pas l'être, surtout avec vous ? Je suis catholique et vous êtes la copine du cardinal Rossetti ; pensez-vous que j'oserais faire quelque chose de mal en sachant que ça lui reviendrait aux oreilles, que je risquerais la damnation éternelle ?

Lily ne croyait pas en la damnation éternelle mais si Terry Sullivan la redoutait, c'était une garantie. Elle se radoucit.

— J'ai le sentiment que je devrais tout savoir sur ce type, dit Terry sur le mode de la conversation. J'ai parlé de lui en long en large dans mon article et le *Post* est un bon journal.

Il la regarda d'un air grave et baissa la voix, s'exprimant d'un ton presque confidentiel.

— Écoutez. Le « quatrième pouvoir » a été beaucoup critiqué ces derniers temps. Certains reproches sont mérités. La plupart ne le sont pas. C'est comme pour tout. Il y a sûrement quelques pommes pourries mais ça ne veut pas dire que nous le sommes tous. En outre, puisque je vous ai déjà confessé ma peur de la damnation éternelle...

Elle devait reconnaître qu'il était franc.

— Ce qui est fascinant chez le cardinal, continua-t-il, visiblement absorbé, c'est sa *normalité*. Je veux dire, il était là, assis près de vous à jouer du piano. Je m'attendais presque à le voir hurler les paroles de la chanson.

Lily sourit. Elle ne put s'en empêcher.

— Oh ! Ça lui est arrivé !

— Vous plaisantez ?

Elle secoua la tête.

— En public ?

— En privé, au milieu d'un petit groupe. Avant, il le faisait plus souvent, enfin avant tout cela.

— Vous voulez dire avant qu'il soit nommé cardinal ?

Elle hocha la tête de nouveau.

— Donc, vous l'avez rencontré à Albany. Comment était-il alors ?

Il semblait véritablement intéressé – non pas comme un reporter mais comme quelqu'un d'impliqué personnellement – et Lily ne savait pas résister aux gens qui aimaient son ami.

— Chaleureux, dit-elle. Vibrant. Mais en fait, je l'ai rencontré à Manhattan.

— Qu'y faisait-il ?

— Il rendait visite au cardinal. Ils sont venus tous deux à une réception à la mairie. Moi, je jouais du piano.

— Vous étiez pianiste chez le maire... Je suis admiratif.

— Ne le soyez pas. Je rêvais de devenir une star à Broadway et j'enseignais le piano pour payer mes factures. Ses enfants prenaient des leçons. C'est pour ça qu'il me connaissait.

— Une star de Broadway, reprit Terry, visiblement impressionné. Rien de plus ?

Elle secoua la tête.

— Vous vous produisiez quelque part ?

— Avec quelques ensembles. Rien d'important.

— Vous dansiez aussi ?

— Pas assez bien.

— Ah, je comprends. (Il la laissa deviner ce qu'il voulait dire.) Donc, vous avez rencontré le cardinal Rossetti en ville et vous l'avez suivi à Albany.

Elle ne répondit pas. Après une minute de marche, elle sentit son regard posé sur elle. Quand leurs yeux se croisèrent, il ajouta :

— Pourquoi froncez-vous les sourcils ?

— Cela ressemble à une interview.

— Ce n'en est pas une. C'est juste pour moi. Je m'intéresse à vous.

De cela aussi elle en doutait.

— Je n'ai jamais rencontré de groupie religieuse, plaisanta-t-il.

Elle soupira.

— Je ne suis pas une fan. Je n'ai pas suivi le cardinal Rossetti à Albany. J'ai suivi le *maire*. (Elle s'était piégée toute seule.) Oups ! Ce n'est pas ce que je voulais dire.

Elle sentit une minuscule raideur derrière sa langue et se concentra pour la faire disparaître. Avec une respiration unique, lente et calme, elle y parvint.

Elle expliqua sans buter sur les mots :

— Je n'avais de relation qu'avec ses enfants. Ils m'adoraient et ils avaient été traumatisés par le divorce. Quand il a été élu gouverneur, il a dû emménager à Albany et les enfants sont partis avec lui. Il a pensé que si je continuais de leur donner des cours, cela apporterait une certaine stabilité dans leur vie. J'ai trouvé un travail dans une école privée ici, tout semblait s'organiser pour le mieux.

— Alors, vous avez laissé tomber Broadway ?

— C'est Broadway qui m'a laissée tomber, dit-elle en lui coulant un regard prudent. Vous êtes bien mielleux.

Il pencha la tête :

— Comment ?

— Vous arrivez à me faire parler alors que j'ai dit que je ne le ferais pas.

— C'est ce qu'on appelle une conversation mondaine. (Il leva les mains.) Pas de papier, pas de stylo. Strictement improvisé. Comme je vous l'ai dit, le cardinal m'intrigue. Alors... il était déjà évêque d'Albany quand vous êtes arrivée là-bas ?

Conversation mondaine ou pas, Lily ne voulait pas parler d'elle ou du cardinal à Terry. Mais il semblait vraiment intrigué. Et Mitch Rellejik s'était porté garant de lui. De plus, la question était assez innocente. Alors elle répondit :

— Oui, il l'était.

— Et c'est ici que vous avez vraiment appris à le connaître ?

Elle acquiesça.

— Avez-vous jamais rêvé qu'il devienne cardinal un jour ?

Elle secoua la tête.

— Mais je ne suis pas surprise. Le père Fran comprend.

— Comprend ?

— Il comprend les gens.

— Vous avez remarqué ça ?

Ils avaient atteint un autre carrefour et attendaient pour traverser. Les voitures qui quittaient la ville passaient à toute vitesse dans la lueur des phares.

— Il me comprenait, dit-elle. Je me débattais avec un tas de problèmes. Il a été... comment décrire Fran Rossetti en un mot ? Un ami ? Un conseiller ? Un thérapeute ? Il a été un réconfort.

— Alors vous l'avez suivi jusqu'à Boston.

Ses yeux se posèrent sur lui. Il était de nouveau dans le rôle du reporter, plus offensif que d'habitude. Terry se crispa.

— Désolé. Je ne voulais rien insinuer de fâcheux. Je suis habitué à poser des questions. Je faisais ça quand j'étais gamin, c'est pourquoi j'ai fait du journalisme. Je n'aurais rien pu faire d'autre. C'est ma façon de parler. J'ai du mal à la changer mais j'essaierai.

Il semblait si sincère que Lily se radoucit.

— Je l'ai suivi à Boston seulement dans le sens où j'ai emménagé ici après lui.

Terry ne répondit pas. Lorsque le feu passa au rouge, ils traversèrent la rue et continuèrent de marcher. Se sentant coupable d'avoir réagi avec trop de violence, elle reprit la parole de son propre chef.

— Le père Fran m'avait parlé du club Essex. C'était un peu mieux que le club dans lequel je jouais à Albany et le pianiste de Dan venait de démissionner. Quand j'ai trouvé un travail d'enseignante, les choses ont semblé s'arranger au mieux.

Terry marchait les mains dans les poches, l'air songeur, l'œil fixé sur les immeubles cossus.

— Un club bien élégant, cet Essex. N'est-ce pas trop onéreux pour un cardinal ?

— C'est son neveu qui en est le propriétaire.

— Ça vous paraît moral ?

— En général, ce sont les gens qui l'accompagnent qui paient l'addition. Des donateurs importants de l'Église.

— *Cela* vous paraît moral ?

— Pourquoi ne le serait-ce pas ?

— Corruption. Recherche de faveurs.

— Auprès d'un cardinal ? Qu'est-ce qu'un cardinal a à vendre ?

— De l'influence politique. Un mot bien placé au gouvernement ou un cadeau. (Il releva ses sourcils.) Peut-être un baiser.

Elle lui lança un regard en coin.

— Je ne le crois pas.

— Je plaisante comme un vrai gosse, se réprimanda-t-il.

Elle n'était pas sûre d'apprécier la plaisanterie, mais elle avait tendance à tout prendre au pied de la lettre. C'est ce que lui avait dit le dernier type avec lequel elle était sortie, quand ils avaient décidé de se séparer. En fait, il avait utilisé le mot « austère ». Comme elle ne pensait pas l'être à ce point-là, elle fit un effort pour se lâcher.

— Un baiser ? plaisanta-t-elle à son tour. Pourquoi pas un week-end ? On le vendrait aux enchères au profit d'une association charitable ?

Terry éclata de rire :

— Vous vous détendez, Lily. Cela aiderait beaucoup ses bonnes œuvres. Je vous le dis, des douzaines de femmes seraient partantes.

Elle sourit.

— Pouvez-vous imaginer une femme disant à un de ses copains « J'ai une liaison avec le cardinal » ?

— Une liaison *amoureuse* ? demanda Terry en imitant la voix étonnée du prétendu ami.

Lily continua de jouer.

— Bien sûr ! Cela fait des années que ça dure.

Il renversa la tête et pouffa. Elle rit aussi avant d'ajouter :

— Ce serait super. Pas pour le père Fran. Si quelqu'un a quelque chose à gagner avec ces dîners, c'est l'Église. Voilà, dit-elle en s'arrêtant devant son immeuble.

Elle se tourna vers lui en se disant que c'était agréable de rire.

— Vous êtes une personne intéressante, dit-il dans un large sourire. Vous pensez pouvoir me consacrer un peu de temps entre vos rendez-vous avec le cardinal ?

Elle lui rendit son sourire :

— Je ne sais pas. Il prend beaucoup de mon temps. (Elle fit semblant de calculer.) Peut-être pourrai-je trouver un créneau pour vous la semaine prochaine. Je dois vérifier. (En passant près de lui, elle lui lança sèchement :) Vous avez mon numéro.

Elle pénétra dans le hall sans se retourner et se glissa dans l'ascenseur, revigorée. Elle ne savait pas si elle appréciait Terry Sullivan, s'ils avaient autre chose en commun que leur admiration pour le cardinal. Elle n'avait pas ressenti d'attirance immédiate pour le reporter mais il fallait parfois du temps avant d'éprouver du désir ; elle ne s'intéressait vraiment pas à Peter Oliver, quant à Tony Cohn, lui, il ne la voyait même pas... et elle ne rajeunissait pas.

Elle n'était jamais sortie avec un journaliste. Dîner une ou deux fois avec lui pourrait être instructif, même si leur relation n'allait pas plus loin.

Jamais elle n'aurait rêvé apprendre aussi vite et à ses dépens.

3

Lily prenait généralement son temps pour se lever puisqu'elle travaillait tard la nuit et avait rarement classe de bonne heure. Ce matin-là, le téléphone la réveilla en sursaut à 8 heures. Sa première pensée fut qu'il s'était passé quelque chose à la maison.

— Allô ! lança-t-elle, effrayée.

— Lily Blake, s'il vous plaît, demanda un homme qu'elle ne connaissait pas.

Sa voix était froide, professionnelle. Le docteur de Poppy ? Celui de sa mère ?

— C'est moi.

— Je m'appelle George Fox, je travaille pour le *Cape Sentinel*. Je voudrais savoir si vous accepteriez de parler de votre relation avec le cardinal Rossetti.

— Pardon ?

— Votre relation avec le cardinal Rossetti. Pouvez-vous m'en dire un mot ?

Elle ne comprenait pas. Les journaux avaient déjà raconté presque tout ce qu'il y avait à savoir sur le cardinal. Cela ne la concernait pas, elle n'était que l'une de ses nombreuses amies et la moins bien placée pour en parler avec la presse.

— Appelez l'archevêché. Ils vous donneront toutes les informations que vous voulez.

— Avez-vous une liaison avec le cardinal ?

— Une quoi ?

Lorsqu'il répéta sa question, elle hurla :

— Mon Dieu, non !

C'était une farce, mais pas si innocente puisqu'elle connaissait effectivement le cardinal. Prudente, intriguée, elle ajouta :

— Mon numéro est sur liste rouge. Comment l'avez-vous trouvé ?

Terry Sullivan était le seul reporter qu'elle connaissait. Elle ne voulait pas penser qu'il pouvait les avoir communiquées à ses collègues.

— Aviez-vous une liaison avec le cardinal Rossetti à Albany ? demanda le reporter au moment où son signal d'appel retentissait.

Troublée par sa question, elle prit l'autre communication.

— Oui ?

— Lily Blake ?

— Qui êtes vous ?

— Paul Rizzo du *Cityside*.

Le *Cityside* était un quotidien à scandales apparu de nulle part pour concurrencer la grande presse de Boston.

— Je voudrais votre réaction sur l'article du *Post*.

Son cœur battait de plus en plus vite.

— Quel article ?

— Celui disant que vous avez une relation sexuelle avec le cardinal.

Elle raccrocha, coupant court aux deux appels téléphoniques. Après avoir attendu une minute, elle saisit le combiné et le reposa sur son socle. Elle ne croyait pas qu'il y eût un quelconque article dans le *Post* – comment était-ce possible ? Il n'y avait rien à dire – mais après ces étranges coups de fil, elle devait vérifier.

Enfilant un manteau sur sa chemise de nuit, elle prit l'ascenseur jusqu'au rez-de-chaussée et s'apprêtait à rejoindre le hall d'entrée où l'on déposait les journaux du jour quand elle aperçut quelqu'un qui attendait. L'homme avait un magnétophone en bandoulière et un micro à la main. En la voyant, il s'avança. Elle se replia dans l'ascenseur juste au moment où la porte se refermait et appuya en hâte sur le bouton correspondant à son étage. À toutes fins utiles, pour cacher sa destination, elle enclencha toutes les autres touches sur le tableau. Une fois chez elle, elle brancha le modem de son ordinateur portable et se connecta au site Internet du *Post*. Elle n'eut pas à aller plus loin que la page d'accueil. C'était là, en gros, écrit en caractères gras, à la une.

LE CARDINAL ENTRETIENT UNE RELATION
AVEC UNE CHANTEUSE DE CABARET

À côté, il y avait une photo apparemment prise la veille au soir. On les voyait tous deux, bras dessus bras dessous, hanche contre hanche, assis sur le tabouret du piano, se souriant. Les couleurs étaient éclatantes, claires comme du cristal.

Horrifiée, Lily lut :

Il y a moins d'une semaine, l'archevêque Francis P. Rossetti a été élevé au rang de cardinal, s'attirant un concert de louanges pour le temps qu'il consacre à ses œuvres humanitaires et pour sa dévotion religieuse. La célébration à peine achevée, le Post *a découvert que le cardinal menait une double vie. En exclusivité, notre équipe de reporters vous révèle la relation de longue date qui existe entre le cardinal et Lily Blake, trente-quatre ans, une chanteuse de cabaret employée au club Essex, un établissement très sélect de Commonwealth Avenue.*

Ahurie, elle cliqua sur le reste de l'article.

Blake et le cardinal se sont rencontrés il y a huit ans au cours d'une soirée à New York. C'est le maire William Dean, qui avait remarqué Blake sur une scène de Broadway, qui les a présentés. Dès que le maire et sa femme se sont séparés, Blake est devenue un hôte attitré de Gracie Mansion. C'est là qu'elle a rencontré le cardinal.

Lily avait du mal à y croire. Elle lisait maintenant avec une fascination morbide.

Deux ans plus tard, lorsque le maire a été élu gouverneur de New York et s'est installé à Albany, Blake l'a accompagné. Entre ses deux visites hebdomadaires à la résidence de Dean, elle chantait dans un night-club près de la résidence d'État. En outre, le gouverneur lui a procuré des contrats de pianiste dans des soirées privées.

— Non c'est faux ! hurla-t-elle. Ces engagements, je les ai trouvés grâce à mon travail au club.

Francis Rossetti, alors évêque d'Albany, assistait souvent à ces soirées. Il a commencé à inviter Blake à jouer du piano lors de soirées similaires à l'évêché. En quelques mois, elle en est devenue une visiteuse attitrée. Une employée du diocèse, qui a demandé à garder l'anonymat, affirme que de toute évidence Rossetti et Blake éprouvaient un sentiment l'un pour l'autre. On l'a souvent vue quitter l'évêché au petit matin.

— Avec d'autres personnes ! cria-t-elle, outragée à l'écran. Les deux seules fois où l'on s'est retrouvés seuls, c'était parce qu'on avait oublié l'heure en jouant du piano après une soirée !

Il y a trois ans lorsque l'évêque a été appelé à l'archevêché de Boston, il a assuré un travail à Blake au club Essex dont le directeur et le propriétaire ne sont autres que son neveu, Daniel Curry.

Après avoir fait défiler la page, elle hurla, incrédule, en découvrant trois autres photos. Une du cardinal l'embrassant dans l'entrée du club Essex. L'autre la montrait, solitaire, grimpant les marches de la demeure du cardinal, la nuit tombée. Sur la troisième, prise d'une fenêtre de la résidence, on voyait le cardinal, son bras passé autour de ses épaules. Elle avait la nausée mais ne pouvait s'arrêter de lire.

Blake enseigne à mi-temps à l'école Winchester sur Beacon Hill. Elle joue dans des soirées privées ou des manifestations politiques et de façon régulière à l'archevêché. Elle arrive souvent à ces concerts en compagnie du cardinal. Les factures de téléphone révèlent un grand nombre d'appels entre le palais du haut dignitaire de l'Église et l'appartement de Blake.

Née à Lake Henry, dans le New Hampshire, Lily Blake a fait ses études à l'université de New York et à la Juilliard School. Bien qu'elle ait passé de nombreuses auditions pour des premiers rôles à Broadway et occasionnellement servi de doublure, elle n'a jamais fait de carrière en solo. Elle était âgée de vingt-huit ans lorsqu'elle a quitté Broadway pour Albany. La relation entre Blake et le cardinal est restée un secret bien gardé. Des sources au Vatican ont déclaré à nos enquêteurs que le pape n'avait jamais eu vent de cette liaison quand il a élevé Rossetti au rang de cardinal. Contacté par le Post, *le porte-parole de Rossetti a nié ces informations. Blake s'est montrée plus franche : « Le cardinal et moi avons une liaison », a-t-elle confirmé.*

Lily suffoqua.

« Je l'aime. Nous avons une relation. » Elle l'a décrit comme un homme chaleureux, vibrant, et a admis qu'elle l'avait suivi à Boston.

L'article s'achevait sur ces mots :

Le gouverneur Dean de New York nie avoir eu une relation sexuelle avec Lily Blake.

Incrédule, elle revint au début de l'article mais le titre de la une – LE CARDINAL ENTRETIENT UNE RELATION AVEC UNE CHANTEUSE DE CABARET – s'étalait en gras, plus gros que jamais. Cette fois, cependant, elle lut la signature. L'article avait été écrit par Terence Sullivan. Son sentiment de trahison fut total. Débranchant le portable, elle saisit l'annuaire sur l'étagère dans le placard, trouva le numéro du *Post* et appela. Grâce aux directives du serveur vocal, elle atterrit dans la salle de rédaction. Terry Sullivan était sorti. Il serait là plus tard, lui dit-on, mais on ne savait pas quand. Frustrée, elle raccrocha. La main posée sur le téléphone, elle ferma les yeux et essaya de se souvenir du numéro du cardinal mais même si elle l'avait composé souvent – ce qui n'était pas le cas – elle était trop bouleversée pour s'en souvenir.

Feuilletant nerveusement les pages de l'annuaire, elle dénicha les coordonnées de l'archevêché de Boston et fit courir son doigt sur la liste des différents postes jusqu'à ce qu'elle en trouvât un qui lui parût familier. C'était celui du secrétariat. La ligne était occupée. Elle fit une nouvelle tentative... toujours occupée.

Comme égarée, elle se dirigea vers la fenêtre. Un camion était stationné devant son immeuble. Le soleil faisait briller l'antenne satellite sur le toit, le nom d'une station de TV locale était inscrit sur l'un de ses flancs. C'était fou. Fou. Sûrement une erreur qui serait facilement corrigée dès qu'elle aurait joint les bonnes personnes. En attendant elle avait des leçons à donner et des cours à assurer.

Après s'être douchée, elle mit un disque de Schumann, léger et mélancolique, mais elle était trop perturbée pour y trouver du réconfort. Une fois habillée, elle essaya à nouveau de joindre le cardinal... la ligne était toujours occupée. Elle recomposa le numéro de Terry, il n'était pas encore arrivé. Elle grignota quelques céréales, les écrasant dans un coin de son bol jusqu'à ce qu'il soit l'heure de partir. Quand elle atteignit le rez-de-chaussée, elle n'avait aucune idée de la façon dont elle allait quitter l'ascenseur.

Les panneaux de laiton qui recouvraient les portes reflétaient le hall d'entrée.

Malgré le manque de netteté, elle aperçut une dizaine de reporters attendant à l'extérieur. Consternée, elle descendit jusqu'au garage et sortit par-derrière sans se faire remarquer. Après avoir dévalé en hâte Newbury Street, elle coupa par le jardin public et atteignit l'école en un temps record. La salle des professeurs était vide quand elle y entra. Mais à peine avait-elle eu le temps de se verser une tasse de café que la cloche sonna, indiquant la fin du premier cours. Quelques minutes plus tard, plusieurs professeurs entrèrent. Comme elle ne les connaissait pas très bien, elle ne s'étonna pas de les voir chuchoter entre eux. Peut-être n'avaient-ils pas lu le *Post* ? Elle décida d'ignorer leurs coups d'œil.

Peter Oliver, c'était autre chose. Il entra alors qu'elle était en train de mélanger son lait en poudre. Il s'arrêta net :

— Wouah ! La femme du jour.

Se glissant auprès d'elle jusqu'à la toucher, il saisit une tasse de café et lui murmura à l'oreille :

— Je me suis fait du souci à cause de vous. Je commençais à penser que j'avais perdu la main en voyant que vous n'arrêtiez pas de me repousser. Maintenant je comprends.

Lily eut l'impression de recevoir un coup à l'estomac. Sa langue se durcit.

— L'article du *Post ?* souffla-t-il. Est-ce vrai ?

Elle secoua la tête. Quelqu'un l'appela à voix basse :

— Lily ?

Elle regarda vers la porte. Michael Eddy, le directeur de l'école, était petit, rondouillard, avec un visage rond et amical. Il paraissait tendu. Il lui fit signe de le suivre. Laissant son café sur place, elle traversa le hall de réception jusqu'au bureau directorial. Michael avait à peine fermé la porte qu'il lui demanda :

— Est-ce vrai ?

Elle secoua la tête énergiquement.

— Rien de tout cela ?

Elle avala sa salive et s'efforça de détendre ses mâchoires.

— Non.

— Pourtant vous êtes citée dans l'article.

— C'est sorti du contexte.

— Avez-vous fait ces déclarations ?

— Pas comme ça. Et pas de façon officielle.

Lorsque Michael ferma les yeux en un geste de défaite, la colère de Lily enfla :

— J'ai... tttt...

Elle prit sa respiration, se concentra pour immobiliser sa langue et reprit lentement :

— J'ai essayé de joindre l'homme qui a écrit ça. Il va devoir se rétracter. Rien de tout cela n'est vrai.

Michael releva la tête et soupira :

— Bien. Aussi longtemps que vous le nierez, je pourrai répondre aux parents qui m'appellent. Certains l'ont déjà fait. J'aurais aimé que vous ne donniez pas le nom de l'école au journal.

— Je ne l'ai pas fait !

— Alors comment l'ont-ils obtenue ?

— Je ne sss... sais pas...

Une autre respiration pour retrouver le calme.

— De la même façon, je suppose qu'ils ont appris que j'avais fait l'université de New York. J'ai eu mes diplômes avec mention. Ils n'ont pas pprr... précisé ça. Ni que je suis diplômée de Juilliard. Ni que j'allais chez le gouverneur deux fois par semaine simplement parce que je donnais des leçons de piano à ses enfants. Ni que le gouverneur n'était jamais présent.

Elle passa une main dans ses cheveux et arrêta son geste brutalement. La réalité qu'elle avait voulu ignorer la frappa de plein fouet.

— C'est paru dans tout Boston, dans tout *l'État*...

Quand son regard croisa celui de Michael, elle ressentit toute l'horreur de la situation.

— Je dois joindre le cardinal.

Il lui montra le téléphone posé sur son bureau. Elle composa le numéro qu'elle avait appelé un peu plus tôt. Il était toujours occupé.

— Oh ! Mon Dieu ! haleta-t-elle, effrayée. Ça peut lui faire un tort terrible.

Elle regarda Michael.

— Que vais-je faire ?

— Prenez un avocat.

— Mais c'est juste une erreur.

Elle ne voulait pas croire qu'il s'agissait d'un acte de malveillance, ni que Terry Sullivan aurait fait une chose pareille juste parce qu'elle avait refusé de lui donner une interview – jamais il n'aurait osé calomnier ainsi le cardinal de façon délibérée.

— Prenez un avocat, répéta Michael.

— Je ne peux pas. Je n'en ai pas les moyens. De plus, pourquoi aurais-je besoin d'un avocat. Je n'ai rien fait de mal.

— Vous avez besoin d'un porte-parole, quelqu'un qui apporte un démenti. Quelqu'un qui affronte le *Post* à votre place.

Elle respira, essayant de retrouver son calme.

— Le gouverneur Dean a déjà démenti. Le cardinal également. Il le fera de nouveau. L'affaire sera vite oubliée.

Décrochant à nouveau le téléphone, elle tenta de joindre le *Post*. Cette fois quand elle obtint la salle de rédaction, elle eut plus de chance.

— Sullivan à l'appareil, entendit-elle.

En se représentant cet homme moustachu et rusé qui l'avait trompée avec des mensonges et qui parlait maintenant d'une voix sèche, elle eut envie de mordre. Seule la fureur l'empêcha de bégayer.

— Lily Blake à l'appareil. Votre article est un tissu de mensonges.

Il répondit d'une voix glaciale.

— Un tissu de mensonges ? Non, c'est faux. J'ai vérifié les faits.

— Il n'y a rien entre le cardinal et moi.

— Ça y ressemble vraiment.

— Vous avez tout fait pour que ça ressemble à ça. C'est vous qui n'avez pas arrêté de dire que le cardinal plaisait aux femmes. Vous m'avez entraînée dans une discussion hypothétique puis sorti mes phrases du contexte. C'est vraiment dé... dé... dégoûtant. Vous avez dit aussi que notre conversation était confidentielle.

— Je n'ai jamais dit ça.

— Si, vous l'avez affirmé.

— J'ai dit « improvisée ». C'est différent de « confidentielle ».

— Vous saviez ce que je sous-entendais !

Regardant Michael Eddy droit dans les yeux, elle ajouta :

— Vous saviez aussi que mon numéro de téléphone était sur liste rouge, alors vous l'avez obtenu par Mitch Rellejik qui n'avait aucun droit de vous le donner. Maintenant, deux autres jou... jour... journalistes l'ont aussi. C'est une violation de ma vie privée !

— Écoutez, Lily, soupira-t-il, je suis désolé que vous soyez bouleversée mais la vérité fait mal parfois. J'ai vu la façon dont vous regardiez ce type l'autre soir au club. Et puis vous m'avez apporté des citations sur un plateau d'argent.

Elle était livide.

— Vous avez déf... déformé ce que j'ai dit ! C'est des plus malhonnête ! Vous m'avez menti. Vous n'avez pas arrêté. Aujourd'hui, vous étalez vos mensonges dans la presse et tout le monde peut les lire. Je veux que vous vous rétractiez.

Il éclata de rire.

— Vous plaisantez ? C'est l'article le plus sensationnel de toute la ville.

Elle ne comprit pas sa suffisance.

— Pourquoi faites-vous cela ?

— C'est mon boulot.

— De salir les gens ? Vous m'avez dit que vous aimiez le cardinal.

— Non. C'est vous qui l'avez dit.

— Vous avez évoqué la damnation éternelle.

Il éclata de rire à nouveau.

— Mon cœur, ça fait bien longtemps que j'ai été damné pour l'éternité.

Il devait y avoir un moyen de lutter contre sa folie.

— Avez-vous quelque chose contre le cardinal ?

Il s'impatienta soudain.

— Écoutez, dans mon métier, quand on a vent d'une bonne histoire, on enquête. Si l'on rentre dans un mur, on recule, sinon, on continue de chercher. C'est ce que je fais, ma chérie. J'ai l'intention d'aller jusqu'au bout.

— Mais c'est un mensonge !

— Allez le dire au pape. Hé ! on m'appelle sur une autre ligne. Prenez soin de vous.

Il raccrocha. Lily fixa le combiné. Terrassée, elle regarda Michael. Il leva les mains.

— Je vous ai déjà donné mon conseil. Je ne sais pas quoi vous dire de plus. Mon intérêt, c'est l'école.

Lily essaya encore le numéro du cardinal. Il était toujours occupé. Elle reposa délicatement le téléphone.

— C'est irréel, dit-elle, plus à elle-même qu'à son patron. Mais ça va s'arranger. Le cardinal a du pouvoir dans cette ville. Il éclaircira tout. C'est sûrement pour ça que sa ligne est occupée.

Elle regarda la pendule.

— Il faut que j'aille en classe.

Si l'une des quinze élèves de son cours de musique avait aperçu l'article du *Post*, aucune ne le mentionna. Elles paraissaient aussi blasées que d'habitude. Lorsque la cloche sonna au bout de quinze minutes, Lily avait réussi à se convaincre que, hormis la tricherie de Terry Sullivan, l'article n'était rien de plus qu'un mauvais jugement du *Post*, que le cardinal ferait un scandale de tous les diables et obtiendrait un démenti. Toute cette histoire serait bientôt oubliée. Elle essaya de le joindre à nouveau mais la ligne était toujours occupée. Pour passer le temps avant sa prochaine leçon de piano, elle alla à la cafétéria prendre un rafraîchissement. À la cantine, le premier service était en cours. Quand elle pénétra dans l'immense pièce à haut plafond, toutes les conversations s'arrêtèrent. Des douzaines de regards s'appesantirent sur elle. Ce n'est pas vrai, voulut-elle dire mais sa langue était comme bloquée. Alors, elle secoua simplement la tête, dans un geste de dénégation, but son verre et sortit.

Lorsque son étudiant arriva dans la salle de musique, elle s'était recomposée une attitude, mais elle savait pertinemment ce que signifiait son regard curieux.

— L'article du *Post*, lui dit-elle, est faux. Le cardinal est un ami, rien de plus.

— Je vous crois, dit le garçon.

Il avait seize ans, tentait de décrocher un diplôme d'art en prenant des leçons de piano qu'il détestait, mais il paraissait sincère. Alors elle mit de côté cette histoire du *Post*, essayant de se concentrer sur son cours et sur la journée de travail qui l'attendait. Au fond d'elle, pourtant, elle continuait d'espérer qu'on allait lui apporter un message du cardinal, disant que tout allait bien, qu'il maîtrisait la situation et qu'elle ne devait pas s'inquiéter. La porte ne s'ouvrit pas, sauf à la fin de la leçon quand l'étudiant partit, cédant la place à un nouvel élève. À la fin de sa troisième classe, elle tenta de nouveau de joindre le cardinal. Sans plus de succès.

Heureusement, elle n'avait pas faim. Elle n'était pas prête à affronter les regards curieux à la cantine tant que le *Post* n'aurait pas publié de démenti ou d'excuse, en se couvrant de ridicule. Alors seulement pourrait-elle en rire avec les autres, mais pas pour l'instant – pas à 14 h 30, devant les douze jeunes choristes qui l'attendaient. Elles étaient calmes, la dévisageant en silence. Visiblement elles avaient entendu parler de l'article. Elle resta debout, les épaules affaissées, incapable de se contrôler physiquement. La tension reprenait le dessus. Elle s'adressa à elles, calmement :

— Des questions ?

Comme les filles restaient silencieuses, elle ajouta :

— Je vais répondre à celle que vous ne voulez pas poser. Le cardinal est un homme d'Église. Jamais il n'aurait envisagé d'avoir une liaison avec moi, pas plus que je n'aurais souhaité en avoir une avec lui.

Elle regarda les visages les uns après les autres jusqu'à ce qu'elle y lise un semblant d'approbation, puis saisit les partitions d'une nouvelle chanson et les distribua aux trois différents groupes de voix. Le cours se déroula sans problèmes. Lily s'occupait d'une chorale plus importante d'étudiants de première et deuxième année mais elle avait une préférence pour les deux groupes, l'un masculin, l'autre féminin, des classes supérieures. Certains des élèves possédaient une voix magnifique. C'était un réel plaisir de pouvoir les faire travailler.

À la fin de l'heure, elle commençait à se sentir mieux. C'est alors qu'elle réussit à joindre le secrétariat du cardinal. Le père McDonough était un jeune prêtre qui avait dégoté ce poste en or à Boston grâce à sa méticulosité et à sa bonne humeur inusable. Le cardinal se reposait beaucoup sur lui. Pour sa part, Lily ne le connaissait qu'au téléphone et de nom. Après s'être présentée, elle lâcha avec soulagement :

— Merci seigneur ! Votre ligne était complètement saturée. Que se passe-t-il ?

— Je présume que vous avez lu l'article.

— Oui. Le reporter était au club la nuit dernière. Il m'a dit qu'il était un fan du cardinal. On s'est mis à parler. Il a pris des mots ici et là et a fabriqué une histoire.

— Eh bien, ça a provoqué une sacrée pagaille !

— Mais tout est faux. Et cela n'a aucun sens. Le cardinal connaît-il Terry Sullivan ? Leurs chemins se sont peut-être déjà croisés ? Peut-être y a-t-il entre eux une inimitié personnelle ?

— En tout cas, maintenant, il le connaît. Nous avons reçu des appels d'un peu partout.

— A-t-il exigé un démenti ?

— Nos avocats l'ont fait, répondit-il quand, pour la première fois, Lily réalisa que sa voix était plus sèche que d'habitude.

— Oh ! Pensez-vous que je devrais prendre un avocat ?

Elle souhaitait l'entendre dire, de son ton chaleureux, que ce n'était pas la peine, que l'équipe du cardinal allait résoudre l'affaire, que c'était presque fait. Au lieu de cela, il lui parut distant.

— Je ne peux pas vous donner ce genre de conseils. Notre souci est de protéger l'Église. Nous faisons de notre mieux pour cela. Il serait préférable que vous n'appeliez plus ici tant que tout n'est pas rentré dans l'ordre.

Lily eut l'impression de recevoir une gifle – comme

si elle avait commis un péché, provoquant un énorme scandale au sein de l'Église. Stupéfaite, elle répondit :

— Je vois. Euh... merci.

Calmement, elle raccrocha le téléphone.

À partir de là, les choses allèrent de mal en pis. Après avoir enduré une autre leçon privée, elle rangea ses affaires et reprit le chemin de la maison. Elle n'avait pas plus tôt poussé un soupir de soulagement en apercevant les marches de l'école désertes qu'elle se heurta, sur le bord du trottoir, à une femme sortie de nulle part, brandissant un micro.

— Miss Blake, voudriez vous commenter l'article du *Post* ?

Lily secoua la tête et pressa le pas mais la reporter la suivit.

— L'archevêché a publié un démenti officiel. N'est-ce pas en contradiction avec ce que vous avez déclaré au *Post* ?

— Le *Post* ment, murmura Lily, serrant sa sacoche contre elle, la tête baissée, les yeux fixés au sol.

Une voix masculine lança :

— Paul Rizzo, du *Cityside*. On vous a vue quitter la résidence du cardinal tard dimanche soir. Pourquoi étiez-vous là-bas ?

C'était un homme chauve avec une peau de bébé, qui avait dû perdre ses cheveux de bonne heure. Ses yeux ne cillaient pas. Son menton était en galoche. Cela rappela à Lily la première truite qu'elle avait pêchée dans le lac, l'hameçon planté dans sa bouche. Comme ce jour-là, elle éprouva un sentiment de dégoût. « On m'avait engagée pour jouer du piano », voulut-elle lui dire mais sa langue était comme anesthésiée. Elle savait que les mots ne sortiraient pas. Alors, elle courba la tête et continua d'avancer à grandes enjambées.

— Quand avez-vous rompu avec le gouverneur Dean ?

— Le cardinal était-il au courant de votre relation avec le gouverneur ?

— Comment expliquez-vous les appels téléphoniques nocturnes ?

— Est-ce vrai que vous étiez dans les bras du cardinal au club Essex, la nuit dernière ?

Lorsque Lily releva la tête pour riposter sèchement, un photographe la prit en photo. Courbant le dos, elle accéléra le pas mais les questions empirèrent.

— Où faisiez-vous ça ?

— Quel sorte de sexe ?

— Est-ce que l'Église a acheté votre silence ?

— Que pense votre famille de tout cela ?

Lily frémit à l'idée de ce que penserait sa famille si elle était mise au courant. Elle l'était. Elle s'en aperçut en écoutant les messages sur son répondeur, une fois chez elle. La voix de sa sœur Poppy émergeait entre les appels de tous les médias du pays.

— Que se passe-t-il Lily ? Le téléphone n'arrête pas de sonner, surtout depuis les infos de midi. J'ai paré le coup autant que j'ai pu, mais maman est furieuse. Appelle-moi, Lily.

Les informations de midi ? L'estomac de Lily se retourna. Bien sûr, les télévisions allaient s'emparer de l'histoire. Voilà ce que s'apprêtait à faire l'homme qui était dans le hall ce matin !

Peut-être était-elle naïve de croire que ce scandale serait vite circonscrit ? Mais les médias étaient-ils obligés d'appeler sa mère ? Les relations entre Lily et Maida Blake étaient déjà assez houleuses. Cela n'allait pas les arranger. Ressentant le besoin d'entendre une voix amie, elle s'enfonça dans le fauteuil près du téléphone et composa le numéro de Poppy. Elle avait presque deux ans de moins qu'elle et était la personne la plus gentille et la plus optimiste que Lily connaissait, malgré ce qui lui était arrivé.

Paraplégique à la suite d'un accident de motoneige douze ans auparavant, Poppy vivait depuis confinée dans un fauteuil roulant. Si quelqu'un avait le droit de se plaindre, c'était elle, mais elle refusait de perdre son énergie à cela. Dès qu'elle avait acquis assez d'autonomie, elle avait pris un appartement près du lac et avait commencé à servir de répondeur aux gens de Lake Henry et des villes avoisinantes. Aujourd'hui, elle possédait un équipement perfectionné, avec des ordinateurs en duplex et un gigantesque standard téléphonique. Les affaires avaient pris tellement d'importance qu'elle employait des aides à mi-temps pour prendre le relais quand elle sortait, ce qui heureusement, lui arrivait fréquemment. Grâce à son identificateur d'appel, elle sut qui l'appelait avant même de décrocher.

— Lily ! Dieu merci ! Que se passe-t-il ?

— Un cauchemar, répondit Lily. Un véritable cauchemar. Quand l'as-tu appris ?

— Aujourd'hui de bonne heure. Les gens en ville l'ont lu dans le *Post* et sur le Net. Vers le milieu de la matinée, les reporters ont commencé à appeler de Boston, New York, Washington, Atlanta. Il y a aussi la télé. Ils diffusent des photos... Lily et le cardinal, Lily et le gouverneur.

— Maman a vu ça ? demanda Lily, alarmée.

— Maman a vu ça. Kip m'a appelée hier pour me mettre en garde contre le type du *Post*, mais il ne m'a rien expliqué. Alors, comment pouvais-je savoir pour les autres ? J'aurais souhaité que tu nous en parles.

— Comment aurais-je pu ? Je n'étais pas au courant. Je n'ai vu le journal que ce matin et j'étais aussi choquée que toi. C'est un mensonge, Poppy, une affaire montée de toutes pièces.

— Je le sais, mais maman pense le contraire, dit Poppy brutalement. Elle est convaincue que ce qu'elle dit depuis des années est vrai et que cela devait arriver un jour ou l'autre.

— *Ce n'est pas vrai* et je ne sais pas pourquoi cela arrive aujourd'hui. (Elle refoula des larmes de frustration.) J'ai cru que ce reporter était un ami. Il est venu vers moi, m'a demandé si je voulais sortir avec lui. Quelle id... idiote, quelle idiote je suis ! cria-t-elle, furieuse contre elle-même. C'était un pro, il m'a fait parler, puis a mis des mots bout à bout pour fabriquer un truc sordide. Quel genre de type peut faire une chose pareille ? OK. Il ne me connaît pas. Pour lui, je ne suis rien. Mais ce n'est pas le cas du cardinal. Comment peut-il faire ça à un homme d'Église ? À croire qu'il ne se passe rien d'autre dans le monde et que les journaux manquent de ragots. Qu'a dit maman ? Quels ont été ses mots exacts ?

— Cela n'a pas d'importance, dit Poppy. Elle est simplement dans tous ses états. Que dois-je lui dire ?

Lily pressa ses doigts tremblants contre son front. Elle avait travaillé si dur pour conquérir la confiance de sa mère... L'école Winchester où elle enseignait avait une excellente réputation. Le club Essex était aussi irréprochable qu'un cabaret pouvait l'être. Et puis il y avait le père Fran – quelle ironie aujourd'hui ! –, un homme tellement puissant, digne, très comme il faut. Elle avait toujours pensé que son amitié avec lui l'aiderait à gagner l'estime de Maida.

— Dis-lui de ne pas lire le journal, répondit-elle à Poppy. Rien de tout cela ne tient debout. Toute cette affaire s'éteindra d'elle-même dans un jour ou deux.

C'était évident. Le contraire était impensable.

— As-tu publié un démenti ?

— Je n'arrête pas de nier.

— Tu as besoin d'un avocat.

— Je hais les avocats.

Poppy se fit plus douce :

— Je sais, chérie, mais c'est de la diffamation. Que dit le cardinal ?

— Je n'ai pas encore parlé avec lui. (La blessure refit surface.) J'ai téléphoné mais on m'a dit de ne plus rappeler.

— Qui t'a dit ça ? Ils ne vont pas rejeter le blâme sur toi, n'est-ce pas ? Sacrebleu, Lily, on est deux pour danser un tango. Après tout, c'est lui qui n'arrête pas de toucher les gens.

— Mais c'est un geste innocent.

— Pas aux yeux de la presse. Tu as un travail – deux – à défendre et une réputation. Ils t'ont traitée de putain. Si ce n'est pas une violation de tes droits, alors je ne sais pas ce que c'est.

— Mais si je prends un avocat, cela veut dire que j'en ai besoin. Ce n'est pas vrai puisque je n'ai rien fait de mal. Je donne un jour à cette histoire – le temps qu'elle s'étende un peu – peut-être deux... (Lily s'arrêta, alarmée.) Qu'est-ce que c'était ?

— Quoi ?

— Ce clic.

— Quel clic ?

Elle tendit l'oreille de nouveau. Rien. Elle poussa un soupir.

— Je dois être parano.

— Peut-être devrais-tu appeler le gouverneur Dean ?

— Pour tomber sur un assistant qui va me demander également de ne plus rappeler ? Ce n'est pas une bonne idée. Pourquoi les reporters appellent-ils à Lake Henry ? Que cherchent-ils ?

— N'importe quoi susceptible de faire augmenter leurs ventes. Que veux-tu que je leur dise ?

— Que cette histoire est fausse, que Sullivan ment. Que je vais attaquer en justice.

Elle s'arrêta soudain et demanda calmement :

— Et Rose ?

Rose était la dernière des « fleurs Blake », ainsi que les gens de Lake Henry surnommaient les trois sœurs.

Elle avait trente et un ans, un de moins que Poppy. Elle entrait à peine dans l'adolescence quand les problèmes de Lily avaient atteint leur apogée. À l'époque, elle était trop jeune pour se faire une opinion personnelle ou pour remettre en question les actes ou les paroles de sa mère. Poppy, elle, s'était montrée plus forte. Elle était parvenue à ne pas prendre parti entre Maida et Lily, mais Rose était depuis le début le porte-parole de sa mère et les circonstances de la vie n'avaient rien fait pour arranger les choses. Rose était mariée et avait trois enfants. Elle et son mari, un enfant gâté dont la famille possédait l'usine locale, avaient reçu en cadeau de mariage de la part des Blake, une parcelle de terrain sur laquelle ils vivaient. Rose et Maida s'étaient encore rapprochées depuis la mort du mari de Maida, le père des filles, trois ans auparavant.

Lily savait qu'elle ne pouvait pas compter sur le soutien de Rose même si elle en rêvait.

Apparemment, Poppy pensait la même chose...

— Rose est une trouillarde. Elle n'a jamais d'opinion personnelle. Ne t'inquiète pas pour elle ni pour les gens du pays. Je leur expliquerai ce qu'il faut dire si on les appelle. Ils n'aiment pas que l'on calomnie quelqu'un de chez eux.

— Cela fait des années que je n'appartiens plus à cette ville, lui rappela Lily. Ils m'en ont chassée quand j'avais à peine dix-huit ans.

— Non. C'est toi qui as choisi de partir.

— Parce qu'ils m'avaient rendu la vie impossible.

— C'est maman qui a fait cela, Lily.

Lily soupira. Elle n'était pas prête à discuter, pas maintenant.

— Je dois aller travailler.

— Tu me tiens au courant ? demanda Poppy. Je sais que les Blake t'ont fait beaucoup de mal, Lily, mais je suis de ton côté.

4

Lily refusa d'allumer la télévision. Mais lorsqu'elle atteignit le hall pour aller travailler, la foule des journalistes à l'extérieur était plus importante que jamais. Consternée, elle prit l'ascenseur jusqu'au garage, mais d'autres reporters s'y trouvaient aussi, prévenant aussitôt par radio leurs collègues qui attendaient à l'entrée. Comme il n'y avait pas d'autre sortie et qu'elle devait aller travailler, elle baissa les yeux, résignée, et pressa le pas. Elle ignora le feu roulant de questions et garda la tête baissée, laissant ses cheveux lui masquer le visage pour échapper aux caméras. Les cris, les appels fusaient, les appareils photo cliquetaient tandis que le flot des journalistes augmentait. Plus elle approchait du club, plus ils étaient nombreux. Bientôt, il lui fut difficile d'avancer. Bousculée, elle ne parvint à se frayer un passage qu'en jouant des coudes.

— Laissez-moi tranquille ! cria-t-elle par-dessus le grondement des caméras. Elle continua sa route, mais la foule la suivit, telle une vague, la harcelant des mêmes questions, la poussant à bout. Elle était au bord des larmes lorsqu'elle atteignit le club. Heureusement, Dan était sur le pas de la porte, et la laissa entrer, claquant la porte au nez des journalistes. Elle se rendit directement dans son bureau, s'effondra sur une chaise et se cacha le visage. En l'entendant entrer, elle laissa tomber ses mains sur ses genoux.

— Dure journée ? demanda-t-il gentiment.

Comme elle ne faisait aucune confiance au ton de sa

voix, elle hocha la tête en le regardant. Il eut un sourire triste.

— Pas la peine de se poser des questions. Je te connais et je connais le cardinal. Il n'y a rien entre vous excepté l'amitié qu'il entretient avec de nombreuses personnes partout dans le pays et dans le monde.

— Alors pourquoi cela arrive-t-il ?

— Parce qu'il vient juste d'être nommé cardinal. Ça fait de sacrées manchettes et de meilleures ventes.

— C'est écœurant !

— Aujourd'hui, c'est comme ça que ça marche !

Elle respira profondément, toujours bouleversée par l'agression qu'elle venait de subir.

— Que va-t-il se passer maintenant ? Ils ont obtenu leurs gros titres. Il n'y a rien d'autre à dire, l'histoire est finie. Pas vrai ?

— Je l'espère dit-il, sans paraître aussi convaincu qu'elle l'aurait souhaité. Il semblait fatigué, comme s'il avait passé lui aussi une mauvaise journée. Si Lily était plus pâle que d'habitude, Dan était presque livide.

Elle songea avec effroi qu'il ne lui disait peut-être pas tout.

— Comment vont les affaires ce soir ? s'enquit-elle avec précaution, se demandant si la bonne marche du club était affectée.

— Nous avons de bonnes réservations.

Son visage s'illumina.

— C'est bien, n'est-ce pas ?

La réponse était toute relative. Certes, la salle à manger était remplie d'hôtes payants mais la plupart étaient des nouveaux venus, invités par des membres, qui s'étaient déplacés surtout pour voir la pianiste. Lily essaya de leur échapper en s'installant au piano. Elle faisait cela souvent – utiliser la musique comme une échappatoire – et pendant un moment, parvint à se perdre dans l'univers magique des chansons – jusqu'à ce que le flash d'un appareil photo la tire de sa concentration. Dan réprimanda le client et Lily continua de jouer, mais elle ne chanta pas. Même si elle ne bégayait pas quand elle chantait, elle était trop mal à l'aise pour prendre le moindre risque.

Deux autres flashs crépitèrent durant la soirée et à la fin de la première partie, elle ne pouvait plus prétendre que tout se déroulait normalement. Elle retourna dans le bureau de Dan, bouleversée et effrayée.

— Est-ce que ça ira mieux demain ?

Elle avait désespérément besoin que tout revienne à la normale.

— Je l'espère vraiment, répondit Dan avant de lui présenter un homme imposant, vêtu d'un uniforme.

— Voici Jimmy Finn, en service privé. Il veillera à ce que tu rentres chez toi sans problèmes.

Son cœur se révulsa.

— Sont-ils toujours dehors ?

— Toujours dehors, répondit le flic sans prononcer le *r* de « dehors ».

Jimmy Finn était un brave homme, un fervent catholique profondément ulcéré de voir les mensonges que racontait la presse sur le cardinal. Il était tout disposé à tenir les journalistes en échec et assez costaud pour y parvenir sans peine. S'il était de taille à se frayer un passage parmi la foule, il était très gentil avec Lily. Il l'accompagna jusqu'à la porte de son appartement, mais à la minute où il partit, elle éclata en sanglots. Il y avait plein de nouveaux messages sur le répondeur, tous différents. Certains émanaient d'amis, lui apportant leur soutien, mais ils étaient de peu de poids comparés à ceux des médias. Elle eut beau les effacer rapidement, comment les oublier ? Cette nuit-là, Lily dormit mal, s'éveillant par intermittence.

À son réveil, malgré la tristesse ambiante, elle refusa de laisser son humeur prendre le dessus ou de regarder par la fenêtre pour voir si le camion de la télévision était toujours là. Elle se lava, s'habilla d'un pantalon noir et d'un chemisier sage par besoin de discrétion. Puis elle se força à avaler une banane en guise de petit déjeuner, s'exhortant à croire que les choses allaient s'arranger. Qu'il y ait ou non un démenti dans le journal, cette affaire n'allait pas tarder à s'achever.

Quand on frappa à la porte peu après 8 heures, Lily se raidit. Elle attendit un second coup, puis s'avança doucement vers l'œilleton. Soulagée, elle ouvrit la porte.

— Je savais que vous n'étiez pas partie, lança Élisabeth, directe. (Elle portait un tee-shirt sur un short de cycliste et ses cheveux blonds étaient relevés avec une barrette). Je n'étais pas sûre que vous ouvririez. Comment allez-vous ?

— Horriblement mal, dit Lily en jetant un coup d'œil sur les journaux qu'Élisabeth tenait sous le bras. Ce sont ceux du jour ?

— Il y en a deux de Boston, un de New York. Vous voulez les voir ?

— Dites-moi plutôt ce qu'il y a dedans. (Elle serra ses bras autour de sa taille.) J'espère qu'il y a un démenti.

— Il n'y en a pas, l'avertit Élisabeth en dépliant les quotidiens, qu'elle jeta sur la table, un par un. Le *Post* raconte que vous conduisez une BMW et que vous avez acheté des tas de nouveaux meubles quand vous avez emménagé ici. Le *Cityside* affirme que vous êtes une très bonne cliente de Victoria Secret. Le journal de New York écrit que vous privilégiez les restaurants haut de gamme tels que le Biba et le Mistral et que vous avez passé une semaine l'hiver dernier dans une station chic d'Aruba, séjour que vous n'avez pas les moyens de vous offrir toute seule.

Lily était trop abasourdie pour être en colère.

— Comment savent-ils tout ça ?

— N'importe quel mordu d'informatique peut trouver ce genre d'informations en cinq minutes.

— Mais cela me concerne. C'est ma vie. Mes affaires privées. Cela ne regarde personne où je fais mes courses !

Une pensée soudaine la terrifia.

— Que peuvent-ils trouver d'autre ?

— Pratiquement tout.

Lily déglutit. Elle devait croire que certaines informations étaient en sécurité. Elle eut comme un vertige.

— J'ai acheté une BMW d'occasion, j'ai payé mes meubles sur deux ans, je commande par mail bien plus souvent chez L.L. Bean et J. Crew que chez Victoria Secret et j'ai pu partir pour Aruba grâce à une promo sur un voyage. On me présente sous un faux jour. Ce n'est pas juste.

Mais Élisabeth n'avait pas fini. Levant la main, elle alluma la radio posée sur la planchette qui surplombait le chauffage. Quelques secondes plus tard, la voix de ténor arrogante de Justin Barr emplit la pièce.

— Une insulte à tous les catholiques ! Voilà, cette femme est une insulte à tous les croyants. Catholiques, protestants, musulmans, juifs – peu importe la religion, nous devons tous réfléchir aux valeurs qui nous sont chères, aux gens qui les incarnent et à ceux qui tentent de les détruire. Y a-t-il un acte plus irrespectueux, plus offensant que de calomnier le nom d'un guide bienaimé ?

— Moi, salir un... un... cria Lily.

— Non, mes amis, tempêta Justin Barr, la question est de savoir comment une femme comme Lily Blake a pu approcher un homme de la stature du cardinal Rossetti pour le salir, même indirectement. Que Dieu nous aide, cette créature enseigne à nos enfants. Où cela s'arrêtera-t-il ? J'ai Mary de Bridgeport dans le Connecticut, en ligne. Allez-y, Mary, vous êtes à l'antenne.

Élisabeth éteignit la radio. Lily était livide.

— Je ne peux pas le croire.

— Justin Barr est de droite.

— Justin Barr anime une émission nationale qui est diffusée sur toute la Côte Est.

— Eh oui !

— Pourquoi ! ? hurla Lily, en pensant à Justin Barr mais aussi à Terry Sullivan, Paul Rizzo et les autres. Pourquoi font-ils ça ? Pourquoi moi ?

— Parce qu'ils sentent votre faiblesse, dit Élisabeth. Les loups s'attaquent à l'agneau blessé. C'est la loi de la jungle. Vous devez définir votre position, Lily. Un avocat vous serait d'un grand secours.

— Je ne veux pas d'homme de loi.

— Alors laissez-moi essayer quelque chose. Je vais m'habiller et nous descendrons toutes les deux. Je serais votre porte-parole. Qu'en dites-vous ?

Lily resta silencieuse pendant qu'Élisabeth lisait un communiqué sans équivoque, démentant sa liaison avec le gouverneur Dean de New York et le cardinal Rossetti de Boston. Le texte était simple. Élisabeth lui avait conseillé d'attaquer seulement les allégations majeures et de laisser de côté pour l'instant les diffamations moins importantes, et bien que Lily eût envie de hurler et de crier pour se défendre sur l'ensemble, elle garda son calme.

Les relations publiques étaient le domaine d'Élisabeth. Elle s'y entendait à merveille pour fabriquer une image. Effectivement, elle parvint à séduire la foule des journalistes, les obligea à reculer et à témoigner un peu de respect, et même si elle était trop à l'aise dans son rôle de porte-parole, trop heureuse de jouer les chefs d'orchestre, Lily le lui pardonna. Ses amis, pour la plupart des gens de lettres ou des musiciens, n'étaient pas armés pour l'aider. Grâce à la persuasion d'Élisabeth, Lily put aller à pied jusqu'à l'école sans être molestée, espérant que c'était là le signe que le scandale commençait à s'émousser.

Michael Eddy n'était pas de cet avis. Il connaissait son salaire d'enseignante, et en dépit de son travail au club, voulut savoir comment elle avait pu se payer un voyage à Aruba et une BMW. Comme elle l'avait fait avec Élisabeth, elle lui fournit les explications. Lorsque Peter Oliver lui parla de Victoria Secret, elle insista sur le fait qu'elle y achetait ses jeans et pas sa lingerie. Quand les gens s'arrêtèrent dans les couloirs pour la regarder passer, elle continua son chemin. Quand les professeurs la laissèrent seule, à la cafétéria, elle prit un livre. Elle aurait peut-être pu passer son irritation sur Mitch

Rellejik, mais il ne devait arriver que plus tard. En milieu d'après-midi, dès qu'elle eut fini son travail, elle quitta l'école, sincèrement heureuse d'en avoir fini pour la journée.

Le nombre de journalistes, dehors, était moins important que la veille et elle reprit courage, allant même, une fois dans son appartement, jusqu'à allumer la télévision pour regarder les informations du soir. Ce fut une erreur. Toutes les chaînes mentionnaient l'affaire, montant en épingle les détails donnés par la presse du matin, diffusant une avalanche d'images. On la voyait grimacer devant la caméra ou tenter de se cacher le visage. Certaines étaient plus glamour. Après son arrivée à Boston, Lily s'était fait faire un press-book à des fins publicitaires. Elle possédait aussi des clichés plus anciens, élégants et raffinés. Bien évidemment, les médias n'avaient pas utilisé ceux-là. Ils avaient choisi de dépeindre une femme entretenue par des hommes puissants, vivant bien au-dessus de ses moyens et avaient sélectionné des images plus sensationnelles, prises au cours de ses débuts à New York. Ses justaucorps moulants soulignaient ses jambes minces, ses hanches étroites et sa poitrine généreuse. Elle se sentit indécente, comme mise à nu. Elle était furieuse, embarrassée, horrifiée !

Que devait-elle faire ? En arrivant au club, elle en parla à Dan Curry. Il lui donna le nom d'un avocat, c'était une mince consolation. Heureusement, il avait parlé avec le cardinal.

— Tout cela le rend malade, Lily. Nous craignons tous que le pape ne revienne sur sa nomination et, lui, il s'inquiète pour toi. Selon lui, tu n'as pas demandé cela, tu ne l'as pas mérité, tu es une victime. Ses avocats lui ont demandé de ne pas t'appeler et cela le navre. Il est désolé.

C'était agréable à entendre, cependant, elle aurait apprécié qu'il lui passât un coup de fil. Même d'une cabine téléphonique. Ou du téléphone d'un ami. Simplement pour qu'elle se sente moins seule. Mais elle comprenait. Il était coincé.

— Il pense à toi, Lily. Il m'a chargé de te dire qu'il sait que tu as la force de supporter ça. Il est sûr que tu en sortiras plus forte que jamais.

Lily s'accrocha à ces mots tandis qu'elle jouait devant le public inquisiteur qui la dévisageait avec un rien d'insolence. Elle alla se coucher, espérant que le pire était passé, et après une nuit agitée, se réveilla, fatiguée et tendue. Elle écoutait un morceau de Tchaïkovsky aux accents mélancoliques, qui reflétaient son humeur lorsqu'Élisabeth, le visage sombre, apparut sur le pas de la porte, avec le *Post* du jour.

La une clamait :

DE NOUVEAUX DÉTAILS SUR LA FEMME DU CARDINAL.

Déglutissant avec difficulté, Lily s'empara du quotidien. Au début, elle n'aperçut qu'un récapitulatif des informations précédentes. Soudain, à sa consternation, elle découvrit que Terry Sullivan parlait de Lake Henry.

Blake vient d'une famille aisée originaire de la petite ville située au centre du pays, Lake Henry, dans le New Hampshire. Son père était, jusqu'à sa mort il y a trois ans, un important propriétaire terrien. Sa mère vit toujours dans la grande demeure familiale en pierre et règne sur des centaines d'hectares de pommiers. Sa famille est l'un des premiers producteurs de cidre de la région. Les reporters du Post *ont découvert qu'étant enfant, Lily Blake était affligée d'un bégaiement important qui l'a isolée de la compagnie des jeunes de son âge.*

Lily prit sa respiration. Elle continua, le souffle court.

Elle s'est tournée vers le chant afin de trouver un moyen de communication. D'après les orthophonistes, il s'agit d'une attitude assez fréquente. « Nos dossiers foisonnent d'exemples d'enfants incapables de finir une phrase à l'oral et qui peuvent chanter une chanson entière sans faire de faute », affirme Susan Block, chargée de la rééducation du langage dans les écoles publiques de Boston. Ce médecin confirme aussi que de ce type de handicap sévère peut induire des problèmes émotionnels.

Dans le cas de Blake, cela s'est transformé en rébellion. À l'âge de seize ans, elle a été arrêtée par la police pour complicité de vol. Jugée en compagnie d'un jeune homme de vingt et un ans, qui a passé six mois en prison, Blake a été mise en liberté surveillée. Elle a achevé cette peine peu de temps avant d'obtenir son baccalauréat et a quitté la ville peu après.

Lily laissa tomber le journal, dans un sanglot horrifié. Atterrée, elle regarda Élisabeth puis se mit à parler, respirant calmement à plusieurs reprises avant d'être en mesure d'articuler un mot.

— Ce dossier était classé, s'enflamma-t-elle. Le juge nous a dit que personne n'y aurait jamais accès !

Élisabeth ne put réfréner sa curiosité.

— Qu'aviez-vous fait ?

Qu'avait-elle fait ? Elle avait été nulle, voilà la vérité. Nulle, jeune, avec un besoin désespéré d'être appréciée des autres.

— Le garçon qui m'accompagnait avait volé une voiture. Je ne le savais pas et j'étais là, souriante, heureuse pour une fois parce que Donny Kipling s'intéressait à moi. J'avais seize ans. Personne ne m'avait jamais embrassée. Je n'avais presque pas eu de petits copains, alors je suis sortie avec lui dans cette voiture. Il n'arrêtait pas de me dire « Ne t'inquiète pas, c'est drôle », mais il a affirmé à la police que j'avais tout organisé et des témoins ont déclaré que j'avais l'air d'être dans le coup. Il n'y a pas eu de procès. J'ai été mise en liberté surveillée jusqu'au jour où les charges sont tombées...

Raide, elle ramassa le journal.

Depuis lors, Blake est rarement retournée à Lake Henry. D'après des sources qui désirent garder l'anonymat, elle serait brouillée avec sa mère et sa sœur Rose. Son autre sœur, Poppy, a refusé de parler de la récente conversation qu'elle a eue avec Blake.

— Comment ont-ils su que j'avais parlé à Poppy ? s'étonna-t-elle.

Puis furieuse, elle se souvint :

— Quelqu'un écoulait la ligne. J'ai entendu un clic.

— Cela ne me surprendrait pas, renchérit Élisabeth. Ils sont prêts à tout pour un article.

Terry n'avait-il pas dit la même chose ?

— Mais le juge a classé ce dossier. Comment ont-ils pu l'apprendre ?

Elle se sentait violée, mise à nue.

— Corruption.

— Ce n'est pas juste.

Élisabeth se montra soudain désolée.

— Ce que je dois vous annoncer ne l'est pas non plus. Je dois vous annuler pour la soirée des Kagan.

Lily la regarda, abasourdie.

— Ce sont les ordres du directeur de campagne, dit Élisabeth en montrant le journal. Il m'a appelée quand il a vu ça. C'est trop incendiaire. Votre présence serait trop remarquée. Elle ferait oublier le candidat.

Lily savait qu'elle ne lui disait pas tout.

— Elle ne veut pas être associée à moi.

— Ne le prenez pas de façon personnelle. C'est la politique. Une mauvaise fréquentation peut ruiner l'avenir d'un candidat.

— Mais je ne suis pas quelqu'un d'infréquentable ! Le portrait qu'ils font de moi est faux.

Élisabeth soupira.

— Cela n'a pas vraiment d'importance, vous savez. Le fait est que cette affaire fait la une de tous les journaux du pays. Ce serait un suicide pour Kagan si vous jouiez à cette manifestation. Je n'y peux rien, Lily. Je suis désolée.

Elle se dirigea vers la porte au moment où le téléphone sonnait.

— Ne répondez pas, lui conseilla-t-elle en partant, et n'écoutez pas Justin Barr.

Élisabeth, sans le savoir, faisait preuve d'un sixième sens. Mais elle n'était plus là pour entendre la voix pompeuse du type présomptueux qui résonna dans la pièce, sur le répondeur.

— Lily, êtes vous là, Lily ? Ici, Justin Barr, nous sommes à l'antenne. Mes auditeurs aimeraient entendre votre version de l'histoire.

— Non, murmura Lily en éteignant l'appareil.

Elle prépara ses affaires pour aller travailler, passa par-derrière et se fraya un passage à travers la foule qui l'attendait. Cachée derrière ses lunettes de soleil, personne ne pouvait voir si elle pleurait. – Elle n'était habitée ni par la peur ni par la tristesse. Les mâchoires serrées, elle ravalait sa fureur.

Michael Eddy l'attendait sous le porche en bois de l'école. Il la fit entrer et après avoir lancé un geste d'avertissement à la presse, lui fit signe de le suivre :

— Dans mon bureau, s'il vous plaît !

Perchant ses lunettes sur le haut de sa tête, elle l'y suivit. Il ne lui proposa pas de s'asseoir. Elle resta debout.

— Je reçois des appels de parents et des administrateurs, dit-il, une main posée sur le dossier de la chaise et l'autre sur sa nuque. Ils se demandent comment nous pouvons employer un enseignant qui a un casier judiciaire. Je leur ai expliqué que nous n'étions pas au courant. Je veux que vous me disiez pourquoi vous ne m'en avez pas informé.

Le cœur de Lily battait si fort qu'il tapait presque contre son chemisier. Avec le peu de souffle qu'il lui restait, elle lâcha :

— Je n'ai pas de passé criminel. Les poursuites ont été abandonnées. Le dossier a été classé. On m'a affirmé que cela me protégeait.

— Qui vous a dit cela ?

— Mon avocat. Le juge. C'était très clair.

— Ne pensiez-vous pas que les parents de cette école s'en indigneraient ?

Que répondre ? Plus elle y réfléchissait, plus sa colère enflait.

— De quoi faut-il s'indigner ? Je vous ai dit la vérité. Je n'ai jamais été reconnue coupable de quoi que ce soit.

— Alors pourquoi cette liberté surveillée ? Et pourquoi un dossier classé ? Vous enseignez à des *enfants*, Lily. Vous auriez dû nous avertir.

Elle n'était pas d'accord. Mais Michael n'était pas dans sa situation et elle n'était pas dans la sienne. Elle le regarda, ne sachant quoi dire. Il soupira.

— Je vous ai embauché. Je suis le directeur, donc sur un siège éjectable. Seigneur, Justin Barr nous fait passer pour des imbéciles. Il pousse à bout les gens que nous sollicitons pour nos subventions annuelles.

Ses épaules s'affaissèrent.

— Je ne vais pas vous virer. Vous avez fait du trop bon travail. Mais je vous demande de prendre un congé.

Ses yeux s'agrandirent. Elle aimait son job de professeur, avait besoin d'argent. Elle n'avait rien fait de mal ! Terrifiée, elle demanda :

— Pour combien de temps ?

— Je ne sais pas.

— Jusqu'à ce que cette affaire soit terminée ? Jusqu'à ce qu'elle soit oubliée ?

— Cela peut prendre du temps.

La façon dont il prononça ces mots et dont il la regarda, sans ciller, l'aida à comprendre...

— Vous voulez dire une absence définitive ? riposta-t-elle.

— Une absence indéfinie. Jusqu'à ce que vous trouviez un travail ailleurs.

Elle le regarda à son tour, furieuse, sans chercher à cacher ce qu'elle ressentait. Il pouvait jouer sur les mots tant qu'il voulait, en fait il la virait. Elle essaya de se mettre à sa place. En vain. Elle avait devant elle un homme qui n'avait pas le courage de défendre quelqu'un en qui il croyait. Il n'avait pas confiance en elle. Remettant ses lunettes de soleil, elle quitta le bureau. Elle refusa de penser aux chorales *a capella* qu'elle avait fait progresser, au joueur de football qui n'aimait pas le piano mais qui apprenait à découvrir la musique. Elle chassa de son esprit la douzaine d'étudiants avec lesquels elle avait passé trois années agréables et laissa sa colère la guider vers la porte de sortie. Mais elle éprouvait tant de nostalgie... Quand elle aperçut les reporters sur le perron, la peur reprit le dessus. En la voyant, ils s'agitèrent et s'élancèrent vers elle.

— Pourquoi partez-vous si tôt ?

— Que pense l'école Winchester de cette affaire ?

— Avez-vous été en contact avec le conseil d'administration ?

Elle tenta de les éviter mais leurs questions étaient trop insistantes, trop irritantes.

— Est-ce à cause de votre bégaiement que vous refusez de nous parler ?

— Avez-vous été accusée d'un vol aggravé dans le New Hampshire ?

— Couchiez-vous avec votre complice ?

Révulsée, Lily fusilla du regard l'homme qui venait de poser cette question, se demandant de quel trou il avait pu sortir.

— C'est dégoûtant, murmura-t-elle.

Elle continua d'avancer en hâte, ignorant les appels et les cris jusqu'à ce qu'une voix familière se fît entendre.

— Êtes-vous prête à faire des excuses aux parents d'élèves de Winchester ? Ils se sentent trahis.

C'était le chauve au visage de bébé, Paul Rizzo. Elle le fixa durement.

— Comment le savez-vous ?

— Je les ai interviewés. Ils dépensent de grosses sommes pour élever leurs enfants et ils estiment qu'un professeur comme vous n'a pas sa place dans cette école. Avez-vous un commentaire à faire ?

Elle secoua la tête, ignorant les questions qui

fusaient, mais elle se sentait blessée. Oui, les parents payaient cher mais elle avait rempli la tâche qu'on attendait d'elle. Elle avait fait correctement son travail – elle n'avait pas été surpayée, elle avait mérité son salaire. Les parents n'avaient rien à lui reprocher à ce niveau-là. Ils auraient dû le reconnaître, apprécier son professionnalisme, ressentir au moins un peu de gratitude. Michael et le conseil d'administration également. En outre, ces accusations n'étaient pas prouvées. Que faisaient-ils de la présomption d'innocence ?

Quand elle arriva chez elle, elle bouillait de colère. Elle entra dans le hall et claqua la porte au nez de Paul Rizzo qui lui soufflait dans le cou. Elle se dirigea vers l'ascenseur, appuya brusquement sur le bouton. L'appareil se mit en route dans un grondement. Elle regarda le tableau : l'ascenseur était monté au dernier étage. C'était là que vivait Tony Cohn avec cinq autres locataires. Vu la malchance qui la caractérisait en ce moment, il avait fort à parier que ce dernier était en route pour le rez-de-chaussée. Quand la porte s'ouvrit, elle était préparée à cette rencontre. Lorsqu'il la vit, il marqua un temps d'arrêt, fit un pas, jetant un coup d'œil vers la porte d'entrée, et jura.

— Savez-vous à quel point tout cela est scandaleux ! tonna-t-il d'une voix qu'elle ne lui avait jamais entendue. Je loue un appartement ici parce que l'endroit est prestigieux. C'est fini, désormais.

Elle était si stupéfaite qu'elle ne pensa pas à bégayer.

— Je ne leur ai pas demandé de venir.

— Non, mais c'est à cause de vous s'ils sont là. Savez vous que j'ai reçu des appels ? Des appels téléphoniques ? Du *Post*, du *Cityside*, même de certains de mes amis qui voulaient des informations sur vous ?

Il jura de nouveau, recula dans l'ascenseur et appuya sur le bouton du garage avant qu'elle ait pu appuyer sur son étage. Elle n'avait pas le choix, si ce n'était de descendre avec lui. Elle se réfugia dans un coin, croisa ses bras sur sa poitrine en se demandant ce qu'elle avait bien pu trouver à Tony Cohn. Boudeur, il n'était pas du tout séduisant... Il renifla :

— Quand j'ai pris cet appartement, j'ai demandé à l'agent immobilier des renseignements sur les autres locataires. L'endroit était supposé être propre.

— Il est propre, riposta-t-elle avant de s'apercevoir qu'il venait de dire quelque chose d'étrange. Vous avez *enquêté* sur les autres locataires ? Pourquoi ?

La porte s'ouvrit.

— Certaines personnes ont une image à protéger.

Avant qu'elle ait eu le temps de trouver une réplique adéquate, il était déjà sorti. Elle coinça son pied dans la porte et le rappela :

— Seulement ceux qui ont des choses à cacher !

Elle laissa la porte se refermer, appuya d'un doigt rageur sur le bouton de son étage, l'air sombre, tandis que l'ascenseur commençait son ascension. Au moins, cette affaire avait un coté positif, elle savait aujourd'hui que ce Tony Cohn était un crétin arrogant et égocentrique. Elle regrettait le temps qu'elle avait perdu à fantasmer sur cet homme. Quand elle ouvrit la porte de son appartement, le téléphone se mit à sonner. Tony Cohn disparut instantanément de son esprit. Laissant tomber sa sacoche, elle agrippa le dos d'une chaise jusqu'à ce que la sonnerie s'arrêtât. Elle entendit sa propre voix – puis se rappela qu'elle avait éteint le répondeur ce matin. Il se remettait en marche de lui-même au bout de dix appels consécutifs, quelqu'un avait dû tenter de la joindre avec insistance.

— Hum, oui, dit une voix masculine qui paraissait avoir la gueule de bois. J'appelle pour Lily Blake. Je suis, hum, écrivain. J'ai écrit la biographie de Brandi Forrest, hum, c'est la chanteuse du groupe de rock Dead Weight Off. Je suis sûr que vous recevez plein d'autres appels mais si vous, hum, voulez que quelqu'un écrive votre histoire, vous devriez me parler. J'ai déjà, hum, téléphoné à mon éditeur. Il aime cette idée de sexe et de religion. Le livre pourrait sortir très vite. Hum. On est dans les temps. Alors, si vous le souhaitez, appelez-moi.

Il laissa un numéro avec un indicatif qu'elle ne reconnut pas. Lily effaça le message puis écouta les précédents. Justin Barr avait téléphoné en premier, c'était probablement lui qui avait autant insisté... Il avait appelé à trois reprises, à vingt minutes d'intervalle. Il y avait aussi des appels de journalistes de Chicago, Saint Louis et Los Angeles – tous laissaient leurs noms et leurs numéros comme si elle allait les rappeler. Il y avait des messages d'amis exprimant leur inquiétude et de deux clients annulant des engagements. Il y avait aussi un message de Daniel Curry, lui demandant de le rappeler. Il avait l'air étrangement nerveux. Troublée, elle composa le numéro du club. Il l'accueillit d'un bonjour cordial mais sa voix était légèrement agacée.

— Dis-moi tout, dit-elle en s'armant de courage.

Il soupira.

— Tu sais ce que je ressens, Lily. Je sais qu'il ne s'est rien passé. J'ai confiance en vous deux. Je vous aime et cela me déchire le cœur, mais voilà mon problème : les gens n'arrêtent pas d'appeler pour se plaindre.

— Se plaindre ?

— Nous sommes complets ce soir, de grandes tables, de six ou huit.

— Et ce n'est pas bien ?

— Pas cette fois. Les habitués n'arrivent pas à obtenir de réservations. D'autres se plaignent d'avoir dû se frayer un chemin au milieu des journalistes hier soir. Ce sont ces gens qui ont fait le club. Ceux qui réservent de grandes tables aujourd'hui ne sont que des hôtes de passage. Ce ne sont pas eux qui viendront toutes les semaines pendant six mois ou un an. Ils ne se déplacent qu'à cause du scandale. Les membres invitent cinq, six ou sept amis pour voir le spectacle et ce n'est pas juste pour les habitués.

Lily agrippa le combiné. Elle savait ce qui allait suivre.

— Je pourrais jouer la facilité. Je pourrais dire que c'est juste une question d'argent, me consoler en me disant que ceux qui ont déserté reviendront – mais ils ne le feront pas, Lily. Ce n'est pas une question de survie financière, mais de principe. J'ai toujours dirigé ce club d'une certaine façon. C'est un endroit privé, calme, luxueux. C'est pour cela que nous aimions t'avoir comme pianiste. Parce que tu as de la classe.

Elle attendit.

— Mais toute cette histoire est sordide, dit-il. Rien n'est vrai, mais c'est sordide. Les membres reçoivent des appels de gens comme Terry Sullivan ou Paul Rizzo. Justin Barr nous traîne dans la boue – nous ne laisserons jamais ce salaud mettre les pieds chez nous mais il nous fait une réputation dont nous n'avons pas besoin. Nous ne voulons pas de clients qui viennent seulement pour voir – ouvrez, fermez les guillemets – la femme qui a séduit le cardinal.

Lily resta silencieuse, tête baissée.

— Cela me rend malade, continua Dan, parce que nous t'aimons tous ici. (Il soupira.) Mais je pense que tu devrais t'absenter quelque temps.

— Tu me vires ? Deux licenciements en une heure seraient un record. La presse serait sans doute prête à payer pour cette information.

— Non. Je te demande juste de rester chez toi un jour ou deux jusqu'à ce que cette affaire soit enterrée.

Elle était découragée.

— Tu y crois vraiment ?

— Bien sûr. C'est comme une voiture. Sans essence, ça ne démarre plus.

— Il n'y a jamais eu d'essence et pourtant la voiture a démarré ! S'ils ne trouvent rien à un endroit, ils chercheront ailleurs. (Épuisée, elle se passa une main devant les yeux.) Cela a-t-il un rapport avec cette histoire de vol ?

— Quelle histoire de vol ?

— Tu n'as pas lu le journal aujourd'hui ?

— Non.

Elle lui raconta pour qu'il soit au courant – pour qu'il connaisse d'abord sa version.

— Le cardinal le sait, dit-elle avant qu'il ait eu le

temps de poser la question. C'est drôle à quel point un homme d'Église aime les confessions. Désormais, on le laisse tranquille, c'est moi qu'ils traquent.

— Y a-t-il autre chose qu'ils peuvent découvrir ?

— Hier, je t'aurais dit qu'il n'y avait rien, point final. (Elle s'enfonça dans son fauteuil.) C'est le seul ennui que j'aie jamais eu avec la justice. Depuis, rien – pas même un excès de vitesse, ou un PV, pas même un problème de carte de crédit. Qu'est-ce qui leur reste à raconter ?

5

Sa « suspension » de l'école Winchester parut à la une des journaux, le vendredi matin. Terry Sullivan avait réalisé une interview de Michael Eddy. Ses propos virulents et indignés étaient de taille à restaurer sa réputation aux yeux des parents et des administrateurs. Sous la plume de Paul Rizzo, les membres du conseil d'administration exprimaient leur consternation devant l'attitude décevante de Lily Blake, son immoralité et son manque de jugement. Justin Barr enrageait sur ce qu'il appelait le « problème Lily Blake », incitant les parents furieux à téléphoner pour discuter du rôle des enseignants, de la moralité qu'exigeait le statut de professeur, des responsabilités qui incombaient à l'école, de son obligation de protéger leurs élèves des éducateurs aux mœurs légères.

Le *Post* publiait également un témoignage d'un parent louant le travail de Lily, mais la place réservée à ce commentaire était insignifiante. Il était perdu dans la page, au même titre que les démentis de la jeune femme. L'ensemble du papier dénotait une autosatisfaction qui ressemblait davantage à de la publicité qu'à une recherche quelconque de la vérité. Les deux journaux relataient l'absence de Lily au club Essex mais ni l'un ni l'autre ne développait cette information. Lily pensa que Dan avait refusé de s'exprimer et que la presse écrite faisait machine arrière concernant le cardinal. On ne parlait plus de la prétendue liaison, des sourires partagés ou des soirées nocturnes à la résidence de Rossetti. Ni d'ailleurs du gouverneur Dean.

Lily était désormais la seule héroïne de ce scandale. Elle était devenue l'histoire. Ce n'était pas la première fois qu'elle se sentait victime – enfant, elle avait été ridiculisée par son bégaiement puis mise en liberté surveillée pour un délit qu'elle n'avait pas commis, une fois devenue artiste, elle avait perdu l'occasion de se faire une place au sommet parce qu'elle avait repoussé les avances d'un directeur musical. Elle savait ce qu'était l'injustice. Elle aurait dû être blindée. Mais elle ne l'était pas. Elle était si bouleversée et furieuse qu'elle ne parvenait pas à jouer de piano, à lire ou même à écouter de la musique parce qu'elle ne possédait aucun CD correspondant à son état d'esprit.

Elle était tellement en colère qu'elle oublia son dégoût pour les hommes de loi et appela celui que Dan lui avait recommandé. Il s'appelait Maxwell Funder. Expérimenté et direct, il faisait partie des avocats les plus en vue de l'État. Elle l'avait souvent vu aux informations, et se demanda cyniquement si sa promesse d'être chez elle en moins d'une heure avait un rapport avec la publicité attachée à son cas. Elle n'était cependant pas en position de faire la fine bouche. Elle n'avait pas les moyens de s'offrir une consultation, aussi elle lui était reconnaissante de venir. Il était moins impressionnant dans la vie qu'à la télévision. Il semblait plus âgé, également plus petit et râblé. Sans maquillage, sa peau paraissait marbrée. Mais il était agréable et patient. Il s'assit sur le canapé et l'écouta, attentif, tandis qu'elle parlait avec véhémence. Il fronça les sourcils l'air consterné, ouvrit grand les yeux en signe d'incrédulité, secoua la tête de temps en temps. Peu importait s'il se souciait peu d'elle en réalité. La sympathie lui faisait du bien.

— Comment des choses pareilles peuvent-elles arriver ? demanda-t-elle une fois calmée. Comment peut-on publier autant de mensonges ? Comment a-t-on le droit d'exposer ma vie entière ? Comment des dossiers classés peuvent-ils être rendus publiques ? J'ai perdu mes deux jobs, la presse m'attend dehors, prête à l'attaque, Justin Barr me traîne dans la boue, ma famille est harcelée.

Quand je mets un pied dehors, des inconnus me dévisagent, tous savent des choses personnelles sur moi. Je me sens totalement impuissante. Comment puis-je arrêter cela ?

L'avocat resta assis, le dos raide.

— Pour commencer, nous pouvons aller au tribunal, poursuivre les journaux et entamer une action en justice. Dites-moi, quel est celui qui vous fait le plus de tort ?

— Le *Post*, répondit-elle d'un trait. (Terry Sullivan était à la base de cette affaire. Il l'avait abusée et lui avait menti.)

— Le *Post*, oui, reprit Funder. Des poursuites judiciaires nous permettront de faire connaître votre version de l'histoire. Nous reviendrons sur les mensonges, un par un. Nous présenterons des déclarations sous serment du cardinal et du gouverneur, allant dans votre sens. Nous ferons une conférence de presse et dévoilerons tout au grand jour (Il s'enflamma.), nous affirmerons que le *Post* est un journal de pacotille, le pire exemple de la presse. Je demanderai une enquête sur le quotidien pour avoir publié cette diffamation et réclamerai un démenti immédiat.

Lily s'accrocha à cette dernière phrase.

— Un démenti. C'est ce que je veux. L'obtiendrai-je ?

— Maintenant ? (Son lyrisme s'éteignit.) Non. Ils sont allés trop loin. Ils se battront pour défendre leur intégrité. Peut-être dans quelques années...

— Des années ? Combien d'années ?

Il réfléchit une minute.

— En étant réaliste ? Le temps qu'un jury examine le cas ? Trois ans. Pour que vous soyez vraiment mise hors de cause (Il leva une main prudente.) il vous faut un verdict imparable. Vous ne pouvez vous contenter de dommages et intérêts symboliques. Nous devons attaquer pour, disons, un million de dollars, mais je dois vous prévenir, le *Post* ne se laissera pas faire. Ils vont se défendre bec et ongles. Il vaut mieux que vous soyez prévenue. Ils sont soutenus par les avocats les plus féroces du pays, spécialistes de ce qui touche au Premier Amendement. Ils vont examiner votre vie au microscope. Tout sera bon, ils vont recueillir les dépositions sous serment de votre famille, de vos amis, copains d'école, enseignants, petits amis, ex-petits amis, voisins. Et ce n'est rien comparé aux méthodes de leurs détectives privés. Ils vont passer votre vie au peigne fin, réunir vos factures de téléphone, tickets de carte de crédit, dossiers scolaires, bilans de réparations de votre voiture, rapports médicaux. Ils vont interviewer des gens que vous ne pensiez même pas connaître, chercher n'importe quoi pour démontrer que vous êtes quelqu'un de peu fréquentable. Si vous avez aujourd'hui l'impression que votre intimité a été violée, ce n'est rien en comparaison de ce qu'ils sont capables de faire.

— Super ! Merci, lança Lily.

— Ne croyez pas que je plaisante, assura-t-il, sévèrement. Je les connais. Ce sont des bêtes fauves. S'il y a quelque chose à trouver, ils le trouveront. Ils tenteront de prouver que votre réputation est si désastreuse que même s'ils se sont trompés en vous calomniant, ce n'est pas grave, qu'ils ne vous ont causé aucun tort. Leur but sera de démontrer que votre vie n'est que mensonge.

Lily commençait à paniquer.

— Et mes droits ? Pourquoi ne les prend-on en compte qu'en dernier ?

— Ils ne viennent pas en dernier. Mais le Premier Amendement garantit la liberté d'expression.

— Quelles garanties ai-je réellement ? Les médias n'ont aucun droit de me faire ça.

— C'est pour cela que nous les attaquons.

— Tout ce que je veux c'est un démenti. Je ne veux pas d'argent.

— Eh bien, vous avez tort. Ce genre d'affaire peut coûter plus d'un million de dollars.

Elle vacilla presque.

— Me coûter à *moi* un million de dollars ?

— Entre les honoraires, les frais de justice, les experts, les détectives privés.

Elle eut comme un vertige.

— Je n'ai pas cet argent.

— Peu de gens l'ont. (Il l'examina, inhala avec bruit, entrelaça ses doigts.) Écoutez, généralement, je ne prends que des clients qui sont capables de payer – il faut que je vive aussi –, mais ce qui vous arrive est une honte. Alors, voilà ce que je peux faire. Je m'occupe de votre affaire pour deux cinquante, plus cinquante supplémentaire pour les frais et vingt-cinq pour cent de ce que vous gagnerez.

— Deux cinquante ?

— Deux cent cinquante mille.

Elle avala sa salive et s'étouffa. Elle dut se masser légèrement la gorge avant de pouvoir répondre sans tousser :

— Je n'ai pas cet argent...

— Votre famille l'a.

Elle recula.

— J'ai lu qu'il s'agissait d'une entreprise familiale, dit-il.

— C'est une affaire professionnelle. Il n'y a pas de liquidités.

— Il y a de la terre. Ce serait une bonne garantie pour un prêt.

— Je ne peux pas demander une chose pareille, dit Lily.

Du liquide ou un prêt – peu importait. Elle ne pouvait pas demander d'argent à sa mère. Ni même imaginer que Maida le lui donnerait. Elle était la plus grosse déception de sa vie – la fille qui avait mal tourné, qui avait joué avec le feu et s'était brûlée. Même si Lily menait une vie honnête, réussie, Maida ne le voyait pas de cet œil. L'avocat se pencha en avant, les doigts toujours noués, un peu trop détendu maintenant.

— Je comprends votre hésitation...

— Non, vous ne comprenez pas, l'interrompit-elle avec colère. C'est ma vie. Je n'ai pas demandé un centime à ma famille depuis l'âge de dix-huit ans et ce n'est pas maintenant que je le ferai.

— Je comprends votre hésitation, répéta-t-il d'une voix – et avec un regard – qui disait qu'il serait plus sage de le laisser finir. Mais la famille sert à ça, à venir à la rescousse en cas de problème. J'ai lu effectivement que vous ne vous entendiez pas avec elle, mais si elle a les moyens financiers de vous sortir de cette panade, je vous conseille de vous en servir. Les bons avocats sont onéreux. Vous ne trouverez rien de meilleur marché que ce que je vous propose.

Mais Lily ne pouvait pas demander d'argent à sa mère. Même si elle avait eu elle-même cette somme, elle ne pouvait concevoir de le dépenser pour une raison pareille. Elle se leva calmement.

— Je dois y réfléchir. Merci d'être venu. J'apprécie votre geste.

Elle se dirigea vers la porte. Il la suivit. Quand il se tourna vers elle, son visage était encore plus marbré.

— Je ne réitérerai pas mon offre, avertit-il. Si les choses se gâtent et s'aggravent, je serai obligé de vous demander davantage.

Elle montra d'un signe de tête qu'elle avait compris. À l'entrée du couloir, il se retourna, agréable de nouveau.

— Pas besoin de prendre une décision aujourd'hui. Mon offre est valable un jour ou deux. Laissez-moi cependant vous dire ceci : d'autres avocats vont vous appeler. Ils vous proposeront de prendre cette affaire grâce à une caisse de prévoyance. Si vous êtes tentée d'accepter, réfléchissez, vous n'aurez pas une défense de qualité. Votre dossier nécessite des frais importants pour être traité correctement. Aucun bon avocat ne peut la gagner avec un fonds de prévoyance.

— Merci, dit-elle de nouveau avant de refermer la porte.

Lily alla à la fenêtre pour voir si l'avocat allait s'arrêter pour parler à la presse en sortant de chez elle, mais l'un des journalistes la repéra. Les caméras et les reporters levèrent le nez pour l'observer. Choquée, elle fit un pas en arrière et resta figée au milieu de la pièce, fixant de son regard vide Commonwealth Avenue jusqu'à ce qu'elle réalisât avec horreur que n'importe qui, muni d'un téléobjectif, pouvait la voir de l'un des immeubles d'en face. Elle baissa rapidement les stores du salon et de la chambre. Elle était là, seule, bloquée dans un appartement plongée dans l'obscurité, sans travail, sans liberté, sans moyen de les reconquérir. Sa réputation était en lambeaux. Elle s'assit dans le fauteuil mais ne put se concentrer sur sa lecture. Elle s'installa au piano et laissa errer ses mains sur le clavier, donnant naissance à une mélodie horriblement triste.

Alors, elle mit du Beethoven, une symphonie sombre, en accord avec son état d'esprit, et déambula de la chambre au salon, puis du salon à la chambre, sans savoir que faire d'elle-même. Elle s'arrêta enfin près du téléphone. Décrochant le combiné, elle composa lentement le numéro de sa mère, raccrocha et croisa les bras sur sa poitrine pour ne pas être tentée de recommencer. Ce n'était pas pour demander de l'argent. Elle n'en voulait pas, pas plus qu'elle ne voulait aller en justice. Les prévisions de Maxwell Funder lui faisaient horreur. Trois ans de fureur médiatique, sa vie mise à nu aux yeux de tous – trois années où elle serait utilisée, exposée. Elle ne survivrait pas à cela. Non. Elle n'aurait pas appelé Maida pour de l'argent. Elle aurait voulu l'appeler pour être consolée. Maida était sa mère. Lily éprouvait le besoin d'enfouir sa tête au creux d'une épaule chaleureuse et sympathique jusqu'à ce que l'orage fût passé. Elle ressentait le besoin d'un abri, d'une oreille compatissante.

Maida ne lui offrirait ni l'un ni l'autre. Lily appela alors Sara Markowitz. Cette amie qu'elle avait rencontrée à l'école Juilliard, enseignait au Conservatoire de Nouvelle-Angleterre. Elles déjeunaient ensemble de temps en temps. Sarah faisait partie de ceux qui lui avaient laissé un message sur son répondeur. Lorsque Sara décrocha, Lily poussa un soupir de soulagement.

En dépit de cette affreuse campagne de presse, Sara ne demandait qu'à l'aider.

— Je me suis fait tellement de souci. Quel gâchis ! Des accusations mensongères incontrôlables. Tu te rends compte, ils m'ont même appelée pour me poser des questions intimes, sans prendre le temps d'écouter les réponses, me poussant avec insistance dans mes retranchements. Que se passe-t-il avec Terry Sullivan ? Ce n'est plus un reporter, c'est une commère ? Et Justin Barr ? C'est le pire ! Tu les connaissais avant le début de cette histoire ?

— Justin Barr, absolument pas.

— C'est un idiot et un hypocrite. Avec son visage grassouillet et ses petits yeux brillants, il était trop moche pour faire de la télé, alors il a fait de la radio. Il aime simplement s'entendre parler – le défenseur du foyer et de la famille – mais Sullivan ?

— Il m'a harcelée pour que je lui accorde une interview à propos de mon travail. Je n'ai pas arrêté de refuser, alors ça l'a peut-être agacé...

Soudain, tout lui parut clair.

— Il ne s'intéressait pas à ma carrière. Depuis le début, il cherchait des informations sur le cardinal.

Se sentant doublement trahie, elle lâcha dans un souffle :

— Ma vie est en ruine. Je ne sais pas pourquoi. Je me retrouve coincée dans cet appartement sans savoir où aller.

— Retrouvons-nous chez Biba... Heu, non.

Lily comprit pourquoi Sara s'était reprise. Biba était l'un des endroits dispendieux qui, d'après la presse, témoignait de son mode de vie luxueux. En fait, elle et Sara y allaient souvent manger des salades. C'était bon marché et amusant ; mais ce n'était plus drôle. Plus drôle du tout. Avec sagesse, Sara reprit :

— Chez Stéphanie dans trente minutes ?

Stéphanie était un restaurant de Newbury Street. Lily n'y connaissait personne. Cela ressemblait au paradis.

— Dans trente minutes, c'est super.

Elle enfila un jean, un chemisier et un blazer. Remontant ses cheveux sous une casquette de base-ball, elle mit des lunettes noires, prit l'ascenseur jusqu'au garage et s'éloigna d'un bon pas, comme l'aurait fait une passante anonyme.

Les journalistes la repérèrent immédiatement. Surgissant de derrière les poubelles, les cabines téléphoniques, les voitures en stationnement, ils agitèrent leurs micros sous son nez, hurlant pour attirer son attention.

— Miss Blake, miss Blake. Où allez-vous ?

— Que vous a dit Funder ?

— CNN – Funder va-t-il vous représenter ?

— Allez-vous attaquer l'école Winchester ?

Le regard fixe, elle continua d'avancer au milieu de la bousculade tandis que les reporters couraient à sa hauteur, la harcelant de questions. La foule grossissait à chacun de ses pas. Elle sentait sa chaleur, son impatience, des vagues de respiration brûlante et des odeurs de corps mal lavés. Même si elle avait plus été grande et plus costaud, leur nombre l'aurait terrorisée.

— Cherchez-vous du travail ?

— Qu'en est-il de votre condamnation pour vol ?

— Êtes-vous toujours payée par le club Essex ?

Quand elle tourna au coin de Fairfield, elle buta sur d'autres journalistes qui avaient fait le tour du pâté de maison. Impossible de se frayer un chemin sans bousculer des gens ou du matériel. De toute façon, elle n'était pas assez forte face à eux. Ils formaient un bloc solide. Elle avait l'impression qu'ils allaient foncer sur elle et l'écraser.

— Est-ce vrai que vous avez couché avec Michael Crawford...

— ... Que vous étiez danseuse dans une boîte de nuit à Times Square...

— ... Justin Barr affirme...

— ... Excuses au cardinal ?

Les questions fusaient, toujours plus fortes, s'entrecroisant jusqu'à lui donner le vertige. Elle comprit ce qui l'attendait. Elle se vit courir jusqu'en bas de Newbury, poursuivie par cette meute, essayant de déjeuner avec Sara, harcelée par la presse qui les interromprait et dérangerait les autres convives. Elle ne pouvait pas faire cela – pas à Sara, pas aux autres, encore moins à elle-même. Elle souhaitait juste passer un peu de temps en compagnie d'une amie.

Faisant volte-face, elle agita les bras en signe de colère pour exiger qu'on lui dégage la route, jouant des coudes tout au long de l'allée. Alors qu'elle ouvrait la porte du garage avec sa clef, elle craignit un instant qu'ils n'arrivent à la suivre, mais elle parvint à se glisser à l'intérieur et à refermer la porte derrière elle. Une fois qu'elle l'eut verrouillée, elle se hissa sur la pointe des pieds et regarda par une petite lucarne couverte de poussière l'attroupement de vautours. Dépités, ces derniers reculèrent et firent demi-tour.

Elle tremblait de rage. Comme une furie, elle traversa le garage en courant, reprit l'ascenseur jusqu'à chez elle, décrocha le téléphone et appela chez Stéphanie. D'une voix mal assurée, elle dit :

— Je m'appelle Lily. J'ai rendez-vous chez vous avec une femme appelée Sara. Elle mesure environ un mètre soixante-cinq, elle a des cheveux bruns bouclés, des lunettes. Pouvez-vous me dire si elle est arrivée ?

D'après l'hôtesse, elle n'était toujours pas là.

— Bien, elle ne va plus tarder. Pouvez-vous lui demander d'appeler Lily ?

Deux minutes plus tard, le téléphone sonna.

— Mon dieu, Sara, je suis désolée, dit-elle d'un trait. Je ne peux pas venir. Ils ne me laisseront jamais entrer. Ils m'ont poursuivie jusqu'à l'allée de derrière, alors j'ai fait demi-tour et je suis rentrée. Je ne peux décemment pas les emmener au restaurant, nous n'aurions aucune intimité. Je suis désolée de t'avoir attirée là-bas.

— Qui est Sara ? répondit une voix masculine au timbre nasal.

— Qui êtes-vous ? souffla-t-elle, horrifiée.

— Tom Hardwick. J'ai lu des choses sur vous dans le journal. V'savez, il me semble que puisque vous ne voyez plus le cardinal, vous êtes peut-être, v'savez, en quête d'autre chose ? Il y avait une photo de vous très nette dans le *Cityside*. Vraiment sexy. J'étais avec quelqu'un mais nous venons de rompre alors, v'savez, je suis libre et vous aussi. J'ai eu votre numéro par ma sœur qui est la réceptionniste de votre docteur. Je n'ai que vingt-trois ans mais j'aime les femmes plus âgées...

Lily raccrocha. Le cœur au bord des lèvres, elle regarda fixement le combiné, priant pour qu'il ne rappelle pas. Il n'aurait pas ce toupet ! Après tout, qu'en savait-elle ? Il l'avait bien fait une première fois, à quoi pouvait-elle s'attendre... Elle était bien placée depuis quelques jours pour savoir que tout pouvait arriver. Tout, absolument, tout ! Elle n'avait guère plus de capacité de jugement qu'à l'époque où elle était sortie, à l'âge de seize ans, en voiture avec Donny Kipling. Le téléphone sonna une fois, deux fois, trois fois. Le répondeur se mit en marche. Quand l'annonce prit fin, elle entendit la voix de Sara plus aiguë que d'habitude.

— Lily ? Que s'est-il passé ?

Soulagée, Lily décrocha l'appareil et lui raconta. Au fur et à mesure qu'elle parlait, la réalité de sa situation la frappa.

— Je suis prisonnière ici, conclut-elle, abasourdie. Prisonnière.

— Alors, je vais venir proposa Sara. On parlera chez toi.

Mais Lily avait besoin de réfléchir. Elle devait trouver un moyen de s'en sortir... et elle devait le faire seule. Alors elle remercia Sara, promit de l'appeler bientôt et raccrocha.

Elle passa le reste de la journée à errer dans son minuscule appartement, noyant les sonneries du téléphone sous des flots de Wagner. Elle se sentait prise au piège, terrifiée et engourdie. Totalement impuissante. Et en colère. Très en colère. Furieuse contre Terry Sullivan, Paul Rizzo et Justin Barr qui jouaient avec sa vie. Furieuse contre le *Post*, le *Cityside*, qui laissaient faire une chose pareille. Furieuse même contre le cardinal qui était parvenu à se dégager du scandale, en l'y abandonnant. Elle ne pouvait pas rester à Boston. C'était évident. Même si cette affaire quittait la une des journaux le lendemain, les gens la dévisageraient pendant des mois. Elle ne pourrait pas le supporter... Elle ne pourrait pas supporter que des millions d'étrangers connaissent jusqu'aux moindres détails de sa vie privée, de devenir de la nourriture à talk-shows, l'humiliation, l'injustice. Et puis, il y avait le problème du travail. Qui emploierait une femme unanimement traitée d'hypocrite et d'immorale ? Personne ne lui offrirait le genre de job qu'elle recherchait, c'était indéniable.

Son ancienne copine de chambre au collège vivait à San Francisco. Elles se téléphonaient plusieurs fois par an mais Debbie avait un mari et trois enfants. Lily avait peur de l'appeler aujourd'hui, encore plus de débarquer sur le pas de sa porte de peur d'être suivie par les médias. C'était la même chose concernant ses amis de New York et d'Albany. Lily craignait que sa présence ne souillât leurs vies. Si elle ne pouvait pas aller chez l'un d'eux, elle devait trouver un autre appartement, mais comment faire sans revenus ? Ses économies étaient modestes... Si elle n'arrivait pas à trouver de travail, elles ne dureraient pas longtemps. Elle pouvait se couper les cheveux à ras, les teindre en blond et partir dans un endroit où elle ne connaissait personne. Elle pourrait devenir serveuse. Elle l'avait fait durant ses années d'études. Elle pourrait le refaire. Mais sans relation, ni ami ? Prendre un nom d'emprunt et mentir à tout le monde ? Ce n'était pas une vie.

Ce qu'elle désirait le plus ardemment, c'était qu'on lui rende justice, mais ce n'était pas pour demain. Elle était fatiguée des reporters et des cameramen. Fatiguée d'être un objet de curiosité. Elle voulait du silence et de l'intimité, devenir invisible. Mais les êtres humains ne creusent pas de trou pour se cacher. Ils se rendent dans des lieux isolés, des endroits comme Lake Henry. Pas Lake Henry ! protesta-t-elle. Mais l'idée s'incrusta en elle comme une puce sur le dos d'un chien. Là-bas, elle possédait un refuge libre et gratuit. Il lui appartenait. Sa grand-mère lui avait légué cette petite maison près du lac, coupée du monde par une longue route caillouteuse et des hectares d'arbres.

— Pas Lake Henry ! cria-t-elle.

Cela ressemblait pourtant presque à un trou dans lequel elle pourrait se terrer. C'était un lieu familier. Son cottage était bien conservé. Elle payait une femme du pays pour le nettoyer tous les mois et y séjournait quand elle retournait chez elle.

Maida serait furieuse. Jamais elle ne voudrait d'elle là-bas. Elle aurait trop peur que le scandale ne la touchât de trop près. Mais quel autre choix avait Lily ? Se cacher près du lac était la solution la plus sensée. Elle pourrait y réfléchir, contrôler la fureur médiatique, décider de la combattre, choisir ses armes. Elle pourrait y respirer de l'air pur, passer du temps avec Poppy.

Le téléphone sonna. Elle se retourna et le regarda. Soudain impatiente, elle rêva que c'était Maida qui l'appelait pour lui dire d'aller au cottage. Elle imagina sa mère lui apportant sa spécialité, son savoureux rôti mijoté à la casserole avec des feuilles de laurier et de sauge, des champignons frais, des carottes et les petites pommes de terre rouges que son amie, Mary Joan Sweet, faisait pousser dans son jardin. Et si Maida, choquée par la situation dans laquelle se retrouvait sa fille, insistait pour qu'elle s'installât dans la grande maison ? Elles parleraient, pleureraient ensemble, deviendraient amies. Des rêves. Lily soupira. Rien que des rêves.

Elle laissa sonner le téléphone. Quand elle eut écouté le message, elle en fut heureuse. Elle n'avait pas envie de connaître la personne qui venait de l'appeler. Elle avait renoncé à se demander comment ses coordonnées étaient connues de tout le monde. Le mot « liste rouge » avait désormais aussi peu de sens que le mot « droit ». Elle pourrait appeler la compagnie du téléphone pour protester, mais à quoi cela servirait-il ? Elle pourrait insulter Mitch pour avoir donné son numéro à Terry, et Terry pour l'avoir distribué aux autres, mais cela ne lui apporterait rien. Le mal était fait. En outre, elle allait partir. Dans un jour, elle n'entendrait plus cette horrible sonnerie. Elle ne prendrait plus de douche dans sa magnifique salle de bains, ne traverserait plus le jardin public pour aller à l'école et ne chanterait plus de tout son cœur pour ceux qui appréciaient sa voix. Elle ne ferait plus rien de tout cela parce que Terry Sullivan, Paul Rizzo et Justin Barr lui avaient volé sa vie. Alors que la nuit tombait lentement et qu'elle déambulait inactive dans son minuscule deux pièces, elle sentit monter en elle une rage effrayante envers ces trois hommes. Parfois, cédant à l'irrésolution, elle changeait d'avis, décidant de ne pas quitter la ville, mais cet acte de bravade ne durait pas longtemps. Elle n'avait plus de travail, ne pouvait pas voir ses amis, respirer d'air pur, acheter à manger, et même si la presse ne l'attendait pas pour la prendre en filature, sortir voulait dire affronter l'humiliation et l'embarras. Ce n'était pas juste. Elle voulait qu'on lui rende justice, mais n'avait pas d'argent pour aller devant les tribunaux. Elle n'avait pas le cœur de se lancer dans une guerre longue de trois ans. Certainement pas dans le genre de combat dont parlait Maxwell Funder.

La seule chose dont elle avait envie, c'était de s'enfuir. C'était un désir incontrôlé. Elle avait besoin de retrouver une vie – un peu de vie, n'importe quelle vie. Pour cela, elle avait besoin de dormir, de liberté. Elle avait besoin de quelqu'un qui prenne sa défense. L'esprit de sa grand-mère ferait l'affaire. Celia Sainte-Marie était une sainte. Elle saurait ce qu'il faudrait faire. Elle saurait comment demander réparation.

Lorsque la nuit tomba, Lily empila ses affaires dans le coffre de sa voiture, ferma les portes et quitta le garage. Elle s'attendait à trouver dehors quelques journalistes purs et durs, mais elle imaginait pouvoir les semer, même s'ils la suivaient, une fois qu'elle aurait atteint le Pike. Comme elle l'avait prévu, elle vit des visages émerger de l'obscurité, hurlant des questions, caméras en bandoulière, alors qu'elle descendait l'allée. Oui, il y avait des phares derrière elle. Elle vérifia de nouveau le verrouillage de sa portière et prit un virage serré sur Newbury. À sa grande horreur, elle aperçut un énorme camion muni d'une antenne satellite qui rejoignait les autres. Elle accéléra pour tenter de se mêler à la circulation, mais la rue était trop étroite. Ses poursuivants la talonnaient aisément. Espérant les semer, elle tourna à droite à Herford, à droite encore – en fonçant au feu orange – sur Commonwealth. Mais le gros camion eut le temps de passer. Arrêtée au prochain croisement, alors qu'elle s'apprêtait à prendre à gauche sur Fairfield pour gagner le Pike, le véhicule de télévision était toujours sur ses talons. Un motard, un brassard de presse autour du cou, frappa de toutes ses forces contre sa vitre. Quand le feu passa au vert, elle démarra en trombe, manquant de heurter un reporter qui cherchait à ouvrir sa portière côté passager. Elle donna un grand coup de frein. Fortement choquée, elle changea son plan. Lentement et prudemment, elle refit le tour du pâté de maisons jusqu'au bout de l'allée qu'elle avait quittée quelques minutes plus tôt. Elle avança lentement dans le passage étroit et s'arrêta devant son immeuble. Quand elle baissa sa fenêtre pour ouvrir la porte du garage avec sa clef, le motard s'approcha d'elle et enleva son casque. La veilleuse de sécurité enclenchée à son arrivée devant le parking éclaira le crâne chauve de Paul Rizzo.

— Je peux vous aider à quitter les lieux, dit-il, si vous me donnez l'exclusivité de l'endroit où vous allez et pourquoi.

Lily éclata de colère.

— Aucune exclusivité. Je vais dans le... le... le garage (Elle lutta comme elle put contre son bégaiement.) et c'est une propriété privée. Si vous profitez de l'ouverture de la porte pour vous y introduire, j'app... j'appelle la police.

Elle donna un tour de clef et rapidement remonta sa vitre. Dès que la porte s'ouvrit, elle avança de quelques mètres avant de s'arrêter pour vérifier si on la suivait. Il n'y avait personne. La porte se referma. Elle roula jusqu'à sa place de parking. Pendant une minute, elle resta assise sans penser à sortir ou à déverrouiller la portière. Elle attendit que quelqu'un s'approche, quelqu'un qui se serait glissé à l'intérieur sans qu'elle le vît. Comme personne ne venait, elle se retourna et examina les alentours. Les véhicules garés offraient une bonne cachette et le garage en était plein. Mais il n'y avait pas âme qui vive.

Elle descendit de voiture, déchargea le plus d'affaires possible et prit l'ascenseur jusqu'au quatrième étage. Au lieu d'aller directement chez elle, cependant, elle se rendit chez Élisabeth. Il n'y avait personne. Elle se laissa glisser par terre et s'assit, le dos contre le mur. Il était 21 heures. Elle ne savait pas quand Élisabeth reviendrait mais elle l'attendrait.

21 heure passa, puis 22 heures. Elle posa sa tête sur son sac de marin et s'assoupit. Depuis trois nuits, elle dormait mal et était épuisée. Elle fut réveillée par une main posée sur son bras.

— Que faites-vous là ? interrogea Élisabeth.

Immédiatement réveillée, Lily s'assit.

— J'ai besoin de votre aide.

Elle expliqua ce qui venait de lui arriver. Je ne peux pas rester ici, Élisabeth. Pas seulement parce que je ne peux plus vivre dans un appartement plongé dans l'obscurité. C'est un ensemble de choses. Les médias vont continuer à me pourchasser. Le problème est comment sortir sans qu'ils me suivent.

Élisabeth releva le menton.

— Je sais comment.

Lily soutint son regard.

— Vous voulez m'aider ?

Chacune avait son propre plan. Lily penchait pour qu'Élisabeth la fasse quitter la ville en douce dans sa SUV de luxe puis revienne en taxi à Boston et utilise la BMW de Lily pendant un jour ou deux jusqu'à ce que Lily s'arrange pour lui ramener la Lexus. Le plan d'Élisabeth prévoyait que Lily récupère la Ford ordinaire que son frère avait laissée dans un garage à Cambridge pendant qu'il enseignait à Bruxelles. Cette solution était plus simple, offrant davantage de souplesse pour que Lily puisse lui rapporter le véhicule. Elles mirent au point les derniers détails, sans aucune difficulté. Lily se dissimula, avec ses bagages, sous une pile de bannières portant l'inscription « Kagan gouverneur », dans le coffre de la Lexus et parvint même à trouver cela poétique. Cependant, quand Élisabeth s'arrêta pour morigéner les deux reporters qui faisaient leur ronde dans l'allée, Lily se demanda si son amie n'en faisait pas un peu trop.

Pensez-vous vraiment que Lily partirait à une heure aussi avancée ? leur demanda Élisabeth avec ironie. Pour quelle raison ? Un rendez-vous nocturne avec le cardinal ? Quelle idiotie. N'était-il pas temps de laisser respirer la pauvre femme ? Et elle, où allait-elle ? Boire un verre chez Lennox. Voulaient-ils venir ? Ils devraient. Ils auraient une bonne surprise... En entendant cela, Lily faillit avoir une attaque mais Élisabeth savait ce qu'elle faisait. Jamais les reporters n'accepteraient son invitation. Ils pensaient que c'était un coup monté afin de les faire déguerpir.

— Ne nous prenez pas pour des imbéciles, répondit l'un d'eux.

Élisabeth descendit l'allée et fit le tour du pâté de maisons en direction de Cambridge. Lorsqu'elles atteignirent sans encombre la maison de Doug, elle avança directement dans le garage et éteignit brutalement les phares.

— Elle est cabossée mais elle marche, dit-elle alors qu'elles entassaient les affaires de Lily dans le coffre de la Ford. Voilà la méthode. Appuyez sur l'accélérateur deux fois – arrêtez-vous, puis recommencez une fois avant de mettre le contact. Ça marche à tous les coups.

Lily ne pouvait pas se permettre de faire la fine bouche. Se glissant derrière le volant, elle prit une minute pour examiner le tableau de bord puis baissa la vitre, appuya deux fois sur l'accélérateur, s'arrêta, recommença et mit le contact. Quand le moteur toussa, son cœur fit un bond mais la voiture démarra en ronronnant un peu bruyamment. Elle marchait.

— Je ne sais comment vous remercier, lança-t-elle à Élisabeth.

Élisabeth s'accouda contre la fenêtre baissée.

— Bah. Si j'avais pu, j'aurais insisté pour que vous participiez à la manifestation des Kagan. Ou je vous aurais laissée prendre ma Lexus. Elle caressa la vieille Ford. Ça ne me dérangerait pas du tout. Vous voulez que je récupère votre courrier ou autre chose ?

— Je veux bien.

Lily défit une clef de son trousseau et la lui tendit.

— Où dois-je l'envoyer ?

— Conservez-le.

— Où allez-vous ?

Elle n'était pas sûre de pouvoir le lui dire. Ce n'était pas une question de confiance... Enfin, si, c'était le problème. Voilà pourquoi elle méprisait aussi Terry Sullivan. Il lui avait enseigné, qu'à moins de connaître parfaitement quelqu'un, elle devait rester sur ses gardes. Alors, elle se contenta de lui sourire.

— Je vous le ferai savoir.

Elle remonta sa vitre et fit un signe tandis qu'Élisabeth reculait. Faisant marche arrière dans l'allée, elle alluma ses phares et s'éloigna.

Le voyage prit deux heures. Pendant la première partie du trajet, elle passa son temps à regarder dans son rétroviseur pour voir si elle n'était pas suivie. Ne reculant devant aucune précaution, elle quitta même l'autoroute une fois, repartit en sens inverse, reprit un nouvel échangeur, changea à nouveau de direction et continua vers le nord. Aucune voiture ne la poursuivait. Elle s'était échappée. Elle avait remporté sa première petite victoire sur la presse. Rien de très important, certes, mais vu le contexte, elle avait le droit de se réjouir. Cette satisfaction l'accompagna jusqu'à la frontière du Massachusetts, puis plus loin dans le New Hampshire. Elle roula calmement vers le nord, mais à trente minutes de Lake Henry, l'excitation fit place à l'inquiétude. Allait-elle troquer une série de problèmes pour d'autres, tombant de Charybde en Scylla ? Et si la presse retrouvait sa trace ? Que feraitelle ? Que feraient les gens du pays ? Sa propre mère ? Mais elle était allée trop loin pour reculer. En quittant l'autoroute, puis en traversant Lake Henry, elle jeta à plusieurs reprises des regards inquiets dans son rétroviseur. Tout était sombre, fermé pour la nuit. Elle était seule sur la route quand elle quitta Main street pour emprunter le chemin qui suivait le bord du lac.

Alors que la voiture cahotait sur la route familière, embaumant le parfum des arbres à feuillages persistants, elle sentit monter en elle une douceur qui venait du rivage. Certes, elle était inquiète, mais cela concernait les gens. Pas le lac. Jamais le lac. Elle quitta le chemin à lacets et prit une allée étroite qui menait à la plage de Thissen Cove. À quelques mètres de l'eau, elle tourna une nouvelle fois, s'engageant sur un sentier broussailleux, sillonné d'ornières. Elle le suivit jusqu'au bout puis coupa le moteur et les phares. Le lac était noir comme de l'encre. Progressivement, ses yeux s'habituèrent à l'absence de lumière et elle commença à discerner les alentours. Sur sa gauche se trouvait le cottage, un petit bâtiment de bois et de pierre. Sur sa droite, de grands arbres noirs telles des silhouettes se découpant contre un ciel un peu moins sombre.

Descendant en silence de la voiture, elle se redressa et respira à pleins poumons. Les bois sentaient l'odeur des pins, des feuilles mortes, des rochers couverts de mousse et des bûches brûlant dans les poêles avoisinants. C'étaient les parfums habituels de Lake Henry à l'automne, mais, chez Lily, ils faisaient apparaître des images d'enfance, des visions de bonheur lui rappelant sa grand-mère. Elle traversa la petite clairière entre le cottage et le lac, écrasant sous ses pas les aiguilles de pin qui s'y étaient amoncelées depuis des années et les racines noueuses des arbres, vieilles de plusieurs décennies. Elle emprunta le petit escalier de traverses et atteignit le rivage. Le lac était calme. Elle écouta le léger clapotis de l'eau contre la berge, le crissement des feuillages dans la brise nocturne, le cri éloigné d'une effraie. Elle devinait dans le ciel des rubans de nuages. Tandis qu'elle les observait, ils se déchirèrent, laissant apparaître des constellations d'étoiles, puis, quelques minutes plus tard, un croissant de lune. C'est alors qu'elle entendit le profond trémolo mélodieux et obsédant d'un canard plongeon. Il lui souhaitait la bienvenue chez elle. Elle en eut la certitude absolue. Protégée par la présence de sa grand-mère qu'elle sentait autour d'elle, elle comprit qu'elle avait eu raison de venir. Après la tourmente de ces derniers jours, la beauté des lieux offrait un saisissant contraste. Plus forte qu'elle ne l'avait jamais été depuis la parution, mardi, du *Boston Post*, elle retourna à la voiture, sortit la clef du cottage de son portefeuille, grimpa les marches menant au vieux porche de bois et franchit le seuil.

John Kipling était assis, immobile dans son canot. Incapable de dormir, il avait ressenti le besoin impérieux de venir au cœur de la nuit, à l'ombre de l'île Elbow, face à Thissen Cove. Appelez ça instinct, pressentiment ou coup de chance. Était-il chanceux ? Mon Dieu, non. Ce n'était qu'une question de bon sens. Si, comme il l'imaginait, elle avait vécu un enfer à Boston, où d'autre pourrait-elle aller ?

Lorsque la lumière s'alluma dans la maison, il sut qu'il ne s'était pas trompé. Elle était là. Il murmura un « ouuuiiii » satisfait. Un chant léger lui parvint en réponse. Il sourit. Seuls les plongeons mâles chantaient ainsi. Celui-ci n'appartenait pas au couple d'oiseaux qu'il considérait comme les siens. Il en éprouva encore davantage de satisfaction. Il avait lu l'article dans le journal et savait à quel point Terry pouvait être perfide. Il avait discuté avec Poppy, qui était consternée devant les souffrances qu'endurait sa sœur, et avec des gens du coin – qui avaient différentes opinions sur le sujet. Il se demanda où était la vérité. C'était le journaliste qui parlait en lui. Maintenant que Lily Blake était de retour, ici sur son territoire, il pourrait mener l'enquête. Souriant à cette idée, il sortit ses rames de l'eau et reprit le chemin du retour.

6

Lily dormit profondément et s'éveilla désorientée. Il lui fallut une bonne minute pour réaliser où elle se trouvait et quelques secondes de plus avant de comprendre pourquoi. Puis tout lui revint comme une vague – les mensonges, l'humiliation, la colère, le sentiment de perte. Elle ferma les yeux, souhaitant chasser ces images, mais elles faisaient désormais partie de sa vie, indélébiles, transformant son existence d'une façon qu'elle n'aurait jamais imaginée. Elle frissonna. Elle tenta de se calmer en se rappelant qu'elle était à l'abri. Seule Élisabeth savait qu'elle avait quitté la ville et personne au monde n'était au courant de sa présence ici. Mais elle continua de trembler. Désireuse d'éloigner ces pensées obsédantes, elle sauta du lit et se dirigea vers la mezzanine, en haut de l'escalier en spirale. La sérénité l'envahit instantanément. Le cottage était empli de chaleureux souvenirs. Pendant toute son enfance, elle y était venue rendre visite à sa grand-mère.

Celia Saint-Marie n'était pas native de Lake Henry. Elle avait passé ces cinquante premières années dans une petite ville reculée du Maine, à environ cent kilomètres au nord est. Veuve de bonne heure, elle avait subvenu à ses besoins et ceux de Maida en travaillant comme comptable dans une usine de papier. Le reste du temps, elle s'occupait de ses frères, des vauriens irresponsables. Mais Maida avait fait un bon mariage. Non seulement George possédait une entreprise familiale solide qu'il dirigeait à la place de son père âgé mais il avait bon cœur. Peu de temps après son mariage avec Maida, il avait acheté à Celia un lopin de terre et lui avait fait construire un cottage dans lequel elle pourrait passer le restant de sa vie.

La maison n'était pas très grande. Celia ne l'avait pas souhaité. Elle avait toujours vécu dans des lieux exigus et se serait sentie perdue dans une immense bâtisse. Il lui suffisait de devenir propriétaire pour la première fois de sa vie. Alors quand George lui avait posé la question, elle avait opté pour un simple cottage. Elle avait le sentiment qu'elle serait heureuse, douillettement installée sous son propre toit, entourée par la nature, avec une vue sur le lac.

Pour Lily, ce cottage était synonyme de confort. Il était entièrement construit en bois, doté de poutres apparentes, d'étagères intégrées et de planchers à larges lattes. Le rez-de-chaussée consistait en une vaste pièce séparée par des meubles appropriés. La partie salon était marquée par un grand canapé recouvert d'une tapisserie imprimée d'un motif floral rouge vif, deux chaises rembourrées orange, deux lampadaires avec des abat-jour jaunes à fleurs et une table basse carrée en pin. Le coin salle à manger abritait une table à tréteaux en bois qui avait vu s'asseoir devant elle des demi-douzaines de petits-enfants. Ceux de Celia et de ses amies. La cuisine était petite mais étonnamment moderne. Celia Saint-Marie était peut-être une provinciale mais elle était élégante. Elle était arrivée à Lake Henry avec quelques économies qui avaient grossi au fil des années. Grâce à cette aisance financière, elle avait pu profiter de la vie et moderniser son cottage jusqu'à atteindre la perfection.

Comme son compte en banque, Celia aussi avait pris son essor. Elle s'était épanouie, ouverte, devenant partie intégrante de la communauté. Elle s'était fait des amis en ville, avait rejoint le club de jardinage et la Société historique et jouait au loto les lundis soir à l'église. À soixante-dix ans, elle s'était mise à porter des casquettes de base-ball et des tennis rouges pour cacher à la fois disait-elle, ses cheveux clairsemés et pour se rendre visible dans l'obscurité. Mais Lily soupçonnait, comme presque tous ceux qui la connaissaient, qu'elle avait appris simplement à découvrir sa vraie nature. Sinon, comment expliquer le bar gigantesque qu'elle avait pêché au cours d'un concours sur le lac, puis empaillé et accroché au mur, ou l'immense et exquise pièce de macramé suspendue dans le salon qu'elle avait réalisée, après s'être installée à Lake Henry ? Ou le porte-chapeaux qui contenait non seulement des casquettes de base-ball mais aussi de golf, un chapeau de cow-boy et une capeline de plein air à larges bords ? Que dire du choix de cette mezzanine avec son lit de fer forgé et sa profusion de volières – certaines au ton pastel pendaient des chevrons, deux autres, diaphanes, avaient été montées en lampes et fixées sur le toit en pente au-dessus du lit. Il y en avait une en tissu, pittoresque, une autre servant de corbeille à papier ? Ou les affiches politiques punaisées aux lambris, appelant à voter pour Teddy Kennedy, à défendre le droit des femmes et Hillary Rodham Clinton ?

Celia s'était épanouie. Pour la première fois de sa vie, elle avait dit ce qu'elle pensait et s'était opposée à Maida au sujet de Lily. Le peu de confiance en elle que la jeune femme avait acquis au cours de son enfance, elle le devait à sa grand-mère. Celia était morte depuis six ans, mais Lily sentait ses bras autour d'elle tandis qu'elle restait assise sur les marches au bord du loft. Elle portait l'une de ses vieilles robes de chambre, longue, douce et imprégnée de l'odeur de l'huile de bain au jasmin que Celia affectionnait.

Lily se demanda ce que sa grand-mère aurait pensé de ce qui lui était arrivé à Boston. Que se passerait-il là-bas aujourd'hui ? Au cottage, il n'y avait ni télévision ni radio, non pas parce que Celia ne pouvait pas se les offrir mais parce qu'à leur insipide ronronnement elle préférait les cris des canards plongeons. Et l'hiver, quand les oiseaux étaient partis ? Jusqu'à sa mort, elle avait écouté des disques, des vieux 33 tours. Lily avait presque les mêmes goûts musicaux. Sa collection de CD était dehors, enfermée dans le coffre de la voiture avec sa chaîne et ses vêtements. Elle irait les chercher plus tard. Il n'y avait pas d'urgence. Elle se cachait. Elle n'avait pas grand-chose d'autre à faire.

Il était 9 heures du matin. Des éclaboussures de soleil filtraient à travers les arbres et traversaient les vitres avant de se répandre sur le plancher, le tapis tressé, le bras du canapé. Ce signe chaleureux et familier lui rappelait les nuits qu'elle avait passées ici, enfant – les réveils matinaux quand elle s'installait les jambes pendantes au-dessus de la mezzanine, fredonnant doucement, puis un peu plus fort jusqu'à ce que sa grand-mère se réveille. Lily s'accrocha à ces souvenirs le plus longtemps possible, mais les derniers jours à Boston lui revinrent brutalement, la faisant frissonner. Pieds nus, elle descendit les escaliers, s'enroula dans le châle crocheté posé sur le canapé et resta debout au centre d'un rayon de soleil. La chaleur s'évanouit bientôt. L'automne était là. Une fois qu'elle aurait vidé la voiture, elle rentrerait du bois.

Dehors, elle entendit le cri d'un plongeon sur le lac. Heureuse de ce son familier, Lily ouvrit la porte sur un monde étincelant. Le lac reflétait le bleu profond du ciel. Les arbres aux feuillages chamarrés brûlaient d'un rouge pourpre et doré entre les ombres noires et profondes des arbustes persistants. Elle respira les odeurs de pin, de sapin baumier, de feuilles mortes, d'érables, de trembles et de bouleaux. La matinée était paisible et calme, tellement différente de celles qu'elle connaissait en ville. Le plongeon cria de nouveau mais elle ne le voyait pas. Au risque de se geler les pieds, elle avança sur les pierres mousseuses couvertes d'aiguilles de pin et descendit les marches vers la plage. Elle aurait aimé aller s'asseoir sur le dock mais elle ne voulait pas que les gens de Lake Henry sachent qu'elle était là. Alors elle s'installa dans l'une des petites niches que formaient les racines de pin apparentes, si caractéristiques de Thissen Cove, et demeura là à contempler le paysage. Le lac était calme. De la forêt, derrière elle, lui parvenait le chant d'une fauvette, elle entendait le murmure de l'eau sur les rochers. Lorsque le canard appela de nouveau, elle contempla avec attention l'île Elbow, cherchant à deviner au-delà de la végétation qui se reflétait sur les berges et elle l'aperçut. Les aperçut. Il y avait deux oiseaux, aisément reconnaissables grâce à leurs becs pointus et à la gracieuse courbure de leurs têtes et de leurs cous. Elle se demanda s'il y en avait d'autres mais elle ne voyait pas assez bien. Fébrile, elle quitta son refuge et courut à la maison chercher les jumelles de Celia. Arrivée en haut de l'escalier de traverse, elle vit le petit bateau à moteur amarré près du dock.

Elle se figea. L'homme dans le canot portait des lunettes de soleil, mais, de toute évidence, il l'observait. Cette tête avec ces cheveux châtains décoiffés par le vent, cette mâchoire carrée dont la barbe rase ne pouvait cacher la forme, cette aisance si semblable à celle des vautours qu'elle avait laissés derrière elle... elle savait qui il était. Elle l'avait toujours su. Elle savait aussi qu'il la connaissait... Consternée, le cœur battant, furieuse d'avoir été repérée si vite et par un homme qu'elle avait doublement raison de haïr, elle courut vers le cottage, tira une chaise devant l'entrée et décrocha du mur le fusil de Celia. Elle rouvrit la porte et sortit telle une furie. John Kipling s'avançait sur la pelouse. Il avait enlevé ses verres fumés mais restait impressionnant. Grand et mince, il marchait comme un homme habitué à commander. À chacune de ses visites à Lake Henry, elle l'avait soigneusement évité, mais elle connaissait les endroits où il avait été et ce qu'il avait fait avant de revenir en ville. Poppy le lui avait raconté.

— N'approchez plus ! hurla-t-elle du porche, d'une voix tremblante de fureur. (À Boston, elle était peut-être impuissante mais ici, c'était autre chose.) C'est une propriété privée. Vous enfreignez la loi.

Il s'immobilisa. Calmement, d'un geste mesuré, il déposa un grand sac de papier brun sur le sol à moins de trois mètres des marches. Quand il se redressa, il leva les mains, puis lentement, légèrement tendu, il les baissa, et fit demi tour en direction du canot. Il était pieds nus et portait un sweat-shirt gris et un short en jean. Dans d'autres circonstances, elle aurait peut-être admiré ses jambes mais, ce jour-là, elle les remarqua à peine.

— Stop ! ordonna-t-elle. (Elle ne voulait pas de lui chez elle, mais puisqu'il était venu, elle voulait savoir pourquoi.) Il cherchait quelque chose. Comme tous les journalistes... elle l'avait appris à ses dépens.

— Qu'y-a-t-il dans ce sac ?

Il s'arrêta et fit volte-face lentement, avec prudence.

— Des produits frais. Des œufs, du lait, des légumes, des fruits.

— Pourquoi ?

— Parce que vous n'avez rien à l'intérieur, à part des conserves.

— Comment le savez-vous ?

— La femme qui s'occupe du cottage est la tante de mon assistante.

— Et vous lui avez demandé ? Et elle vous l'a dit ?

Une autre trahison, une autre peur. Mais elle était à Lake Henry. Elle ne pouvait pas s'attendre à ce que ce fût différent.

— À qui d'autre l'a... l'a-t-elle dit ?

— Seulement à moi, reprit-il plus gentiment, et seulement parce que je l'ai interrogée. Je me suis demandé où j'irais si j'étais à votre place. J'ai deviné que vous viendriez ici.

Elle chercha une trace de suffisance sur son visage, mais s'il y en avait une, elle était cachée par sa barbe.

— Comment avez-vous su que j'étais là ?

— Vos lumières étaient allumées à une heure ce matin. Difficile de les rater. Toutes les autres maisons étaient plongées dans l'obscurité.

— On ne peut pas voir ce cottage de la route !

— Non. J'habite sur le lac.

Poppy le lui avait dit également, mais même sans l'aide de sa sœur, elle l'aurait su. Un Kipling sur le lac, loin du Ridge... Toute la ville en avait parlé.

— Où ça exactement ?

Son regard était franc. Cependant, il hésita comme s'il songeait à donner une autre réponse.

— Wheaton Point.

Au moins, là-dessus, il n'avait pas menti. Il avait peut-être essayé mais il pensait probablement qu'elle connaissait la vérité.

— Vous ne pouvez pas voir Thissen Cove de chez vous, répliqua-t-elle pour lui montrer qu'elle n'était pas une imbécile. Alors, vous étiez en balade sur le lac. À une heure du matin ?

— Je n'arrivais pas à dormir.

— Et maintenant vous m'apportez des cadeaux. (Elle eut un vertige. Sa cachette avait été découverte, et par l'un de ses pires ennemis.)

— Que voulez-vous ?

— Posez ce fusil et nous parlerons.

Elle baissa le canon mais se tint prête à tirer.

— Que voulez-vous ? répéta-t-elle.

Il glissa ses mains dans les poches arrière de son short.

— Vous aider.

Elle laissa échapper un rire incrédule :

— Vous ? Vous êtes de la presse. En plus, vous êtes le frère aîné de D... D... Donny.

— Ouais, eh bien je ne l'ai pas choisi, riposta-t-il. J'étais parti quand cette histoire est arrivée entre vous.

— Et si vous vous étiez trouvé là ? Vous auriez pris parti pour votre frère, comme l'a fait votre père, vos tantes, vos oncles et vos cousins.

— C'était un gamin à problèmes. Ils essayaient de l'aider. Il avait déjà un casier judiciaire. S'il n'avait pas dit que vous l'aviez encouragé, il aurait pris deux fois plus. C'est ce qu'il a raconté à mon père, mes tantes, mes oncles et mes cousins. Ils l'ont cru. Ils ont cru que c'était la vérité.

— Ce n'était pas vrai.

Il respira profondément et se redressa.

— Je le sais. Il me l'a dit. Je l'ai vu à l'hôpital un jour avant sa mort.

Donny Kipling avait purgé sa peine pour le vol qu'il avait commis, en compagnie de Lily. Deux ans après, il avait eu un accident de voiture pendant une course poursuite avec la police. Il était mort à l'hôpital une semaine plus tard, à vingt-huit ans. C'était il y a dix ans. À l'époque, Lily était à New York, où elle finissait ses études. Quand Poppy lui avait annoncé la nouvelle, cela l'avait attristée, non pas parce qu'elle éprouvait toujours des sentiments pour Donny mais parce que cette histoire ressemblait à un énorme gâchis.

— Je suis désolée, dit-elle, à la fois parce que John était le frère de Donny mais aussi parce qu'il lui avait avoué la vérité contrairement à ce qu'elle attendait.

Mais John semblait perdu dans ses pensées.

— C'était une catastrophe à lui tout seul. Il a été parfait jusqu'à l'âge de dix ans. J'étais alors le plus mauvais des deux. On m'a éloigné et Donny est resté pour prendre ma place.

Ses yeux rencontrèrent les siens.

— Mon père n'a jamais plus été le même depuis sa mort. C'est un homme tourmenté. Haïssez-le si vous le voulez mais il a été bien puni.

« J'en suis heureuse », faillit lâcher Lily. Elle n'avait aperçu Gus Kipling qu'une seule fois en ville plusieurs années auparavant. Il semblait cassé et âgé. Oui, il souffrait. Elle aurait voulu avoir le cœur sec pour pouvoir lui souhaiter encore pire.

John était différent. Elle jeta un regard sur le sac en papier.

— Alors ça, c'est à cause de votre culpabilité ?

Il émit une espèce de bredouillement, plus proche d'un soupir que d'un rire.

— C'est direct.

— Je n'ai pas le temps de faire des salamalecs. Je suis venue pour me cacher. Vous m'avez découverte, maintenant, je suis obligée de m'en aller.

Immédiatement, il se dégrisa.

— Non. Je ne dirai à personne que vous êtes là.

Lily ouvrit de grands yeux.

— Vous travaillez dans la presse. Le travail des journalistes est de communiquer des informations. C'en est une.

— C'est entre vous et moi.

— Vous, moi et qui d'autre ? Le *Post* ? Le *Cityside* ? Ou bien espérez-vous vous servir de ça pour réintégrer une grande rédaction ? Une radio nationale ? Écrire un article et en tirer une douzaine d'autres ?

John resta de marbre et secoua la tête.

— Il n'y aura pas d'article dans le *Lake News* de jeudi ? demanda-t-elle.

— Non.

Elle ne le crut pas une seule seconde et le lui fit comprendre d'un regard. Elle resserra le châle autour de ses épaules, le fusil toujours au creux de son bras.

— Bon sang ! dit-il en respirant bruyamment. Vous êtes coriace.

Baissant sa garde une minute, elle hurla :

— Savez-vous par quoi je suis passée la semaine dernière ?

— Oui. Oui, je le sais. (Il s'assombrit, l'air troublé.) J'ai vécu là-bas, Lily. J'ai vu ce que les journalistes sont capables de faire. (Il y eut un silence.) Je l'ai fait moi aussi.

— Je l'ai entendu dire.

— Bien. (Les yeux de Lily lui lançaient un défi.) Alors mettons tout sur la table. Vous devez probablement savoir – Poppy a dû vous le dire, ou Maida, ou quiconque en ville – que j'ai détruit une famille. J'ai écrit un article sur un homme politique qui devait se présenter aux primaires des élections présidentielles. Il avait omis de révéler qu'il avait été autrefois l'amant d'une femme mariée connue. Cette liaison avait pris fin des années auparavant à l'époque de son propre mariage mais l'affaire était sulfureuse. Ce genre d'adultère, rempli de détails scabreux fait vendre du papier. L'homme avait des ennemis et j'adorais m'entretenir avec eux. On a révélé l'histoire, et son parti, dans un élan d'hypocrisie vertueuse, lui a alors enlevé son soutien. Sa carrière politique s'est effondrée, tout comme son mariage et ses relations avec ses enfants. Ils ont voulu prendre leurs distances. L'humiliation publique était trop douloureuse.

Il fit une pause. Un tic battait sous sa paupière.

— Ai-je bien tout dit ?

— Vous avez oublié l'épisode avec son assistante blonde, interrompit-elle.

— Je ne l'ai pas oublié. Je l'ai occulté. On a découvert que ce n'était pas vrai. Il n'avait jamais eu de liaison avec son assistante mais on ne l'a su que plus tard. À ce moment-là, sa femme et ses enfants avaient gobé toute l'histoire. Le mal était fait.

— Vous avez laissé de côté le suicide de cet homme, ajouta-t-elle avec l'intention de ne pas l'épargner.

Le tic réapparut.

— Ouais, et depuis, je vis avec. Si vous pensez que ce drame n'a pas affecté ma vie, vous vous trompez. Cela me hante depuis le premier jour. Quand je suis retourné travailler, j'étais anéanti, handicapé. Je n'arrivais plus à faire le travail que le journal me demandait parce que j'étais paralysé par des « Et si ? » « Que va-t-il se passer ? » Alors je suis parti. Laissez-moi vous dire, je pense souvent à ce suicide, j'y pense beaucoup. C'est pour cela que j'ai pris ce poste ici.

Il se mordit les lèvres. Son regard ne quittait pas le sien.

— Je sais ce que vous avez traversé, Lily. Plus que quiconque dans cette ville.

Elle le regarda longuement, souhaitant le croire. Une fois encore, elle baissa sa garde.

— Je ne voulais pas revenir. Si j'avais pu aller ailleurs, je l'aurais fait.

— Je l'avais deviné. Mais les gens vous trouveront sans que je les prévienne. Comme moi, ils verront la lumière. Ou de la fumée sortant de la cheminée. Ou vous apercevront sous le porche, près du rivage.

— Ou vous verront acheter des provisions et me les apporter, l'accusa-t-elle.

En disant cela, elle fut frappée par la façon dont fonctionnait soudain son esprit. L'acte le plus innocent devenait suspect.

Mais il secouait la tête.

— Je passe mon temps chez Charlie. J'y fais des courses pour mon père. Charlie ne s'est douté de rien quand j'ai acheté ces produits ce matin. Vous n'avez pas à vous inquiéter à mon propos. Mais Lake Henry est Lake Henry. Votre présence ne restera pas secrète bien longtemps.

— C'est parfait, annonça-t-elle d'un air bravache. Je ne resterai pas longtemps, alors. Une fois que l'histoire sera enterrée, je repartirai pour Boston.

Haussant les sourcils, il lui lança un regard incrédule.

— Ou ailleurs, dit-elle bien qu'elle n'en crut pas un mot.

Boston restait son objectif. Il n'était pas juste qu'elle en fût bannie pour de bon. C'était impossible ! En outre, elle ne se voyait pas passer le reste de sa vie à Lake Henry. Celia était morte, Poppy était de son côté, certes, mais elle était la seule. Cet endroit lui rappelait trop de vieilles blessures, sans compter cette histoire ancienne avec Donny.

Où irais-je sinon ? se demanda-t-elle, soudain effrayée.

— Oh mon Dieu ! murmura-t-elle, submergée de nouveau par les difficultés qui l'attendaient.

Déchiffrant aisément ses émotions sur son visage, John expliqua :

— J'ai le *Post* d'aujourd'hui dans mon canot. C'est un peu mieux que ça ne l'a été.

— Que disent-ils ?

— Que vous êtes terrée dans votre appartement. Puis l'accent est mis sur Maxwell Funder. Il se répand, jusqu'à la nausée, sur le Premier Amendement, la différence entre les personnes publiques et privées, les définitions de la calomnie. Il y a des commentaires d'avocats, d'experts. Des spéculations sur les poursuites judiciaires que vous pourriez engager. Avez-vous embauché Funder ?

Elle secoua la tête. Il se gratta une paupière.

— Il sous-entend que vous l'avez fait. Il ne le dit pas

franchement. Il laisse juste la porte ouverte. Peut-être devriez-vous le faire ?

— Je ne peux pas le payer. En outre, vous me voyez, moi contre le *Post* ?

— Et vous contre Terry Sullivan ?

Lily se figea. Elle n'avait pas mentionné ce nom à John Kipling.

— Vous avez besoin de connaître une autre chose sur moi, dit-il en redevenant sérieux. Je connais Terry Sullivan. Nous sommes allés dans le même collège puis nous avons travaillé ensemble au *Post*. Il me considérait comme un rival et il m'a roulé.

— Comment ?

— La petite assistante blonde, c'était une information de Terry. À l'époque, j'étais surpris qu'il me donne son nom au lieu de s'en servir lui-même. Mais il m'a expliqué que c'était mon article et qu'il respectait ça. Je ne dis pas qu'il l'a incitée à faire cette déclaration mais il savait qu'elle mentait. Il m'a trompé délibérément. Comprenez-moi bien. Je ne l'accuse pas du gâchis que j'ai occasionné. La blonde n'était qu'un élément de l'affaire. Si j'avais été plus patient et si je m'étais mieux renseigné sur elle, je n'aurais pas imprimé son histoire. Non, la seule chose que je dis, c'est que j'en veux à Terry Sullivan. Nous avons ça en commun, vous et moi.

Il fit demi-tour, prêt à partir.

— Je ne lui garde pas rancune, expliqua Lily en pensant chacun des mots qu'elle prononçait. C'est pire que cela. Si ce fusil avait été chargé et que vous étiez lui, j'aurais tiré à vue.

Bien qu'il fût de dos, elle remarqua son mouvement de tête. Quand il se retourna, elle le vit plisser les lèvres en un drôle de sourire forcé – pendant une seconde, juste une seconde, elle se sentit proche de lui.

Puis il se détourna et s'éloigna. Il descendait les marches en direction de la plage quand il hurla :

— J'ai des munitions ! Appelez-moi si ça vous intéresse.

John mit le moteur en marche et prit calmement le chemin du retour. Les émotions qui l'habitaient contrastaient avec son allure tranquille. Trois ans plus tôt, quand il était revenu à Lake Henry, il avait un objectif. Travailler au *Lake News* toutes les semaines pour payer les factures et, le reste du temps, écrire un livre qui lui apporterait la célébrité, l'argent et justifierait son départ de Boston. Il avait essayé. Il avait commencé une douzaine de livres. Mais aucun ne l'avait passionné au point de continuer. Celui-ci serait différent. Il avait tout pour être un best-seller. Plus il y pensait, plus il prenait de l'ampleur. La situation de Lily reflétait un phénomène important, effrayant et de plus en plus fréquent. Les médias étaient devenus incontrôlables. Les droits individuels – dans ce cas précis, le droit à la vie privée – étaient bafoués. John avait participé autrefois à cette dérive et connaissait parfaitement la façon dont fonctionnait la presse.

Il était la personne idéale pour écrire ce livre. Le sujet était d'actualité, proche de la préoccupation des gens, de ce qui les inquiétait ou les mettait en colère. C'était l'histoire de Lily. Il y avait aussi celle de Terry. Terry écrivait bien. En fait, c'était un excellent écrivain – un spécialiste des mots – arrogant et ambitieux. Mais l'ambition ne pouvait expliquer à elle seule cette méchanceté qui détruisait des gens innocents. John avait connu assez de reporters pour faire la différence entre ceux qui étaient consciencieux et les autres, mus par une sorte d'obsession. John en était un parfait exemple. Lui-même était guidé par un besoin de reconnaissance hérité de l'enfance. Jeune, il avait cherché à se distinguer à l'école par de petits méfaits et des démêlés avec la justice. Quand il avait quitté Lake Henry, il avait trouvé à se mesurer aux autres dans la compétition sportive ou la rivalité professionnelle. Puis il y avait eu son départ catastrophique du *Post*. Depuis, son besoin de reconnaissance avait évolué. Aujourd'hui, il reprenait corps avec ce projet d'écriture. Oui, il voulait se faire un nom. Quel journaliste ne le souhaitait pas ? Mais il avait désormais une conscience. Tout du moins, il supposait que c'était à cela qu'il devait la réserve qu'il ressentait en repensant à Lily Blake debout sous son porche, dans sa longue robe de chambre ivoire et le châle de sa grand-mère. Il comprenait vraiment ce qu'elle ressentait. S'il pouvait l'aider à se venger et en même temps se racheter – à la fois comme écrivain et être humain – que pouvait-il souhaiter de mieux ?

John s'était montré prudent en s'approchant du cottage de Ceila. Il avait erré sur le rivage comme s'il cherchait les canards plongeons et il repartit de la même façon, avec la nonchalance habituelle que lui connaissaient les riverains. Il s'éloigna lentement et dès qu'il eut dépassé les quatre propriétés sur la côte, il se dirigea vers le centre du lac et prit de la vitesse. Dix minutes plus tard, il ramena l'embarcation sur la berge et l'attacha près de son canot à la pièce de bois miteuse qu'il appelait son dock. Un jour, il le détruirait et en construirait un nouveau avec des planches. À son extrémité, il y aurait une sorte de marquise sous laquelle il installerait un bureau à l'ombre avec une chaise et une machine à écrire. Il pourrait y travailler, éclaboussé par les reflets du soleil sur l'eau, tout près des plongeons. S'il pleuvait, il déroulerait un ou deux stores en plastique.

C'était une scène à la Hemingway, pensa-t-il, presque normale pour un type censé être un cousin éloigné de Rudyard Kipling. Après avoir amarré solidement le canot, il prit un autre sac de provisions, le déposa dans son camion, se glissa derrière le volant et démarra. L'air était frais mais il garda sa vitre baissée. C'était une de ces superbes journées d'automne, idéale pour apprécier la brillance du feuillage qui se fanait depuis une semaine ou deux. Il emprunta les chemins privés menant à Mully Point et Seizer Bay, puis continua vers Gemini Beach et Lemon Cove. Thissen Cove venait après. Il dépassa l'étroit sentier qui y conduisait, se demandant brièvement si Lily allait s'enfuir.

Il avait pris un risque calculé en allant la voir. Mais

il avait lu dans son regard qu'il ne s'était pas trompé. Elle n'avait nul endroit où aller et elle le savait. Satisfait, il fit le tour du lac. Le centre-ville de Lake Henry était animé. Les gens allaient chercher leur courrier à la poste, faisaient leurs courses chez Charlie ou se garaient au bout du parking derrière la boutique. C'était là que se trouvaient le commissariat, l'église et la bibliothèque, à droite. Ces trois bâtiments de bois blancs arboraient des stores noirs. Ils avaient chacun plusieurs rôles. Le commissariat, une longue bâtisse d'un étage, abritait aussi le secrétariat de mairie, les archives municipales et les services sociaux. La bibliothèque, une structure fédérale carrée, louait son troisième étage au conseil municipal de Lake Henry. La Société historique se réunissait dans le sous-sol de la vénérable église, longiligne et fière. Ce jour-là, elle organisait une vente de plantes et d'arbustes. Toute la journée, les places de stationnement seraient prises d'assaut jusque devant le parvis de l'église. Ce genre de manifestations – foires à la poterie, artisanale ou automobile – jouaient surtout un rôle social à Lake Henry. On comptait autant d'acheteurs que de simples badauds, bavardant par petits groupes près de leurs véhicules, saluant des amis. John regarda les voitures et les camions, en repéra un ou deux qu'il ne connaissait pas. Des touristes de passage ? se demanda-t-il. Des journalistes déguisés ? Il balaya la foule du regard pour chercher une caméra mais n'en vit aucune. Pas aujourd'hui. Pas encore.

Soulagé, il quitta le centre-ville et roula jusqu'au croisement de Ridge road. Ce carrefour était symbolique. À partir de là, la route était différente. Elle était aussi craquelée par le gel que les autres axes de l'agglomération, mais les ornières y étaient plus profondes. Le sol était aussi détrempé que dans la ville basse et les pneus du véhicule heurtaient la chaussée avec un bruit désagréable. La poussière qui s'en échappait dévoilait un paysage désolé. Les érables y étaient plus brûlés que orange, les bouleaux plus desséchés que jaunes. Même les branches de sapin semblaient supporter un poids trop lourd.

Alors que le lac embaumait l'automne et le centre-ville les parfums de cuisine s'échappant de chez Charlie, le Ridge, lui, sentait mauvais. Lorsqu'il ne s'agissait pas d'un problème d'égout, c'était une question de poubelle ou d'incendie. Il y avait toujours quelque chose en train de brûler – une courroie de ventilateur, un fusible, un moteur. Des odeurs pestilentielles planaient dans cette cuvette fermée d'un côté par la montagne et de l'autre par le lac. Le Ridge consistait en une longue corniche étroite, gravée dans la colline à plusieurs centaines de mètres au-dessus de l'eau. Une route cheminait le long de la berge. Sur les flancs des coteaux étaient disséminées de petites maisons de trois pièces, aux toitures de métal, construites au début du siècle par l'industriel local pour y loger ses employés. L'endroit alors était plaisant. Les Winslow, propriétaires de l'usine, étaient gentils et consciencieux. Ils faisaient repeindre, isoler et rénover régulièrement les habitations, ramasser les ordures et désherber les fougères pour que les enfants aient un endroit pour jouer en toute sécurité. La quatrième génération des Winslow s'était montrée tout aussi amicale. À la fin des années 60, lorsque la liberté était devenue un mot d'ordre national, ils avaient été les premiers à accorder une participation à leurs salariés. Et leur avaient même permis d'acquérir leurs maisons pour un dollar symbolique. Geste qui, à l'époque, avait paru extrêmement généreux.

Le Ridge descendait jusqu'en bas de la colline. La fierté qui avait dominé pendant de nombreuses années avait fait place aux intérêts mercantiles. Au fil des mois, le quartier se dégradait. On trouvait de plus en plus de fenêtres cassées murées par des planches, des escaliers effondrés qu'il fallait contourner. Les toits rouillaient, la peinture s'écaillait, les volets s'affaissaient. Un peu partout, on tombait sur des carcasses de voitures en panne, abandonnées. Ce n'était pas à cause d'un manque de compétence. Après l'ère de l'automatisation qui avait mis les employés au chômage, les petites maisons avaient été rachetées par des ouvriers sous-qualifiés. Ils étaient payés pour faire vivre l'économie locale mais lorsqu'ils rentraient chez eux, ils étaient vidés de toute énergie. Ils luttaient contre l'ennui, la frustration et la colère. Alors qu'ils étaient adroits professionnellement, ils se comportaient chez eux avec cruauté. Les services de police de Lake Henry étaient débordés par la violence domestique qui régnait au Ridge.

Un bon sujet de livre. De plusieurs même. Mais il serait incapable de les écrire. Il n'avait pas assez de recul.

Quand il arriva au sommet de la crête, il aperçut les rangées de masures défoncées, dissimulées parmi les arbres comme des tics sur le poil d'un chien. Le chien était galeux, misérable. À peine John eut-il dépassé les premiers badauds assis sous les porches bancals qu'ils se retournèrent pour le dévisager. Il avait trahi le Ridge en s'installant près du lac. Peu leur importait qu'un des leurs eût fait son chemin dans le monde ou qu'il tentât d'aider ceux qui restaient. Peu leur importait qu'il se servît du journal pour défendre leurs intérêts : John leur rappelait ce qu'ils ne pourraient jamais être. Ils préféraient réciproquement s'éviter pour ne pas avoir à penser. John avait supplié son père de venir vivre avec lui en bas, sur le rivage, mais Gus Kipling avait rejeté cette proposition avec le dédain qu'il montrait pour tout ce qu'entreprenait son fils. Alors, ce dernier avait serré les dents et lui rendait visite deux fois par semaine, davantage s'il y avait un problème ou si Dulcey Hewitt l'appelait. Dulcey était la plus proche voisine de son paternel. Elle avait trois jeunes enfants et la capacité de tout encaisser. C'était indispensable pour se débrouiller avec Gus même si John la payait pour cela.

John se gara devant la maison. Autrefois, elle avait été son foyer, mais les souvenirs étaient douloureux. Alors, aujourd'hui, il prenait ses distances. À ses yeux, elle appartenait entièrement à Gus. Ni John, ni sa mère, ni son frère n'y vivaient plus. John avait fait beaucoup d'efforts pour la transformer, il l'avait repeinte en bleu acier, avait ajouté un porche circulaire, planté des arbustes dans la cour, capables de résister aux négligences de son père. Son sac d'épicerie sous le bras, il descendit du camion, passa sous l'auvent et ouvrit la porte d'entrée. C'était le foutoir mais ce n'était pas nouveau. Gus aimait la pagaille. John s'étonnait toujours qu'un homme presque invalide pût mettre autant de désordre en aussi peu de temps. Dulcey s'en excusait régulièrement. On avait l'impression qu'elle ne faisait pas son travail alors qu'en fait, elle rangeait la maison deux fois par jour. Cependant, malgré cela, l'endroit était propre.

— Gus ! appela-t-il. Après avoir déposé les courses dans la minuscule cuisine, il inspecta la chambre et la salle de bains. Puis, retournant sur ses pas, il ouvrit la porte donnant sur le jardin. Son ventre se tordit. Son père, la tête couronnée de cheveux blancs, avançait en traînant les pieds au fond de la cour dans l'herbe haute, le corps voûté sous le poids d'un énorme bloc de granit que les médecins lui auraient interdit de porter.

— Seigneur ! murmura John en descendant les marches à petits pas pour aller à sa rencontre.

Il haussa le ton :

— Que fais-tu, papa ?

Gus laissa tomber son fardeau sur un mur hérissé de pierres, le poussa dans un sens puis dans l'autre avant de le soulever de nouveau et de s'éloigner en boitillant à l'autre bout de la cour.

— Tu es supposé faire attention à ton cœur, lui rappela John.

— Pour quoi faire ? grommela Gus d'une voix rauque. (Il s'arrêta à l'autre extrémité du mur et y déposa la pierre avec un grognement d'effort qui aurait été impensable quelques années plus tôt.) Si j'peux pas poser de caillasse, j'ferais aussi bien d'être mort !

— Tu as pris ta retraite il y a deux ans.

— C'est toi qu'as décidé ça, fiston. Pas moi. T'as repeint ma maison, t'as acheté des tapis et un canapé, un micro-ondes. Une télévision. Un ordinateur. J'en voulais pas, grogna-t-il en agitant une main noueuse. Tout ce que je veux, c'est ma pierre. (En ahanant, il la retourna, la poussa à gauche puis à droite.) Ce putain de pavé ne va pas, jura-t-il.

John avait assez observé son père pour savoir comment on construisait un mur. Deux rangées de pierres déterminaient la profondeur de l'ouvrage. Pour renforcer la stabilité, les maçons ajoutaient sur la longueur tous les mètres quatre-vingts, une sorte de pavé aussi large que l'épaisseur du mur.

— D'habitude, ça marche du premier coup, émit Gus dans un souffle. Maintenant, ça colle p'us du tout.

Il leva une jambe et frappa le mur de son pied botté. Sous le choc, il tomba à la renverse. John se précipita pour l'aider mais, devant la difficulté qu'avait Gus à se relever, il ressentit une profonde tristesse. Il se rappelait de son père comme d'un homme costaud, infatigable, travaillant du lever au coucher du soleil, capable de choisir la bonne pierre, de la déplacer, de la positionner jusqu'à ce que le mur soit esthétiquement parfait. Gus était plus qu'un excellent maçon, c'était un artiste. Aujourd'hui, il était devenu un vieil homme geignard, à la peau creusée par le soleil, le vent et les tics, abîmé physiquement par des années de labeur. Autrefois, il avait été beau, mais avec l'âge, sa physionomie s'était déformée, il avait un œil plus haut que l'autre, plus ouvert, qui mettait les gens mal à l'aise. John trouvait que ça lui donnait un air triste. Il fallut presque deux minutes à Gus pour se remettre sur ses pieds et se dégager des bras de son fils. John se dirigea vers la pierre qui posait problème.

— Dis-moi où tu veux la mettre ?

— T'as pas le droit de faire ça ! mugit Gus. C'est mon boulot !

John recula d'un pas tandis que Gus déplaçait le bloc de granit. Ses gestes étaient de plus en plus faibles, ses épaules et sa tête de plus en plus courbées. Il était visiblement malheureux, pas seulement à cause de ce mur, mais de façon générale. D'après son docteur, il était au bord de la dépression. C'était fréquent chez les personnes âgées mais cela ne réconfortait pas John. Gus était dans cet état depuis de nombreuses années.

— Que dirais-tu d'un demi ? demanda-t-il après avoir contemplé un instant le dos du vieil homme qui semblait bouillir intérieurement, face au muret.

Il grogna.

— Un par jour, c'est tout c'que j'ai droit. Si j'le prends maintenant, comment j'vais faire plus tard ?

— Tu peux en prendre deux aujourd'hui, décida John.

Il repartit vers la maison et sortit deux bières du frigo. Il en tendit une à Gus et s'assit près du tas de pierres.

Gus resta debout dans l'herbe. Il renversa la tête pour avaler une longue gorgée, gardant les jambes écartées afin de conserver son équilibre. Il montra le mur en brandissant sa bouteille.

— Tu peux marcher là d'ssus, tu sais.

— Je sais.

— On peut pas marcher sur tous les murs. Certains tombent en morceaux.

— Ouais.

— C'est moche que t'aies jamais eu l'coup de main pour ce genre de travail.

En fait, cela n'avait rien d'étonnant puisque Gus ne lui avait jamais rien montré. Il était soit trop occupé, soit trop impatient ou pressé. Alors, John l'avait regardé faire de loin et avait appris beaucoup de choses. Les meilleurs blocs de granit possédaient une aire et des angles plats, la stabilité d'un mur était aussi importante que sa beauté. Il savait reconnaître la provenance d'une pierre rien qu'à sa couleur et comment éviter de la casser.

— C'est de l'art, annonça Gus. C'que tu fais avec ce journal en est pas !

John ne releva pas.

— Donny a-t-il jamais travaillé avec toi ? demanda-t-il.

Le docteur avait suggéré qu'on fasse parler le vieil homme et il fallait évoquer le problème de Donny. Gus émit un son qui n'engageait à rien et avala une autre gorgée de bière.

— Il m'a dit qu'il aurait voulu travailler avec toi, poursuivit John.

— Il était mourant. Qu'est-ce qu'il a dit d'autre ?

— Il aurait pu dire qu'il te détestait. Au lieu de ça, il voulait travailler avec toi. C'est un compliment.

Gus lui lança un coup d'œil de travers.

— Qu'est-ce tu fabriques en ce moment ?

— Rien.

— T'as jamais rien fait pour rien.

— Ce n'est pas vrai.

— T'es toujours après què'que chose. Tu veux être le meilleur, le premier.

John regarda ailleurs. Il avait déjà parlé de cela avec Gus. Cela ne menait nulle part, en tout cas pour lui. Calmement, il répliqua :

— Je pense beaucoup à Donny. C'est tout.

— Pour quelle raison ? Il est mort.

— Ouais, eh bien, j'en suis navré.

— J'ai du mal à t'croire.

— Parce que je lui ai fait des reproches ? Eh bien j'en suis désolé aussi.

Gus grogna. C'était le seul bruit perceptible, avec les pleurs d'un bébé à quelques maisons de là. Les oiseaux ne chantaient pas dans le Ridge. Ils devaient sentir qu'on préférait leur tirer dessus plutôt que de leur donner du pain rassis.

— As-tu suivi cette affaire Lily Blake ? demanda John.

Gus bredouilla un mot qui semblait vouloir dire non, mais John ne le croyait pas. Pour un homme qui déclarait ne pas regarder la télévision, Gus paraissait parfois très bien informé.

— Tu te souviens d'elle quand elle était petite ? demanda John.

— J'te le dirais pas si c'était le cas.

— Pourquoi ?

— J'sais pas c'que tu en ferais.

John pouvait faire semblant d'ignorer les deux premières remarques, mais cette dernière le hérissa.

— As-tu toujours besoin d'être aussi négatif ? J'ai peut-être envie de t'aider. Ça ne t'est jamais venu à l'esprit ?

— Non.

— Depuis que je suis revenu, il y a trois ans, ai-je jamais utilisé ou trahi quelqu'un ?

— Le léopard ne change pas d'abreuvoir.

— Lâche-moi un peu.

— Tu peux toujours attendre.

— Bon Dieu, tu ne t'arrêtes jamais.

John regarda ailleurs. Quelques secondes plus tard, il posa sa bouteille sur une pierre et se recula du mur.

— Un jour, dit-il en se frottant les tempes, un jour, ce serait bien qu'on ait une conversation civilisée tous les deux.

Il s'éloigna avant que Gus ait eu le temps de lui lancer une autre pique et rejoignit son camion. Il ne desserra les mâchoires que lorsqu'il eut quitté le Ridge et respiré l'air frais par ses vitres ouvertes, la colère faisant place à la tristesse.

Gus avait quatre-vingt-un ans. Debout dans l'herbe, instable sur ses jambes, avec ses cheveux blancs en broussaille, son corps voûté et frêle sous sa chemise trop grande et son regard angoissé, il faisait vraiment très âgé. John voulait d'autres souvenirs de son père. Il aurait souhaité lire autre chose dans son regard, entendre d'autres mots sortir de sa bouche. Mais il ne savait que faire pour que cela se produise.

7

À l'image de celle de Lily, la maison de Poppy était petite, entourée d'arbres et possédait son propre sentier descendant sur le lac, mais les ressemblances s'arrêtaient là. La propriété de Poppy se trouvait sur la côte ouest, celle de Lily sur la côte est. Après son accident, ses parents lui avaient offert ce lopin de terre, rogné sur leur propre domaine, dans l'espoir de la garder près d'eux. Poppy avait accepté mais refusé que Maida et George fassent tracer une route à travers la propriété pour relier les deux maisons. Alors, il fallait emprunter un étroit chemin pavé qui partait de la route principale. Le cottage, bâti sur un seul niveau, était constitué de trois ailes. L'aile gauche abritait la chambre, celle de droite la cuisine et une salle de rééducation mais Poppy passait le plus clair de son temps dans la partie centrale. Cette dernière comprenait une rangée de bureaux placés face aux fenêtres s'ouvrant sur le rivage. L'un supportait un ordinateur, l'autre très vaste, lui servait à écrire. Sur celui du milieu, Poppy avait installé une série de consoles connectées au standard téléphonique, son outil de travail. Le lac et le dock, ombragés par les feuillages automnaux, s'étiraient devant ses yeux telle une gravure.

— Résidence Boudreau, dit-elle dans son casque en réponse à une lumière clignotante.

— Poppy, c'est Vivie. (Vivian Abott était la secrétaire de mairie.) Où sont les Boudreau ?

— Ils sont en route pour venir te voir, lui répondit Poppy. Ils ne sont pas encore arrivés ?

— Non et je pars dans deux minutes. S'ils ne sont pas arrivés d'ici là, ils devront s'inscrire pour voter samedi prochain. De 9 à 11, c'est ce que je leur ai dit. Oh, attends ! Les voilà ! Merci Poppy !

Elle raccrocha aussi vite. Une autre lumière clignota.

— Société historique, lança Poppy.

— C'est Edgar Cook. Ma Peggy veut savoir jusqu'à quelle heure a lieu la vente ?

— Seize heures.

— Ah ! C'est ce que je lui ai dit mais elle ne voulait pas me croire. Merci Poppy.

— De rien.

Un autre voyant s'alluma, cette fois sur le téléphone principal, sa ligne privée.

— Bonjour ? dit-elle, souriant toujours en pensant à Edgar.

— Êtes-vous Poppy Blake ?

Son sourire s'éteignit. Elle reconnaissait son interlocuteur.

— Ça dépend.

Terry Sullivan émit une sorte de petit rire coincé.

— Je reconnais votre voix, mon cœur. Est-ce que votre sœur est dans les parages ? demanda-t-il d'un ton nonchalant, comme si elle aurait accepté de lui passer Lily si elle avait été là.

Ce n'était pas le cas. Comme si elle savait où elle était...

— Ah bon, elle est ici ? répliqua Poppy du tac au tac.

— J'ai posé la question en premier.

— Parce que vous êtes le plus rusé. D'après ce que je sais, elle est à Boston.

À peine avait-elle prononcé ces mots qu'elle comprit : hormis la ressemblance physique, il y avait peu de chances pour que la petite silhouette qui venait d'apparaître devant son bureau, avec sa casquette de base-ball, sa vieille veste de chasse, son short informe et ses tennis voyants fut feu Celia Saint-Marie. Poppy se redressa et fit signe à Lily d'entrer.

— Elle a essayé de s'enfuir la nuit dernière, dit Terry. Elle ne l'a pas fait. Ou elle nous le fait croire. J'étais en train de me demander où j'irais si j'étais à sa place.

Comme Lily ne bougeait pas, Poppy lui montra la porte du bureau et agita les bras. Puis elle reprit, dans le micro placé devant sa bouche.

— Et vous avez imaginé qu'elle viendrait ici ? Pourquoi ferait-elle une chose pareille ?

— Par défaut.

— Comment ça ?

Elle posa un doigt sur ses lèvres, Lily ouvrit la porte avec précaution.

— Où d'autre pourrait-elle aller ?

— Manhattan, Albany ? Je ne sais pas.

Elle paraissait étonnée. Avec un grand sourire, elle ouvrit les bras et serra Lily contre elle.

— Me le diriez-vous si elle était là ? demanda Terry.

— Je n'y serais pas obligée.

En aparté, elle donna le nom de son interlocuteur à Lily dont les yeux s'agrandirent d'effroi.

— Vous l'entendriez dans ma voix. Nous ne sommes pas de bons menteurs par ici. Ce n'est pas dans notre nature.

— J'ai mis ses amis de Manhattan sous surveillance. L'université de New York, Juilliard – j'ai des listes. Elle n'est pas là-bas.

— Avez-vous vérifié auprès de ses amis qui travaillent dans le théâtre ? Elle était à Broadway avec des gens originaires de tout le pays. Si j'étais à sa place, dit-elle en faisant écho à ses paroles, je serais avec l'un d'eux.

— Est-ce une indication ?

— Non. Je ne connais pas les noms.

— Me les donneriez-vous si vous les aviez ?

— Non.

— Vous me le feriez savoir si elle se pointait ?

— Non.

Le petit rire sec se fit entendre de nouveau.

— Bravo ! Parfait !

— Ah mais ! jura Poppy distinctement, avant de couper la communication d'une légère pression du doigt.

Elle tenait toujours Lily dans ses bras. Son sourire s'élargit.

— J'ai eu un pressentiment, dit-elle en étreignant sa sœur.

Mais elle n'aimait pas ce qu'elle voyait. Poppy avait toujours considéré Lily comme quelqu'un de vulnérable, de fragile même. Il est vrai qu'elle ne l'avait jamais vue au mieux de sa forme. Quand elle revenait à Lake Henry, Lily était tendue et c'était compréhensible. Mais aujourd'hui, sa fragilité était palpable. Lily paraissait plus menue que dans son souvenir. Elle tremblait. La tenant à bout de bras, Poppy aperçut des cernes sous ses yeux qui n'y étaient pas quand elles s'étaient vues pour la dernière fois, à Pâques, cinq mois auparavant.

— Tu n'as pas l'air en forme, lui lança Poppy. Tu es très jolie (ce qui était la vérité) mais tu as l'air fatiguée.

Les yeux de Lily se remplirent de larmes. Poppy l'attira contre elle et la garda dans ses bras plus longtemps, pensant que l'adjectif « jolie » était en dessous de la vérité. Sur le papier, Lily et Poppy se ressemblaient beaucoup – même cheveux noirs, même visage ovale et silhouette élancée – mais Poppy jouait le rôle de la meilleure copine, Lily celui de la sirène.

Peut-être était-ce à cause de la poitrine ? Lily était mieux dotée de ce côté-là, mais elle était aussi plus douce, plus fière, plus secrète. Les gens savaient à quoi s'en tenir avec Poppy. Avec Lily, ils n'en étaient jamais sûrs. Ce mystère ajoutait à son charme. Poppy avait passé son enfance à suivre sa sœur partout, souffrant quand elle bégayait, fière de ses talents de chanteuse. Elle n'avait jamais compris l'attitude de Lily – sa relation avec Donny était une grosse bêtise – mais elle savait qu'elle était quelqu'un de bien. Elle n'avait jamais demandé à bégayer ou à se conformer aux exigences draconiennes de Maida. La vie de Lily n'avait été qu'une suite d'injustices et cela continuait. Les pensées de Lily semblaient suivre le même chemin. Le coup d'œil aigu qu'elle lança à sa sœur renforça cette impression.

— Comment es-tu partie ? interrogea Poppy.

— Grâce à une amie, j'ai emprunté une voiture. Est-ce que Terry pense que je suis là ?

— Pas encore.

— Ils viendront, affirma Lily, l'air égarée. Tôt ou tard.

— Très bientôt, la reprit Poppy.

Elle détestait l'idée d'aggraver les choses mais Lily avait besoin de connaître la vérité.

— Des équipes de télévision sont déjà venues. Quelques reporters aussi.

Lily s'effondra dans un fauteuil.

— Ont-ils posé des questions ?

— Ils ont essayé. Personne ne leur a répondu.

— Ils le feront. Un jour ou l'autre. On leur offrira de l'argent et ils accepteront.

Elle serra ses mains entre ses cuisses et se balança d'avant en arrière.

— John Kipling a aperçu de la lumière chez moi la nuit dernière. Il est venu au dock ce matin. Il affirme qu'il ne le dira à personne. Puis-je le croire ?

Poppy aimait bien John. Elle savait qu'il avait eu des problèmes à l'adolescence et qu'il s'était comporté avec cruauté quand il était journaliste à Boston mais elle le connaissait personnellement depuis son retour à Lake Henry. Au cours de ces trois dernières années, elle n'avait rien perçu de répréhensible en lui.

— À ta place, je le croirais. De toute façon quel autre choix as-tu ?

— Je n'en ai aucun. Ils me suivront partout. Ici, au moins, j'ai un refuge. Que dois-je faire au sujet de Stella ? Elle doit venir nettoyer le cottage la semaine prochaine.

— Je m'en occupe.

— Cet endroit est un véritable paradis. J'y sens la présence de Celia.

Poppy hocha la tête. Elle jeta un coup d'œil à la casquette, la veste et les tennis. On aurait cru sa grand-mère.

— Je n'ai pas apporté grand-chose, dit Lily en regardant sa tenue. Je ne savais pas combien de temps je resterais.

Elle leva un regard triste. John m'a raconté ce qu'il y avait dans le journal ce matin. Ils sont toujours après moi, Poppy. Rien ne les arrête. Je me sens impuissante. Je n'ai aucun droit.

— Si tu en as. C'est à ça que servent les tribunaux. Tu as besoin d'un avocat.

— De toute évidence, tu n'as pas lu le *Post*. J'ai vu un avocat.

— Et alors ? Il pense aussi que c'est de la diffamation ?

— Oui, mais le problème c'est le procès. Il va mettre à jour des tas d'horreurs. Je vais devoir passer par les pires choses avant d'en voir le bout. Et cela va coûter une fortune. (Lily se réfugia dans l'ironie.) Il m'a proposé d'emprunter de l'argent à maman !

Poppy aurait peut-être eu envie de rire si elle ne s'était pas sentie aussi coupable. Maida lui avait donné tant de choses : une terre, la maison, une camionnette équipée du matériel nécessaire pour se déplacer et conduire seule. Elle lui envoyait sans arrêt des vêtements, des fleurs et plus de nourriture que Poppy ne pourrait jamais en manger. Les problèmes de Poppy étaient physiques. Maida savait gérer ce genre d'infirmité. Les émotions, c'était autre chose.

Lily enleva sa casquette et laissa flotter ses cheveux librement. Elle fronça les sourcils devant l'étiquette de son couvre-chef.

— Est-elle tou... tou... toujours en colère contre moi ?

En entendant ce bégaiement, le cœur de Poppy se serra. Lily ne bégayait que lorsqu'elle était stressée mais ce handicap, accompagné de contorsions faciales pénibles à regarder, était toujours là. Elle imaginait, terrifiée, la douleur que Lily avait dû ressentir devant ses amis, ses copines d'école, les garçons. Poppy connaissait l'humiliation d'être dévisagée, mais elle était adulte. Lily avait vécu cela quand elle était enfant. En plus, on se moquait d'elle... Maida aurait pu l'aider mais elle avait toujours semblé paralysée par les problèmes de sa fille aînée. Et Lily ? Elle rentrait à la maison pour les vacances, les événements familiaux, espérant toujours un changement. Poppy doutait que cela se produise un jour. Maida était une femme exigeante et pas seulement envers Lily. Elle était dure avec les ouvriers du verger, ceux de la cidrerie. Elle était même devenue inflexible avec Rose. Si Poppy avait eu l'usage de ses jambes, la taille et la stature nécessaires pour se confronter à Maida, elle aurait pu lui faire entendre raison.

— Je ne lui ai pas parlé depuis hier, déclara-t-elle soudain. Par chance, c'est l'époque des récoltes. Elle est préoccupée par son travail. Vas-tu aller la voir ?

Lily regarda le lac.

— Je n'ai pas encore pris de décision. Crois-tu que je devrais ?

— Seulement si tu aimes les punitions.

Les yeux de Lily rencontrèrent les siens. Son regard était suppliant.

— Peut-être que si je lui explique... Si je lui raconte ma version des faits... ?

Poppy aurait souhaité que cela fût aussi simple. Maida avait une personnalité complexe, dissimulée sous des couches et des couches d'émotions entassées pendant cinquante-sept ans.

— Mais si elle l'apprend par quelqu'un d'autre ? Elle va se sentir blessée.

— Je ne lui dirai pas, promis Poppy.

— D'après John, tout le monde va le savoir – à cause des lumières, de la fumée sortant de la cheminée – et il a raison.

Elle jeta un coup d'œil sur les consoles téléphoniques.

— Dis-moi qu'ils ne parlent pas de moi.

— Je ne peux pas. Pour les gens, c'est une information. Mais ne crois pas qu'ils te critiquent. Ils refusent de parler aux journalistes.

— John appartient à la presse. Ils parlent avec lui. (Elle soupira, de nouveau au bord des larmes.) J'ai pensé venir ici pour me cacher un moment. Jusqu'à ce que je voie comment ça se passe à Boston. Jusqu'à ce que je prenne une décision. Mais aujourd'hui, il sait que je suis là.

— S'il t'a dit qu'il ne dirait rien, il tiendra sa promesse, certifia Popy.

— Pourquoi ? Qu'est-ce que ça peut lui faire ?

— C'est une question de respect envers lui-même.

— Il m'a apporté de quoi manger.

— Une offre de paix ?

— Ou le cheval de Troie.

Poppy s'arrêta.

— Avant, tu n'étais pas cynique.

Lily passa une main dans ses cheveux.

— C'est drôle comme on change vite.

Poppy voulut reprendre sa sœur dans ses bras mais Lily semblait loin d'elle, isolée.

— Ne pars pas. C'est l'endroit le plus sûr que tu puisses trouver, se contenta de dire Poppy.

— Peut-être. Je pense que je vais rester près du cottage et voir comment se déroulent les événements.

— Installe-toi chez moi, suggéra Poppy, séduite par cette idée.

Mais Lily soupira et secoua la tête.

— Non. Le cottage m'appartient. On m'a tout pris. J'ai besoin de ça.

— Y a-t-il quelque chose que je puisse faire ?

Lily se montra soudain mordante.

— Tu peux faire plus avec Terry. Laisse-le tenter de localiser les gens avec qui j'étais à Broadway. Je ne me rappelle même pas de leurs noms.

— Veux-tu que j'appelle maman ?

— Non.

Quand une lumière clignota sur le standard, Poppy ajusta son micro portatif.

— Commissariat de police de Lake Henry. Cet appel est enregistré.

— Je m'appelle Harvey Ellman. Je prépare un article pour *Newsweek* et j'ai besoin d'informations sur Lily Blake. Pouvez-vous me faxer son casier judiciaire ?

Poppy soutint le regard de sa sœur.

— Lily Blake n'a pas de casier.

— Elle a bien été condamnée pour vol ?

— Non. Il n'y a jamais eu de condamnation. Les poursuites ont été abandonnées.

— Ce n'est pas ce qu'on m'a dit.

— On vous a raconté un mensonge.

— Qui êtes vous ? demanda l'homme avec impatience.

— Je suis l'officier chargé de prendre les messages et je sais ce que je dis. Vous n'êtes pas le premier à appeler à ce propos.

— J'aimerais parler avec le chef de la police.

— Désolée, c'est moi ou personne. Vous êtes Harvey Gellman.. ? C'est pour mon registre...

— Ellman.

Poppy épela le nom.

— Pour *Newsweek*. Bien. Je transmettrais votre appel. (Elle sourit à Lily.) Nous possédons un enregistrement de cette conversation mais je note votre nom pour savoir contre qui se retourner si vous écrivez n'importe quoi. Vous savez, Lily Blake est très appréciée dans cette ville. Si vous publiez des mensonges, nous vous en rendrons responsables. Avec le nombre de journalistes qui nous appellent, nous ne manquons pas de tribune. Nous devons protéger nos concitoyens, n'est-ce pas ?

Lily quitta Poppy, ragaillardie, Poppy était une alliée merveilleuse. Elle répondait au téléphone pour les habitants les plus influents de Lake Henry, ce qui lui permettait d'agir pour le compte de sa sœur. Elle avait insisté pour que Lily emportât son téléphone cellulaire, la ligne téléphonique n'étant pas branchée dans le cottage de Celia. Sa casquette de base-ball enfoncée sur les yeux, cachée derrière ses lunettes de soleil, Lily repartit vers le cottage de Celia par la route qu'elle avait prise à l'aller – du centre-ville jusqu'à l'extrémité du lac.

À Lake Henry, les étrangers ne passaient pas inaperçus. Certes, il y avait beaucoup de passage, des amoureux de l'automne dont les automobiles étaient immatriculées dans le Massachusetts, des journalistes à l'affût de ragots, mais elle se disait que les gens devaient s'attendre à la voir revenir. Plus elle se montrerait discrète, mieux ce serait. Elle retint sa respiration en tournant vers Thissen Cove, s'attendant à voir une voiture étrangère garée devant le cottage. Une main sur le téléphone, elle se prépara à appeler Poppy pour qu'il prévienne Willie Jake, le chef de la police. En un rien de temps, il viendrait avec son quatre-quatre arrêter l'intrus pour violation de propriété privée. Mais c'était un délit mineur. L'individu serait vite relâché et préviendrait tout le monde par téléphone. Une vague de journalistes déferlerait sur Lake Henry. C'était la dernière chose que souhaitait Lily.

Mais il n'y avait aucun véhicule près du cottage. Elle regarda prudemment aux alentours. Elle gara même sa voiture dans le sens de la sortie pour le cas où elle serait obligée de partir précipitamment. Puis elle en descendit et, aux aguets, s'élança jusqu'au porche d'entrée. Il n'y avait personne. Elle fit le tour de chaque pièce, scrutant l'extérieur, puis refit une ronde, ouvrant cette fois les fenêtres pour laisser entrer la douceur de l'air de la mi-journée. Quand elle fut certaine que personne ne s'était aventuré sur ses terres, elle ouvrit la porte donnant sur le lac. Il y avait un bateau au large – appartenant probablement à Marlon Dewey – mais il était loin et semblait s'éloigner. Il n'y avait rien à craindre de ce côté là. Aucun signe non plus de John Kipling. Tout semblait serein, limpide comme du cristal. Elle respira à pleins poumons et se détendit. La fatigue la saisit. Quelques minutes plus tard, elle dormait sur le grand lit d'acier.

8

Pendant que Lily dormait, John travaillait. Il en avait besoin pour sa tranquillité d'esprit, car il était toujours mal à l'aise après avoir quitté Gus. Il ressentait de la frustration, du remords, de la culpabilité. Aujourd'hui, c'était pire que d'habitude parce que Gus déclinait visiblement et que John savait qu'il n'aurait pas dû partir comme ça. Mais il était en colère contre son père. Durant son enfance, Gus l'avait maintenu à distance puis l'avait envoyé au loin. John aurait eu toutes les raisons du monde de finir comme son frère. Cet exil le faisait encore souffrir mais cela ne changeait rien. C'était de l'histoire ancienne. Il avait juste besoin d'être actif pour ne pas penser.

Après avoir déserté le Ridge, il regagna le centre-ville avec l'intention de collecter quelques ragots pour le *Lake News*. Il fit une halte à la vente de plantes et d'arbustes et se mêla à la foule. On parlait de la pièce que la troupe de Lake Henry avait choisie pour son spectacle hivernal, des deux poèmes que la bibliothécaire de la ville avait vendus au magazine *Yankee* et des six petits que sa chatte avait mis bas derrière le rayon des biographies. S'approchant d'un cageot rempli de potirons, John écouta les bavardages concernant l'état des récoltes mais avant qu'il eut le temps de prendre des notes, des gens se tournèrent vers lui.

— Le journal dit qu'elle a pris un avocat, remarqua Alf Buzzell, un homme âgé de soixante ans.

C'était le président de la troupe de théâtre et le trésorier de la Société historique.

— Je pense que ce sera un grand procès télévisé.

— Ça me dépasse, rétorqua John.

— Je ne sais pas si j'apprécierai, fit remarquer l'homme, laissant à John le soin de deviner s'il était gêné à l'idée que Lake Henry devînt un centre d'attraction ou s'il craignait une rivalité avec sa troupe théâtrale.

— Comment ont-ils découvert qu'elle bégayait ? demanda la bibliothécaire.

Leila Higgins avait une trentaine d'années. Elle avait fréquenté la même école que Lily, une classe au-dessus, et à l'époque avait déjà tout d'un rat de bibliothèque. Bien qu'elle fût mariée, elle ne cachait pas qu'elle avait passé des années à faire tapisserie. Quand elle évoquait cette période, une blessure transparaissait dans son regard, tout comme maintenant alors qu'elle s'interrogeait sur Lily.

— Ils ont dû avoir accès aux rapports médicaux, répondit John.

— Mais comment ? Qui a pu les rendre publiques ?

John n'avait aucune certitude. Il se promit de regarder ça de plus près.

— C'était probablement mentionné dans le dossier du tribunal.

— Mais qui a pu le rendre publique ? insista-t-elle.

Encore un élément que John devait vérifier. Le propriétaire de la charrette de potirons lança :

— Je me demande vraiment si elle va venir ici.

Comme les autres, il n'éprouva pas le besoin de préciser qui était ce « elle ». Quand les gens parlaient de Lily, ils ne disaient jamais son nom. John fit celui qui comprenait. De toute façon, il n'avait pas à répondre puisqu'il ne s'agissait pas vraiment d'une question. Heureux de pouvoir rester évasif, il fit courir sa main sur une grosse courge ronde.

— C'est une merveille, dit-il en la respirant d'un air connaisseur.

Entre les odeurs des genévriers, du terreau fertile et

des cucurbitacées mûres à point, l'automne était bel et bien arrivé. Cela lui donnait envie de flâner. Mais pour l'instant, il n'avait pas le temps. Rempochant son carnet de notes dans sa chemise de flanelle, il traversa le parking en direction de l'épicerie. Charlie s'apprêtait à faire sa pause déjeuner. Charlie Owens avait le même âge que lui. Il avait grandi dans une famille aisée mais ils avaient été les meilleurs copains du monde durant leur scolarité. Charlie aussi avait joué les mauvais garçons. Leur refuge de prédilection était l'île de No Man, située en plein milieu du lac. À douze ans, ils y allaient à la rame pour fumer de l'herbe. À treize ans, ils y avaient pris leur première cuite, à quatorze, y avaient perdu leur virginité, l'un après l'autre, avec une fille plantureuse et consentante, de deux ans leur aînée. Après le Collège, Charlie était rentré dans le droit chemin, déterminé à faire revivre l'entreprise familiale qui était en perte de vitesse et à conquérir le cœur d'une femme qui possédait l'énergie, la méthode et les idées pour la faire revivre.

Il était le directeur du magasin, le spécialiste des relations publiques avec la clientèle, mais Annette avait pour rôle de faire entrer la boutique dans le troisième millénaire. Elle gérait les stocks, avait créé un rayon d'épicerie fine et une boulangerie, s'occupait des fournisseurs et des produits artisanaux qui attiraient les promeneurs. C'était elle aussi qui dirigeait le café, une pièce claire entourée de baies vitrées située dans l'arrière-salle. John s'y dirigea. Quand il passa devant le passe-plat de la cuisine, il pencha la tête et fit un clin d'œil à Annette qui servait à la louche une merveilleuse soupe de poissons frais.

Il s'installa sur sa banquette préférée, près de la fenêtre, face à une rangée de bouleaux blancs. Sous le soleil de midi, l'écorce paraissait plus blanche et les feuilles mortes plus jaunes que jamais. Il venait à peine d'arriver lorsque Charlie posa sur la table un plateau, avec de la soupe de poissons, des sandwiches western club et du café, pour deux personnes. Il se glissa en face de John et lui adressa un large sourire.

— Je pensais que tu ne viendrais jamais.

John se versa du café. Le goût lui procura un soulagement immédiat, chassant l'amertume de la bière.

— La matinée a été longue ? demanda-t-il, serrant sa tasse entre ses mains pour en conserver la chaleur.

— Très occupée, c'est tout, dit Charlie.

Ses cheveux dégarnis étaient devenus blancs et il avait déjà les mêmes pattes d'oie que son père, mais ses yeux et son sourire attestaient sa joie de vivre. Sa femme et ces cinq enfants l'adoraient, trois d'entre eux travaillaient au magasin. John avait beau se moquer de sa famille nombreuse qui lui donnait des cheveux blancs, il enviait son existence.

— Je ne te demande pas de quoi ils parlent, dehors, lança Charlie, rêveur, en agitant sa cuillère. Ils en discutent aussi ici. C'est une véritable obsession en ville.

— Quelle est la chose dont tu te souviens à propos d'elle ?

Charlie avala un gros morceau de poisson avant de répondre.

— Sa voix. À sept ans, elle chantait à l'église. Le reste du temps, elle était invisible. Une petite chose tranquille.

— Elle bégayait, lui rappela John. C'est pour ça qu'elle était si réservée.

— Pas quand elle chantait. Tous les dimanches, elle se produisait au cours de la messe et quand elle a eu dix ou onze ans, elle venait ici le jeudi. Au début, je n'étais pas là, mais d'après mon père, elle emballait la salle. Déjà à l'époque, les concerts live avaient lieu dans la pièce du fond, même s'il n'y avait que des bancs autour d'un gros poêle et une estrade entre quatre murs d'étable.

— Elle chantait toutes les semaines ?

— Presque, répondit Charlie en prenant une autre cuillerée de soupe.

Il pointa sa cuillère vers celle de John.

— Mange. Ce sont mes enfants qui ont pêché le poisson – de la perche blanche et du bar, dans le lac.

Il ouvrit un paquet de crackers et les trempa dans

son bol. John mangea. La soupe était légère et crémeuse comme du beurre, pas trop épaisse, savoureuse à point.

— Cette histoire de concert a provoqué des disputes. George était content, Maida pas du tout. Elle estimait que chanter chez nous, c'était risquer la damnation éternelle.

— Alors pourquoi l'a-t-elle autorisée ?

— George a insisté. Ainsi que l'orthophoniste de Lily. Ils ont déclaré qu'elle avait besoin de s'adonner à une passion.

John essaya de visualiser la scène.

— Une jeune chanteuse de dix ans, c'est rare et plutôt mignon. Mais une fille de quatorze ou quinze ans ? Était-elle aguicheuse ?

— Oh, mon Dieu non. Maida n'aurait jamais laissé les choses aller aussi loin. Par n'importe quel temps et en dépit de son âge, elle était boutonnée de la tête au pied.

— Ça peut paraître provocant, fit remarquer John. Il essayait d'imaginer le désir de Donny.

Charlie s'intéressa à sa soupe pendant une minute. Puis il posa sa cuillère.

— Eh bien, Lily ne l'était pas. Elle se contentait de rester debout et de chanter, sans se balancer, sans regard effronté. À la fin, elle souriait gentiment au public, sans prétention. En chantant des mots d'amour, elle fermait les yeux comme si elle était au paradis ou avait peur que sa mère ne fasse irruption pour l'obliger à descendre de scène. Maida l'a laissée faire. Mais, par principe, elle n'est jamais venue l'écouter. Après le départ de Lily pour New York, elle n'a pas remis les pieds au magasin pendant des mois. Pour elle, nous avions corrompu sa fille.

— Et Donny ? demanda John.

Charlie s'essuya la bouche avec une serviette en papier.

— C'est une histoire sans importance. Comme celle-là. Tu crois qu'elle a eu une liaison avec ce cardinal ?

— Non.

— Bien. Tous ceux qui ont connu Lily savent qu'elle

n'est pas capable de faire quelque chose de mal. Ton frère – c'était une autre affaire. Mais je n'ai rien dit à ce type qui est venu ici ce matin.

John ressentit un élancement.

— Quel type ?

Charlie sortit une carte de visite de sa poche et la lui donna.

— Il s'est présenté comme un producteur télé de New York. À mon avis, il faisait trop jeune.

D'après la carte, l'homme travaillait pour *Dateline NBC*.

— Ils sont jeunes, reconnut John. Des shows comme celui-là emploient des douzaines de producteurs. Ils font surtout le sale boulot, comme passer Lake Henry au crible et choisir ce qu'ils vont diffuser ou non.

— Je ne lui ai rien dit, affirma Charlie sans aucune trace d'accent. Je lui ai expliqué qu'il ne se passait rien ici et que dans le cas contraire, personne ne lui raconterait.

Pourtant John savait comment bossaient les journalistes. Il avait croisé des étrangers à la vente de plantes tout à l'heure. Les gens croyaient que les promeneurs du samedi qui traversaient la ville s'arrêtaient pour faire un tour, surtout pendant l'automne. Mais il était impossible de reconnaître un reporter, surtout s'il n'avait pas de caméra.

— À quoi ressemblait-il ?

— À n'importe qui, fit remarquer Charlie avant d'ajouter d'un ton connaisseur : Je me suis arrangé pour que tout le monde nous entende et je l'ai présenté pour lui éviter de le faire. Puis je l'ai emmené à la foire aux plantes. Plus personne n'ignore qu'il y a un type de *Dateline NBC* en ville. Je lui ai serré la main, lui ai souhaité bonne chance et l'ai laissé partir, seul.

John savait pourquoi il aimait Charlie.

— C'était gentil de ta part.

— C'est ce que j'ai pensé, répliqua Charlie.

Levant son bol de soupe, il en avala la dernière gorgée, puis se renfonça dans la banquette avec un sourire satisfait.

John ne comprenait pas pourquoi Charlie n'était pas deux fois plus gros. Avant qu'il ait eu le temps de finir son plat, Charlie avait englouti une deuxième assiettée de soupe et un plat de frites longues et collantes qu'il avait apporté à table. Gai comme un pinson, il retourna travailler, laissant John rassasié. Ayant besoin de digérer, ce dernier repartit se mêler à la foule. Il garda l'œil sur les étrangers susceptibles d'être des journalistes et avertit les gens de se méfier. Il alla même jusqu'à écouter les conversations entre des inconnus et des habitants du pays, imaginant qu'il pouvait s'agir d'interviews. Mais il n'entendit rien de fâcheux.

Alors, il traversa le parking en direction du commissariat pour tailler une bavette avec le chef de la police qui surveillait les allées et venues, sous son porche, une jambe posée sur la balustrade, un cure-dents dans la bouche. Willie Jake avait près de soixante-dix ans. Il dirigeait la police de Lake Henry depuis vingt-cinq ans, après être resté adjoint pendant deux décennies. Personne ne se plaignait de son âge. En fait, peu de gens avait remarqué qu'il avait baissé. John avait noté le changement parce qu'il était parti de la ville assez longtemps pour voir la différence – et peut-être aussi parce qu'on exigeait autre chose d'un policier à Boston. Willie Jake avait toujours été grand. Aujourd'hui, il avait du mal à courir et son visage s'était empâté par rapport à l'époque où John lui donnait du fil à retordre, mais il marchait toujours avec autorité et portait un uniforme impeccable. Ce qu'il avait perdu au fil des années en force physique, il l'avait gagné en agilité mentale.

— Vous voyez quelque chose d'intéressant ? demanda John.

— Ça arrive, répondit Jake à voix basse.

Il fit glisser son cure-dents de l'autre côté de sa bouche, sans quitter la foule des yeux.

— Il y a quelques inconnus. Je grave leurs visages dans mon esprit. S'ils se montrent en ville, je m'en souviendrais.

John n'en douta pas une minute. Willie Jake carra son pied contre la balustrade.

— Vous pensez qu'elle a eu une liaison avec le cardinal ?

— Non.

Le chef lui lança un coup d'œil rapide.

— Pourquoi ?

— Je connais bien le journaliste qui a publié cette histoire. Il invente souvent n'importe quoi. Et vous ? demanda John qui suivait son idée. Vous croyez qu'elle a eu une relation avec le cardinal ?

Willie Jake mâchonnait son bout de bois, sans quitter les badauds des yeux. Le cure-dents fit un bond sur le côté.

— C'est dur d'le savoir. Pas évident de connaître la femme qu'elle est devenue depuis son départ.

— Vous vous souvenez de cette histoire avec mon frère ?

Un autre regard, plus aigu cette fois.

— Je me suis occupé du dossier.

— Donny m'a affirmé qu'elle n'était pas responsable. Confession sur son lit de mort.

— Il ne disait pas ça quand c'est arrivé. Par ailleurs, l'affaire était intéressante. Elle se vantait auprès d'un ami de sortir avec Donny Kipling.

— Vantait ?

— Eh bien, elle le disait. Quand on les a trouvés ensemble dans la voiture, elle paraissait s'amuser comme une folle. Elle aurait pu se lever et s'en aller si elle n'était pas d'accord, mais elle est restée.

— Elle n'avait jamais rien fait de mal auparavant.

— Ça veut rien dire, rétorqua Willie Jake. Elle était mûre pour faire des conneries.

— Pourquoi ?

— Maida.

— Quoi, Maida ?

— C'était une coriace. Les gamins se rebellent toujours contre les coriaces.

— Mais George était là et lui n'était pas dur. Lily n'avait-elle pas de bonnes relations avec lui ?

George Blake appartenait à la quatrième génération des habitants de Lake Henry. D'après ses informations, c'était un homme bon.

— Ça n'avait pas d'importance. C'était Maida qui s'occupait des enfants.

— Vous n'aimez pas Maida, n'est-ce pas ?

Willie Jake haussa les épaules.

— Je l'aime bien maintenant. J'l'aimais pas beaucoup à l'époque. Peu de gens en ville l'aimaient. Elle était pas mal quand elle a épousé George. Puis elle est devenue arrogante. J'pense pas qu'elle nous aimait beaucoup non plus.

Il décocha un autre regard à John.

— J'ai pas dit ça au reporter de Rhode Island qui est venu ce matin. J'lui ai rien dit. Je n'aime pas que les étrangers viennent fouiner dans ma ville. J'lui ai dit ça : que j'l'avais à l'œil et que je le coincerai s'il se pointait dans un endroit interdit. Il y a des pancartes dans cette ville. Des panneaux qui disent « Interdit de chasser », « de pêcher » ou d'entrer dans une propriété privée. J'ai ajouté pas de *harcèlement*. J'veux pas qu'on essaye de faire parler les bonnes gens sur leurs voisins. On se parle entre nous, c'est bien, mais on ne raconte pas aux étrangers ce qu'on a découvert. J'connais pas votre problème, à vous autres. Vous pensez que vous pouvez écrire ce que vous voulez. Vous décidez ce qui est de l'information et ce qui l'est pas. Vous en foutez si c'est pas vrai.

— Hé ! s'exclama John, une main sur la poitrine. Je ne suis pas coupable. Si j'étais vous, j'essayerais de trouver celui qui a divulgué cette histoire de condamnation.

Willie Jake se renfrogna. Il sortit le cure-dents de sa bouche.

— C'est Emma.

Emma était sa femme. Elle répondait souvent au téléphone au commissariat.

— Elle m'a dit que quelqu'un avait appelé de la Résidence d'État à Concord. Il paraît qu'ils triaient les dossiers. J'ai donné un coup de fil là-bas. Personne n'avait jamais téléphoné. Ils ne faisaient pas de classement mais ils avaient eu un appel à propos de Lily Blake. Soi-disant d'un psy qui cherchait de la documentation pour un patient. Le type qui a décroché, un petit jeune, a gobé le truc. J'parie que c'est la presse qui a fait le coup.

Je parie que c'est Terry Sullivan, pensa John.

Willie Jake enleva son pied de la barrière et se redressa, toisant John comme autrefois, comme s'il était un ver couvert de crasse.

— Pourquoi faites-vous des choses pareilles ?

John leva ses deux mains.

— Hé, je n'ai rien fait.

Le chef se leva.

— Eh bien, c'est mal. Il y a quelque chose qui va pas dans ce pays. Les gens ne connaissent plus le respect. Prenez Lake Henry. On n'a aucune vie privée, tout le monde sait ce que fait le voisin, mais on s'en sert pas contre les autres. Mais ailleurs ? (Il leva le pouce vers le reste du monde.) Aucun respect. (Il pointa alors son doigt vers John.) J'vous l'ai dit, laissez tomber. On s'en fiche de savoir si Lily était innocente ou coupable, si Maida était trop dure. Ça regarde les Blake et personne d'autre.

Mais ça ferait sûrement un bon livre, pensa John en serrant la main du chef avant de s'éloigner.

9

Lily dormit jusqu'à 4 heures de l'après-midi. Elle s'éveilla affamée, et se prépara une omelette et une salade qu'elle mangea sous le porche en regardant le lac. Elle ne faisait pas confiance à John Kipling mais elle lui était reconnaissante pour les provisions. Ces aliments frais étaient bien meilleurs que des boîtes de conserve. Tout ce qu'il avait apporté provenait de Lake Henry. Les œufs de la ferme Kreuger ; les salades de chez les Strotherman ; le lait des vaches qui paissaient à quelques kilomètres de là. Il était pasteurisé, homogénéisé, mis en bouteilles et vendu chez Charlie quelques heures après la traite – c'était pour ça que ces produits étaient si bons. Ils respiraient le grand air. Les parfums d'automne étaient de parfaits condiments.

Les bouchées qu'elle savourait apaisaient sa faim, mais pas son esprit. John lui avait dit qu'il avait des munitions. Elle n'arrêtait pas d'y penser : qu'avait-il voulu dire ? Son bateau n'était pas sur le lac, c'était un soulagement. S'il revenait la voir, cela risquait de donner des soupçons aux habitants du pays. Maida savait-elle qu'elle était revenue ? Le soupçonnait-elle ? Se le demandait-elle au moins ? Lily hésitait sur la décision à prendre. Elle décida de ne pas l'appeler, changea d'avis plusieurs fois avant de conclure qu'elle ne le ferait pas. Le téléphone à la main, elle descendit jusqu'à la berge, s'installa dans la petite niche formée par les racines de pin, respirant les odeurs qui montaient de la terre fertile, et y réfléchit de nouveau. Deux bateaux avançaient sur le lac, mais ils s'éloignaient. Le seul mouvement dans la baie était celui d'un couple de canards nageant près du rivage et le seul bruit, les bruissements des écureuils dans les bois. Le soleil déclina lentement à l'ouest vers les collines, sculptant les arbres à feuillages persistants qui ondulaient sur les crêtes, déversant des ombres sur le flanc des coteaux.

Elle demeura là, sereine. Le sol conservait la chaleur, pourtant l'air commençait à fraîchir. Au coucher du soleil, elle entendit le vrombissement d'un canot, des fragments de voix en bas sur la plage, le chant d'un plongeon. À peine eut-elle localisé l'oiseau dans le reflet pourpre au large de l'île Elbow que l'appel retentit de nouveau. C'était un long cri tranquille à l'allure primitive qui s'achevait brusquement. Lily s'était souvent endormie la nuit accompagnée par ce son, à la fois ici et de l'autre côté du lac, parce que les cris des canards portaient loin. Enfant, quand elle dormait chez Celia, elle était fascinée à l'idée que sa mère pût entendre la même chose qu'elle. Lily se demanda si Maida entendait cet appel en ce moment. Était-elle assise dehors sous le porche de la longue maison de pierre, juchée sur la colline, pensant à sa fille installée ici ? De chez elle, Maida ne pouvait pas voir les lumières allumées dans le cottage. Elles étaient séparées par l'île Elbow et Big Island.

À la lumière du jour, Lily apercevait les crêtes des pommiers à flanc de coteau. L'été, leurs feuilles étaient d'un vert plus tendres que celles des résineux et, à l'automne, ils viraient au kaki mais restaient impressionnants. Ils abondaient par vagues, hectare après hectare sur les pentes de la colline, des centaines en tout, recevant un soin jaloux. L'ancienne cidrerie, avec son toit de métal illuminé de soleil et ses flancs en pierre était de toute beauté, vestige de l'histoire. Maida parlait souvent de la première fois où elle avait visité le domaine de son mari. Elle avait vingt ans, alors, et était aussi impressionnée par la terre que par son époux. Jusque-là, elle travaillait dans la société forestière locale et vivait dans l'appartement exigu de sa mère dans une ville où le moindre petit plaisir était rare. Lorsque George Blake était venu acheter du matériel à son patron, la chance avait frappé à sa porte, lui offrant un droit d'entrée pour le paradis. De quinze ans son aîné, il était le seul héritier de la propriété paternelle. Il lui offrit un foyer beau à couper le souffle mais également vaste et spacieux, idyllique. Comment ne pas y trouver le bonheur ? L'épouser avait été l'une des décisions les plus simples de sa vie.

L'histoire – ainsi que Lily l'avait entendu raconter, enfant – avait tourné au conte de fées, et ce même après le mariage. Au cours de la première année, Maida avait goûté une félicité sans limite. Elle aimait l'idée de paresser, de passer ses journées à goûter le cidre et à faire des tartes aux pommes avec les excellents fruits de son mari, tartes qui remportaient toujours un franc succès aux ventes de charité de la paroisse. L'hiver, elle adorait lire près du feu ou faire du patin à glace sur le lac en compagnie de George qui avait peu à faire entre la dernière fournée de cidre de décembre et la première taille des arbres en mars. Elle aimait les vergers au printemps quand les fleurs des pommiers s'épanouissaient en une nuée rose, le bourdonnement des abeilles collectant le pollen. Elle adorait s'asseoir sous le porche d'entrée à contempler l'immense pelouse qui s'étirait en pente douce jusqu'au lac. Au mois de mai, lorsque la terre s'était réchauffée, elle s'occupait des iris et des lis, des belles de jour, des hyacinthes et des roses, les soignant quotidiennement, les nourrissant, les arrosant et les dorlotant jusqu'à ce que son jardin fût le plus beau de la ville.

Le plus beau jardin, la plus belle tarte aux pommes, les plus beaux enfants. Lily avait appris très jeune que ces choses-là importaient à Maida. Elle se rappelait encore le sourire qu'arborait sa mère quand elle décrivait les récompenses obtenues cette année-là. Grâce à son entrée au club de jardinage en compagnie des épouses prospères, Maida s'était fait des amies parmi la bonne bourgeoisie locale. Elle les invitait dans la grande maison de pierre à voir ses compositions florales et leur offrait à dîner. Elle fraya avec l'élite de Lake Henry, des propriétaires de l'usine au conseiller municipal, en passant par le député. Elle vivait des heures glorieuses. Au début de la deuxième année, la machine s'était grippée. Pour quelle raison, Lily ne l'avait jamais su avec certitude car Maida arrêtait toujours son récit à cette période-là. Elle savait que la récolte de pommes de l'année avait souffert des lourdes pluies printanières, provoquant de sérieux ennuis financiers. C'était également à cette époque que Maida s'était retrouvée enceinte d'elle.

Quelles étaient les causes de cette soudaine aigreur ? Des problèmes d'argent ou sa grossesse ? Lorsque Lily fut en âge de se montrer curieuse, Maida était trop irritée pour qu'elle se risquât à poser la question et quand elle eut acquis assez de courage pour se lancer, elle eut trop peur de la réponse. Elle se la posait maintenant, assise au creux des racines, mais elle redoutait autre chose. John avait raison. Ce n'était qu'une question de temps avant que quelqu'un vît des signes de vie chez Celia. La nouvelle selon laquelle Lily était de retour se répandrait et Maida l'apprendrait. Lily ne voulait pas qu'elle le sache par quelqu'un d'autre. Elle serait blessée et cela n'aiderait en rien leurs relations. Cela nuirait aussi à Poppy, qui serait questionnée et réprimandée. Lily retourna à la maison en courant, par peur de changer d'avis, se lava, changea de vêtements et prit la route qui contournait le lac. Il faisait nuit. Un rayon de lune fusait par intermittence entre les branches mais elle était seule sur la route.

Quand elle approcha du mur de pierre qui marquait l'entrée des vergers Blake, son cœur se mit à battre. Elle ralentit et remonta l'allée en gravier sillonnant les hectares de pommiers trapus. Sept cents mètres plus loin, le chemin s'élargit et la maison apparut dans l'obscurité. Seul un côté du premier étage était éclairé mais Lily en connaissait chaque centimètre par cœur. Elle imagina les deux étages, la façade de pierre, les corniches en bardeaux, les fenêtres sous l'avant-toit. Arrivée à la porte cochère, elle grimpa la volée de marches, ouvrit la porte et se glissa dans le vaste hall d'entrée. De la musique classique arrivait de la bibliothèque, signe que Maida était là. Prenant une grande respiration pour retrouver son calme, Lily leva les yeux sur l'escalier incurvé, les vieilles peintures à l'huile représentant des fleurs et la balustrade en acajou. La rampe semblait plus usée que dans ses derniers souvenirs, quand elle était venue à Pâques, mais le hall restait majestueux. Sur la gauche se trouvait la salle à manger, fantomatique avec son mobilier Chippendale. En face, le salon, dans lequel elle pénétra. Une unique lampe était allumée, projetant sa lumière sur le sofa et les fauteuils en tapisserie, les tables d'acajou, le tapis oriental. Maida avait du goût. Voilà un domaine dans lequel Lily ne pouvait la prendre en défaut. Si certains à Lake Henry estimaient que Maida avait décoré la maison avec plus d'élégance qu'il n'était souhaitable, Lily devait bien admettre qu'elle avait eu raison.

Lorsque ses yeux tombèrent sur le piano à queue, elle ressentit comme une brûlure. Le sien lui manquait mais celui-là était chargé de souvenirs. Lily avait appris à jouer dessus. Elle s'était sentie forte et talentueuse en s'asseyant sur ce banc à pied de griffon, devant ces touches ivoire. C'était ici qu'elle avait découvert sa voix.

— Je pensais avoir entendu une voiture, lança Maida d'une voix calme.

Lily fit volte-face. Sa mère se trouvait dans l'embrasure de la porte de la bibliothèque, éclairée de dos, les mains sur les hanches, les épaules droites. Ne sachant que dire, Lily resta muette.

— J'avais deviné que tu reviendrais, continua Maida. Poppy est restée évasive quand je lui ai posé la question.

— Poppy ignorait mm... mes projets répondit Lily, haïssant son léger bégaiement.

Le temps n'avait rien changé, la situation actuelle non plus. Mais la plus grande crainte de Lily était de voir sa mère se mettre en colère. Pour défendre Poppy, elle ajouta :

— Je ne pouvais pas lui en parler au téléphone. Je n'avais pas confiance. Quelqu'un espionnait ma ligne.

— Qui pourrait faire une chose pareille ? Tu l'as signalé ? N'est-ce pas illégal de mettre les gens sur écoute sans les informer ? Peut-être était-ce la police ? Ont-ils une raison de faire ça ?

Lily secoua la tête. Elle croisa les bras sur sa poitrine et essaya de trouver un sujet de conversation, mais la seule chose qui lui venait à l'esprit, c'était que Maida semblait vraiment en forme. À trente ans, elle faisait son âge. À quarante ans aussi. Aujourd'hui à cinquante-sept ans, après avoir perdu son mari trois ans plus tôt et pris en main l'affaire familiale, elle semblait avoir rajeuni. Elle était mince et paraissait presque grande malgré son mètre soixante. Ses cheveux noirs étaient coupés court et coiffés avec style. Elle portait un jean et un sweat-shirt, un peu comme celui de Lily. Lily ne l'avait pas souvent vue en jean.

— Tu as bonne mine, maman.

Maida poussa un grognement et se retira dans la bibliothèque. Lily la regarda s'installer dans son fauteuil, chercher ses lunettes et se tourner vers l'ordinateur installé sur son bureau. Elle excluait Lily, un geste typique quand elle n'arrivait pas à affronter une situation. Lily se demanda si elle devait partir. Dans le passé, c'était son seul recours. Mais à l'époque, elle avait des choses à faire et des endroits où aller. Elle n'avait plus ni l'un ni l'autre. Elle avait simplement besoin de parler avec sa mère. Lentement, elle traversa le salon et s'arrêta dans l'encadrement de la porte comme l'avait fait sa mère précédemment. La bibliothèque en érable croulait sous les livres de cuir, de vieux volumes et des ouvrages plus récents recouverts de papier brillant. Cette pièce faisait partie intégrante du conte de fées de Maida. Elle lui prêtait une allure aristocratique. Les livres étaient descendus et époussetés chaque printemps mais peu avait été ouvert et lu, Lily le savait. C'était pour la galerie.

Le bureau représentait autre chose. Lily se souvenait d'avoir vu son père y travailler nuit après nuit. C'était un homme trapu, plus à l'aise en salopette de travail à ramasser des pommes que devant des papiers administratifs mais il se pliait à cette corvée pour le bien de son exploitation familiale. L'ordinateur n'était venu qu'après sa mort. À l'époque, cela avait impressionné Lily. Jamais elle n'aurait pensé que Maida était du genre à s'intéresser à l'informatique. Mais elle ne l'aurait pas crue capable non plus de diriger l'affaire, et elle n'était pas la seule. Tout le monde était persuadé que George, le fort et robuste George, si facile à vivre, si aimable, ne disparaîtrait jamais. Maida cliqua sur la souris, examina l'écran, feuilleta quelques papiers jusqu'à ce qu'elle ait trouvé ce qu'elle voulait et tapa quelque chose.

— Des factures, murmura-t-elle d'un air résigné. Je suis devenue experte pour jongler avec les chiffres, payer un peu ici, un peu là. Je pensais que les choses s'arrangeraient. La saison a été bonne, la production est en hausse, mais cet accroissement de productivité demande des investissements. On a besoin de renouveler certaines pièces du pressoir, des canalisations et du système de réfrigération. Ils accusent leur âge en même temps. En plus, il y a la pelle mécanique qui regimbe et tressaille comme un cheval têtu. (Elle se renversa dans son fauteuil et lança un regard accusateur à Lily.) Ton père m'a laissé une pagaille qui m'occupe du lever au coucher du soleil et puis il y a le téléphone. Je reçois des centaines d'appels de gens qui veulent des informations sur toi – des gens d'ici ou d'autres villes, des gens venus d'endroits où je ne suis jamais allée et où je n'ai pas envie de mettre les pieds. Je n'ai pas besoin de ça, Lily. Surtout en période de récolte.

— Je suis désolée, fut tout ce que Lily trouva à répondre.

— Poppy s'en occupe pour l'essentiel mais certains parviennent jusqu'ici. Sais-tu ce qu'on me demande ? Sais-tu ce dont ils sont au courant ? Où tu fais tes courses, ce que tu achètes. C'est toi qui leur as dit tout ça ?

Lily eut à peine le temps de répondre par la négative que Maida continua :

— Cette histoire de bégaiement, cette affaire avec

ce vaurien de Donny Kipling. Sais-tu à quel point c'est embarrassant pour moi ?

Lily resserra ses bras autour de sa taille. La colère la gagnait mais elle choisit de faire preuve de bon sens. Si Maida voulait exhaler sa rancœur, c'était aussi bien qu'elle le fasse maintenant. Qu'on n'en parle plus.

— Le sais-tu ? insista Maida.

— C'est pire pour moi.

— Ah ouiiiii ! éclata sa mère d'un rire sec. Voilà ce qu'on obtient quand on joue avec le feu. Tu voulais monter sur scène, être une artiste. Mais on attire le scandale avec ce genre de vie. Les gens te voient sur scène et te considèrent comme une personne publique. Tu es le jouet des colporteurs de ragots. Je lis *People Magazine*. Celui-ci a une liaison avec Untel, celui-là avec un autre. Quand tu vis dans ce milieu, les gens sont persuadés que tu as une morale élastique – et tu leur donnes raison. Qu'avais-tu à l'esprit ? Des têtes-à-têtes nocturnes avec le cardinal, des étreintes, des baisers. Tu n'as pas imaginé que les gens pourraient y trouver à redire ? Enfin, je suppose que ce n'est pas vrai.

Elle s'arrêta, mais ses yeux continuaient de la fixer, exigeant une réponse. Surprise et heureuse de se voir accorder le bénéfice du doute, Lily répondit vivement.

— C'est faux. Il ne s'est rien passé. Le père Fran est un excellent ami. Il l'est depuis des années. Tu le sais.

— Je ne savais pas que tu entrais chez lui comme dans un moulin.

— Ce n'est pas le cas. Je ne l'ai jamais fait.

— Alors, pourquoi as-tu déclaré des choses pareilles ? Pourquoi as-tu dit que tu l'aimais ?

— Parce que c'est vrai. C'est un ami très proche. C'est ce que j'ai dit au reporter. Il a sorti mes mots du contexte. Maman, je n'ai pas demandé ça.

— Alors pourquoi est-ce arrivé ?

— Parce que certains reporters, certains journaux ont voulu vendre du papier. Les médias avaient besoin d'un scandale, un reporter en a créé un et les autres ont suivi. S'il y avait eu un fff... fait divers important ailleurs, ils n'auraient pas inventé cette histoire mais il ne se passait rien. Le pp..père Fran venait d'être nommé cardinal, alors ils ont laissé travailler leur imagination.

— C'est toi la responsable, coupa Maida. Tu as laissé cette affaire arriver.

Lily était abasourdie.

— Que pouvais-je faire ? J'ai nié chacune de leurs allégations. J'ai exigé un démenti. J'ai parlé à un avocat.

— Et... ?

— Quoi ?

— L'avocat. Que fait-il ?

— Je n'ai pas pu l'engager.

— Pourquoi ?

— Il voulait un quart de million de dollars.

Maida en resta muette. Elle baissa le regard sur l'écran d'ordinateur, puis sur ses papiers. Les coins de sa bouche se tordirent. Lily était sur le point de dire qu'elle ne lui demanderait pas d'argent même si elle en avait, quand elle entendit un bruit derrière elle. Elle se retourna et aperçut la fille aînée de Rose, sa nièce Hannah, âgée de dix ans, trottiner vers elles les pieds nus. Son corps potelé était caché sous un immense T-shirt. De longs cheveux châtains, noués en queue-de-cheval encadraient son visage rond et sérieux. Lily ne connaissait pas bien ses nièces mais Hannah était la première née et tenait une place spéciale dans son cœur. Elle eut un large sourire.

— Salut, Hannah !

Hannah s'arrêta près d'elle :

— Salut, tante Lily !

Lily s'approcha et l'embrassa. Le baiser qu'elle reçut en retour était hésitant mais c'était mieux que rien.

— Comment vas-tu, demanda-t-elle en gardant son bras autour de la fillette.

— Bien. Quand es-tu revenue ?

— Tard la nuit dernière. J'ai dormi presque toute la journée. Que fais-tu là à cette heure-ci ?

— Elle dort ici, dit Maida d'une voix indifférente. Qu'est-il arrivé à ton film, Hannah ?

— Il était ennuyeux.

— Je croyais que tu en avais loué deux.

Lily perçut son haussement d'épaules. Hannah répondit :

— J'ai entendu des voix.

— Ta tante et moi avons à parler. Remonte là-haut et regarde l'autre.

Hannah lança un regard rapide à Lily avant de s'en aller.

— N'oublie pas de rembobiner le premier cria Maida.

Lily la suivit du regard jusqu'à ce qu'elle ait disparu dans le hall. Puis elle se tourna vers Maida.

— Elle dort souvent ici ?

— Le samedi soir quand Rose et Art veulent sortir.

— Où sont Emma et Ruth ?

C'étaient les jeunes sœurs d'Hannah, âgées respectivement de sept et six ans. Elles étaient certainement trop petites pour rester seules.

— Avec une baby-sitter. Elle s'en sort mieux si Hannah reste ici.

D'une voix plus basse, elle reprit :

— Pourquoi le journal a-t-il écrit que tu avais pris un avocat ?

De peur qu'Hannah puisse les entendre, Lily baissa la voix, elle aussi.

— C'est lui qui l'a laissé entendre. Mais je n'ai pas refusé seulement à cause de l'argent. Il m'a dit qu'il y en aurait pour des années et que ma vie serait étalée au grand jour.

Maida se rassit et porta ses doigts joints à ses lèvres.

— Je n'ai pas envie de supporter cela pendant trois ans, poursuivit Lily.

Maida laissa retomber ses mains.

— As-tu un autre choix ?

— Cette histoire est un mensonge. Tout le monde le saura quand le cardinal aura obtenu un démenti.

— Tu retrouveras ton poste d'enseignante ? demanda Maida. Je ne le pense pas. Les calomnies ont la vie dure, même quand la vérité éclate. Tu t'es placée dans une situation difficile. Une femme seule, être l'amie intime d'un cardinal !

Lily se sentit mise en accusation par la personne dont le manque de confiance la blessait le plus. Elle se défendit avec davantage de force qu'elle n'avait jamais osé en montrer devant sa mère.

— Nous n'étions pas aussi proches que ça. Je ne suis pas allée le voir juste pour le plaisir... Au cours des soirées, nous discutions mais nous n'étions jamais seuls. Parfois, je suis restée pour jouer du piano dans sa résidence, après une manifestation, et il me téléphonait pour prendre de mes nouvelles quand nous ne nous étions pas vus depuis un mois ou deux. Je fais la même chose avec d'autres amis.

— C'est un prêtre.

— C'est un ami.

— On ne touche pas un prêtre.

— Tout le monde touche Fran Rossetti.

— Et c'est... c'est un tel manque de respect de l'appeler par son nom.

— Tous ses amis l'appellent Fran. Il nous l'a demandé. Je ne l'ai jamais fait en public.

Maida essaya une autre tactique.

— Si tu étais mariée, cela ne serait pas arrivé. Pendant des années, je me suis bagarrée avec toi pour que tu le fasses et j'avais raison. Le mariage t'apporterait la stabilité. Des enfants aussi. Si tu m'avais écoutée, ta vie paraîtrait plus équilibrée.

— Tu crois que ça aurait fait une différence répliqua Lily ? Un mensonge est un mensonge. Terry Sullivan cherchait le scandale. Même si j'avais été mariée, il aurait écrit la même chose, simplement il m'aurait traitée de femme adultère ou de mère indigne.

— Depuis quand es-tu devenue si cynique ?

Maida avait le culot de lui poser la question. Poppy s'était contentée de le faire remarquer. Dans la bouche de Maida, c'était une critique. Lily devint livide.

— Depuis qu'on a foutu ma vie en l'air !

— Tu aurais dû te marier, insista Maida, d'un ton las indiquant qu'elle en avait fini avec cet argument. Tu t'es installée chez maman ?

Lily ne prit pas la peine de répondre que le cottage lui appartenait légalement. Fatiguée, elle se contenta de hocher la tête.

— Pour combien de temps ?

— Je ne sais pas.

— Tu vas les attirer ici, tu le sais.

— Pas si tu ne dis rien. Hannah se taira-t-elle ?

— Non.

— Elle va l'apprendre à Rose, s'inquiéta Lily. Rose va le dire à Art et sa mère va l'annoncer à toute l'usine.

Ce n'était pas de la paranoïa, Lake Henry fonctionnait ainsi. Maida insista.

— Hannah ne le dira pas à Rose. Elle ne lui raconte rien. À ta place, je m'inquiéterais plutôt de ceux qui vont remarquer ta présence chez ma mère. La nouvelle va se savoir et les médias vont déferler ici, c'est clair comme le jour. Ça te paraît juste pour nous ?

— Que puis-je faire d'autre ?

Maida leva une main au ciel, l'air accablée.

— Je ne sais pas. Tout ce que je sais, c'est que je ne veux pas de journalistes ici. Tu n'as pas envie d'être dévisagée pendant trois ans ? Pourquoi devrions-nous supporter cela pendant trois semaines ? Ils vont mettre leur nez partout. Ce n'est pas juste. Tu n'es pas la seule en cause, Lily. Si tu les attires ici, cela va continuer encore et encore. Pourquoi me fais-tu cela ? Que veux-tu de moi ?

Lily explosa. Ses yeux se remplirent de larmes. Des années de frustration montèrent à ses lèvres.

— Du soutien ! cria-t-elle. De la sympathie. De la compassion. Un mot de bienvenue. C'est ma maison et tu es ma mère. Pourquoi ne peux-tu pas me donner ces choses-là ?

Elle aurait pu s'arrêter là mais après la fatigue émotionnelle de ces derniers jours, elle était sans défense.

— Qu'ai-je fait ? Qu'ai-je fait pour t'offenser autant ?

Les gens ont de l'affection pour moi, maman. Je suis quelqu'un de... de... de bien. J'ai des amis, des collègues sympas, des étudiants qui m'apprécient. Même le cardinal se soucie de moi. Il pense que je vaux la peine d'être son amie. Pourquoi pas toi ?

Maida semblait interloquée mais Lily était allée trop loin. Des larmes roulaient sur ses joues. Ses blessures, cachées depuis si longtemps, jaillissaient malgré elle.

— Ça t'a toujours gênée que je bégaye. Parce que ça montrait que je n'étais pas parfaite, un de tes enfants n'était pas parfait. Mais est-ce que j'ai demandé à bégayer ? Penses-tu que cela me fait plaisir ? J'ai commis une fff... faute – une seule – avec Donny Kipling. Depuis, ai-je été un fardeau pour toi ? T'ai-je jamais demandé quelque chose ? Non. Mais aujourd'hui je réclame de la compréhension. Est-ce trop demander ? Crois-tu que j'ai souhaité ce qui est arrivé ? Nuit après nuit, je me suis réveillée, tremblante de fureur. (Elle frissonnait maintenant.) J'ai travaillé dur pour construire ma vie. On m'a tout pris et je ne sais pas pourquoi. Je ne sais pas pour... pour... pourquoi Terry Sullivan m'a fait ça, ni pourquoi le *Post* l'a suivi. Je ne sais pas pourquoi ma propre mère est incapable d'éprouver, une fois dans sa vie, de la compassion pour moi.

Faisant volte-face brusquement, elle quitta la maison comme une furie. Lily pleura tout le chemin du retour, furieuse contre l'insensibilité de Maida et honteuse de son explosion de colère. Elle se gara devant le cottage sans s'inquiéter de prévoir une fuite immédiate, souhaitant presque trouver un journaliste rôdant dans les bois. Elle le frapperait. Elle était d'humeur bagarreuse. Mais personne ne bondit vers elle quand elle descendit de voiture. Aveuglée par la rage, elle s'élança vers le lac, jusqu'au vieux dock de bois, et s'assit au bord de l'eau, défiant Lake Henry. Personne ne pouvait la voir. La nuit était noire, l'eau endormie. Elle tempêta un instant puis frissonna. Le paysage serein qui l'entourait agit comme un baume. Elle s'apaisa. Quand elle entendit le cri d'un canard plongeon, elle pensa à Celia – tendre Celia qui l'avait chérie presque comme une mère. Sans elle, Lily aurait pu croire qu'elle ne méritait pas d'être aimée.

C'était pourtant ce que lui avait enseigné Maida. En tout cas, Lily l'avait compris ainsi. Le père Fran lui avait expliqué que le problème n'était pas là. Il lui avait dit que les mères aimaient toujours leurs enfants mais que parfois, certaines circonstances les empêchaient d'exprimer leur amour. Maida semblait déçue par elle en permanence. À l'entendre, Lily n'avait jamais rien fait de bien. George l'avait soutenue, mais il n'était pas de tous les combats, il avait insisté pour que Maida la laissât chanter à l'épicerie parce qu'il en escomptait un résultat important. De façon typiquement masculine, il n'avait pas compris les besoins d'amour d'une adolescente, besoins qui n'avaient pas été comblés. Celia avait rempli ce vide. Elle avait donné à Lily la confiance en elle que même les applaudissements du public ne pouvaient lui apporter. Elle avait appris à sa petite-fille à vivre selon ses rêves. Quels étaient-ils aujourd'hui ? À quoi rêvait Lily, assise dans le noir, frissonnante dans l'air glaciale, au bord de l'eau qui clapotait doucement contre les rochers de la plage tandis que le cri primitif d'un plongeon se répercutait dans la nuit ? Elle voulait retrouver sa vie – son travail, sa liberté, son intimité.

Lorsque Lily se réveilla le dimanche matin, son rêve restait ardent. Dominant l'urgence qu'elle ressentait, elle attendit 9 heures et, geste impensable, appela John Kipling. Il savait qu'elle était revenue, connaissait sa situation et les médias. Il lui avait proposé de l'appeler, se raisonna-t-elle. En outre, elle ne voyait aucun mal à l'utiliser après la façon dont on l'avait traitée. Chacun son tour.

— C'est Lily. Je me demandais si vous aviez vu le journal, ce matin.

— Je viens juste de le récupérer.

— Y a-t-il quelque chose ?

— Un petit appel en une, dit-il. Attendez. Je vais vérifier à l'intérieur.

Debout près de la fenêtre dominant le lac, drapée dans le châle de Celia, elle resserra son étreinte autour du combiné en entendant le froissement du papier. Il lui parut s'écouler une éternité avant qu'elle entendît à nouveau le son de sa voix. Il commença par soupirer.

— OK. C'est pas trop mauvais. En une, il y a un récapitulatif rapide des événements de la semaine. L'article intérieur parle essentiellement d'autres affaires.

— Quelles autres affaires ?

— Du passé.

— Quel passé ?

— Des scandales sexuels.

Son estomac se retourna.

— Que voulez-vous ddd... dire ?

— Ils parlent des liaisons célèbres qui ont fait du bruit, mais à mon avis, c'est plutôt bon. Cela prouve qu'ils n'ont plus grand-chose à dire sur vous.

Lily ne voyait pas les choses aussi simplement.

— Mais ils me mettent dans le même camp !

— Ouais, mais tous ceux qui ont un brin de jugeote savent que les situations ne sont pas les mêmes. Il n'y a aucune comparaison entre le cardinal Rossetti, un président coureur de jupons pris la main dans le sac, un diplomate de haute volée surpris dans le lit d'une espionne ou une star de Hollywood incapable de garder sa braguette fermée.

— Les lecteurs n'ont peut-être pas de jugeote ?

— Les gens sont habituellement plus intelligents qu'on ne croit, la rassura John d'une voix calme.

S'il n'avait pas appartenu au monde de la presse, cela l'aurait réconforté. Mais les journalistes étaient d'excellents manipulateurs.

Lily l'avait appris à ses dépens.

— Bien sûr, c'est une façon de vous attaquer en fouillant dans le passé à la recherche de cas similaires. Évidemment, ils essaient de vous compromettre. Mais cette comparaison est un pétard mouillé. Les lecteurs vont s'apercevoir que les allégations portées contre vous et le cardinal ne tiennent pas la route comparées à ces histoires-là.

— Le problème, argumenta Lily, après avoir pris une grande respiration, c'est qu'à force de répéter tout le temps la même chose, ça marche. Les gens oublieront les détails et l'insignifiance des accusations. L'affaire va prendre de l'ampleur.

— Alors vous devez répliquer et vous battre.

— Comment ? cria-t-elle.

Après un silence, il reprit :

— Vous avez la solution d'attaquer au tribunal. Les journaux comprendront.

Elle pencha la tête, ferma les yeux, pressa un poing sur sa tempe.

— Les autres aussi. Je dois... dois... dois vous laisser, murmura-t-elle avant de raccrocher.

10

Lily passa une grande partie du dimanche à maudire son impuissance. Elle reconsidéra le fait d'intenter une action en justice et s'imagina sortant triomphalement du tribunal après que le jury eut rendu un verdict en sa faveur. Elle était totalement blanchie et les médias étaient obligés d'y regarder à deux fois avant de ruiner imprudemment la vie des gens. Elle rêva d'un retour en fanfare à Boston : le directeur de l'école Winchester était viré pour avoir cédé à la folie médiatique et le propriétaire du club Essex la suppliait, oui, la suppliait de reprendre son travail. Terry Sullivan perdait son boulot, Paul Rizzo se plantait en moto et l'on chassait Justin Barr de la ville. Mais dès qu'elle pensa au prix à payer pour se battre, la réalité lui revint en pleine figure. Il lui faudrait vivre un enfer. Elle n'était pas prête à cela. Que faire d'autre ? Samedi matin, John lui avait dit qu'il avait des munitions. Il n'en avait pas reparlé dimanche mais peut-être avait-elle raccroché trop vite. Une nouvelle fois, elle se demanda de quoi il s'agissait. Pouvait-elle lui faire confiance ? Qui lui disait qu'il ne ferait pas volte-face avant de la trahir comme l'avait fait Terry.

Méfiance mise à part, elle savait que John lisait les journaux tous les matins. Comme il n'y avait ni radio ni télévision au cottage, qu'elle craignait que l'on retrouve sa trace par l'intermédiaire de Poppy si elle téléphonait à Boston et qu'elle hésitait à demander à Maida, elle serra les dents et l'appela de nouveau le lundi à la première heure.

— Vous êtes mon lien avec le monde extérieur lança-t-elle, tentant de paraître insouciante. Qu'est-ce qu'on dit aujourd'hui ?

— Il n'y a rien en une répondit John. C'est en page cinq. Le Vatican a lavé le cardinal de tout soupçon et condamné l'irresponsabilité des journaux. Le *Post* a réagi en publiant des excuses au cardinal.

L'espoir s'empara si brusquement de Lily qu'elle put à peine respirer.

— Ils ont reconnu que cette histoire était fausse ?

— Non, mais ils se sont excusés auprès du cardinal.

Son commentaire restait suspendu dans l'air.

— Oui ? questionna Lily.

Il devait y avoir autre chose.

— C'est tout. C'est un petit papier.

Son optimisme vacilla.

— M'ont-ils mentionnée ?

— Seulement au début.

Mal à l'aise, elle déglutit.

— Voudriez-vous mm... me le lire, s'il vous plaît ?

D'un ton égal, John lut :

Après avoir mené sa propre enquête, le Vatican a annoncé que le cardinal, Francis Rossetti, nouvellement nommé, a été lavé de tout soupçon concernant la liaison qu'il aurait entretenue avec la chanteuse de cabaret, Lily Blake. Le Saint Siège a procédé à une enquête poussée auprès des proches du cardinal, de son personnel et du cardinal lui-même. Rome affirme dans un communiqué publié la nuit dernière que l'absence totale de preuves suggère qu'aucune des allégations faites la semaine passée ne contient une once de vérité.

— Le communiqué poursuit en condamnant l'atmosphère « viciée » qui règne aujourd'hui dans la presse de ce pays et qui menace « de façon irréparable des hommes aussi droits que le cardinal Rossetti ».

Lily retint sa respiration.
— Encore ? demanda John.
— S'il vous plaît

Un porte-parole de l'archevêché de Boston a loué la rapidité et la minutie de l'enquête menée par le Vatican. Cette action menée avec diligence permet au cardinal de reprendre immédiatement son travail auprès des pauvres, des malheureux et des nécessiteux des paroisses de la ville.

John s'arrêta. Lily attendit.

Interviewé par le Post, *continua-t-il, le cardinal a repris cette pensée à son compte.*
Il y a ici un travail important à accomplir, a-t-il déclaré. Il aurait été dommage que des gens dans le besoin souffrent à cause de fausses accusations et de reportages irresponsables.

John s'arrêta de nouveau.
— C'est tout ? demanda Lily.
— Encore une phrase. Le *Post* a publié officiellement ses excuses au cardinal et à l'archevêché.
Lily attendit qu'il ajoutât quelque chose. Quand le silence se prolongea, sa consternation s'accrut.
— C'est tout ?
— Oui.
— Il n'y a rien pour moi ?
— Non.
Elle fut frappée de stupeur, puis submergée par la colère.
— Mais c'est moi qui ai souffert le plus ! Moi qui ai perdu mon travail, moi qui ne peux plus sortir en public sans être suivie comme une chatte en chaleur. Je mérite des excuses également. Pourquoi ne me dis... dis... disculpe-t-on pas ? (Ses mâchoires étaient raides, son cœur battait.) Elle était furieuse comme elle ne l'avait jamais été.
— Qui a écrit cet article ?

— Ce n'est pas Terry, répondit John. David Hendricks. C'est un reporter de l'équipe, un ancien.

— Terry Sullivan est un lâche, siffla Lily, hors d'elle. Et dans les autres journaux ?

— C'est la même chose. De petits articles. C'est tout.

— Est-ce que tout va s'arrêter ?

— Peut-être.

Folle de rage, Lily marmonna un rapide « merci » et raccrocha. Puis elle appela Poppy et lui demanda le numéro de Cassie Byrnes.

Comme beaucoup de villes des environs, Lake Henry avait une vie municipale active. Au mois de mars, les habitants se réunissaient en assemblée générale à deux reprises dans l'église pour débattre des problèmes et voter les ordres du jour. Chaque année, on élisait un président qui avait pour rôle de fixer l'agenda des réunions et aurait dû être la personne la plus influente de Lake Henry. Ce n'était pas le cas. Les conseils municipaux revêtaient davantage l'apparence d'une expérience sociale visant à rompre la monotonie des saisons, que celle d'une assemblée politique. En réalité, les problèmes quotidiens étaient réglés au fur et à mesure de leurs apparitions par le chef de la police, le postier et le secrétaire municipal. En cette fin de millénaire, les sujets de préoccupation concernaient essentiellement l'environnement. Ils étaient l'apanage du Comité de Lake Henry, qui avait vu le jour dans les années vingt lorsque le flux grossissant de touristes avait provoqué des remous au sein de la population.

Son travail consistait surtout à veiller à la protection du lac et aux terres avoisinantes. Au fil des années, devant la montée en puissance de l'écologie, le pouvoir du comité s'était accru. Il n'était pas limité en nombre. Tout le monde pouvait y appartenir. La seule obligation était d'assister aux assemblées mensuelles. Quand on convoquait une réunion d'urgence, généralement à cause d'une modification législative que les gens du coin considéraient comme néfaste, les membres étaient censés y participer à moins d'avoir une bonne raison.

Tout au long de l'année, le comité comptait trente membres. Au mois de janvier, ils célébraient le nouvel an en élisant un président parmi eux. Cassie Byrnes, trente-cinq ans, en était à son quatrième mandat. Elle était la première femme et la plus jeune élue à ce poste mais son élection avait fait l'unanimité. Résidente de Lake Henry depuis toujours, elle n'avait quitté la ville que pour la fac de droit. À peine l'encre avait-elle séché sur son diplôme qu'elle était revenue en ville accrocher sa plaque d'avocat. Depuis dix ans, elle était considérée comme une sorte d'activiste locale.

Lily l'attendit sous le porche. Le lac était enveloppé d'un étau de brouillard mais respirait le calme. Lily se sentait moins nerveuse. Quand elle entendit le bruit d'un moteur, elle fit le tour du cottage et se posta devant l'entrée. Quelques minutes plus tard, Cassie arriva dans un véhicule aussi bringuebalant que celui qu'elle-même avait emprunté. À l'arrière, il y avait deux sièges d'enfant, ainsi que deux lourdes vestes, une batte de hockey et un sac de fast food. Cassie était une maman qui travaillait. Sa seule originalité était ses cheveux blonds bouclés. En descendant de voiture, elle glissa la bandoulière de sa sacoche en cuir sur son épaule. Elle paraissait sereine. Ses longues jambes était moulées dans un jean et sa poitrine dans un chemisier de soie blanche. Elle portait une veste, un foulard à fleurs et des bottes.

— Merci d'être venue, dit Lily.

Cassie sourit.

— On se demandait si vous reviendriez. Les gens d'ici adorent faire des spéculations. Cependant, personne ne sait que je suis là. Votre secret est à l'abri avec moi tant que vous voudrez qu'il soit gardé. (Elle tendit la main.) Cela fait longtemps !

Lily la serra. Cassie avait fréquenté la même école qu'elle, dans la classe au-dessus, et y était dix mille fois plus populaire. Sa poignée de main était ferme et confiante. Lily espéra qu'elle était aussi habile professionnellement. Elles auraient pu parler sous le porche grâce à la confidentialité qu'apportait le brouillard mais il faisait trop froid et humide pour rester dehors longtemps. Aussi Lily la conduisit-elle dans le cottage et lui offrit du café. Elle s'assirent dans le salon, Lily dans le fauteuil, Cassie sur le canapé.

— Vous avez suivi l'affaire ? commença Lily.

— Oh, oui ! Difficile de faire autrement quand ça concerne quelqu'un du coin.

— Avez-vous lu les journaux d'aujourd'hui ?

— Oui. Le Vatican a innocenté le cardinal et le *Post* s'est excusé mais pas auprès de vous.

Cassie résuma les derniers épisodes de l'affaire avec une célérité qui encouragea Lily.

— Cela ne me surprend pas. La presse a d'excellents avocats. Ils informent les éditeurs de leurs obligations et ces derniers restent dans les limites de la loi. Le *Post* a publié des excuses mais pas de démenti. À moins que le cardinal n'en exige un, ils ne le feront pas. Il est possible cependant qu'il paraisse plus tard cette semaine. Ces choses-là sont régies par des statuts, l'endroit où l'on doit les publier, la taille. Il faudrait que je jette un œil sur la législation du Massachusetts pour savoir comment ça fonctionne là-bas.

Lily ne s'intéressait pas aux statuts. Elle parlait bon sens.

— Mais comment est-il possible que je n'aie pas eu droit à des excuses ? Puisque j'étais l'une des deux parties soupçonnées et que l'autre a été innocentée publiquement, comment peut-on m'ignorer ? Comment peut-on publier des accusations à la une et des excuses un peu plus loin dans le journal ?

— C'est comme ça que ça marche, répliqua Cassie d'un ton dégoûté.

Furieuse, Lily leva la tête. Elle déglutit, essayant de mettre ses pensées en ordre.

— Ce qu'on m'a fait subir est répréhensible moralement. Cela ne changera rien. Mais les lois ont été violées également. C'est de cela que je veux parler avec vous.

— Vous n'avez pas engagé Maxwell Funder ?

— Non. Il n'y a que la publicité et l'argent qui l'intéressent. Elle mentionna à Cassie les chiffres dont Funder lui avait parlé.

Cassie ouvrit des yeux ronds.

— Ce n'est pas surprenant. Sa société travaille sur un grand pied. Il y a des gens qui paieront ses frais. Il peut donc vous offrir une réduction sur ses honoraires mais ils resteront toujours hors de prix. Vous a-t-il fait le baratin habituel sur ses menues dépenses ?

Lily avait à peine acquiescé que Cassie ajouta :

— Les frais de justice ne sont pas excessifs dans un dossier comme celui-là. Tout au moins pas dans cet État.

Lily eut une idée.

— Puis-je attaquer devant un tribunal du New Hampshire ? demanda-t-elle.

— Pourquoi pas ? On y vend aussi les journaux en question. Vous avez été calomniée ici, dans le Massachusetts et à New York.

Lily reprit courage.

— C'est exactement ça, de la calomnie. Ils ont écrit des tas de mensonges sur moi et en ont insinué d'autres.

Cassie leva la main en signe de prudence.

— Ce qu'ils ont sous-entendu sera plus dur à prouver. Elle prit dans son sac un bloc de papier et un stylo. Commençons par ce qu'ils ont affirmé.

— Ils ont dit que j'avais une liaison avec le cardinal. C'est absolument faux.

Cassie prit note.

— D'accord. C'est le point numéro un. Quoi d'autre ?

— Ils ont écrit que j'avais eu une relation avec le gouverneur de New York.

— Écrit ou sous-entendu ?

— Sous-entendu, mais c'était clair.

Cassie agita la main :

— C'est implicite. Quelles autres accusations directes ont-ils portées ?

— Que j'avais reconnu avoir une liaison avec le cardinal. Que j'étais amoureuse de lui. Que je l'avais suivi à Boston.

— N'avez-vous pas dit ces choses-là ?

— Pas de la façon dont le journaliste l'a rapporté ! s'écria Lily à la fois gênée et en colère. Nous plaisantions à propos d'une femme hypothétique qui se vanterait d'avoir une liaison avec le cardinal. Terry l'a écrit comme si c'était moi. J'ai dit que j'aimais le cardinal comme beaucoup d'autres. C'était en général. Je suis venue à Boston après lui, mais je ne l'ai pas suivi, nuance !

Cassie fronça les sourcils :

— Ce ne sont pas vraiment des faits. Vous avez dit ces mots-là. Il les a sortis du contexte. Il peut prétendre qu'il s'agissait d'un malentendu, qu'il ne vous a pas comprise. À moins qu'on puisse prouver qu'il y avait malveillance, on n'a aucune chance au tribunal. Le connaissez-vous ?

— Non, répondit Lily, frustrée. Il m'a contactée pour écrire un article sur les pianistes et j'ai refusé à plusieurs reprises de lui accorder une interview. Nous avons réellement parlé pour la première fois la veille où il a publié cette histoire. Il m'a fait dire ces phrases, Cassie. Et puis, il y a tout le reste.

Les mots se bousculèrent devant ce sentiment d'injustice, d'humiliation.

— Je ne leur ai pas dit où je faisais mes courses ni où j'allais en vacances. Je ne leur ai pas parlé du problème que j'ai eu avec la justice ici quand j'avais seize ans. Les poursuites ont été abandonnées. Le dossier était censé être classé.

Tandis que Lily parlait, Cassie se frottait la lèvre supérieure du bout des doigts. Elle écrivit quelque chose sur son bloc-notes.

— Quelqu'un l'a divulgué. Il y a moyen d'enquêter là-dessus. Pour le reste, l'endroit où vous faites vos courses, vos lieux de vacances, on ne peut rien faire. Cette information est disponible au grand public. C'est incroyable mais c'est ainsi. Quiconque sait se servir d'Internet peut être au courant...

Le découragement s'empara de Lily.

— Alors, je ne peux rien faire.

— Pas sur ces points-là.

— Ils ont violé la loi. Ma ligne téléphonique a été placée sur écoute.

— En êtes-vous sûre ?

— Non, mais j'ai entendu un clic alors que je parlais avec ma sœur et, le lendemain, j'ai retrouvé des bribes de cette discussion dans le journal.

Cassie prit note.

— Nous déposerons une plainte au bureau des AG du Massachusetts.

Lily remarqua le « nous » et poursuivit avec une hésitation accrue.

— Je n'ai pas beaucoup d'argent. Je vous donnerais ce que j'ai.

— Gardez votre argent, dit Cassie. Nous en parlerons quand j'aurais engagé des frais.

Elle prit une feuille de papier vierge.

— Je veux tout savoir sur vos relations avec le cardinal, votre conversation avec Terry Sullivan et ce qui vous est arrivé depuis la parution de cet article.

Lily parla pendant une heure. Une véritable libération. Sa voix tremblait parfois sous le coup de l'émotion mais elle ne bégaya pas une seule fois. Cassie se contenta d'écouter et de prendre des notes, posant occasionnellement une question. Enfin, Lily s'arrêta. Cassie relut tranquillement son topo. Incapable de supporter le suspense, Lily éclata :

— Qu'en pensez-vous ?

— Je pense, dit Cassie, que nous pouvons attaquer pour diffamation.

— Mais... ? (Lily l'entendait dans sa voix.)

— Mais il y a quelques restrictions. À savoir que vous pouvez être considérée, avec un peu d'imagination, comme un personnage publique. S'il y a jurisprudence en la matière, ce sera plus dur de prouver la diffamation. C'est là que la malveillance devient un point important. Quoi qu'il arrive, la première chose à faire est d'exiger un démenti du *Post*. C'est la procédure. Nous devons donner au journal la possibilité d'offrir des excuses avant d'engager des poursuites devant un tribunal.

— Combien de temps leur donne-t-on ? demanda Lily.

Elle n'avait pas oublié ce que lui avait dit Funder.

— Une semaine. Ils n'ont pas besoin de davantage. Vous voulez que je fonce ?

Une semaine, ce serait parfait. Lily était assez en colère pour ne pas leur octroyer plus. Elle savait que si le *Post* ne répondait pas à son exigence, elle serait capable de passer à la vitesse supérieure. En outre, grâce à Cassie, elle se sentait forte et retrouvait espoir. Peut-être pourrait-elle finalement faire reconnaître sa vérité. Comme le lui avait fait remarquer Poppy, c'était sa vie, son travail, son nom qui étaient en cause. Si elle ne se battait pas, personne ne le ferait à sa place.

— Oui, répondit-elle calmement. Foncez !

Pendant que les deux jeunes femmes discutaient, John se balançait d'avant en arrière sur le fauteuil de son bureau, les pieds sur la table, les mains serrées autour de sa tasse de café, les yeux fixés sur le brouillard. Pourquoi le *Post* n'avait-il pas mentionné Lily ? Personnellement, cela ne changeait rien, son livre valait toujours le coup. Mais plus il y réfléchissait, plus il était ennuyé. Sous le coup d'une impulsion, il décrocha le téléphone et composa un numéro familier.

— Brian Wallace, grommela une voix distraite à l'autre bout du fil. Brian était l'ancien directeur de la rédaction de John au *Post*. Il était toujours le patron de Terry.

— Salut, Brian, c'est Kip !

Wallace le reconnut. Les deux hommes étaient de vieux amis.

— Comment vas-tu, Kip ?

— Très bien. Et toi ?

— Débordé. Ça ne s'arrête jamais. Il y a des moments où je me dis que tu as eu une bonne idée de lâcher le turbin quotidien. Alors, tu es toujours dans ta cambrousse ? Qui aurait pu penser qu'un scoop pareil allait sortir juste sous ton nez ?

— C'est sous *ton* nez. C'est arrivé à Boston.

— Oui, mais elle vient de chez toi, de ta ville. Terry m'a appris que tu ne voulais pas nous tuyauter.

— Terry voulait des informations que je n'avais pas. Même si j'avais su quelque chose, je ne lui aurais rien dit, admit John, sachant que Brian comprendrait, car Terry s'était fait des ennemis à droite et à gauche.

— Hum ! fit Brian. C'est direct. Alors. Tu veux me donner cette info ?

— Qu'y a-t-il à donner ?

— Elle n'est pas là-bas ?

— Si elle y est, elle se cache bien. Les gens du coin ne l'ont pas vue.

Ce n'était pas vraiment un mensonge. Une demi-vérité tout au plus, mais Brian Wallace avait été un bon professeur. On suit cette histoire. Aujourd'hui, c'était intéressant. Ce n'est pas souvent que le journal publie des excuses.

Brian poussa un gros soupir.

— L'Église était en rogne.

— Maintenant, c'est ici qu'on est en rogne. On se demande pourquoi Lily n'a pas eu droit, elle aussi, à des excuses.

Brian laissa échapper un rire amer.

— C'est elle qui devrait s'excuser. Seigneur, si elle n'avait pas dit des choses pareilles, nous ne serions pas embarrassés aujourd'hui.

John, qui ne voulait pas trahir le fait qu'il avait parlé à Lily, s'enquit avec prudence.

— Crois-tu réellement qu'elle ait dit cela ? N'est-ce pas plutôt Terry qui a bidouillé un article ?

— S'il avait fait ça, je ne l'aurais jamais publié.

— Es-tu vraiment sûr qu'il ne l'a pas fait ?

Il y eut un bref silence puis la voix reprit, d'un ton plus froid :

— Est-ce une accusation ?

— Arrête ton baratin. C'est à moi que tu parles. Je sais ce qui s'est déjà tramé dans les coulisses. J'ai travaillé avec Terry. Je suis allé à l'école avec ce type. Ce ne serait pas la première fois qu'il aurait fabriqué une histoire.

— Fais attention, John. (Ils étaient ennemis maintenant.) Tu risques la diffamation avec des phrases comme ça...

— Et ce qu'il a écrit sur Lily Blake, ça n'en est pas ? N'as-tu pas peur qu'elle vous attaque ?

— Non.

Il semblait si sûr de lui que le malaise de John s'accrut.

— Pourquoi ? Il n'y a jamais eu de liaison. Tu l'as admis toi-même. Ça prouve que Terry s'est trompé...

— Mon Dieu, John, soupira Brian, crois-tu sincèrement que nous aurions publié une histoire pareille sans raison valable ? Crois-tu honnêtement que je me serais contenté des dires de Terry ? Je sais comment il s'est comporté dans le passé et je le surveille de près. Voilà des semaines qu'il me parle de cette affaire, depuis le moment où des rumeurs ont couru sur l'élévation de Rossetti au rang de cardinal. Je lui ai répondu que je ne me mouillerais dans ce genre de salades que s'il m'apportait des preuves solides. Et il les a obtenues. J'ai une bande magnétique. Un enregistrement, John. Lily Blake a vraiment affirmé ces choses-là. Il n'y a aucun doute là-dessus. Elle est peut-être folle. Ou bien elle a le béguin pour ce type. Peut-être a-t-elle fantasmé sur lui depuis si longtemps et si fort qu'elle s'est prise à croire que c'était la réalité. Mais elle l'a dit, je l'ai entendu moi-même. John ne s'était pas attendu à cela. Il changea de sujet de conversation, immédiatement.

— Savait-elle qu'on l'enregistrait ?

— On nous a affirmé qu'elle le savait. Mais, eh, nous sommes prudents. C'est pour cela que nous n'avons pas révélé l'existence de ce document. Nous ne sommes pas stupides, Kip. Cette bande n'est pas recevable devant un tribunal. Mais cela nous autorise à publier cette histoire.

Grâce à cet enregistrement, nous avions des raisons d'y croire. Il n'y avait aucune malveillance de notre part. Cette femme est cinglée.

Poppy avait appris l'information bien avant que Lily ne l'appelle pour lui demander les coordonnées de Cassie. Elle l'avait sue par trois de ses amies qui l'avaient entendu à la télévision et qui étaient choquées qu'on n'ait pas présenté d'excuses à Lily. Des journalistes aux noms familiers, aux voix impatientes avaient également appelé. Ils voulaient connaître la réaction des habitants de la ville natale de Lily sur les derniers rebondissements.

À celui qui cherchait Charlie Owens, elle expliqua :

— Depuis le début, nous savions que Lily disait la vérité.

Elle passa une communication à Armand Bayne, persuadée qu'il saurait se débrouiller sans problème avec son interlocuteur. À celui qui demandait Maida, elle dit :

« Nous sommes soulagés que Lily ait été disculpée », bien que cela ne correspondît pas réellement à la vérité. Mais Maida était à la cidrerie et ne pouvait pas prendre l'appel. Poppy espérait que son commentaire serait publié et qu'il ferait ressortir l'innocence de sa sœur. Le téléphone sonna ensuite pour Willie Jake. Elle appuya sur une touche et lança dans son casque :

— Service de police de Lake Henry. Cet appel est enregistré.

— Williams Jacob, s'il vous plaît, dit une voix qu'elle ne connaissait pas. Une voix masculine, merveilleusement grave.

Quand Willie Jake l'avait appelée, il était en route pour aller déjeuner chez Charlie.

— Il n'est pas là. Puis-je vous aider ?

— Ça dépend, répondit l'homme avec bonne humeur. Je m'appelle Griffin Hughes. Je suis journaliste free lance et je prépare un article pour *Vanity Fair*. Je m'intéresse à la violation de la vie privée, aux conséquences pour l'entourage. J'ai pensé que la situation de Lily Blake était un exemple parfait. Lake Henry est sa ville natale. Les gens ont peut-être une opinion sur ce qui lui est arrivé.

— Nous en avons une, ça c'est sûr, renchérit-elle avec flamme.

Il eut un petit rire et continua de sa voix profonde et décontractée.

— J'ai pensé commencer par le chef de la police mais celle qui répond au téléphone me semble pas mal. Alors. Qu'en pensez-vous ?

— Je pense, dit Poppy en essayant d'apparaître aussi détendue que lui, que je serais folle de partager mon point de vue avec vous parce que vous risquez de tout déformer. Ce qui est arrivé à Lily nous a servi de leçon. Vous et vos collègues de la presse êtes des ordures.

— Hé, s'écria-t-il gentiment, ne faites pas d'amalgame. Je ne travaille pas pour un journal. En outre, je suis du côté de Lily.

— Vous n'allez pas être payé pour votre article ?

— Bien sûr que si. Mais je m'intéresse à d'autres victimes. Elle n'est pas la première. J'ai démarré ce projet il y a des semaines. La plupart des autres personnes que j'ai interviewées ont souffert à cause de la divulgation de secrets médicaux. La situation de Lily est différente. Je fais ce papier à tout hasard. Le magazine n'en voudra peut-être pas mais je crois que c'est un article qui mérite d'être écrit.

Il semblait sympathique et raisonnable. Il n'était pas arrogant ou impatient comme les autres journalistes. Elle l'imagina de taille et de poids moyens avec un sourire amical et l'air plutôt sympa. Ce devait être un faux jeton.

— D'où vient votre nom ? demanda-t-elle d'un ton méprisant. Griffin Hughes ? Ça ne fait pas sérieux.

— Dites ça à mon père, répondit-il. Et à mon grand-père. Je suis le troisième de la dynastie.

— Vous essayez de me rouler. Vous faites semblant d'être gentil et amical...

— ... Et honnête.

— Oui, mais je ne vous crois pas.

— Désolé, souffla-t-il.

Il semblait sincère. Il ajouta, avec curiosité :

— Êtes-vous originaire de Lake Henry ?

— Quel est le rapport ?

— Vous n'avez pas d'accent.

— Les gens de mon âge n'en ont pas en général. Nous sommes allés dans le vaste monde. Nous ne sommes pas des péquenots, riposta-t-elle plus durement qu'elle n'en avait l'intention, mais la voix grave de son interlocuteur évoquait une pomme d'Adam virile qui la mettait sur la défensive.

— Chhhhtt ! Pas besoin de me convaincre. Je suis de votre côté. Heu. Comment m'avez-vous dit que vous vous appeliez ?

— Je ne vous ai rien dit. Vous voyez, vous essayez de me rouler.

— Non, rétorqua-t-il, l'air désolé à nouveau. J'imagine juste que nous sommes amis. Vous êtes directe. J'aime les gens comme ça. J'aime savoir où j'en suis.

— Poppy, dit-elle. Je m'appelle Poppy. Je suis la sœur de Lily Blake et je suis furieuse de ce qui lui est arrivé. Comme les gens d'ici. Vous pouvez publier cela.

— Pour l'instant, je ne publie rien. Je me contente de réunir des informations. Vous vivez dans une petite ville où tout le monde est au courant de ce que vous faites. Votre vie privée est assez limitée. Peut-être ne ressentez-vous pas le même besoin d'intimité que les gens des grandes villes.

— J'ai juste dit que nous étions bouleversés.

— Oui, mais êtes-vous bouleversée par ce qui est arrivé à Lily ou par le fait que des gens comme moi essaient de s'introduire dans votre vie ?

— Les deux.

Griffin Hughes soupira. D'une voix basse, il ajouta :

— D'accord. J'ai épuisé votre sympathie. J'essaierai de rappeler Jake une autre fois. Prenez soin de vous, Poppy.

— Vous aussi, dit Poppy en raccrochant, soulagée.

Sa voix était tellement séduisante qu'elle aurait pu se laisser aller à lui dire n'importe quoi, rien que pour l'entendre parler plus longtemps.

11

John n'arrêtait pas de penser à l'enregistrement. Son existence constituait un nouveau rebondissement dans cette affaire. Mais on était lundi, le *Lake News* de la semaine était la priorité numéro un. Il avait fait la maquette et scanné les photos. Maintenant il devait y mettre de la chair. L'article principal parlait de trois familles qui avaient quitté une grande agglomération pour s'installer à Lake Henry. Les Taplins – Rachel et Bill et leur fille de quatre mois, Tara, venaient de New York. Les Smith – Lynne et Gary et leurs quatre adolescents, Allyson, Robyn et Matt et Charley, du Massachusetts. Les Jamison – Addie et Joe, leurs deux gamins à la peau chocolat et leurs trois grands enfants qui venaient les voir aux vacances, arrivaient de Baltimore. Ces trois couples avaient entre trente et soixante-dix, mais ils avaient en commun l'envie de trouver une meilleure qualité de vie. John avait réalisé les interviews la semaine précédente et avait fait le plan de son article, chez lui le dimanche. Se carrant dans son fauteuil, il commença à taper sur son ordinateur.

Comme d'habitude, il fut interrompu à plusieurs reprises par des gens qui voulaient faire passer des annonces dans le journal. Quand il en eut assez de répondre au téléphone, il descendit au salon demander à Jenny de le remplacer. Il lui expliqua deux fois ce qu'elle devait faire. Il s'assura que les bons formulaires se trouvaient sur son bureau et souligna au feutre jaune les questions importantes qu'elle devait poser. Comme elle paraissait effrayée, il recommença une troisième fois. Il la rassura, lui affirmant qu'elle en était capable, qu'elle avait les qualités nécessaires pour faire ça très bien et que cela ferait un bon entraînement.

Il referma la porte de son bureau et retourna à son ordinateur mais plutôt que de broder sur la douceur de vivre dans une petite ville, il lança Internet, accédant aux archives du *Post*. À chaque fois que Terry avait « bidouillé » un article, cela avait fait des histoires. Très vite, John trouva ce qu'il cherchait et imprima quatre papiers douteux publiés ces dernières années. Puis il appela Steve Baker, un vieux pote qui travaillait comme reporter au *Post*.

— Salut, toi ,lança Steve, jovial en entendant la voix de John. Tu dois avoir les oreilles qui sifflent. Tu es le grand sujet de conversation de la salle de rédaction.

Tout le monde se demande ce que tu sais sur Lily Blake.

— Pas grand-chose, dit John. Elle est partie d'ici à dix-huit ans et j'avais moi-même quitté Lake Henry, dix ans auparavant. Par contre, moi, je me demande ce que vous savez sur Terry Sullivan. Est-ce encore une de ses frasques ? A-t-il inventé cette histoire ?

— Ça dépend à qui tu demandes, dit Steve du tac au tac. La version officielle est que Lily a induit Terry en erreur. Ce qu'elle lui a dit avait l'accent de la vérité.

— C'est la version officielle. Quelle est la tienne ?

Il y eut une pause puis Steve poursuivit à voix basse :

— Cela fait des mois qu'il travaille sur cette affaire.

— Il a suivi Lily ?

— Et Rossetti. Quand il a été nommé archevêque de Boston, tout le monde savait qu'il allait être promu. La seule question était quand. La communauté catholique espérait que ce serait pour bientôt. D'après une rumeur, c'était prévu pour le troisième anniversaire de son arrivée à Boston. Terry s'est mis à déborder d'activité. C'était il y a six mois. Il s'est lancé dans une véritable expédition. Il était à l'affût de tout. Il a essayé de concentrer ses efforts sur d'autres femmes mais ça n'a pas marché.

— Est-ce Brian qui a proposé l'article ou Terry ?

— Terry.

— A-t-il une dent contre le cardinal ?

— Terry n'a pas besoin de ça pour éreinter quelqu'un. Quand il renifle un bon coup, il est vicieux. Il voulait faire la une. Brian a résisté.

Cela coïncidait avec ce que Brian lui avait dit.

— D'accord, mais le journal affirme que l'enquête de Terry était fiable. Quelles sont les rumeurs dans la salle de rédaction ?

— Hé, Kip, je ne suis pas totalement impartial. Terry m'a volé de bons reportages.

— Les rumeurs ? insista John, enjôleur.

Il laissa le silence s'installer. Il savait comment ça allait se passer. Terry était un journaliste de talent mais il avait de puissants ennemis. Steve se remit à parler à voix basse mais d'un ton véhément.

— Il a décidé qu'il y avait de quoi faire un papier, seulement il ne trouvait rien pour les incriminer. Il avait dépassé les délais et tout le reste avait échoué, alors il a rédigé un article bourré de spéculations en laissant travailler son imagination. La plupart d'entre nous ont rencontré Rossetti. Il n'y a pas plus honnête, plus correct et chic que lui. Hé, je dis ça et je ne suis même pas catholique.

— Mais il fait dire à Lily qu'ils ont une liaison.

— Ouais, tu sais comment ça marche. Tu lances une question et tu obtiens une réponse que tu tournes à ta manière.

— Es-tu au courant pour l'enregistrement ?

Steve parlait toujours à voix basse mais son débit était révélateur. Il y avait eu également des rumeurs à propos d'une bande.

— Quel enregistrement ? S'il y en avait un, on l'aurait mentionné en une, n'est-ce pas ?

— Et s'il l'a enregistrée sans que Lily soit au courant ?

— C'est un délit. Si le journal n'a rien dit et a laissé faire, ils sont coupables de complicité. Le *Post* est dans une sacrée merde, ajouta Steve, sans reprendre son souffle. C'est encore pire s'ils ont laissé publier un article diffamatoire basé sur une bande enregistrée en toute illégalité. Tu comprends pourquoi ils ne parlent pas de cet enregistrement. J'ai l'impression que ça protège Terry.

John tomba d'accord avec lui. Les deux autres journalistes qu'il appela ensuite pensaient la même chose. Il prit des notes pendant ces conversations. Puis il téléphona à Ellen Henderson, une ancienne camarade de Collège qui avait également connu Terry. L'école était petite, les étudiants se connaissaient tous et restaient en contact. Les membres du Bureau du développement étaient tous d'anciens élèves. John savait qu'il y trouverait Ellen. Elle l'avait appelé plusieurs mois auparavant à propos d'une souscription. Il avait refusé, invoquant sa pauvreté, et le regrettait aujourd'hui.

— On fait un marché, annonça-t-il d'emblée. Tu m'envoies un formulaire pour une promesse de don et je ferais ce que je peux.

— En échange de... ? demanda Ellen, gentiment amusée.

— D'informations sur Terry Sullivan.

— Ah ! (Sa voix se durcit.) Notre camarade de classe préféré. Tu veux savoir ce qu'il a fait quand je l'ai appelé pour le solliciter ? Il m'a répondu qu'il n'avait rien appris au collège, donc qu'il ne nous devait rien. Il me semble qu'il oublie quelque chose.

John avait la même impression.

— Je me souviens de certains problèmes de plagiat. En tout cas, on en a beaucoup parlé. Tu te rappelles du Wicker Award ? demanda Ellen.

John s'en souvenait effectivement. Ce prix récompensait l'étudiant de dernière année qui avait écrit la meilleure œuvre de fiction.

— Je me souviens de ceux qui concouraient, continua Ellen.

— Pas moi.

Elle soupira.

— Moi, entre autres. Je rêvais de l'avoir. Mais je

n'étais pas la seule. D'autres le méritaient plus que moi. Et plus que Terry. Ça a fait beaucoup de bruit quand il l'a obtenu. Il avait fait de la lèche au chef du département d'anglais pendant des mois. D'après la rumeur, certains professeurs étaient aussi troublés que les élèves quand on le lui a accordé.

— Il me faut plus qu'une rumeur, lança John.

Après un instant de silence, Ellen poursuivit, l'air satisfait :

— Je crois que je peux t'aider. Combien as-tu dit que tu pourrais donner pour le fonds annuel ?

Après avoir raccroché, John alla vérifier ses comptes. Il voulait être sûr qu'il n'avait pas fait de promesse inconsidérée à Ellen. C'était peut-être pour une bonne cause, puisqu'une large partie du fonds était dévolu aux bourses d'études, mais il voulait rester solvable. Il avait passé son enfance à entendre des sermons à propos de l'argent et s'était juré, une fois adulte, de ne pas vivre au-dessus de ses moyens. Il pourrait tenir sa promesse sans problème, s'il ne se ruinait pas en dépenses exorbitantes pour ses autres recherches.

Jack Mabbet était un ancien agent du FBI. Dix ans auparavant, il avait été chargé d'enquêter sur un célèbre caïd du South End de Boston. Terry Sullivan avait écrit une série d'articles cinglants et critiques sur l'enquête en général et sur Jack Mabbet en particulier. À l'époque, Jack avait quarante-cinq ans, une femme et quatre enfants qui avaient souffert de cette campagne médiatique. Finalement, le gangster avait été appréhendé et jugé sans que le nom de Mabbet fût cité. Son rôle dans cette arrestation n'avait même pas été mentionné. Mabbet avait démissionné du FBI peu de temps après. Il sentait qu'il n'avait plus la confiance totale de ses supérieurs et que ses collègues le regardaient avec suspicion. Sa famille était montrée du doigt, son nom connu, rattaché à cette histoire.

Alors, ils avaient vendu leur petite maison de Revere et emménagé à Roanoke, en Virginie où il avait monté une agence de détective privé. Sa société était spécialisée dans l'espionnage économique, fournissant des renseignements aux employeurs et à des boîtes en vue de fusion ou de rachat.

John avait connu Jack Mabbet au cours de sa carrière professionnelle. Il l'avait croisé sur certaines enquêtes et avait le plus grand respect pour lui. Lorsque les articles de Terry étaient parus, John s'était opposé à son collègue et à certains directeurs de rédaction, mais il n'avait pas pu faire grand-chose. Terry n'avait lancé aucune accusation calomnieuse. Il avait simplement suggéré des choses. Il avait interviewé des petits truands ravis à l'idée d'entraîner dans leur chute un ou deux types bien. À grands renforts de sous-entendus, il avait traité Jack Mabbet de la même façon que Lily Blake. John pensait que Jack éprouverait de la sympathie pour elle.

— Sacrénom, bien sûr que je vais l'aider, dit l'homme dès que John lui parla de ce qu'il recherchait, des informations sur Terry et sur les dessous de l'affaire Rossetti-Blake.

— De quoi as-tu besoin ?

— Que puis-je obtenir ?

— Légalement ? Presque tout. Autant que Sullivan. Je travaille régulièrement avec des informateurs qui possèdent des banques de données destinées au grand public. Ces renseignements ne sont pas classés, alors ils les regroupent et les archivent. Ils servent surtout aux enquêteurs des assurances, aux hommes d'affaires qui veulent dégommer un concurrent, dans des cas de divorces avec contentieux. Pour quelqu'un comme moi, c'est une manne. Alors de quoi as-tu besoin ? demanda-t-il, visiblement amusé. De mouvements de carte bleue ? De factures téléphoniques ? D'états de compte ? D'assurances vie ? De dossiers médicaux, de fiches d'immatriculation de voitures ? Je peux te dire s'il a payé un ticket de parking ces dix dernières années. Donne-moi cinq minutes.

John connaissait l'existence de ces « grossistes d'informations » mais il fut effrayé d'en entendre parler un de façon aussi directe.

— Mon Dieu. J'aurais pensé que les Américains partiraient en guerre contre cette atteinte à leur liberté.

— Ils le font. Certains tout du moins. Il y a des douzaines de projets de loi en attente au Congrès. Régulièrement, on voit fleurir des centaines de directives. Certaines banques de données sont même d'accord pour suivre le mouvement. N'importe quelle information est à la portée de tous. Les agences de détectives privés échapperaient à cette loi. On a le droit de collecter ce qu'on veut et de s'en servir. Nous sommes soixante mille dans le pays. Certains États ne nous demandent même pas d'avoir une licence. C'est fou ! Moi, je peux accéder à ce que je veux et je n'ai aucune affection pour Terry Sullivan. Tu veux des informations sur cet imbécile, je te les trouverai. Sans frais.

C'étaient des mots magiques. Mais John voulait mouiller sa chemise. C'était son histoire, sa revanche personnelle, comme celle de Lily. Il demanda alors à Jack de lui expliquer comment trouver les informations lui-même. Devant sa déception, il le chargea d'enquêter également sur Paul Rizzo et Justin-Barr. John se gardait Terry.

Que cherchait-il ? Rien et tout à la fois. Les petites fautes et les grosses. Curieusement, même s'il connaissait Terry depuis presque vingt-cinq ans, il ne savait rien de lui. En réalité, il voulait savoir pourquoi Terry s'était attaqué ainsi à Francis Rossetti, avec cet esprit de vengeance dont lui avait parlé Steve Baker et les autres. D'après son pote reporter, Terry n'avait rien de personnel contre le cardinal... De toute façon Terry le nierait. Alors il décrocha son téléphone et appela Rossetti directement – ou plutôt essaya. Il tomba sur son secrétariat personnel, un homme gentil, instruit. À l'entendre, le cardinal ne connaissait Sullivan que professionnellement. Avant ce scandale, les deux hommes n'avaient jamais eu de contentieux.

John venait à peine de raccrocher qu'Armand l'appela à propos du journal de la semaine. À entendre le son de sa voix, il avait quelque chose en tête. John achevait la mise en page de l'article concernant les nouveaux arrivants de Lake Henry quand Armand lui dit :

— Que fais-tu à propos de Lily Blake ?

— Pas grand-chose.

— Pourquoi ? grogna Armand d'une voix enrouée. C'est un gros coup. C'est une information de portée nationale et ça concerne Lake Henry.

— Pas du tout. Ça se passe à Boston.

— Tu sais très bien ce que je veux dire, grommela le vieil homme. Bon sang, pourquoi veux-tu ouvrir avec un papier sur des émigrants, alors qu'on a une fille originaire de la ville, dont le nom et le visage sont connus dans tout le pays, dans le monde entier ?

— Les gens l'ont vue dans tous les journaux. Ils n'ont pas besoin de la voir dans le nôtre.

Armand insista :

— Mais elle est de chez nous. Tout le monde la connaît. Bon Dieu, John, on a l'occasion de faire un scoop.

John se leva. Une main sur la hanche, il s'approcha de la fenêtre et contempla le brouillard.

— Je ne crois pas.

— Pourquoi ?

— C'est l'une de nos concitoyennes. On doit faire preuve de compassion. Tous les journaux l'assassinent. Je ne m'abaisserai pas à leur niveau.

— Je ne te demande pas de faire ça, mais tu ne peux pas ignorer cette histoire. Notre boulot est de publier des informations et cette fille en est une.

— Le *Post* a reconnu que ses accusations étaient fausses. Il n'y a plus rien à dire.

— C'est une histoire en soi.

John lâcha du lest.

— D'accord. Je ferai quelque chose en page intérieure. Je récapitulerai l'affaire et je parlerai des excuses adressées au cardinal.

Cette idée lui plaisait. Plus il y songeait, plus il estimait que c'était une bonne chose. Il commençait même à visualiser son article. Finalement, il le publierait à la une. Lily méritait bien cela. Mais Armand poursuivait un autre but. D'une voix trop enthousiaste pour être sincère, il reprit :

— J'ai une meilleure idée. On peut rattacher ce papier à ton enquête, aux raisons qui poussent les gens à s'installer dans les petites villes. Si j'étais toi, j'insisterais sur la capacité de pardon que possèdent des endroits comme Lake Henry. Je parlerais de l'intolérance et de la méchanceté du monde extérieur. J'expliquerais que Lake Henry est capable de pardonner quand il s'agit des siens, qu'on sait y faire preuve d'indulgence.

— Ça sous-entend que Lily est coupable. Tu as une preuve ?

Armand se montra grincheux.

— Elle doit avoir fait quelque chose. Sinon, l'affaire ne serait pas allée aussi loin.

— Désolé, Armand. On n'agit pas ainsi contre son propre camp.

— On n'a pas besoin d'être méchant, reprit Armand, enjôleur, on fait juste un peu d'histoire locale, on écrit ce qu'on sait.

John l'interrompit.

— Je ne le ferai pas.

— Je vais m'en charger.

— Si tu le fais, l'avertit John, je m'en vais. Si j'avais voulu publier des ragots, je serais resté à Boston. On a déjà eu des divergences, Armand, mais celle-là est grave. Alimente cette farce avec un article sur Lily et je te colle ma démission si vite que tu n'auras pas le temps de dire ouf.

Furieux, il raccrocha le téléphone. Effrayé par la force de ses sentiments, il fit les cent pas d'un bout à l'autre de la pièce, puis alla ouvrir la fenêtre donnant sur le lac. Ça sentait toujours mauvais dans les rédactions. Les odeurs de cigarettes froides, de papiers collants qui servaient à faire des copiés-collés et qui s'agrippaient aux semelles des chaussures appartenaient au passé. Il restait les relents de café froid, de transpiration, de sandwiches salami-oignons engloutis devant les bureaux au terme de nuits blanches passées à travailler. C'était comme ça en ville. Ici, on ne sentait rien. Et pourtant, John en conservait encore le souvenir.

Peut-être était-il obnubilé par un sentiment de culpabilité. Il refusait de couvrir cette affaire pour le *Lake News* mais continuait d'entasser des informations dans son tiroir. La veille, après avoir mis en pages le numéro de la semaine, il avait passé des heures à noter des idées, à les classer, cherchant à définir les différentes approches de son livre. Il se carra dans son fauteuil et sortit de son bureau les notes qu'il avait prises sur Lily et le dossier consacré à son père. Lorsque John était revenu en ville, George venait de mourir. À l'époque, John le considérait comme représentatif des anciens propriétaires terriens de la région.

C'était pour cela qu'il avait constitué ce dossier, pensant en faire un livre, mais il avait laissé tomber.

Aujourd'hui, ces informations, vues sous un autre angle, avaient à nouveau de la valeur. George Blake était un véritable gentleman, un homme beaucoup plus facile à vivre que sa femme. Leur fille, Lily était parvenue à dépasser son handicap et à réussir sa vie par elle-même. Ressemblait-elle à son père ? Ou était-elle guidée par une obsession comme Maida ? Son livre s'attacherait principalement au pouvoir de destruction des médias mais il avait besoin d'exemples. Il devait creuser son sujet.

Terry était façonné par sa propre histoire. Lily aussi. Le passé expliquait les choses. C'était aussi son cas. Il avait quitté Lake Henry à quinze ans et n'avait pas vu Gus pendant des années mais il ne s'était jamais libéré de son père. Enfant, il avait cherché par tous les moyens à lui prouver qu'il avait raison lorsqu'il clamait qu'il ne ferait jamais rien. Devenu adulte, il était déterminé à le faire mentir. C'était effrayant de voir à quel point son père avait influencé sa vie. Il devait y avoir eu un Gus dans celle de Terry. Comme dans celle de Lily. En bon journaliste, John était curieux. Il voulait comprendre comment ces deux personnes si différentes avaient pu se croiser.

Troublé, il appela Richard Jacobi. Richard était directeur littéraire dans une petite maison d'édition new-yorkaise. John l'avait rencontré à Boston grâce à un ami commun. Richard était en réunion mais son assistant le connecta à sa messagerie vocale. Dans un souci de discrétion, John lui laissa un bref message amical et, après lui avoir laissé ses coordonnées, lui demanda de le rappeler.

12

Lily passa le reste de son lundi pelotonnée dans un fauteuil près du poêle ou avachie sur une chaise, sous le porche. Elle était toujours en colère mais pour la première fois, avait un objectif sur lequel se concentrer. Elle avait trouvé un avocat pour la défendre, elle n'était plus seule. Au cours de leur rendez-vous, Cassie avait rédigé la demande de démenti. Peu de temps après, elle l'avait faxée au *Post*. Lily imagina la lettre arrivant au journal. La direction convoquerait sûrement une réunion pour en discuter. Les gens égoïstes et cruels qui avaient sonné son arrêt de mort seraient forcés de se rendre compte qu'elle était un être humain, pas un paillasson. Il suffisait qu'une âme sensible insistât pour publier ce démenti et l'affaire serait réglée. Elle prit un plaisir pervers à imaginer la honte de Michael Eddy, les regrets de Daniel Curry et la fierté d'Élisabeth Davis... Quelle joie de voir Terry Sullivan passant à son tour pour un imbécile !

Quand pourrait-elle retourner à Boston ? Assise près du lac, elle réfléchit à sa situation et décida de ne rien précipiter. Son appartement, son piano, sa voiture, ses amis et même le jardin public lui manquaient, mais elle n'avait toujours pas de travail, et craignait la curiosité de la presse. Un retour trop rapide remettrait le feu aux poudre. Il valait mieux attendre quelques jours, peut-être une semaine ou deux. Plus elle mettrait de distance entre elle et ce scandale, mieux ce serait. En outre, la vie était agréable à Lake Henry. Le cottage de Celia était confortable. Et elle trouvait tant de sérénité auprès du lac. Elle avait encore des choses à régler avec Maida. Lorsque le *Post* publierait son démenti, Lily irait lui parler. Certaines paroles avaient besoin d'être dites.

Le brouillard s'accrocha au lac la plus grande partie de la journée, embaumant l'air de l'odeur de feuilles mouillées. Une bande de colverts émergea de la brume à la hauteur du dock, suivie par un canard plongeon. Elle l'entendit crier. Quand elle se réfugia près du poêle à bois, à la nuit tombée, son chant résonna de nouveau. Elle imagina qu'il parlait de force car c'est ce qu'elle ressentait. De force et d'espoir.

Elle se réveilla le mardi matin, pleine d'énergie. Après avoir laissé à John le temps d'acheter le journal, elle l'appela pour connaître les nouvelles.

— Les Sox ont gagné, dit-il.

Elle n'avait rencontré John qu'une fois et lui avait parlé à deux reprises au téléphone. À chaque fois, il avait paru vif et perspicace. Avait-il également le sens de l'humour ou de mauvaises nouvelles à lui annoncer ? Son instinct lui suggéra la deuxième hypothèse. Ses espoirs s'évanouirent.

— Oh ! Aucun démenti ?

— Non.

— Que disent-ils ?

— Un truc stupide. Ça ne vaut pas le coup de le lire.

L'angoisse la saisit à la gorge...

— Quel truc stupide ?

— Vous les connaissez, Lily. Depuis le début, ils écrivent n'importe quoi et ils essaient de se couvrir.

— Vous êtes évasif, reprit-elle. (Comme il ne répondait pas, elle se montra plus directe.) Que dit ce papier ?

— Ce n'est pas vraiment un article. C'est un édito signé Douglas Drake. C'est l'un des chroniqueurs attitrés du *Post*.

— Oui, je sais.

Elle avait déjà lu des articles de Douglas Drake. Ses chroniques étaient toujours bien écrites et bien placées. Elle n'était pas toujours d'accord avec lui – mais le bureau éditorial du *Post* le soutenait, à en croire l'édito non signé qui paraissait généralement quelques jours plus tard.

— Drake prend la température expliqua John. Il écrit ce que pensent les patrons du journal, avec leur bénédiction. Ils n'ont pas le courage de le faire eux-mêmes. C'est une réponse à un courrier d'un lecteur, mais en fait, c'est leur propre opinion.

Cela ne présageait rien de bon. Lily s'arma de courage.

— Que dit-il ?

— Il attribue le scandale à votre béguin pour le cardinal.

Elle fut horrifiée.

— Ils me jugent responsable ?

— Je vous l'ai dit. Ils ont besoin d'un bouc émissaire.

— Mais pourquoi moi ? (Elle se sentit prise au piège. Elle détestait cette phrase.)

— Que dit le journal de New York ?

— Que Boston attribue cette affaire à la passion que vous avez pour le cardinal.

— Et Paul Rizzo ?

John renifla :

— Paul Rizzo continue à se balader dans les égouts en révélant d'autres scandales sexuels. Il tente de faire le lien entre vous et ces vieilles histoires.

L'énergie de Lily s'était envolée. Elle baissa la tête.

— Lily... appela-t-il gentiment.

— Oui, murmura-t-elle.

— Afin que vous sachiez tout, Justin Barr reprend l'analyse du *Post*. Je l'ai écouté il y a un instant. Selon lui, vous êtes une déséquilibrée, la seule responsable de ce scandale. Mais beaucoup d'auditeurs ont appelé, certains mécontents, d'autres pour prendre votre défense.

C'était une consolation. Lily raccrocha, démoralisée. Heureusement, Cassie l'appela, quelques minutes plus tard. Elle avait lu le journal et se montra déterminée.

— Ne vous laissez pas abattre, Lily. Je ne m'attendais pas à une réponse immédiate à notre lettre. Ils vont faire durer le plus possible pour vendre le maximum de papier, mais plus ils attendent – et plus ils écrivent ce genre d'articles – plus ils risquent d'être accusés de diffamation. Doug Drake est un larbin. C'est bien connu. Si besoin est, on peut le prouver.

Elle reçut ensuite un appel du cardinal que lui passa Poppy. C'était la première fois depuis le début de cette affaire que Lily entendait le son de sa voix. Elle ressentit du soulagement, de l'affection et même – étonnamment – de la colère.

— Comment allez-vous, Lily ? demanda-t-il de sa voix puissante.

C'est vrai, certaines femmes le trouvaient sexy. Lily l'avait toujours trouvé... compréhensif et sensible. L'amitié qu'elle lui portait refit surface.

— Je vais mieux. J'ai l'impression de mieux contrôler la situation.

— Je ne peux pas vous dire à quel point je suis désolé. Vous avez été prise dans une tempête dont vous n'êtes pas responsable.

— Ni vous.

— Mais j'étais mieux placé que vous pour la combattre. Jusqu'à aujourd'hui, je n'avais jamais réalisé à quel point l'archevêché disposait de ressources pour se défendre, des avocats, des porte-parole, des groupes de pression. Je les ai vus sortir de je ne sais où. Ils sont toujours au travail. L'article d'excuse était censé vous englober. Si je suis innocent, il est évident que vous l'êtes aussi.

En l'espace de quelques secondes, Lily se souvint du détail de ces accusations et en fut mortifiée. Elle se défendit avec précipitation.

— Je n'ai jamais dit ces phrases telles qu'il les a écrites. Je n'avais pas du tout l'intention de parler de vous, mais il a lancé la conversation et a insinué des choses. Il n'arrêtait pas de me dire que les femmes vous trouvaient séduisant. Je lui répétais que c'était absurde, que vous étiez prêtre.

De la compréhension et de l'amusement affleurèrent dans la voix du cardinal.

— Je sais, Lily, je sais. Vous avez toujours été très respectueuse avec moi.

— Comment aurais-je pu ne pas l'être. Vous êtes un homme d'Église.

— Allez dire ça à la petite rouquine qui m'a abordé l'an dernier au bal du Gouverneur.

Devant la stupéfaction de Lily, il eut un petit rire.

— Cela arrive. Eh oui ! (Sa bonne humeur s'envola.) Je suppose qu'il y a des prêtres qui trichent, comme certains maris. Je ne l'ai jamais fait et ne le ferai jamais. J'ai toujours pensé que vous étiez pareille à moi. Déséquilibrée ? Ça m'étonnerait. Moi qui vous conseille depuis des années, je sais à quel point vous êtes saine. Dieu du ciel, vous me donnez de la force. Bien sûr, si je leur disais une chose pareille, ils la déformeraient.

— Pourquoi font-ils ça ? cria-t-elle. Qu'est-ce qui leur donne le droit ? Pourquoi moi ?

Elle détestait cette question mais elle ne pouvait s'empêcher de la poser. Fran Rossetti l'entendit. Était-ce la puissance de sa voix ? Cet homme semblait posséder une vaste connaissance de l'humain. Si Dieu existait, il était sûrement l'un de ses messagers. Lily n'était pas croyante mais elle lui obéissait et elle n'était pas la seule. Il avait le don de découvrir l'âme des gens, d'en épousseter avec ses mains douces les minuscules recoins obscurs. Alors Lily, qui parlait rarement avec autant de facilité, lui demanda :

— Pourquoi cela arrive-t-il aujourd'hui ? Pourquoi ce problème avec Donny Kipling ? Pourquoi ma mère ? Pourquoi mon bégaiement ? Ai-je fait quelque chose de mal, père Fran ? Pourquoi ces choses-là m'arrivent-elles ?

— Je n'ai aucune certitude, répondit-il, mais sans doute Dieu sait-il que vous êtes capable de dépasser ces écueils. Il sait que vous pouvez en tirer un enseignement. Certaines personnes en sont incapables, car elles ne sont pas assez fortes. Jésus l'était. Vous l'êtes aussi.

Lily eut envie de lui dire qu'elle n'était pas Jésus, qu'elle n'avait aucun goût pour le martyre et qu'elle ne souhaitait pas être crucifiée – ce mot ne lui paraissait pas trop fort pour ce qu'elle avait enduré – mais cela aurait été irrespectueux. Bien qu'elle fût d'une grande franchise envers le père Fran, il y avait certaines limites qu'elle ne franchirait jamais.

— Ah ! gronda-t-il. Me voilà reparti, j'oublie que vous n'appartenez à aucune religion, sans parler de la mienne. Mais je pensais ce que j'ai dit. Vous êtes forte, Lily.

— Et innocente, lui rappela-t-elle, effrayée par la fureur qu'elle sentait monter en elle, fureur qui était dirigée contre lui.

Pourquoi n'avait-il pas pris sa défense publiquement. S'il avait été chevaleresque, disait sa sœur Poppy, il aurait fait passer ses revendications avant les siennes.

— Vous êtes également intelligente, ajouta-t-il. Vous savez que l'autosatisfaction ne sert à rien.

Elle évacua sa colère dans une longue expiration et sourit, l'air penaud.

— J'aurais dû m'y attendre.

— Oui. Je suis quelqu'un de prévisible. Vous le savez, plaisanta-t-il. J'ai toujours voulu que vous vous rapprochiez de chez vous. Au fil des années, je vous y ai poussée. Manhattan, Albany, Boston, Lake Henry. Vous ne pouvez pas faire plus près. Avez-vous vu votre mère ?

Lily fut obligée de rire.

— Ça aussi, c'était couru d'avance. Vous ne tournez jamais autour du pot. (Son sourire s'évanouit.) Ma mère n'a pas été ravie de me voir. De toute évidence, je suis une véritable croix pour elle.

— Avez-vous discuté ?

— Pas de choses importantes.

— Il faut que vous le fassiez.

— Je sais. Mais c'est difficile.

— Vous arrivez bien à parler avec moi.

— Vous n'êtes pas ma mère. Je parviens aussi à discuter avec des amis. Elle, c'est différent. Pourquoi les mères sont-elles si dures ?

— Dieu les a faites ainsi, expliqua le cardinal. À qui d'autres peut-il confier les fardeaux de ce monde sans les voir s'écrouler sous le poids ?

— J'ai l'impression que c'est moi qui les porte.

— Vous avez ce sentiment aujourd'hui, mais attendez de devenir mère à votre tour...

Il affirmait cela comme si c'était juste une question de temps – Lily l'avait cru à un moment. Elle n'en était plus sûre aujourd'hui. Elle avait trente-quatre ans. D'après son gynécologue, la nature voulait que les femmes soient mères vers l'âge de dix-neuf ans. Ce à quoi le cardinal répondait que Dieu avait revu cet état de chose depuis que son gynécologue avait fini sa formation. Pour sa part, il était persuadé que l'esprit féminin avait la capacité de compenser le vieillissement physiologique. Selon les vieux principes chrétiens, le but du mariage était la procréation. Lily n'était pas de cet avis mais jamais elle n'aurait osé l'avouer au cardinal.

— Pensez-y, Lily, dit le père Fran.

Elle mit un moment avant de réaliser qu'il parlait de Maida.

— Je veux que vous régliez les choses avec elle. Essaierez-vous ?

— Je n'ai pas le choix, répondit-elle calmement. Je pense que je suis là pour un bon moment, le temps que les choses se calment.

— L'endroit doit être magnifique à cette période de l'année.

— Oui.

Par la fenêtre, elle aperçut le feuillage jauni d'un aulne à l'autre bout du bois, accompagné d'un érable cramoisi. Tous deux cernés par le riche verdoiement des sapins. Même malgré le brouillard.

— Et vous avez une maison. Avez-vous besoin d'autre chose ?

De vengeance, pensa-t-elle, mais elle ne pouvait pas plus lancer cela au cardinal que discuter avec lui de la sainte Trinité. Son rôle était de pardonner. Jamais il ne comprendrait cette envie de revanche.

John Kipling, lui, le pourrait. Alors que la matinée s'achevait, Lily réfléchit à cette question. En milieu d'après-midi, elle se sentit gagnée par l'ennui et la nervosité... Elle avait besoin de bouger. Elle enfila un jean et une chemise de flanelle comme presque tous les habitants du coin, remonta ses cheveux sous une casquette des Red Sox, enroula une écharpe de laine autour de son cou pour dissimuler le bas de son visage, chaussa les énormes lunettes de soleil de Celia, puis elle partit en voiture à Lake Henry...

Le brouillard s'accrochait à la route du lac, bordée de feuillages. Alors qu'elle approchait du centre-ville, les maisons semblaient pelotonnées les unes contre les autres. L'humidité était glaciale, poussant les gens à demeurer chez eux. En passant devant chez Charlie en plein jour, pour la première fois depuis son retour, Lily réalisa qu'il y avait peu de chances qu'on la remarquât. Elle tourna au coin du bureau de poste et descendit l'allée jusqu'à la bâtisse victorienne jaune qui abritait les bureaux du journal, se garant près de la camionnette qui, pensa-t-elle, appartenait à John.

Elle reconnut du premier coup la porte menant au *Lake News*. C'était une superbe pièce de menuiserie, ornée de boîtes aux lettres. Après avoir appuyé sur la sonnette, elle pénétra dans la maison, guidée par le son d'une voix.

Une jeune femme était assise derrière un bureau. Les sourcils froncés, elle tenait le combiné du téléphone collé à son oreille, le regard perdu sur les papiers étalés devant elle. Ce ne fut que lorsqu'elle se retourna pour la regarder que Lily s'aperçut qu'il s'agissait d'une très jeune fille et qu'elle était enceinte. Quelques secondes plus tard, elle entendit des pas dans les escaliers et John apparut à la porte opposée. Il lui lança un regard gêné et se pencha au-dessus de l'épaule de l'adolescente. Lui prenant le téléphone des mains, il acheva de noter des informations qui semblaient être une petite annonce classée.

— Voilà ! dit-il à la fille en raccrochant l'appareil. Tu t'en es bien sortie.

Elle avait une voix de gamine qui la faisait paraître encore plus jeune.

— Tu as dû m'aider à finir.

— Bof. Tu as fait le plus gros.

— Je dois partir, dit la fille. Buck vient à 15 heures.

— Je croyais qu'on était d'accord. Tu devais travailler jusqu'à 17 heures le mardi.

— Il m'a averti qu'il viendrait à 15 heures.

John soupira. Il se frotta le bas de la nuque.

— Bien. Range un peu.

D'un geste de la main, l'adolescente consolida la pile de papiers sur la table. Puis elle s'extirpa de sa chaise avec une agilité étonnante vu la grosseur de son ventre, et passa près de Lily. Lily se retourna sur son passage. Les pas s'éloignèrent, la porte claqua, la fille était partie. Lily contempla le bureau hérissé de dossiers, puis le visage consterné de John. Elle réalisa qu'il était séduisant – une peau bronzée, une barbe rase, un visage tanné qui évoquait les jours passés en plein air. Il ne ressemblait pas beaucoup à son frère Donny. Mais c'était si loin, Donny avait vingt et un ans à l'époque, John était un homme mûr. Ses yeux étaient particulièrement attirants. Brun foncé, ils étaient d'une grande douceur, malgré son air agacé.

— Je fais mon possible, dit-il d'une voix qu'il tentait de contrôler. Cette fille va avoir besoin de savoir-faire après la naissance du bébé, à moins que Buck, d'ici là, n'ait pris sa vie en main, ce dont je doute sérieusement.

Lily n'avait pas quitté Lake Henry depuis si longtemps pour ne plus se rappeler des gens.

— Buck, votre cousin ? demanda-t-elle en dénouant son écharpe.

John acquiesça.

— Un crétin total.

— Il est le père du bébé ?

Il fit un autre signe de tête et grommela « pauvre petite chose ». Il la regarda. Le coin de sa bouche se crispa nerveusement.

— Chouette votre déguisement ! Cela dit, ce n'était pas utile avec Jenny. Elle est trop jeune pour vous connaître et quand elle regarde la télévision, ce n'est pas pour les infos. Il jeta un coup d'œil à sa montre.

— J'arrive à un mauvais moment ?

— Oui. (Il se reprit aussitôt.) Non. Non. Je suis venu ici parce que j'en avais assez des délais de bouclage draconiens. Je suis sensé donner les pages à l'imprimerie avant demain midi. Si je suis un peu en retard, personne n'en mourra.

La porte de la cuisine claqua, puis des pas résonnèrent dans le couloir. Lily se retourna vivement, craignant d'être reconnue. John s'approcha d'elle et lui toucha le bras.

— Prenez l'escalier de devant, murmura-t-il. Jusqu'au troisième. Je vous rejoins dans une seconde.

Elle gagna rapidement le dernier étage et s'arrêta, frappée tout d'abord par l'immensité de la pièce, puis par sa luminosité. Les trois bureaux, supportant chacun un ordinateur, montraient des signes de fatigue. Le plus intéressant, c'étaient les murs. Sur l'un d'eux, elle aperçut de vieilles cartes du lac et des photos encadrées de la ville. Sur l'autre, des photos plus récentes, colorées, représentant des canards plongeons pris en gros plan. Le troisième supportait un panneau rempli de clichés noir et blanc, dégageant une forte activité. Ôtant ses lunettes noires, elle s'en approcha et réprima un frisson. Ces photos prises à l'époque où John travaillait à Boston montraient des journalistes au travail. C'était difficile de croire qu'un photographe ait pu capturer autant de concentration et d'intensité, mais ces visages possédaient la même ardeur que ceux qu'elle avait entraperçus dans ses cauchemars. Celui de Terry Sullivan lui sauta à la gorge. Elle en reconnut d'autres dont elle ne se rappelait plus les noms. Elle regarda attentivement le portrait d'une femme séduisante mais s'intéressa surtout à ceux de John. Il semblait très différent de ce qu'il était aujourd'hui, mais ce n'était pas à la cause de la pâleur de sa peau ou de l'absence de barbe. Sur ces clichés en noir et blanc, il ressemblait aux autres... L'œil froid, tendu, il était effrayant, le genre d'homme à éviter absolument.

— Terrifiant, n'est-ce pas ? lança John de la porte.

Il imaginait très bien ce que Lily ressentait devant ce mur d'images. Celles de sa tronche ? Si son but était de gagner sa confiance, c'était raté. S'il avait su qu'elle viendrait il aurait repensé le décor. En surprenant son coup d'œil nerveux, il fut doublement désolé de ne pas l'avoir fait. Son regard reflétait la peur. Bien qu'elle fût habillée, et non plus en robe de chambre, ses longues jambes prises dans un jean, elle semblait toujours d'une grande fragilité. Elle jeta un regard interrogatif à l'enveloppe kraft qu'il avait en main.

Il la jeta sur son bureau.

— Des essais et des poèmes de l'académie. J'essaie toujours d'en publier quelques-uns. Il faudrait que je les lise et que j'en choisisse un ou deux.

Elle fixa les deux autres bureaux.

— Où sont vos assistants ?

— Il n'y a que Jenny.

— Alors, pourquoi trois bureaux ?

— Il y en a un pour chaque tâche différente. Il les désigna du doigt. Éditorial, production, ventes. J'ai un correspondant dans chacune des villes couvertes par le *Lake News* et des pigistes free-lance qui me balancent des papiers. Mais aucun ne vient ici. Il n'y a pas assez de travail.

Elle croisa les bras sur sa poitrine, s'éloignant du mur couvert de photos du *Post* et s'approcha des portraits des canards plongeons...

— Est-ce vous qui les avez pris ?

— Oui, répondit-il avec fierté.

Il était resté assis des heures pour réussir à prendre ces clichés, attendant de les amadouer pour parvenir à s'approcher, guettant le moment idéal, l'œil dans le viseur.

— Certains datent de l'année dernière mais la plupart sont récents.

— Vous les avez développés vous-même ?

— Oui, tous. C'est l'un des avantages du boulot. La cave est transformée en chambre noire.

Lily examina les photos les unes après les autres. Il y en avait presque une douzaine, chacune prise à une heure différente de la journée, avec une météo variable. À l'exception d'une, représentant un canard dans son nid, toutes avaient été réalisées sur l'eau – un adulte en train de se laver, un couple laissant une longue traînée liquide, une famille avec ses petits. Il y avait un bébé âgé de quelques heures, ainsi que deux autres sur le dos de leurs parents.

John s'approcha de Lily, qui semblait captivée...

— Est-ce le même couple de plongeons ? demanda-t-elle.

— Je pense, dit-il en indiquant les petites lignes blanches similaires qui entouraient le cou de l'oiseau sur les deux photos. Elles sont prises à deux années différentes, mais il y a la même petite marque, là. J'imagine qu'il a une cicatrice qui empêche les plumes de repousser.

— *Il* ?

— Je crois. Il est très gros. C'est difficile de reconnaître leur sexe. Ils se partagent les taches parentales, se relaient près du nid et pour pêcher la nourriture. (Il se reprit.) En fait, je suis sûr que c'est le mâle. (Il montra du doigt les autres photos.) Celle-ci a été prise en avril dernier, c'est le premier plongeon que j'ai vu cette année. Voyez cette petite griffe autour du cou ? Les mâles reviennent une semaine ou deux avant les femelles. Ils font une reconnaissance des nids. Cependant, je ne suis pas sûr que la femelle soit la même sur les deux années. Ces canards sont monogames pendant la saison de la reproduction mais on ne sait pas vraiment s'ils s'accouplent pour la vie. Il regarda sa casquette. Elle ne descendait pas complètement jusqu'au bas de son cou. Des mèches de cheveux noirs – brillants – s'en échappaient. La visière l'empêchait de voir ses yeux mais il entendait sa voix douce.

— Quand j'étais adolescente, dit-elle, le risque de disparition des canards plongeons était un grand sujet de préoccupation.

À cet âge-là, John se fichait de ces oiseaux comme de l'an quarante. Il n'était plus à Lake Henry à l'époque où l'on avait évoqué ce problème mais, depuis, il avait lu des choses sur ce sujet.

— Leur nombre a continué de baisser. L'inquiétude a grandi. En fait, on s'est aperçu que les responsables étaient les gros bateaux et les jet skis. Leur bruit effrayait les canards, ils quittaient leurs nids et perdaient leurs œufs. Ces engins remuaient les sédiments sur leur passage. Les plongeons ont besoin d'une eau claire pour pêcher. Sous l'effet des vagues, les œufs étaient éjectés des nids. Alors on a interdit les jet skis sur le lac et on a contrôlé la vitesse des bateaux. Depuis, le mal a été enrayé.

Quand Lily renversa sa tête en arrière et leva les yeux, John fut bouleversé. Ses yeux étaient aussi doux que sa voix. Il ne s'était pas attendu à cela. Il déglutit.

— La vie devrait toujours être aussi facile.

— Ce sont de magnifiques créatures.

— Oui.

Il ne pouvait pas la quitter du regard. Son visage était délicieux.

— Ces photos sont splendides, dit-elle.

Son cœur battait très vite.

— Merci.

Une lueur de fragilité apparut dans ses yeux.

— Vous m'avez dit que vous aviez des munitions. Qu'entendiez-vous par là ?

Pendant une minute, absurde, John eut l'impression d'être un type amoureux d'une fille qui en préfère un autre et qui lui demande conseil. Ce n'était pas vraiment de la trahison. Davantage de la déception de voir que les affaires reprenaient le dessus. Mais c'était le jeu. Alors il se reprit et expliqua :

— Terry Sullivan a bidonné pas mal d'histoires dans le passé. On n'a jamais rien pu prouver parce qu'il est très malin. Il sait s'insinuer dans les bonnes grâces des gens bien placés, susceptibles de le protéger. Mais certaines personnes, subalternes, savent exactement ce qu'il fait.

— Savent-ils pourquoi ?

— Ambition. Cruauté. Cupidité.

— Malveillance ?

— J'y travaille, dit John. (Il savait à quoi elle pensait. Le mot malveillance était un véritable sésame sur le plan légal.) Ce qui est évident, c'est qu'il a fabriqué ce scandale comme s'il s'agissait d'une vendetta personnelle. Vous ne le connaissiez ni d'Ève ni d'Adam, donc ce n'était pas contre vous. Le secrétaire personnel de Rossetti affirme qu'ils ne s'étaient jamais rencontrés. Il va falloir que je prenne ça par un autre bout. Pour l'instant, la seule chose que j'aie, c'est une liste de noms qui s'allonge. Si vous saviez le nombre de fois où Terry a montré un mépris certain pour la vérité, comme on dit !

— Il faudra que je prouve la malveillance au tribunal.

— Probablement.

— Je ne peux pas traverser des années d'enfer en prenant le risque de perdre encore.

— C'est sûr. (Il soupira.) Savez-vous qu'ils possèdent un enregistrement ?

Il lut dans son regard effrayé qu'elle ne le savait pas.

— Il a enregistré votre conversation sans vous prévenir. C'est illégal. Voilà une arme de plus pour vous !

Lily parut humiliée.

— Cette bande va prouver que j'ai vraiment dit... dit... dit ces choses-là. Pourtant, je ne les ai pas dites de la façon dont il les a publiées.

John la croyait à cent pour cent... Il en était là de ses réflexions quand elle lança :

— J'ai rencontré Cassie Byrnes.

Cela le surprit.

— Ah bon ?

— Hier, nous avons exigé un démenti. Aujour... jour... aujourd'hui (Il la vit cligner de l'œil en bégayant, l'espace d'une seconde.) rien n'a été publié. Cassie m'a dit de ne pas paniquer mais je suis fatiguée de ne... ne... ne rien faire.

Le téléphone sonna. À un autre moment de la semaine, John aurait pu l'ignorer. Il décrocha sur le bureau éditorial le plus proche de lui, qui donnait sur le lac. C'était le propriétaire d'une boutique de canots qui voulait passer de la publicité avant Noël. John prit un feuille de papier et nota les informations dont il avait besoin. Quand il raccrocha, Lily le regardait. De nouveau, un étrange sentiment le traversa. Il regarda sa montre.

— Fatiguée de ne rien faire ?

— Oui.

— Vous avez quelques minutes ?

— Plutôt.

En souriant, il prit l'enveloppe contenant les poèmes de l'académie de Lake Henry. De sa main libre, il montra la chaise à Lily, puis secoua le contenu du dossier sur le bureau.

— Choisissez-en trois.

Elle examina les papiers puis le regarda, et, cette fois, il sentit quelque chose se tordre dans sa poitrine. C'était peut-être à cause de la casquette. Il n'avait jamais su résister au Red Sox. Comme elle ne disait rien, il se remit à bavarder.

— Il y a des textes de toutes les classes, du CM2 à la Terminale, certains sont tapés à la machine, d'autres écrits à la main. Parfois, j'en choisis trois totalement différents dans le style, la forme ou le contenu – un poème, un essai ou une lettre à l'éditeur. Ou bien trois sur le même thème. Vous pouvez faire ce que vous voulez, choisissez ce qui vous paraît le plus intéressant.

Elle avait l'air partante. Il sourit.

— C'est vous le professeur. Allez-y !

Silencieux, il saisit les informations récoltées pour la pub, s'assit devant le bureau des ventes et commença à rédiger une petite annonce. Mais son esprit était ailleurs. Il n'arrêtait pas de penser à Lily, la revoyant apparaître à son bureau en lui parlant de munitions. Il se disait que s'il l'aidait à s'en sortir, il jouerait contre son intérêt car cela l'obligerait à divulguer des renseignements qu'il gardait pour son livre. Mais il se sentait coupable de ce que lui avaient fait son frère et ses collègues journalistes, tel Terry Sullivan. Et puis, la douceur de ses yeux lui faisait tellement de bien quand elle le regardait. Alors il se décida :

— Il y a un autre moyen...

Elle releva la tête, l'air interrogateur.

— ... de combattre Terry Sullivan, sans aller au tribunal, expliqua John. Vous pourriez utiliser ses propres méthodes contre lui. Lui rendre la monnaie de sa pièce.

— Comment ?

— En le discréditant. Vous n'avez qu'à lancer des allégations en public. Isolées, elles n'ont peut-être aucun poids, mais ensemble, elles font un sale effet.

— Je ne sais pas de quoi l'accuser !

— Moi si.

— Et vous accepteriez de m'en parler ?

On y était.

— Je pourrais.

— En échange de quoi.

Il y réfléchit une minute. Il ne voyait pas pourquoi ils ne pourraient pas tous les deux y trouver leur compte.

— Votre version de l'histoire.

Il fut immédiatement désolé d'avoir parlé. De façon presque invisible, les épaules de Lily s'affaissèrent, son regard se figea.

— Vous aviez dit que vous n'écririez rien.

— Je ne le ferai pas sans votre accord.

Elle regarda les papiers. Elle en avait déjà mis trois de côté. Elle les repoussa et se leva.

— Voilà vos textes.

Elle remit ses lunettes de soleil.

Il se leva.

— Je ne ferai rien sans votre accord.

Elle devait penser qu'il était un autre Terry Sullivan. Sa méfiance était manifeste. Il était allé trop vite en besogne. Mais le mal était fait. Elle noua l'écharpe autour de son cou avec des gestes lents et s'avança vers la porte. Une dernière fois, elle jeta un coup d'œil aux photos représentant les canards. Il la vit prendre une respiration profonde, se détendre un peu. Mais elle ne se retourna pas.

— Lily ?

— Je préférerais prouver la malveillance, dit-elle en quittant la pièce.

13

Poppy passa la journée de mardi au calme, en partie grâce au temps. Quand il faisait froid, qu'il pleuvait ou neigeait, bon nombre de ses clients restaient chez eux. La nuit, à la fin septembre, avec le brouillard, le thermomètre affichait six degrés, et dix pendant la journée. Les coups de téléphone des journalistes étaient moins nombreux. Poppy n'en était pas surprise. C'était ridicule d'avoir rendu Lily responsable du scandale. La ville entière partageait ce sentiment et l'avait fait savoir au téléphone à Poppy. Lily Blake, une déséquilibrée ? C'était la goutte d'eau, l'offense de trop pour les gens qui connaissaient les Blake, Poppy était persuadée que la presse le savait aussi, mais que pour ne pas perdre la face, elle se réfugiait dans le silence, cherchant à éviter les ennuis.

Oh, bien sûr, de temps en temps, un reporter hésitant appelait pour connaître les réactions à propos du dernier rebondissement de l'affaire. Mais les médias les plus importants ne s'étaient pas manifestés et en cette fin d'après-midi, les seuls appels qu'elle avait reçus provenaient de la bibliothécaire de Lake Henry, Leila Higgins, et du receveur des postes, Nathaniel Roy. Tous deux avaient aperçu une Ford marron immatriculée dans le Massachusetts devant les bureaux du *Lake News* et voulaient savoir à qui elle appartenait. Poppy le savait, bien qu'elle n'eût pas la moindre idée des raisons qui y avait conduit sa sœur. Alors elle appela Kip.

— Tu as eu de la visite ?

Kip sembla mécontent.

— Comment l'as-tu appris ?

— Leila et Nat m'ont appelée à propos de la voiture. Ils ne savaient pas à qui elle appartenait. Pourquoi est-elle venue ?

— Pour dire bonjour, marmonna John.

— À toi ? Allez, fais un effort.

— Elle m'a donné un coup de main au journal.

— D'accord.

On était mardi. Il était débordé. Elle pouvait le comprendre mais en quoi cela concernait-il Lily ?

— Pourquoi ? continua-t-elle.

— Elle s'ennuyait.

— Et elle croyait trouver de l'animation chez toi ?

— Demande-le lui, Poppy.

— Je n'y manquerais pas, rétorqua-t-elle.

En raccrochant, elle se demanda ce qui avait pu le contrarier et tenta de joindre Lily mais son portable était déconnecté. Elle recommença plusieurs fois, mais à la nuit tombée, alors que le brouillard se levait sur le lac, dévoilant un superbe coucher de soleil, ses amies arrivèrent. Sigrid Dunn se consacrait au tissage artisanal et à la fabrication de pains maison. Elle apporta une grosse miche aux olives et une bouteille de merlot. Marianne Hersey possédait une petite librairie dans la ville voisine et vendait des plats à emporter. Elle arriva avec un coq au vin fumant et une bouteille de chablis. Hether Malone était maman à plein temps et se dévouait à ses deux jeunes enfants et à ses légumes. Elle fournit pour l'occasion une énorme salade aux épis de maïs doux et un pinot *griggio* au goût de noisette. Cassie Byrnes – avocate et mère de famille – avait acheté des cookies dans une boulangerie italienne de Concord, après avoir fait un saut à la Cour fédérale dans l'après-midi. Poppy sortit des cruches de cidre et de café pour accompagner le tout.

Elles se réunissaient tous les mardis et avaient baptisé leur groupe le « Comité hospitalier de Lake Henry ». Elles s'occupaient à la fois des familles de nouveaux arrivants et de leurs concitoyens qui avaient des problèmes.

Mais Lake Henry était une petite ville et il n'y avait pas assez de cas pour satisfaire à leurs réunions hebdomadaires. Alors, en général, toutes les cinq en profitaient pour se détendre et s'amuser, échangeant gaiement des nouvelles et des suggestions. À certaines occasions, leurs soirées bien arrosées donnaient lieu à de belles réjouissances. Ce soir-là, l'ambiance était au rendez-vous. Poppy, qui s'était fait du souci toute la semaine pour sa sœur, en avait bien besoin. Ne pouvant pas annoncer à ses amies que Lily était de retour, elle fut réconfortée de les entendre prendre sa défense. La conversation dériva sur ceux qui ne partageaient pas leur point de vue et de fil en aiguille, à l'hilarité générale, sur les habitants les plus coincés de Lake Henry.

Poppy se sentait étourdie quand le téléphone sonna. Marianne courut décrocher dans l'autre pièce.

— C'est pour Willie Jake, annonça-t-elle en revenant aussi vite. Quand j'ai dit qu'il n'était pas là, on a demandé à te parler. C'est un certain Griffin Hughes.

En riant, Poppy s'étrangla. Elle toussa, se tapa la poitrine une ou deux fois, avant de reprendre sa respiration. Puis elle sortit avec sa chaise roulante.

— Griffin Hughes, lança-t-elle sans préambule. Pensiez-vous réellement que le chef serait là à une heure pareille ?

— Il n'est que 19 h 30, répondit-il de sa voix douce, grave et masculine.

Elle se la rappelait si clairement – et n'était pas mécontente de l'entendre de nouveau – qu'elle avait envie d'être agressive.

— On est à Lake Henry ! tonna-t-elle. Nous ne travaillons pas douze heures par jour comme chez vous.

— Nous non plus, fit-il d'un air affable. En tout cas, moi, je ne le fais pas. Je pensais le trouver après le dîner. Je croyais qu'il y avait un transfert d'appel à son domicile ou au commissariat. Ça marche comme ça dans les petites villes, n'est-ce pas ?

— Pas à Lake Henry, rétorqua Poppy qui aurait préféré qu'il se montrât moins aimable.

— Que faites-vous là à une heure aussi tardive ?
— J'habite là.
— Au commissariat ?
Elle éclata de rire, étonnamment à l'aise.
— Non. Chez moi. Je suis en quelque sorte le répondeur téléphonique de la ville.
— Vous êtes sérieuse ?
Il semblait charmé.
Poppy frotta le dos de sa main contre le bras de son fauteuil.
— Eh oui, vous devez passer par moi pour joindre la plupart des gens et je n'ai pas changé d'avis. Je ne veux toujours pas vous parler.
Peu lui importait qu'il parût réellement sincère.
— Surtout après ce qu'il vient de se passer, dit-elle, légèrement emportée par l'alcool. À quoi jouez-vous ? Oser affirmer que ma sœur est une déséquilibrée ? La rendre responsable du scandale ? Non seulement c'est stupide, mais c'est immoral. Et c'est faux !
— Je suis d'accord. Immoral et faux. C'est le sujet de mon article. Mais je ne peux pas me contenter d'écrire cela. Je dois le démontrer. J'ai besoin de savoir en quoi cette affaire a affecté la vie de Lily. J'ai essayé son numéro à Boston. Elle ne répond pas.
— Son numéro est sur liste rouge.
— Tous les journaux l'ont.
— Ah ! ah ! s'écria Poppy tandis qu'un éclat de rire impromptu retentissait dans la cuisine. Vous travaillez avec eux.
— Je ne travaille pas avec eux. Je les utilise. Excusez-moi, j'appelle à un mauvais moment ? Vous organisez une soirée ?
— Je reçois quelques amies à dîner. Cela nous arrive de temps en temps. Il faut bien tromper l'ennui et le reste. Avoir un minimum de vie sociale. Vous savez comment c'est dans les bleds...
— Vous exagérez, Poppy, reprit-il avec bonne humeur, de sa voix chaude, douce, si calme.
— Lily est-elle avec vous ?

— Croyez-vous que je vous le dirais si elle était là ?
— Avez-vous eu de ses nouvelles ?
— Pensez-vous que je vous tiendrais au courant ?
— De quoi avez-vous envie de me parler ?
Poppy réfléchit une minute puis sourit.
— Je vais vous raconter l'histoire de James Everell Henry.
— Qui est-ce ?
— Était. C'était un important forestier qui vivait dans les environs à la fin du siècle dernier. Il s'y était installé avec ses trois fils et avait construit un village au milieu de nulle part – un chemin de fer, une entreprise, une scierie. Tout cela pour commercialiser le bois. Il a acheté des terres à droite et à gauche jusqu'à ce qu'il possède des centaines d'hectares. Il les a débités en bûches sans penser aux conséquences que cela aurait sur la nature.
— James Everell Henry.
— C'est exact reprit Poppy. Mais les effets ont commencé à se faire sentir. Ses machines étaient une véritable menace, elles décimaient des surfaces entières, projetant des étincelles et des flammèches dans les meules de foin. Il y eut des incendies dans les forêts. Au printemps, les pluies diluviennes causèrent des glissements de terrain. Entre les feux et les inondations, l'empire de Henry commença à vaciller. Les gens du coin s'en rendirent compte. Ils rachetèrent ses terres au maximum pour créer des réserves foncières et firent voter des textes de loi pour protéger l'environnement. Finalement, Henry fut obligé de vendre ses biens. Il mourut tranquillement quelques années plus tard, bien longtemps après avoir perdu sa fortune.
Il y eut un silence puis un « Oui ? » amusé.
— À cette époque, la ville s'appelait Neweston. Après sa mort, elle fut rebaptisée Lake Henry.
— Vous avez honoré un type qui avait décimé vos collines ?
— C'était un personnage important. D'une certaine façon, c'est le père du mouvement écologique local.

— Si l'on veut, acquiesça Griffin, qui semblait perplexe. Y a-t-il un message dans votre histoire ?

— Certainement, assura Poppy. De la perversité naissent parfois des choses positives.

Après un nouveau silence, il lui répondit :

— Et le message de fond ?

— Une indépendance farouche. Le New Hampshire est connu pour cela. C'est un sentiment très fort à Lake Henry. Demandez-nous de manger A et nous mangerons B. Dites-nous de porter C, nous porterons D.

— Je vous demande de me parler de quelqu'un de chez vous, vous vous taisez.

— Gagné !

Elle était heureuse qu'il ait compris. On pouvait penser qu'un homme aussi cultivé et doté d'une aussi belle voix ne pouvait être qu'intelligent.

— Mais, le fait est, reprit le baryton cultivé, que j'essaie de vous aider. Si vous refusez tous de parler, je ne peux pas faire grand-chose.

Poppy ne se laissa pas endormir, baryton cultivé ou pas.

— Avez-vous un surnom ?

— Un surnom ?

— Griffin Hughes est un nom très formel. On ne vous appelle pas Griff ou un truc dans ce genre-là ?

— Griffin.

— Et Junior ? Ou Trip ? N'êtes vous pas la troisième génération de Griffin Hughes ?

— Ouais, mais chez moi on donne un deuxième nom différent à chaque fois. Alors, je ne suis même pas *Junior*.

— Comment vous appelait-on lorsque vous étiez enfant ?

— Rouquin.

— Rouquin ?

— J'ai les cheveux carotte.

— Vous plaisantez ? dit Poppy. (Elle l'avait imaginé avec une séduisante chevelure brune assortie à sa voix profonde et sexy. Tout était à revoir.) Sont-ils longs ? demanda-t-elle avant de se retourner.

Elle avait entendu un bruit. Quatre visages empreints de curiosité s'encadraient dans l'embrasure de la porte.

— Mes cheveux ? demanda Griffin. Non, enfin, ils sont courts, mais pas vraiment ras, on voit mes oreilles.

Elle chassa ses amies d'un geste de la main. *Quel enfer !* pensa-t-elle, voyant qu'elles ne bougeaient pas.

— Est-ce qu'elles sont décollées ? demanda-t-elle à Griffin.

— De quoi parles-tu ? interrogea Cassie.

— Non, reprit Griffin. Les gars appelés Griffin ont généralement de belles petites oreilles. Mais nous entendons tout. Qui vient de parler ?

— Mon amie Cassie.

Poppy regarda le groupe avec défiance.

— Quelle taille mesurez-vous ? demanda-t-elle à Griffin.

— Qui est-ce ? insista Heather.

— Environ un mètre soixante-dix. Yeux bleus.

— Bleu foncé ou clair ?

— Foncé pendant l'amour, clair le reste du temps.

Poppy fut décontenancée.

— Était-ce nécessaire ?

— Vous me l'avez demandé...

Poppy se renfrogna.

— Je ne vous ai pas parlé de sexe.

Les cinq copines à la porte se mirent à pouffer.

— À mon tour, dit Griffin. Poids, taille, couleur des yeux ?

— Vous ne m'avez pas dit votre âge ?

— Trente ans.

— Alors je suis plus âgée que vous.

— De combien ?

D'un air guindé, elle le tança :

— Une dame n'avoue jamais son âge.

— Ou son poids. Alors, votre taille et vos yeux ?

— Ce sont des informations privées.

— Attendez une minute. Moi, j'ai répondu.

— Parce que vous l'avez bien voulu. Ce n'est pas mon cas. Écoutez, je dirai à Willie Jake que vous avez téléphoné. Je lui donnerai votre numéro... Peut-être voudra-t-il vous rappeler ?

— Vous pensez qu'il le fera ? s'enquit Griffin.

— Non.

— Alors, je ne vous laisserai pas mes coordonnées.

— Ah, ah ! s'écria-t-elle. Cela ne vous gêne pas de nous harceler mais dans l'autre sens...

— Poppy, reprit Griffin d'une voix adulte, vous avez dit qu'il ne rappellerait pas. Alors j'essaierai une autre fois. Allez retrouver vos invitées.

En raccrochant, elle ressentit comme une petite déception mais, heureusement, ses amies étaient là.

— Qui était-ce ? demanda Cassie.

Poppy renifla et fit rouler son fauteuil vers elles.

— Un journaliste.

— Qu'est-ce qui est décollé ? demanda Heather en s'écartant pour la laisser passer.

— Pas ses oreilles, en tout cas.

Sigrid la suivit, à quelques pas derrière elle.

— Comment en êtes-vous arrivés à parler de ses oreilles ?

— Il essayait de me rouler lança Poppy en leur faisant face. C'est leur technique, vous savez, ils balancent des petits potins, des appâts, en espérant que vous mordrez à l'hameçon. Mon Dieu, avec ce qui est arrivé à Lily, il y a une chose dont on est sûr : il ne faut jamais souffler un seul mot à ce genre de type.

— Quel âge a-t-il ? demanda Marianne.

Comme Poppy lui jetait un coup d'œil désespéré, elle ajouta :

— Moi, ça m'intéresse.

— Il paraît qu'il a trente ans.

Marianne approchait des quarante. Elle marqua le coup.

— Il avait l'air plus vieux.

Poppy acquiesça.

— Hum, hum. Il dit qu'il mesure un mètre soixante-dix pour soixante-quinze kilos, qu'il a les cheveux roux et les yeux bleus. Qui oserait révéler ce genre d'informations à un étranger ? Je ne le ferais pas.

Il y eut un silence. Poppy resta songeuse, consciente qu'elle n'avouerait pas de tels détails pour une autre raison. D'une voix attristée, Marianne reprit.

— C'est moche. Il avait une super voix.

— Ça c'est vrai, soupira Poppy.

Et elle passa à autre chose.

Lily s'assit jambes croisées sur le dock, dans l'obscurité. Elle avait remis son écharpe et portait une casquette en lainage, une parka en duvet, des bottes de marche et des mitaines – ce n'était pas pour se déguiser mais pour éviter d'avoir froid. Certes, c'était un peu exagéré, mais elle détestait grelotter. Grâce à la dissipation du brouillard, l'air était moins humide mais il faisait frisquet. Son souffle projetait de petites fumerolles blanches dans le rayon de lune. Malgré cela, elle ne serait pas restée pour un empire à l'intérieur du cottage. La nuit était splendide au-dessus du lac. La surface ressemblait à un miroir sur lequel se reflétaient l'étoile Polaire et même le bouleau jaune au feuillage automnal qui poussait en bordure de l'île Elbow. Les canards étaient silencieux, seul le clapotis de l'eau sur le rivage trouait le silence. La sérénité de l'instant avait quelque chose d'hypnotique.

Soudain, un léger mouvement en direction de l'ouest attira son attention. Elle pensa d'abord qu'il s'agissait d'un plongeon et retint sa respiration, mais le son qu'elle entendait n'était pas celui d'un oiseau. Un canot manœuvré par des rames s'avançait vers elle. Elle s'agenouilla et resta silencieuse, l'œil fixé sur l'embarcation qui approchait. Sous la lumière du croissant de lune, on aurait dit une pépite noire. Quand il arriva à dix mètres environ du dock, le bruit cessa. Le bateau glissa le long du ponton sans le heurter.

— C'est de la transmission de pensées, dit John en s'agrippant au rebord. Grimpez.

Transmission de pensées ? Pas vraiment. Lily pensait au lac, pas à John. Mais cela l'avait calmée et elle se sentait en sécurité. Elle déplia ses jambes et se laissa glisser au bord de la jetée. Posant ses pieds sur le plancher du bateau, elle fit basculer son corps dans la barque comme elle l'avait fait des douzaines de fois étant enfant. À peine s'était-elle assise face à John qu'il repoussa l'embarcation avec le dos de la rame et fit demi-tour.

— Où allons-nous ? demanda-t-elle alors qu'ils repartaient dans la direction par laquelle il était arrivé.

— Voir mes canards.

Elle ressentit un frisson d'excitation.

— Ceux des photos.

— Ouais. Ils vont bientôt partir. Mes visites sont comptées. Vous pensez avoir assez chaud ?

Elle lui lança un coup d'œil. Il portait un jean et un sweat-shirt sous une veste en molleton ouverte. Sa tête et ses mains étaient nues. Elle se demanda de quoi il aurait l'air dans vingt minutes.

— Je ne vous prêterai pas mes mitaines, annonça-t-elle.

Tandis que le canot glissait sur l'eau, s'éloignant du rivage, elle sentit l'air frais de la nuit balayer sa peau. Elle était contente de s'être vêtue chaudement. La brise nocturne lui paraissait plus vivifiante que froide. John ramait avec énergie, propulsant l'embarcation en avant sans bruit et sans effort. Face à la proue, Lily se laissa aller à son exaltation. Elle leva la tête, respira à pleins poumons et sourit. Même si elle aimait beaucoup Boston, elle n'y connaissait pas ce genre de sensations. À Albany non plus. Ni même New York malgré son animation. Au cours des seize dernières années, ses visites à Lake Henry avaient été brèves et troublées. Elle s'aperçut soudain que le lac et ses plaisirs lui avaient manqué.

John le savait-il ? Essayait-il de lui passer de la pommade pour qu'elle acceptât de lui raconter son histoire ? Dans ce cas, il serait déçu, surtout s'il se mettait à parler, troublant la tranquillité de la nuit. Ce serait un sacrilège. Une preuve d'insensibilité qui serait révélatrice... Mais il ne parla pas. Seuls le glissement de la rame dans l'eau et le halètement de son souffle tandis qu'il ramait rompaient le silence. Par endroits, des trouées de lumière lui parvenaient des maisons sur la plage. On entendait le grincement d'un bateau contre ses amarres, le cliquetis de la crosse contre le mât, mais ils étaient seuls dans l'obscurité. Lily se sentait en sécurité. Ils venaient de dépasser un petit groupe d'îlots quand John s'arrêta, laissant le bateau dériver vers un coin de terre. L'île était petite, et à en juger par sa silhouette inégale et sombre, longue d'une centaine de mètres, couverte de conifères. Le canot ralentit. John l'immobilisa. Le lac s'achevait en un enchevêtrement de broussailles, étouffant les clapotements de l'eau. John lui parla à l'oreille.

— Le nid était par là.

Il lui montra un endroit précis mais Lily ne vit rien, excepté un tas d'herbe.

— Le plus gros a repéré ce coin à la fin avril. Sa compagne s'y est installée à la mi-mai. En juin, il y avait un œuf. Le lendemain, un deuxième.

— Comment avez-vous réussi à prendre ces photos sans faire fuir les canards ? lui répondit-elle dans un murmure.

Elle n'avait pas à tourner la tête. Son visage était tout près du sien.

— Avec de la prudence et un objectif puissant. Un jour, je suis resté assis trois heures à attendre qu'un des parents remplace l'autre. Si on reste longtemps sans bouger, calmement, ils finissent par croire qu'on est un arbre. Celui qui est dans le nid siffle l'autre. Ils ne laissent jamais leurs œufs seuls pendant plus d'une minute. Il ne faut pas rater l'instant. Le premier se glisse dans l'eau pour se nourrir, se faire beau ou dormir tandis que son compère prend sa place. Il revient de la plage, tourne les œufs, remue les brindilles au fond du nid et plonge dedans. Puis il s'assoit. Même lorsque le tonnerre gronde et que les éclairs illuminent le ciel, il ne bouge pas. Si un prédateur s'approche, il crie et agite bruyamment les ailes, mais le reste du temps, il est figé comme une statue. Comme deux statues en fait, quand le lac est calme et que les reflets sont clairs.

Lily visualisa la scène.

— Ils restent ainsi pendant vingt-neuf jours, quoi qu'il arrive, continua John. Puis un œuf éclôt. Le lendemain, c'est au tour des autres. Quelques heures après, dès que leurs plumes sont sèches, les bébés se jettent dans le lac. Parfois, ils y restent trois ans, sans toucher terre jusqu'à ce qu'ils fassent eux-mêmes leurs nids.

— Vraiment ?

— Oui. Quatre-vingt-dix-neuf pour cent de leur vie se passe dans l'eau.

Lily ignorait cela.

— Ils y ont une plus grande mobilité, expliqua-t-il. Ils y sont mieux protégés.

Un léger bruissement leur parvint, à un bout de l'île. Un canard puis un deuxième émergea sous un rayon de lune. Aussitôt suivis par deux autres. Elle prit sa respiration. John baissa la voix.

— Les deux devant sont les parents. Derrière viennent les enfants.

L'œil fixé sur les oiseaux, elle tourna légèrement la tête afin d'entendre ses paroles.

— Les petits sont presque aussi gros que leur père et leur mère.

— Ils grandissent vite.

— Savent-ils voler ?

— Pas encore. Il faut attendre un mois. Les parents partent en premier. Ils se préparent. Leurs plumes sont en train de se transformer. Ils muent en partie avant la première période de migration, à l'automne, et totalement avant la deuxième, au printemps. À ce moment-là, généralement au mois de mars, ils ne peuvent plus voler. Puis leurs plumes, qu'on appelle « plumes de reproduction », poussent. Elles sont brillantes, ce sont celles qu'ils perdent en ce moment. Quand ils partiront, ils ressembleront beaucoup à leurs petits.

Les canards nageaient vers l'extrémité de l'île, éclairés par la lune.

Lily demanda :

— S'ils partent en premier, comment savent-ils que leurs petits ont réussi à s'envoler ?

— Grâce à l'Esprit du Lac, plaisanta John. Ne vous inquiétez pas. Cela se passe ainsi depuis plus de vingt millions d'années.

Elle avait du mal à le croire.

— Mais les êtres humains n'existent que depuis cinq millions d'années !

— Les lacs aussi, tels que nous les connaissons. Peut-être est-ce la signification du chant de ces canards. Ils ont vu tellement de changements sur cette planète.

Un des plongeons laissa échapper une longue plainte. Lily en eut le souffle coupé.

— Attendez, murmura John.

Une réponse leur parvint de l'est. Le son était clair comme du cristal mais diffus.

— Ça vient d'un autre étang, souffla John.

Le canard du Lake Henry chanta de nouveau et l'autre oiseau lui répondit. À peine leurs cris s'étaient-ils évanouis qu'un troisième appel se fit entendre. Il semblait venir de très loin, encore plus à l'est, probablement à deux lacs de là. Mais il était audible. Pendant dix minutes, les trois plongeons communiquèrent entre eux. Lily les avait déjà entendus crier en chœur, la nuit, mais jamais elle ne s'était trouvée si près de l'un deux. C'était une expérience magique. Quand le silence de la nuit revint, elle poussa un profond soupir et resta immobile, comme John, jusqu'à ce que les canards disparaissent à l'arrière de l'île.

Toujours sans un mot, John leva sa rame et avec adresse, grâce à quelques mouvements latéraux, fit tourner le canot en direction de chez Celia. Lily se sentit devenir mélancolique, sans trop savoir pourquoi. Le spectacle auquel ils avaient assisté l'avait enthousiasmée mais il était fini. La beauté du lac, la nuit et la vision des canards formaient un tableau plein de richesses. En comparaison, la vie vers laquelle John la ramenait maintenant lui paraissait médiocre. Elle se sentit petite et insignifiante. Déconnectée. Perdue. Elle replia ses jambes sous elle, abaissa son chapeau et noua son écharpe en frissonnant. Elle avait froid. John ne parlait pas. Elle se sentait seule.

Quand ils atteignirent le dock, il sauta hors du canot avant qu'elle ait eu le temps de se mettre debout. Il attacha les amarres et lui tendit la main. Était-elle froide ou chaude, calleuse ou douce ? Elle ne sentait rien à travers ses mitaines, mais elle la prit et s'y accrocha tandis qu'il l'aidait à sortir de l'embarcation. Elle était sur le point de le remercier pour la balade quand il posa doucement sa main au bas de son dos, l'invitant à retourner vers la maison. Cette fois, elle sentit son contact. Oh, oui. À travers sa parka, sa chemise de flanelle et son T-shirt. Elle se demanda ce que cela signifiait. Ce n'était qu'un simple geste. Mais cela faisait du bien. C'était doux et réconfortant. Une manifestation d'amitié. Il y avait une éternité qu'elle n'avait pas eu de compagnie. Elle avait du mal à croire qu'une semaine plus tôt, elle descendait Commonwealth avenue avec Terry Sullivan, prête à lancer des paroles anodines qui allaient changer pour toujours le cours de sa vie.

John s'arrêta au pied des marches, sous le porche. Elle fit quelques pas et se retourna.

— Mer... mer... merci, dit-elle, haïssant sa nervosité.

Elle ne savait pas en qui elle pouvait avoir confiance. Était-il un ami ou un ennemi ? Son regard soutint le sien. Dans la lumière oblique de la lune, il semblait étrangement suppliant.

— Merci. Habituellement, je me promène seul. C'était bien.

Elle hocha la tête, enfouit ses mains dans ses poches et serra ses bras autour d'elle. « Rentre, espèce d'idiote », lui cria une petite voix, mais elle demeura là, sans bouger, comme hypnotisée. Elle voulait penser qu'il était son ami mais elle ne savait pas s'il respecterait cela.

— La vie est complexe, dit-elle enfin.

Il sourit.

— Pourquoi croyez-vous que j'aime ces canards ? Ils sont la simplicité même.

Elle hocha la tête.

— Vingt millions d'années... Une existence entière basée sur l'instinct ?

— L'instinct animal. C'est drôle de penser que nous nous estimons supérieurs.

Elle hocha la tête et regarda au loin, se disant qu'il comprenait réellement ses sentiments. C'était bon. Puis il lui toucha la joue et ses yeux revinrent se poser sur lui. Sa main s'abaissait déjà, il avait fait demi-tour pour partir, mais elle lut autre chose dans son geste – un lien, un frisson, peut-être un germe de confiance. Était-ce réel ? Synonyme de déception ou d'illusion ? Et si elle prenait ses désirs pour la réalité ? C'était absolument terrifiant de ne pas connaître la réponse !

14

Le lendemain matin, John repartit sur le lac de bonne heure. Il avait plus de choses en tête qu'il n'en avait eu en trois ans et sa promenade en canot était plus un prétexte pour calmer ses nerfs que pour observer les canards. À l'aube, sous la brume naissante, le lac était silencieux, surréaliste. Il laissa la sérénité l'envahir et chercha à éclaircir ses pensées. Mais elles avaient leur vie propre. Elles s'accrochaient à Lily. À l'aller comme au retour, en allant en ville chercher les journaux, il ne put penser qu'à elle. L'image de la jeune femme telle qu'il l'avait vue la première fois, dans sa longue robe de chambre flottante était chassée par les souvenirs de la nuit dernière. Il la revoyait, emmitouflée, innocente et à nue. Dans ses fantasmes, il fit plus que lui caresser la joue. Il était attiré par elle. Cela compliquait les choses. Il voulait écrire un livre sur son histoire mais elle tenait à conserver son intimité. Ils étaient chacun aux antipodes l'un de l'autre, et l'attirance qu'il ressentait pour elle aujourd'hui creusait davantage le fossé.

De retour chez lui, il resta près du téléphone, attendant son appel. Enfin, elle se manifesta.

— Il n'y a rien aujourd'hui, dit-il en réponse à l'inévitable question.

— Rien à la une ?

— Rien nulle part, dans aucun journal.

Le silence lui répondit. Il l'imagina, fronçant les sourcils, obnubilée par son besoin de démenti, se demandant si l'absence d'article était une bonne ou une mauvaise nouvelle. Enfin, d'une voix prudente mais pleine d'espoir, elle reprit :

— C'est bien, n'est-ce pas ?

— Probablement, lui répondit John qui ne voyait pas la nécessité de la bouleverser.

Certes, il n'y avait rien sur l'affaire Rossetti-Blake. Peut-être était-elle terminée ? De toute façon, si le *Post* publiait un démenti, il le ferait aussi discrètement que possible, lorsque l'intérêt pour cette histoire aurait disparu. John savait cependant comment travaillent les journaux. Ils admettaient rarement leurs erreurs et ne publiaient des excuses que sous la contrainte. Dans la pratique, une fois qu'un sujet perdait de sa substance, il était vite abandonné. John éprouvait des sentiments contradictoires à propos des derniers rebondissements. Lily souhaitait un démenti et il désirait qu'elle ait gain de cause, mais il avait personnellement intérêt que cette affaire tombât dans les oubliettes. Plus elle traînait en longueur, plus il y avait de risque qu'un reporter s'en empare, et pousse l'enquête plus avant. John voulait s'en charger lui-même.

Il n'en eut pas le temps ce jour-là. Dès qu'il arriva à son bureau, le *Lake News* l'absorba entièrement. Enfin, à 2 heures de l'après-midi, il envoya la dernière page à l'imprimeur. En général, il essayait de respecter le délai imposé mais ce retard n'était pas grave. L'imprimeur était un copain ! Pour se faire pardonner, John l'invita à dîner chez Charlie. C'était un marché honnête.

Comme il avait six heures devant lui avant d'aller chercher le journal sorti des presses, à Ekland, à quarante minutes au nord de Lake Henry, il partit faire quelques courses chez Charlie et fila chez Gus. En approchant du Ridge, il eut comme à chaque fois une crampe à l'estomac, consterné de voir que même à cette époque de l'année, l'endroit suintait la tristesse. Ici, on ne respirait pas l'odeur des citrouilles, du cidre ou des pins, mais plutôt celle des poubelles. Son cœur se serra quand il pénétra dans la maison de son père. Dulcey avait fait le ménage le matin, mais les preuves de son passage avaient disparu. La table basse était de travers, et l'abat-jour de guingois. Les journaux du jour étaient éparpillés sur le canapé. Les restes de ce qui avait dû être un petit déjeuner – une soucoupe avec des œufs et un toast ratatiné – gisaient sur le sol.

— Pa ? appela-t-il comme à son habitude.

Après avoir ramassé l'assiette, il se dirigea vers la cuisine. Gus était assis devant la table, le corps voûté. De ses mains noueuses et sèches, il essayait de tordre une fourchette de toutes ses forces.

— Que fais-tu ? lui demanda gentiment John.

La tête hirsute de Gus s'agita mais il ne bougea pas.

— J'les redresse. Elle les tord.

— Dulcey ?

— Y a quelqu'un d'autre qui vient dans cette maison, hein ? aboya Gus.

La fourchette semblait normale. Mais John ne discuta pas. Il déposa l'assiette dans l'évier, qui était loin d'être propre. C'était déconcertant.

— As-tu déjeuné ?

— J'avais pas faim.

John soupçonna qu'il n'avait pas eu la force de se cuisiner quelque chose et cela lui fit mal. Il mit la glace dans le congélateur, le lait, la crème, les œufs et un poulet rôti, coupé en quartiers, dans le frigo. Puis il en sortit le demi-pain qu'il avait apporté le week-end précédent, ouvrit une boîte de thon et le mélangea à de la mayonnaise. Quand il eut préparé trois sandwiches, il en mit un dans le réfrigérateur en prévision du prochain repas de Gus, déposa les deux autres dans un plat, versa deux verres de lait et s'assit en face de son père.

— Le journal vient de partir chez l'imprimeur, dit-il sur le ton de la conversation. C'est un bon numéro, je crois.

Il mordit dans son pain. Il n'avait pas vraiment faim mais il voulait montrer l'exemple. Gus continuait de se bagarrer avec sa fourchette.

— En une, j'ai écrit un article sur des familles qui viennent de s'installer en ville.

— On n'a pas b'soin d'eux.

— Eux ont besoin de nous. C'est le sujet de mon papier.

Comme Gus ne répondait pas, John ajouta :

— Je parle de la qualité de vie. C'est un mot à la mode de nos jours.

Gus renifla.

— Ici, hein ?

— On est mieux au Ridge que dans un taudis en ville, renchérit John tout en sachant qu'il valait mieux laisser tomber cette conversation.

Inévitablement, Gus le traiterait de citadin hautain, persuadé de tout savoir. Sagement, il changea de sujet.

— Armand et moi avons eu une discussion animée à propos de ce qu'il convenait d'écrire sur Lily Blake.

Gus posa sa fourchette et regarda son assiette.

— L'histoire de Lily Blake et du cardinal à Boston, lui rappela John.

— J' dois prendre parti ?

— Beaucoup de gens d'ici le font puisque Lily est originaire de Lake Henry.

Gus leva les yeux, lentement, avec insolence. John soutint son regard une minute avant de lui montrer son sandwich d'un geste de la main.

— Mange.

Il croqua une nouvelle bouchée, la mâcha, l'avala. Voyant que son père ne mordait pas à l'hameçon, il durcit le ton. Il en éprouvait le besoin, un besoin irrépressible.

— Elle était innocente dans cette histoire de vol de voiture. Tu le sais, n'est-ce pas ?

Gus baissa les yeux sur son sandwich, semblant vouloir dire que, oui, il le savait et qu'il n'en était pas fier. En tout cas, c'est ainsi que, John interpréta son geste. Il voulait croire que son père avait une conscience.

— Je me suis souvent demandé comment ça se serait passé si j'avais été là, reprit John.

— Tu nous aurais empêchés de nous conduire comme des imbéciles ? demanda Gus.

— Non. J'aurais peut-être aidé Donny à ne pas agir comme il l'a fait. Avant mon départ, il était bien. À cette époque, c'était moi le mauvais garçon. Que s'est-il passé quand je suis parti ?

Gus prit son sandwich. Une miette de thon retomba sur l'assiette. Il tourna le pain et examina le trou qu'elle avait laissé.

— Peut-être que si j'étais resté, continua John, il n'aurait pas eu de problèmes.

— Toi, tu aurais mal tourné. Alors, j'en ai sauvé un.

— Pourquoi moi ? Pourquoi pas Donny ?

— Il fallait bien qu'elle en ait un.

Elle. La mère de John – elle s'était remariée avec succès et vivait en Caroline du Nord.

— Mais pourquoi moi ? insista-t-il.

— Demande-lui.

— Je l'ai fait. Des millions de fois.

Aujourd'hui, il s'entendait assez bien avec sa mère, mais à l'époque, leur relation était instable. Il avait toujours pensé que Dorothy aurait préféré emmener avec elle son plus jeune fils et que Gus avait fait exprès de la contrarier. Elle avait longtemps regretté l'absence de Donny, mais n'avait jamais répondu à la question de John.

— Elle m'a toujours dit de te poser la question. Je le fais.

Gus essaya de le foudroyer du regard, comme il put avec son œil plus bas que l'autre.

— C'est elle qui a voulu partir. J' lui ai dit, bien, ouste, va-t'en. Laisse-moi le bon. C'est ce qu'elle a fait.

Le bon.

— Tu n'as pas vraiment dit ça.

— Si, pour sûr.

John fut si blessé qu'il répondît vertement.

— Tu n'étais pas vraiment psychologue.

Gus se leva, vacillant un instant. John en éprouva du remords. Il se leva à son tour et obligea son père à se rasseoir. Ce fut affreusement facile. Quand il fut certain que Gus resterait tranquille, il retourna à sa place.

— C'est un souvenir douloureux pour moi. Je me suis toujours senti exclus. Éxilé. Puni.

— Tu l'étais, grommela Gus.

John mordit dans son sandwich et le mâcha avec force. Quand il avala sa bouchée, il réalisa qu'il n'en obtiendrait pas davantage. Alors, il changea de sujet.

— Tu connaissais bien George Blake, n'est-ce-pas ?

— Non. J'ai juste travaillé une fois pour lui.

John savait concrètement que leurs relations avaient été plus loin que ça. Gus avait travaillé comme maçon dans la grande maison et dans celle de Celia. Il était sûr de ce qu'il avançait. Il avait épié son père, seul, de loin.

— Que pensais-tu de lui ?

— Penser d'qui ?

— De George.

— J'l'ai pas connu. C'est avec Maida que j'travaillais. Petite chose maniaque, murmura-t-il. (Puis d'une voix plus forte, il ajouta :) Aussi froide qu'un bar pêché dans le lac au mois de mars.

Il tourna la tête dans un grognement et regarda la cour.

— Y avait què'que chose d'étrange chez cette femme.

D'un ton calme, John demanda :

— C'était quoi, à ton avis ?

Il rencontra le regard de Gus.

— Putain, comment veux-tu que je sache. J'arrive déjà pas à comprendre ma propre vie, alors laisse celles des autres tranquilles. Mais cette femme n'était pas bien quand elle est arrivée en ville. Trop souriante. Trop arrogante. Elle était toujours à attendre què'que chose. Faut pas s'demander pourquoi la fille a des problèmes.

Il plissa les yeux en observant son fils.

— Elle va revenir.

— Lily ? Tu crois ?

— Tu crois ? l'imita Gus. Qu'est-ce t'en penses,

espèce de malin ? T'as eu la belle éducation des gens d'la ville. Tu d'vrais savoir. Tu penses qu'elle va r'venir toi ?

Pour lui prouver sa bonne volonté et sa confiance, John eut envie de lui annoncer que Lily était revenue. Seulement il n'y avait rien de tel entre eux. Il avait beau être venu lui rendre visite régulièrement depuis trois ans, John ne savait toujours pas qui était son père. Il ne comprenait pas comment un homme pouvait envoyer son fils au loin sans s'inquiéter de ce qui lui arrivait. Pourtant, c'est ce qu'avait fait Gus. Il ne l'avait jamais appelé, ne lui avait jamais écrit – ni pour son anniversaire ou pour Noël. Dorothy, qui, elle, rendait visite à Donny et lui écrivait, avait traité Gus de handicapé émotionnel. John avait fait son chemin. Au plus profond de lui, il rêvait que son père pensait à lui. Comment un homme pouvait-il se montrer aussi furieux et insensible ? C'était impossible. Alors John imaginait que sous sa carapace, Gus était un tendre. Il pensait que s'ils apprenaient à se connaître, Gus apprendrait à exprimer ses sentiments, que s'il pouvait lui prouver sa valeur, il se confesserait.

Lorsqu'il avait appris que Gus était sur la mauvaise pente, il était revenu à Lake Henry, espérant une réconciliation, une rencontre, un dégel dans leurs relations. Il imaginait de longues conversations sur Donny, Dorothy, les plus belles réalisations en pierre de Gus et les articles dont John était le plus fier. Il avait pensé trouver un père. Au lieu de ça, il avait rencontré un homme aussi dur et inébranlable que les murs qu'il avait construits. John ne savait pas si Gus l'aimait, ne serait-ce qu'un petit peu. Sans cet amour, il ne pouvait pas le respecter. Alors, lui révéler le retour de Lily, c'était prendre le risque que Gus le raconte à la première personne venue, c'est-à-dire à Dulcey. Cette dernière le dirait à sa mère qui l'annoncerait à sa sœur. Sa sœur avertirait son mari, qui le révélerait à la femme qui faisait la comptabilité de sa petite entreprise de menuiserie. Cette femme distillerait la nouvelle à la moitié des artisans de la ville. C'était une fieffée commère. John ne pouvait pas faire cela à Lily.

Le receveur des postes était différent. Nathaniel Roy appréciait John et le respectait. Il l'avait prouvé. Leurs petites discussions quotidiennes et impromptues avaient gagné en profondeur. John avait l'impression que Nat accordait une grande valeur à ses paroles, précisément à cause des années qu'il avait passées loin de Lake Henry. John se sentait lui-même lorsqu'il était en compagnie de Nat, alors qu'avec les autres habitants, il avait tendance à minimiser son passé. Nat avait soixante-quinze ans bien sonnés mais ils étaient de grands amis.

Après la visite décevante qu'il avait rendue à son père, John éprouvait le besoin de voir un visage amical. Alors, il repartit en ville chercher son courrier.

La poste était un joli petit bâtiment en brique, à un étage. Lorsqu'on pénétrait à l'intérieur, on était enveloppé de l'odeur des circulaires de publicité et si l'on humait l'air avec attention, on remarquait le parfum du tabac de pipe à la cerise auquel Nat avait juré de renoncer des années auparavant. Nat leva le nez de son magazine et son visage s'éclaira – une prouesse pour un homme aux traits aussi hermétiques. Il était grand et maigre. De ses cheveux gris clairsemés à ses lunettes cerclées de fer, jusqu'à son gilet informe, son pantalon de tweed et ses chaussures de bateau usées, il était yankee de la tête aux pieds. Il mâchonnait en permanence une pipe éteinte et n'avait pas la langue dans sa poche.

— Tu n'as pas grand-chose, dit-il en tendant à John un petit paquet entouré d'un élastique. Quelques factures, de la pub, le nouveau catalogue de L.L. Bean. Il y a aussi une carte postale de ta mère. Elle et son chéri sont en Floride. Apparemment, ils sont en train d'acheter une maison.

John était au courant. Il s'empara de la carte et la lut. Dorothy y faisait la description d'une villa à Naples, située à quatre pâtés de maison de la plage.

— Ça m'a l'air bien.

— Elle est complètement excitée. C'est une femme bien. Même quand elle avait des problèmes, elle se montrait toujours polie, toujours souriante. Désolé de te dire ça, mais personne n'a jamais compris ce qu'elle avait pu trouver à Gus.

— À l'époque, il était plus grand, rétorqua John. Et très séduisant.

Nat ôta sa pipe de sa bouche.

— Il semble fané. Que lui reste-t-il ? Elle venait d'ailleurs. Cela ne pouvait pas marcher.

— Maida Blake n'était pas d'ici non plus, fit remarquer John. Pourtant, elle et George ont été mariés pendant plus de trente ans. Penses-tu qu'ils étaient heureux ?

— En fait, dit Nat après un instant de réflexion, je le crois. George n'a jamais été aussi beau que Gus, alors quand il est devenu vieux et gros, elle n'a pas eu l'impression de perdre grand-chose. Il faut lui rendre justice. Quand George est mort, elle a pris les choses en main et s'en est bien sortie. Elle n'a jamais failli.

Coinçant sa bouffarde au coin de sa bouche, il se pencha et attrapa sur une étagère le dernier numéro de *People* oublié par un client, l'ouvrit à la bonne page et le poussa devant John. John parcourut l'article. Il parlait de Lily et du cardinal et avait été publié avant les excuses parues dans le *Post*.

— Elle est célèbre, dit Nat. J'imagine que Maida n'apprécie pas beaucoup. Elle n'a jamais approuvé le départ de Lily pour New York. Pour elle, c'était le pire lieu de débauche de la Terre. Cela dit, je ne blâme pas la fille d'avoir voulu partir. Elle a été drôlement secouée par cette affaire avec ton frère.

Il se pencha en avant et baissa la voix, comme s'il y avait des gens dans la boutique.

— Tu crois qu'elle va revenir ?

John fut tenté de lui annoncer la nouvelle mais se réfréna. Ce n'était pas une question de confiance. John avait déjà testé Nat une fois ou deux. Il pouvait rester bouche cousue quand on le lui demandait. Mais quelque chose le fit hésiter.

— Peut-être... (Il entrevit une possibilité.) Est-ce qu'elle écrit à Maida ?

— Non, mais Maida ne le fait jamais. Ce n'est pas

son genre. Quand elle est arrivée ici, elle n'a jamais échangé aucune lettre avec les habitants de son ancienne ville.

— Où était-ce ?

— Linsworth dans le Maine. C'est une petite ville forestière au nord-est. Celia envoyait du courrier et en recevait, mais pas autant qu'on aurait pu penser. Au bout d'un moment, tout s'est arrêté. Elles ont coupé les liens. (Il fronça les sourcils.) Peut-être ont-elles laissé de mauvais souvenirs derrière elles ? Peut-être ont-elles voulu tourner la page, recommencer à zéro ?

— N'avaient-elles plus de famille là-bas ?

— Si elles en avaient, elles ne lui écrivaient pas. À cette époque, j'étais nouveau ici et les gens me posaient des questions sur elles – Maida et Celia – alors j'ai surveillé. Mais il n'y avait aucun courrier pour les Saint-Marie. (Sa voix se durcit.) Je n'ai rien dit à ce type, hier, celui qui fouinait partout. C'était un reporter à la noix de Worcester. Il essayait de nous ressembler, de parler comme nous, prétendant qu'il était dans le camp de Lily, mais je ne l'ai pas cru. J'ai bien vu qu'il était sournois. Il n'arrêtait pas de poser des questions. Je me demande pourquoi il est venu me voir. Parce que je m'occupe du courrier ? Comme si j'allais lui raconter ce que je voyais. Ce serait une erreur. Une violation de la confiance que le gouvernement place en moi. Presque un délit fédéral. Comme celui d'ouvrir les lettres.

John eut un sourire en coin. Nat sortit sa pipe de sa bouche et en pointa le tuyau sur John.

— Tu es différent. Tu es attentif. Entre nous, on a le droit de se renseigner sur nos voisins, de savoir d'où ils viennent. Mais de là à le dire aux autres ! Dans cette ville, on s'apprécie et, même si on fait semblant parfois, on sait qu'on est tous dans le même bateau. Les gens d'ailleurs ne comprennent pas ça. Ils n'ont pas le sens de la communauté.

Si John avait envoyé comme prévu à midi les pages du *Lake News* à l'imprimeur, à l'heure où Richard Jacobi l'avait appelé, il se serait trouvé sur la route de Elkland.

En fait, comme il avait deux heures à tuer, il était retourné à son bureau relire des dossiers, reprendre ses notes, réfléchissant aux possibilités qui s'offraient à lui. C'est alors que le téléphone sonna. Richard se montra intéressé. Quelques minutes plus tard, il fut même si enthousiasmé qu'il proposa une énorme somme à John en échange d'une signature immédiate.

— Tu n'as pas besoin d'agent, dit-il. L'important, c'est de faire vite, de jouer sur l'effet de surprise. Ton livre peut paraître dans six mois. Le résultat sera très correct, tu connais la réputation de cette maison.

John savait surtout qu'elle était de taille à se défendre contre les plus grosses boîtes d'édition. Elle était petite mais pugnace. Quand elle cherchait à faire un best-seller, elle réussissait presque à tous les coups. L'importance de l'à-valoir promis à John prouvait qu'elle attendait beaucoup de son livre. Il raccrocha le téléphone dix minutes plus tard, le souffle court. Richard voulait le sommaire et le premier chapitre, le plus vite possible. Il n'avait pas de temps à perdre pour mettre ses idées en ordre.

15

Alors que John réfléchissait à son avenir littéraire, Lily quittait le cottage en voiture et prenait la route qui contournait le lac. Elle dépassa le chemin menant chez Poppy, emprunta la large allée qui conduisait à la grande maison mais tourna aussitôt sur un petit sentier. C'était là que vivait Rose avec son mari, Art Winslow et leurs trois filles. La maison qui datait d'une douzaine d'années leur avait été offerte en cadeau de mariage par les parents Winslow en complément de la terre donnée par les Blake. Rose avait présidé à sa conception, ce qui n'avait rien d'étonnant aux yeux de ceux qui la connaissaient. Elle était le clone de Maida et sa demeure était, en plus petit, une copie parfaite de la grande bâtisse de la colline – même mur de pierre, même porche, mêmes fenêtres en saillie. Néanmoins, Lily la trouvait jolie. Elle était particulièrement ravissante en ce moment, éclairée par la lumière des phares.

Lily s'était arrangée pour arriver à l'heure où les enfants étaient couchés. Elle ignorait si Rose était au courant de son retour. Peut-être en avait-elle été avertie par Hannah ou Maida. Aurait-elle droit à une scène ? Aussi diplomate qu'un éléphant, Rose partageait toujours le point de vue de sa mère, surtout lorsqu'il était négatif. Lily n'avait pas spécialement envie de lui rendre visite, mais il aurait été dangereux que Rose découvrît par quelqu'un d'autre sa présence à Lake Henry. C'était mieux de venir en personne, de surprendre le lion dans son antre. Elle frappa doucement à la porte d'entrée.

Quelques instants plus tard, elle entendit un pas lourd. Lorsque l'épaisse porte de chêne s'ouvrit, elle ne fut pas surprise de découvrir son beau-frère. Art Winslow déclarait être tombé amoureux de Rose Blake le premier jour où il l'avait vue dans sa classe. C'était alors un gentil garçon. Adulte, il n'avait pas changé. S'il n'avait pas été un fils Winslow, le fait qu'il fût beaucoup plus aimable que sa femme aurait pu poser des problèmes, mais son statut d'héritier lui conférait une autorité certaine. À la maison, il pouvait se permettre de céder les rênes à Rose... C'était sans doute pour cela, pensait Lily, que leur mariage était une réussite. Art représentait la quintessence du géant débonnaire.

Si Lily ne fut pas étonnée de le voir, lui ne cacha pas son étonnement. Visiblement, Hannah n'avait rien dit. Lily avait la réponse à l'une de ses questions. Elle sourit et lui fit un signe de la main.

— Nous nous demandions si tu étais rentrée, dit-il de sa voix amicale. Entre. Rosie ? cria-t-il par-dessus son épaule avant d'expliquer : Elle est avec les filles.

— Je pensais qu'elles dormaient. Peut-être fe... fe... ferais-je mieux de revenir une autre fois ?

— Non, non. Elle va avoir envie de te voir. Les filles aussi.

Art Winslow était gentil. Il était bon avec Rose, avec ses enfants, ses employés. Mais ce n'était pas un rapide. L'idée que Lily pût vouloir passer inaperçue ne l'avait même pas effleuré. D'une phrase, elle essaya de lui faire comprendre :

— Je mens mal. Je répugne à demander aux filles de garder le secret.

— Elles adorent ça, insista Art.

Lily comprit que, pour une fois, Hannah avait su se taire. La lumière de l'entrée s'alluma. Rose se tenait à l'autre bout du hall, la main sur l'interrupteur. Lorsque Lily croisa le regard de sa sœur, elle s'arrêta prise de court. Elle eut l'impression de se voir dans un miroir. Les deux sœurs se ressemblaient comme deux gouttes d'eau : mêmes cheveux noirs, même peau blanche. Elles avaient toutes deux les hanches étroites et une poitrine avantageuse. Les seules différences venaient de la coiffure et des vêtements. Rose avait les cheveux plus longs, coiffés sagement derrière les oreilles et portait un tailleur pantalon, tenue qu'affectionnait particulièrement le soir la jeunesse dorée de Lake Henry. Mais leur ressemblance était frappante.

— Eh bien, bonsoir, dit Rose en s'approchant de son mari. Le retour de la sœur prodigue. Toute la ville se perd en conjectures. Quand es-tu revenue ?

Lily songea à mentir. Puis elle pensa à Hannah et à Maida.

— Samedi, répondit-elle.

— Samedi ! Et tu ne viens que maintenant ? On est mercredi. Qui d'autre sait que tu es là ?

— Je me cache.

— Maman est-elle au courant de ton retour ?

— Oui.

— Et Poppy ?

— Oui.

Rose poussa un soupir et lança, blessée :

— Merci beaucoup !

— Je ne les ai vues qu'une seule fois, expliqua Lily sur un ton d'excuse. Je ne voulais pas être obligée de demander aux filles de mentir si on leur posait la question. Je pensais qu'à cette heure-ci, elles dormiraient.

— Eh bien, tu t'es trompée, murmura Rose avant de se retourner. Trois petits visages apparaissaient dans l'encadrement de la porte.

— Venez dire bonjour à votre tante Lily.

Les filles se redressèrent et coururent vers elle – d'abord la petite Ruth, âgée de six ans, puis Emma, son aînée d'un an sur ses talons. C'étaient d'adorables fillettes aux cheveux noirs bouclés, vêtues de gentilles petites robes de chambre à fleurs qui descendaient jusqu'à leurs pieds minuscules. À côté d'elles, Hannah paraissait quelconque et grassouillette dans son T-shirt trop grand, semblable à celui qu'elle portait chez Maida. Quand ses sœurs eurent embrassé Lily, elle resta en retrait et ne s'avança que lorsque cette dernière lui tendit les bras.

— Ça me fait plaisir de te voir, Hannah. J'aime ton T-shirt. (Elle examina le chat dessiné sur le devant.) Tu n'en as pas, n'est-ce pas ?

Hannah secoua la tête.

— À Dieu ne plaise ! intervint Rose. J'ai déjà assez de mal pour qu'elle reste propre. Alors avec un chat !

— Il se nettoie tout seul, rétorqua Hannah.

— Les chats perdent leurs poils. Tu as envie d'en avoir partout sur toi ?

Hannah ne répondit pas. Lily fut désolée d'avoir lancé ce sujet de conversation. Art s'adressa aux petites.

— Montrez vos dents à votre tante Lily.

Elles ouvrirent la bouche en grand, révélant plusieurs trous à l'endroit où leurs quenottes étaient tombées. Ruthie en avait perdu quelques-unes devant, Emma, deux ou trois sur les côtés.

— Impressionnant ! lança Lily. (Elle prit la main de Hannah.) Ce n'est pas amusant pour toi. Tu es déjà passée par là.

Rose soupira.

— Ses dents poussent de travers. Elle va devoir porter un appareil dentaire.

— J'en ai eu un, moi aussi, expliqua Lily à Hannah, qui leva les sourcils, l'air intéressé.

— Pas moi, dit Rose. Ni Art. En parlant de dents...

Elle regarda ses plus jeunes filles et leur montra l'escalier.

— Allez les laver. Papa va vous surveiller. J'ai besoin de parler avec votre tante Lily.

— Et Hannah ? s'écria Ruth.

— Hannah, elle, a de grandes dents à brosser ! cria à son tour Emma.

— Je n'ai pas à surveiller Hannah, répliqua Rose. Elle a dix ans. Je ne peux pas toujours être en train de lui crier dessus. Elle est assez grande pour prendre soin de sa dentition. Si elle veut avoir des caries, c'est son problème.

— Je les brosse toujours correctement, répliqua Hannah.

Mais Rose ne l'écoutait plus. Tournée vers Art, elle lui enjoignit du regard d'emmener les deux petites. Un instant plus tard, il les entraîna au premier étage. Hannah resta auprès de Lily.

— As-tu fini tes devoirs ? demanda Rose.

Hannah hocha la tête.

— Alors, monte et va lire. Je dois parler à ta tante.

Lily l'embrassa.

— Vas-y ! lui murmura-t-elle doucement. Je te verrai une autre fois.

Elle suivit la fillette des yeux tandis qu'elle montait l'escalier, la mine basse. Lily eut un pincement au cœur, se demandant si quelqu'un d'autre s'en était aperçu ou s'en souciait. Rose s'appuya contre le mur.

— J'aurais dû comprendre que tu étais de retour. Maman est d'une humeur effroyable. Elle est comme ça depuis le début de cette affaire. On a vécu un enfer, Lily, avec tous ces gros titres à la une des journaux, ces photos, ces coups de téléphone... Elle était morte de peur quand tu es partie pour New York. Elle savait que cela n'apporterait aucun bien mais jamais, même dans ses pires cauchemars, elle n'a imaginé que ça irait jusque-là. Aujourd'hui, elle refuse d'aller en ville.

— Refuse ?

— Disons qu'elle y réfléchit à deux fois. Elle est persuadée que tout le monde la dévisage et parle dans son dos. Ça la rend nerveuse et quand elle est dans cet état, elle passe sa colère sur moi.

Lily avait du mal à le croire. Rose avait toujours été l'enfant chéri et la fierté de Maida.

— Sur qui d'autre peut-elle se défouler ? continua Rose. Elle ne peut pas hurler contre Poppy, alors c'est moi qui prends. Je suis la seule qui soit là tout le temps. Je prends soin d'elle.

— Elle peut se débrouiller toute seule.

Rose émit un petit rire.

— Pas autant qu'elle le croit. Je passe mon temps à

lui apporter des plats cuisinés ou à lui faire des courses en ville. OK, elle dirige l'affaire mais elle n'a pas été élevée pour cela.

— Cela l'occupe.

— Elle ne rajeunit pas. Elle devrait se reposer, voyager.

Le téléphone sonna.

— Elle devrait profiter de ses petits-enfants.

— Hannah n'était-elle pas chez elle l'autre nuit ?

Rose lui lança un coup d'œil.

— Hannah n'est pas une enfant agréable. Elle aura ma peau.

— Comment ça ?

— Elle est pénible.

La sonnerie du téléphone retentit de nouveau.

— C'est une tête de bois. En plus, elle est grosse.

— Non, elle n'est pas grosse.

— Elle en prend le chemin.

— Elle va bientôt grandir. Elle mincira. Elle a un très joli visage.

La sonnerie reprit.

— Tu décroches, Art ! hurla Rose avant de se retourner vers Lily.

— Pourquoi es-tu revenue ?

Sa voix était tranchante, peut-être simplement parce qu'elle venait de crier, mais de toute évidence, elle était irritée. Indignée à son tour, Lily rétorqua :

— J'ai une maison ici.

— Combien de temps comptes-tu rester ?

— Aussi longtemps que j'en aurai besoin.

— Et si les journalistes te suivent jusqu'ici ? Maman va piquer une crise.

— Je n'ai rien fait de mal, Rose.

— Si elle pique sa crise, c'est moi qui vais en souffrir.

Elle se retourna en entendant son mari descendre l'escalier.

— C'était Maida, lui dit-il. Deux des Québécois travaillaient de nuit dans la prairie quand la pelle mécanique s'est cabrée et s'est retournée. Elle a appelé une ambulance. Je ferais mieux d'y aller.

— Sont-ils gravement blessés ? demanda Rose.

Il sortit sa veste du placard.

— Un, apparemment. Mais elle a peur.

— Je veux t'accompagner, insista Rose calmement.

Pour la première fois, Lily perçut en elle de la générosité.

— Je vais rester avec les filles, proposa-t-elle.

— Elles sont au lit, dit Art en tendant son pull à Rose. Elles ne sauront même pas que nous sommes partis.

— Tout ira bien, ajouta Lily en refermant la porte doucement derrière eux.

Se sentant trop étrangère pour déambuler dans la maison de sa sœur, elle traversa le hall et alla s'asseoir sur la dernière marche de l'escalier. Le menton dans les mains, elle tendit l'oreille mais aucun bruit ne lui parvint. La maison était silencieuse et, dehors, on n'entendait aucun hurlement de sirène. Les routes désertes n'avaient pas besoin d'être dégagées... Elle pensa qu'on avait déjà dû appeler une ambulance et qu'elle devait être en route.

Brusquement, elle entendit un gloussement à l'étage au-dessus. Elle pensa d'abord monter vérifier. Mais cela ressemblait à un rire étouffé. Les filles ne savaient pas qu'il s'était produit un accident. Elles seraient peut-être bouleversées de s'apercevoir qu'Art et Rose étaient sortis. Mieux valait les laisser seules.

Mais quand elle entendit un craquement dans l'escalier, elle leva la tête. Hannah était assise sur la marche du haut, indécise et intimidée. Lily lui fit signe de descendre et elle obéit sans se faire prier. Elle rejoignit le rez-de-chaussée en courant, visiblement contente, et s'assit près de Lily. Au début, elles restèrent silencieuses. Enfin, Hannah lâcha dans un sourire timide :

— Je suis heureuse que tu sois là.

Pendant une fraction de seconde, en regardant son

visage – oui, Hannah était vraiment jolie –, Lily fut heureuse d'être venue.

L'accident s'était produit au milieu de la route. Aucun des ouvriers n'était gravement atteint, mais ils souffraient de fractures et de contusions qui ne leur permettraient pas de finir la récolte. Les deux-tiers du revenu annuel du domaine se faisant pendant les mois d'octobre et de novembre, la perte était importante. Pour compliquer la situation, l'un des hommes blessés faisait aussi partie de l'équipe qui travaillait à la cidrerie.

Le lendemain matin, Lily se leva à l'aube, mit un jean et un gros pull-over et prit la route qui contournait le lac. Arrivée devant la grande maison, elle suivit le chemin en lacets qui menait à la cidrerie. Cette dernière était un bâtiment trapu en pierre, couvert de lierre et entouré de pins, un cadre de travail plutôt agréable. L'intérieur avait été entièrement démoli et reconstruit vingt ans plus tôt afin de consolider la structure du bâtiment et de permettre l'installation de nouveaux équipements. Mis à part une unité de réfrigération plus grande et plus efficace, et un système d'embouteillage plus rapide, les procédés de fabrication n'avaient pas beaucoup changé depuis que la famille Blake y avait mis en bouteille son premier litre de cidre un siècle plus tôt. Dès que Lily pénétra dans la cidrerie, elle fut enveloppée par l'odeur douceâtre des pommes. Elle y était souvent venue, enfant, intriguée par le travail du pressoir, impatiente de participer. À seize ans, à l'époque où elle aurait pu le faire, elle était trop occupée par la musique et l'école. En outre, son père pensait qu'il s'agissait d'un travail d'homme. Elle le revoyait, avec ses grandes bottes de caoutchouc, son embonpoint serré dans son long tablier, sortant une pomme abîmée du bac de lavage, enlevant les autres de l'eau pour les diriger vers l'élévateur. Un ouvrier, debout sur une plate-forme à un mètre cinquante au-dessus du sol, les poussait sur un tapis en direction du hachoir. Deux autres hommes, debout sur des structures similaires, versaient la compote de pomme dans des casiers au fond recouvert de toile, qu'ils entassaient les uns sur les autres jusqu'à ce qu'il y en ait onze en tout – toujours onze elle se rappelait de ça.

— Oh, ça par exemple ! lança une voix derrière elle.

Lily se retourna et aperçut le visage stupéfait de Oralee Moore. Oralee était la veuve du contremaître de George. Aujourd'hui, elle remplissait ce rôle auprès de Maida, une ironie quand on connaissait l'opinion que George avait des femmes. Grande et robuste, avec une peau cendreuse, des cheveux raides et grisonnants, elle devait approcher des soixante-dix ans, mais, comme Lily, elle avait revêtu sa tenue de travail. Lily aimait bien Oralee. Même dans les pires moments, la vieille femme avait toujours eu un sourire gentil pour elle, un regard plein de compassion. Elle la salua avec sollicitude comme à son habitude, mais Lily se tournait déjà vers le jeune homme qui la suivait.

À ce moment, Lily réalisa ce qu'elle avait fait. La situation était urgente. Elle était venue, sans réfléchir, sans se poser de questions. Oralee ne serait pas un problème ; elle était loyale et discrète. Mais elle n'avait pas pensé aux nombreux ouvriers de l'exploitation. Certains dormaient sur place. D'autres résidaient en ville. Lorsqu'ils rentreraient chez eux après le travail, ils raconteraient partout qu'ils l'avaient vue. Son secret serait divulgué. Après un bref instant de panique, elle se décontracta soudain, surprise de réaliser que cette idée ne l'affectait pas réellement. Quand elle songeait à la meute de journalistes qui l'avait traquée jour et nuit, son cœur se serrait mais elle avait dû les affronter seule, à Boston. Elle en était partie. Elle était maintenant à Lake Henry, l'endroit où elle était née, où elle avait grandi et si dans le passé elle s'y était sentie maltraitée, le temps était venu d'exiger le pardon. Elle était fatiguée de se cacher. En outre, c'était trop tard.

— Comment vont André et Jacques ? demanda-t-elle, songeant aux deux hommes blessés.

La bouche d'Oralee se tordit.

— Ils pourront rentrer chez eux dans deux jours. Ils

sont plutôt contents à l'idée de se la couler douce un moment tout en étant payés.

Elle salua le jeune homme qui pénétrait à son tour dans la cidrerie.

— Voici Bub. Il vient du Ridge.

Bub était un grand gaillard robuste, âgé d'à peine dix-huit ans. Il faisait tellement d'efforts pour ne pas la regarder en face qu'elle comprit qu'il l'avait reconnue. Laissant à Oralee le soin de lui raconter tout ce qu'il voulait savoir, elle sortit attendre Maida.

C'était la première matinée froide de la saison. L'herbe à flanc des collines était recouverte d'une fine pellicule blanche, moitié givre, moitié rosée. Lily s'appuya contre le mur tapissé de vigne vierge, tira ses manches sur ses mains et les enfouit sous ses aisselles. Chaque respiration apportait un souvenir automnal. Son souffle projetait dans l'air une fumée blanche et vaporeuse. Elle se demanda ce que contenait la nouvelle édition du *Post*. Lorsqu'elle avait quitté le cottage, il était trop tôt pour appeler John. Elle se surprit à songer à ce qu'il pouvait faire : était-il réveillé, dans son canot sur le lac ou en route pour le centre-ville ? Elle opta pour la troisième solution. Avait-il publié les articles qu'elle avait choisis ? Ce travail lui avait plu, elle imaginait le plaisir des trois étudiants en voyant leurs œuvres imprimées. C'était le côté positif de ce genre de boulot, un acte presque généreux pour changer.

C'est alors que Maida apparut, sur la route en lacets. Elle arrivait de la grande maison, tête baissée. Lily se redressa mais sa mère semblait perdue dans ses pensées. En arrivant près d'elle, elle leva les yeux et tressaillit.

— Il te manque un ouvrier, annonça Lily. (Comme Maida ne répondait pas, elle ajouta :) Je peux t'aider.

Devant le silence de Maida, Lily craignit qu'elle refusât son aide. Ce serait l'ultime punition, une véritable insulte. Maida continua d'avancer. Ce ne fut que lorsqu'elle ouvrit la porte en grand à Lily que celle-ci comprit que la réponse était oui. Les machines étaient déjà en marche. Le bac de lavage, le tapis, le broyeur, le pressoir tournaient en haletant en un rythme familier. Lily songea de nouveau à son père. Il faisait encore tellement partie du décor. Vêtue d'un tablier de plastique, Maida détonnait presque dans la cidrerie. Cependant, elle semblait parfaitement maîtriser la situation.

Lily troqua sa veste contre un ciré à capuche, enfila d'immenses bottes, des gants de caoutchouc et grimpa en face de Bub sur la plate-forme, près du pressoir. Elle ne jugea pas utile de lui dire qu'elle n'avait jamais fait ce travail. En fait, ce n'était pas tout à fait exact. Enfant, elle avait passé des heures à regarder le déroulement des opérations. Même si les emballages en tissu avaient été remplacés par du nylon, les casiers métalliques et la technique de pliage étaient les mêmes. Pourtant, elle ressentait une certaine appréhension. Et beaucoup d'excitation. Il y avait tellement longtemps qu'elle attendait cet instant-là. Pour elle, il s'agissait autant d'un jeu que d'un travail.

En quelques minutes, le premier casier, recouvert d'une toile, fut en place. Les pommes passèrent dans le broyeur et dégringolèrent dans le large entonnoir situé juste en dessous. Au moyen d'un levier, Bub versa la compote sur le tissu, qui s'écrasa en un splash retentissant. Lily ne put s'empêcher de rire. Puis elle se mit au travail. Elle replia les deux coins du tissu sur la purée de pommes tandis que Bub faisait la même chose de son côté. Une fois qu'il eût lissé et redressé la toile, elle saisit un deuxième casier dont les dimensions étaient identiques et le plaça au-dessus de l'autre. À nouveau, Bub actionna la manette et ils recommencèrent l'opération, repliant l'étoffe, à tour de rôle, sur les fruits écrasés. Au bout de quelques minutes, la pile de cagettes grandit. Lorsqu'ils atteignirent le nombre de onze, ils la coiffèrent d'un casier vide et poussèrent le tout sur un rail, en dessous du grand pressoir en fer. Bub glissa des étais de bois entre le premier casier et le pressoir pour consolider l'ensemble. À son tour, Maida bascula un levier. Les caisses s'élevèrent dans les airs. Le halètement des machines s'accéléra.

Les machines tournaient maintenant à plein régime, vibrant dans un bruit infernal. Aussitôt, le jus jaillit des étoffes, éclaboussant le rebord des casiers avant de dégouliner dans le réservoir. Lily se redressa puis regarda autour d'elle, rayonnante de fierté. Elle poussa un grand soupir. Elle avait réussi ! Maida, dos à elle, triait les pommes abîmées dans le bac de lavage mais Oralee l'observait. Elle lui lança un regard amical puis lui fit signe de repartir au travail. Mécaniquement, Bub et Lily recommencèrent l'opération. Enfin, au bout de quelques heures, ils enlevèrent le casier vide avant de pousser les onze cagettes sous le pressoir, jetèrent le résidus de pommes dans la pelle mécanique, empilèrent les étoffes en vue d'une utilisation future et rangèrent les caisses à la verticale contre un mur.

Lily ne parvenait même plus à compter le nombre de kilos de pommes qu'ils avaient pressés. La matinée était bien entamée. Au moyen d'une pompe, Maida transféra le cidre stocké dans le réservoir jusqu'à l'unité de réfrigération située à l'autre bout de la salle. Puis, elle réclama par talkie-walkie qu'on lui apportât d'autres fruits et s'installa au volant de l'élévateur pour hisser les cageots jusqu'au bac de lavage. Enfin, elle lava le sol en béton à grande eau avec un tuyau d'arrosage, poussant les déchets dans une rigole prévue à cet effet.

La cidrerie était propre. C'était l'une des obsessions de George, et Maida l'avait reprise à son compte. Cependant, des heures de nettoyage ne parvenaient jamais à enlever l'odeur des fruits frais et du jus douceâtre qui imprégnait les murs en ciment, le sol et les machines. Lily huma l'air avec délice. Ce parfum capiteux lui rappelait tant de bons souvenirs... Depuis son départ de Lake Henry, elle n'avait gardé en mémoire que les mauvais moments, les traumatismes. Aujourd'hui, elle retrouvait une part d'enfance qu'elle croyait avoir oubliée. Elle se rappelait les longues heures qu'elle avait passées avec ses sœurs, cachées derrière l'unité de réfrigération, mâchant bruyamment des pommes que George leur glissait en cachette.

Quand Maida siffla la première pause de la matinée, Lily était trop excitée pour sentir la fatigue. Elle rinça son tablier de caoutchouc, et après l'avoir suspendu, descendit jusqu'à la maison. Elle aurait pu utiliser les douches de la cidrerie mais elle voulait voir le journal du matin. Il était plié sur la table de la cuisine, tel un serpent endormi dont on ne sait pas encore s'il est venimeux ou non.

Le cœur serré, Lily parcourut les quelques lignes du haut. Il n'y avait rien. Elle retourna le quotidien, rien non plus sur les colonnes du bas. Et à l'intérieur ? Au lieu d'ouvrir le journal, elle se dirigea vers le téléphone, indécise... Appelle Cassie lui ordonnait son cerveau. Cassie était sa conseillère légale. C'était elle qui avait envoyé la demande de démenti, elle devait attendre une réponse. Mais elle ne connaissait pas par cœur ses coordonnées. Par contre, elle se rappelait de celles de John. Elle composa d'abord le numéro de son domicile et raccrocha au bout de trois sonneries pour éviter de tomber sur Poppy. Elle essaya, ensuite, de le joindre à son bureau. Elle était sur le point de raccrocher, déçue, quand John répondit enfin. Il était absorbé par son travail.

— *Lake News*. Ici, Kipling.

— Salut, lança-t-elle, un peu essoufflée.

Sa voix se fit plus chaleureuse.

— Hé, votre appel m'a manqué ce matin.

— Je suis partie de bonne heure. Ma mère avait besoin d'aide. Il lui manquait un ouvrier à la cidrerie.

— J'ai entendu parler de l'accident.

Lily sourit.

— Je ne vous demanderais pas comment.

Prudemment, elle ajouta :

— Je n'ai pas encore feuilleté le journal.

— Ne vous inquiétez pas. Il n'y a rien dedans aujourd'hui.

Elle éprouva une légère déception.

— Rien du tout ?

Puis un mouvement de colère.

— Ils me doivent toujours des excuses.

— Cassie va devoir les leur arracher.

— Pensez-vous qu'ils planquent toujours en bas de chez moi ?

— Sûrement pas. Il y a eu un meurtre, la nuit dernière. On a retrouvé l'un des membres du Parti républicain local poignardé dans sa maison de Back Bay. C'est l'effervescence. Les éternels moralistes accusent tour à tour deux de ses ex-femmes, sa maîtresse, un de ses anciens associés mécontent ou même la foule. Cela fait beaucoup de sujets à couvrir. Les journaux ont besoin de leurs équipes au grand complet.

— Alors, si je retourne à Boston, on me fichera peut-être la paix, conclut-elle, comme s'il n'y avait plus aucun problème.

John sauta sur l'occasion.

— C'est difficile de le dire. Êtes-vous pressée de repartir ?

— Ma vie est là-bas, expliqua-t-elle. Mon appartement, mes affaires, mon piano, ma voiture.

Mais tout lui paraissait si loin, ce n'étaient plus que des mots. Sur ces entrefaites, Maida entra dans la cuisine. Comme à son habitude, elle paraissait mécontente. Lily se demanda si sa mère avait surpris l'ensemble de sa conversation. Elle était persuadée qu'elle savait avec qui elle parlait.

— Je ferais mieux d'appeler Cassie, dit-elle à John.

Tandis que Maida remplissait la théière, elle téléphona à Poppy, qui la mit en contact avec la jeune avocate. Ce fut son assistant qui décrocha, mais Cassie la prit aussitôt au téléphone.

— Je leur donne une semaine, dit-elle avant même que Lily posât la question. Dans huit jours, on passe à la vitesse supérieure.

— C'est-à-dire ?

— On les attaque pour diffamation.

Ce serait le début d'un procès interminable. Depuis le départ, Lily détestait cette idée. Pour la première fois aujourd'hui, elle se demanda ce qui se passerait si les journaux persistaient à ne plus mentionner son nom.

Cela faisait deux jours qu'il n'apparaissait plus. Les gens oublieraient-ils ? Dans ce cas, elle avait tout intérêt à laisser cette histoire mourir de sa belle mort. Mais si elle devait continuer à être dévisagée à chaque fois qu'elle quitterait son appartement ou traquée quand elle irait travailler, elle ne pouvait pas retourner à Boston. Elle n'avait que trois solutions : aller en justice, commencer une nouvelle vie ailleurs incognito, ou rester à Lake Henry. Finalement, elle avait eu raison de révéler sa présence aux ouvriers du verger. Peu lui importait désormais qu'ils aillent crier la nouvelle de son retour sur tous les toits. Elle avait besoin de savoir où elle en était.

16

Anna Winslow était le chef de famille et gérait l'entreprise locale. Elle avait cédé l'affaire à son fils, Art, depuis longtemps mais avait conservé sa place au sein du conseil d'administration et un petit bureau tout à côté. Les Textiles Winslow avaient représenté sa vie pendant tellement d'années qu'elle ne se souciait plus de les compter. Elle s'y était intéressée lorsque son mari Phipps avait commencé à fréquenter de jolies et jeunes tisseuses pendant les heures de travail, puis elle avait continué par amour de l'usine. Elle n'avait pas d'ego. Peu lui importait que ce fût son époux qui reçût toutes les louanges pour sa gestion et son modernisme. Elle était en réalité la véritable patronne.

Phipps était à la retraite aujourd'hui. Parfois, il se pavanait à grands bruits dans l'usine pour faire croire qu'il commandait. Cependant il passait la plupart de son temps avec ses toiles et ses pinceaux, créant de monstrueuses peintures que lui seul aimait et qu'il entassait dans l'écurie derrière la maison. Anna pensait même à faire construire un autre bâtiment pour stocker sa production. Elle savait bien qu'il n'en vendrait jamais une seule, mais à tout prendre, elle préférait le voir dans son atelier qu'en train de courir les jupons. Art était davantage le fils d'Anna que celui de Phipps. Bien qu'il n'eût que trente et un ans, il avait été élevé à l'usine et connaissait son fonctionnement par cœur.

Anna lui faisait confiance pour remplacer une machine ou apporter des innovations. Il savait comment gérer les employés et les actionnaires. Si quelqu'un pouvait sauver cette petite entreprise artisanale à l'ère des conglomérats, c'était bien Art. Elle n'avait pas besoin de le surveiller pour savoir qu'il prendrait la bonne décision. Cela lui laissait le temps d'admirer le travail des métiers à tisser, les reflets de la lumière à travers les mansardes, la rivière qui passait sous le vieux pont de pierre, de humer l'odeur de la laine. Il ne se passait pratiquement pas une journée sans qu'on la vît déambuler dans les ateliers, discutant avec les ouvriers ou se penchant par-dessus l'épaule d'un dessinateur. Elle avait conçu elle-même de nombreuses pièces de tissu et avait appris à se servir d'un ordinateur. Anna avait beau être ronde, elle avait le chic pour choisir les vêtements qui l'amincissaient. Avec ses tuniques tissées, uniques, ses écharpes colorées aux motifs originaux, ses jupes amples taillées dans les étoffes les plus fines, elle était le mannequin parfait des modèles qui sortaient de l'usine. Si Art parlait chiffres grâce aux organigrammes et aux fiches de rentabilité, Anna parlait style sans dire un mot. Elle possédait ce genre de charme qui lui permettait de signer des contrats au cours d'un repas, car elle aimait manger. Phipps étant en permanence enfermé dans son écurie, elle était toujours à la recherche d'un compagnon pour déjeuner. Deux fois par semaine, elle rencontrait des clients en ville ou partait célébrer l'anniversaire d'un ouvrier. Ce jeudi-là, il n'y avait personne et lorsque John l'invita, elle s'empressa d'accepter.

— Le jeudi, c'est mon jour préféré, lui annonça-t-elle dès qu'ils furent installés chez Charlie. C'est un jour intermédiaire, pas aussi excitant que le lundi, ou morne comme le week-end. Je suis si heureuse que vous m'ayez appelée. (Ses yeux brillaient. Elle se pencha vers lui, frétillante d'excitation.) J'ai appris une grande nouvelle en quittant le bureau. (Elle baissa la voix :) Lily Blake est de retour !

John se figea. Il avait prévenu Lily que les gens l'apprendraient, mais pour l'heure il n'avait pas entendu parler de fuite.

— Comment le savez-vous ?

Anna sourit.

— Par une de nos tisseuses, Minna DuMont. Son mari travaille au verger. Il a vu Lily à la cidrerie ce matin. Elle travaillait avec Maida. Travaillait avec Maida... répéta-t-elle émerveillée. J'ai appelé ma belle-fille pour avoir confirmation. Vous vous rendez compte ? Elle travaillait avec Maida. Pouvez-vous imaginer une chose pareille ?

— Il y a eu un accident...

— Je sais et Maida avait besoin d'aide... mais elles n'ont jamais été du genre à travailler côté à côte. Quand Art a épousé Rose, pas une fois elles ne se sont retrouvées ensemble pendant la célébration. Il y avait déjà des problèmes entre elles.

John n'était pas du genre à faire la fine bouche quand il entrevoyait une mine d'informations. Anna serait plus qu'heureuse de lui parler. Il attendit que Charlie ait pris leur commande et se lança :

— Connaissiez-vous bien les Blake avant que Art épousât Rose ?

— Nous avons évolué dans les mêmes cercles pendant des années – Dieu sait pourquoi cependant, ajouta Anna d'une voix essoufflée, Phipps et George, paix à son âme, étaient si différents ! Mais Lake Henry est une petite ville et eux possédaient le verger, nous l'usine. Maida recevait beaucoup en ce temps-là. La maison était magnifique, la nourriture toujours délicieuse. Je n'ai pas souvent vu Lily. On la maintenait à l'écart, sauf à l'église. Quand elle chantait, elle avait une voix d'ange. Mais quand elle parlait ! Pauvre petite, bégayer à ce point ! Maida était horrifiée.

— Horrifiée pour elle ou pour Lily ?

Les joues pleines d'Anna rosirent. Elle murmura :

— Les deux, j'en ai peur. Elle était convaincue que les gens lui reprochaient le bégaiement de sa fille.

Ils n'avaient pas tort, songeait John quand Anna reprit :

— C'est entièrement physiologique. Le saviez-vous ?

Non, il l'ignorait. Il ne connaissait pas grand-chose à ce handicap si ce n'est que la personne qui écoutait souffrait souvent autant que celle qui bégayait.

— C'est une question de coordination des muscles, continua Anna. Ça ne veut pas dire que ce n'est pas psychologique. Le stress aggrave les choses. Cela empêche de se concentrer et de se contrôler. Mais la racine du mal est entièrement physiologique.

— Depuis quand Lily en souffre-t-elle ?

— Depuis toujours. Elle a parlé tard et jusqu'à l'âge de quatre, cinq ans, elle n'a pas dit grand-chose. Même après d'ailleurs. Probablement parce que ça lui coûtait. Au début, ils n'ont pas pris conscience du problème. Puis, ils ont pensé que cela passerait avec de l'entraînement. Mais plus ils la faisaient parler, plus ça s'aggravait. On en avait le cœur brisé rien qu'à la regarder et le jour où Maida l'a disputée à cause de ça...

Anna prit une longue respiration et se carra au fond de sa chaise.

— Elle l'a disputée ? demanda John.

— Oui et a exigé qu'elle fasse des excuses à tous les gens qui étaient présents.

Il eut un mouvement de recul.

— Pourquoi n'ont-il consulté personne ?

— Ils l'ont fait. (Anna le regarda droit dans les yeux.) Maida n'aimait pas beaucoup ça.

— Pourquoi ?

— Cela prouvait qu'il y avait un problème.

— Mais si tout le monde était déjà au courant...

— Suivre une thérapie rendait les choses officielles, cela montrait que c'était sérieux. Maida voulait que les filles Blake soient parfaites, et voilà que l'une d'entre elles ne l'était pas, aux yeux de tous. Il n'y a rien d'étonnant à ce qu'elle soit aussi bouleversée par cette affaire de Boston. De nouveau, sa fille aînée prouve à tout le monde qu'elle est imparfaite, expliqua-t-elle avant d'ajouter d'un ton tranchant : Bien sûr, je n'ai rien dit à ce reporter.

Elle releva la tête et sourit lorsque Charlie arriva

avec les plats. Anna avait pris une énorme salade Cobb copieusement assaisonnée de vinaigrette au bleu. En comparaison, le cheeseburger au bacon et les frites que John avait commandés paraissaient banals. Il lui offrit une frite qu'elle accepta avec grâce.

— Quel reporter ? demanda-t-il.

Elle finit sa frite et s'essuya les doigts sur sa serviette.

— Sullivan. Il téléphone presque tous les jours depuis le début de cette histoire.

— Il continue d'appeler ? (John était intrigué et légèrement alarmé. Après les excuses publiés par le *Post*, Terry aurait dû laisser tomber cette affaire.) S'il appelait toujours, cela voulait dire qu'il cherchait des informations.

— Oui, toujours, confirma Anna. Il me fait parler de choses et d'autres comme s'il me trouvait tellement fascinante qu'il ne pouvait pas s'en empêcher. Il amène la conversation sur l'usine, insinuant qu'il y a de quoi écrire un article dessus, mais je sais à quoi m'en tenir au sujet d'un homme comme lui. J'ai vécu avec un beau parleur pendant tellement d'années que je sais les reconnaître quand j'en vois un. Il tente de m'avoir par la douceur, de me faire trahir l'une des nôtres.

Elle agita sa fourchette.

— Il en profite pour glisser quelques questions.

— Sur Lily ?

— Et Maida. Il cherche à connaître nos petits secrets, et Dieu sait si chacun d'entre nous a des choses à se reprocher. On a tous commis des petites bavures dans notre vie.

Elle arrêta son geste, posa ses coudes sur la table et sourit.

— Quelles sont les vôtres ?

John en avait plus d'une sur la conscience, certaines considérables, et, oubliant un moment son inquiétude à propos de Terry, il se remémora une anecdote qu'il pensait avoir oubliée.

— Un jour, j'ai qualifié mon père de salaud. J'avais

douze ans. Il m'avait traité de fille parce que je n'avais pas encore mué. C'était la pire chose qu'on pouvait dire à un garçon de mon âge. Alors je l'ai insulté. Il est sorti de la maison, raide comme la justice. Il n'est pas rentré pendant trois jours. Ce que je ne savais pas alors, c'était que primo il en était vraiment un, et deusio que ma mère lui avait balancé, la veille, la même insulte au cours d'une dispute.

— L'aviez-vous entendue ?

— Non. C'était une pure coïncidence, mais ça tombait au mauvais moment. (Il rendit son sourire à Anna.) Et vous, quelle est votre bavure ?

Elle lui fit un clin d'œil malicieux.

— J'ai cousu les fermetures éclairs des pantalons de Phipps qui étaient dans le placard. Il fallait le voir se bagarrer avec... C'était tordant !

John n'avait pas besoin de lui demander pourquoi.

— Qui les a décousues ?

— Ce n'est pas moi, répliqua-t-elle fièrement. Vu qu'il travaillait dans le textile, je me suis dit qu'il pouvait le faire lui-même – c'est ce qu'il a fait d'ailleurs, l'air penaud. Attention à vous – elle menaça John avec sa fourchette, faisant semblant de le viser au cœur – si vous racontez ça à quelqu'un, j'irais dire du mal de vous à Armand. Il vous supprimera votre prime de fin d'année. Comme beau parleur, on ne fait pas mieux !

— Armand ?

— Vous ne pouvez pas le savoir, dit-elle en agitant son couvert. Vous n'êtes pas une femme. (Elle attrapa un bout de jambon.) Mais vous m'avez compris quand je parlais des bavures. Nous en avons tous fait. Sinon, le mot secret n'existerait pas – de toute façon, même si vous en parliez à quelqu'un, ce ne serait pas si grave que ça. Nous nous apprécions. Nous nous respectons. Ce reporter ?

Elle mit le jambon dans sa bouche et secoua sa fourchette dans un geste de défi.

John n'arrivait pas à comprendre ce que cherchait

Terry. Sans doute essayait-il de prouver que Lily était responsable du scandale. Mais il empiétait sur un territoire que John considérait comme le sien, surtout depuis qu'il avait conclu un accord avec Richard Jacobi. Quand il repartit à son bureau, après le déjeuner, il était d'humeur bagarreuse mais avant d'entreprendre une quelconque démarche, il reçut un appel d'Armand. Sa voix éraillée vibrait d'excitation.

— Lily Blake est de retour en ville. Je crois que tu devrais t'y mettre et préparer un sujet exclusif.

John réfléchit rapidement.

— Le nouveau numéro vient juste de paraître. Je ne peux rien faire avant la semaine prochaine.

— Oui et alors ? On a bien réalisé un supplément spécial lorsque cette ville républicaine est devenue démocrate aux dernières élections. On peut en préparer un maintenant.

— Ce n'est pas la même chose.

— Quel est le problème ? Je t'ai dit que je paierais.

— C'est moi qui suis en charge de la partie éditoriale, insista John. Que veux-tu mettre dedans ? Veux-tu que je fasse une resucée de ce que tout le monde a déjà publié ? Qu'y-a-t-il de nouveau ?

— Tu ne m'as pas entendu ! beugla Armand. Elle est revenue. C'est une info, bon Dieu ! C'est du journalisme de base. Les gens vont vouloir savoir pourquoi, ce qu'elle fait, où elle habite.

— Tout le monde le saura avant la fin de la journée, répliqua John calmement. La seule chose qu'on peut réussir à faire avec un tel supplément, c'est de devancer la presse nationale.

— Qui y-a-t-il de mal à cela ? Si tu ne l'interviews pas, quelqu'un d'autre le fera. Allez, John, gémit-il. Quel est ton problème ? Elle est de chez nous. C'est notre histoire.

— Justement. Nous protégeons nos concitoyens. On doit s'en tenir à ce qu'on a décidé la dernière fois. Pour nous, il n'y a pas d'affaire Blake.

John raccrocha, mal à l'aise. Il avait le sentiment de trahir à la fois Armand en refusant d'écrire ce qui serait un bon article pour le *Lake News*, et Lily en projetant de raconter son histoire dans un livre. Il aimait bien la jeune fille. Plus il en apprenait sur elle, plus il l'admirait. Et plus il l'admirait, plus il avait de scrupules. Certains jugeraient qu'il l'exploitait. Il préférait penser qu'il l'étudiait, mais cela ne lui donnait pas vraiment bonne conscience. Il se laissa alors aller à sa mauvaise humeur, qui n'avait pas complètement disparu depuis l'heure du déjeuner, et se concentra sur Terry Sullivan. Sur son ordinateur, il dressa la liste des tuyaux que Jack Mabbet lui avait fournis et entra les informations contenues dans son dossier personnel. Quelques instants plus tard, il se connecta à une base de données qui lui révéla, uniquement avec l'adresse de Terry, son numéro de Sécurité sociale, le montant de son loyer mensuel, ses deux numéros de compte bancaire, ceux de ses quatre cartes de crédit et les dix derniers endroits où il avait habité, en vingt-trois ans, dans quatre États différents.

John les étudia avec attention. Ses trois adresses les plus récentes étaient situées dans la région de Boston. Depuis douze ans, il avait déménagé quatre fois. Personnellement, John n'était pas du genre à trimballer ses affaires aussi souvent, mais une telle mobilité n'avait rien de suspect. Par contre, avant cela, il avait changé de lieu de résidence sept fois en onze ans. C'était un peu étrange. Il examina les adresses une par une. Les deux premières concernaient des appartements de la fac. John reconnut le code postal de Pennsylvanie. Les deux suivantes se trouvaient dans le Connecticut – une à Hartford, l'autre dans l'un de ses faubourgs. Il s'agissait des quatre années, où après ses études, Terry avait travaillé en free-lance pour plusieurs journaux locaux. Quand on lui avait offert son premier poste de salarié, il était parti pour le Rhode Island. Au cours des cinq années qu'il avait passées là-bas, il avait déménagé trois fois, toujours près de Providence.

John pivota sur son fauteuil et regarda le lac. Il s'appuya contre l'appui-tête, frottant machinalement son pouce sur sa lèvre. Quelles étaient les raisons qui poussaient un homme à changer aussi souvent d'adresse ? Étant donné le caractère de Terry, il y avait de grandes chances pour qu'il n'ait pas réussi à s'entendre avec son propriétaire, ses voisins ou ses collègues. L'homme était lunatique. Il pouvait se montrer charmant et odieux l'instant d'après. Psychotique ? C'était possible. Schizophrène ? Sans doute. Peut-être était-il tout simplement habité par des démons personnels. Quel pouvait être le lien entre ces onze changements de résidence en vingt-trois ans et la haine qu'il vouait au cardinal ? John en était là de ses réflexions lorsque le téléphone sonna.

— *Lake News*. Ici Kipling.

— Kip ! C'est Poppy. Je n'étais pas sûre que tu sois rentré. Terry Sullivan veut te parler. Veux-tu que je te le passe ?

Pendant une fraction de seconde, John se sentit coupable... comme un voyeur pris en flagrant délit. Il eut le sentiment que Terry lisait dans ses pensées. Puis il réalisa que c'était impossible... De toute façon, il ne s'était pas gêné pour faire subir la même chose à Lily. À ce souvenir, sa colère le reprit.

— Oui, répondit-il à Poppy. (Quelques secondes plus tard, il ajouta plus froidement :) Que se passe-t-il, Terry ?

— J'ai entendu dire qu'elle était revenue.

John choisit ses mots avec soin. Pensant que ce serait trop gros s'il demandait de qui il s'agissait, il répondit.

— Je n'ai pas entendu dire ça. Quelle est ta source ?

— J'en ai des douzaines, ici ou là. Peux-tu le confirmer, oui ou non ?

— Non, je ne peux pas, répliqua John. (C'était la vérité. Il trahirait Lily s'il le faisait.) Pourquoi me poses-tu cette question ? L'affaire est terminée. On a prouvé que tu avais tort.

— Non. Le journal a cédé devant les pressions de l'Église. Je m'en tiens à ma version.

John en resta muet de surprise.

— Tu te tiens à quoi ? Tu n'avais en main en tout et pour tout qu'une preuve circonstancielle... Reconnais que c'est léger. As-tu une raison pour continuer ? Tu as une dent contre le cardinal ?

— Je n'ai pas besoin de ça pour sentir qu'il y a quelque chose de louche. C'est un don Juan. Lui et Lily Blake étaient trop proches pour que leur relation soit innocente.

— As-tu brusquement déniché un témoin oculaire pour confirmer ton pressentiment ?

— Non, mais je cherche.

— Ce n'est pas en harcelant des gens comme Anna Winslow que tu apprendras que Lily Blake avait une liaison avec le cardinal.

— Savais-tu qu'elle était mariée ?

— Bien sûr. Son fils est marié à la sœur de Lily.

— Non pas Anna, corrigea Terry, Lily. Lily est mariée.

John n'avait jamais entendu dire cela. Ni personne en ville – il l'aurait parié –, ni la famille de Lily. Tant de secrets avaient déjà été publiés. Si cette information était vraie, Poppy le lui aurait dit. Il resta silencieux, une seconde de trop.

— Tu ne le savais pas, hein, se réjouit Terry. Tu habites dans la ville où elle est née et tu ne le savais pas. Elle est passée devant monsieur le maire, entre deux témoins, l'été après sa première année de fac. Le type était plus âgé qu'elle, ils étaient tous les deux étudiants à Mexico. Un mois après leur retour, elle a fait annuler son mariage. Cette fois-ci, j'ai une preuve, John.

— Et que vas-tu en faire ? demanda John écœuré. Le journal va le publier ?

— Non.

— Parce que ton histoire est terminée, l'interrompit-il, parce que tu les as déjà mis dans un pétrin une fois et qu'ils n'ont pas l'intention de te laisser faire à nouveau. Un mariage célébré à la va-vite il y a plusieurs années n'intéresse absolument personne, aujourd'hui !

— Ça reste à voir, renchérit Terry.

John éprouva comme une nausée.

— N'essaie... même... pas, menaça-t-il en se penchant en avant sur son fauteuil. Tu lui as fait assez de mal. Ton article était un tissu de mensonges, de la diffamation. Recommence une seule fois et c'est moi que tu trouveras sur ta route.

— Toi ? éclata de rire Terry. Elle est bonne celle-là. Tu n'as pas le cran de te lancer à ma poursuite. Tu es jaloux, c'est ça ton problème. J'écris dix fois mieux que tu ne le feras jamais. Je mène l'enquête et toi, tu te contentes de rester assis. Je trouve et tu baves d'admiration. Je suis ici et tu es là-bas. Tu sais quoi ? Je suis persuadé qu'elle pourrait être là, dans la même ville que toi sans que tu sois au courant. Tu as eu le don, une fois, John, mais tu l'as perdu ! Perdu pour de bon !

John attendit.

— Rien d'autre ?

— Bah ! C'est ça ! (D'un air dégoûté et consterné, il ajouta comme pour lui-même.) C'est une perte de temps. De l'argent foutu en l'air ! Il raccrocha.

John passa la nuit à penser à Lily. À l'aube, il ressentit le besoin de la voir. Sachant qu'elle devait se lever tôt pour aller travailler chez Maida, il enfila les premiers vêtements qui traînaient, attrapa un blouson molletonné et sauta au volant du Tahoe. Cinq minutes plus tard, il était sur la route qui menait à Thissen Cove. Il fut soulagé en apercevant sa voiture garée près du cottage. Le soleil était encore trop bas dans le ciel pour réchauffer l'atmosphère. Tirant sur sa veste, il traversa la pelouse jonchée d'aiguilles de pin, grimpa les marches quatre à quatre et frappa. Il y eut un mouvement à la fenêtre et la porte s'ouvrit. Tout d'abord, il fut incapable de parler. Lily était pâle et semblait effrayée – devant ses cheveux ébouriffés et son air endormi, il comprit qu'il l'avait réveillée. Elle était vêtue de sa robe de chambre et porta la main à sa poitrine. Enfin, plus exactement à sa gorge.

Il n'y avait aucune place pour poser quelque chose avec ces... avec ses seins.

— Il est arrivé quelque chose ? demanda-t-elle, affolée.

Il s'éclaircit la voix.

— Hum, non. Je veux dire, je ne sais pas. Je n'ai pas encore vu le journal. (Il déglutit.) Puis-je entrer une minute ?

Elle disparut et revint, drapée dans un châle. Elle le fit entrer et après avoir refermé la porte derrière lui, se dirigea vers le comptoir de la cuisine. Elle remplit d'eau un percolateur démodé au robinet de l'évier et sortit un paquet de café. Ses pieds nus sous sa longue robe de chambre la faisaient paraître encore plus fragile. Étrangement mal à l'aise, John resta debout, les mains posées sur le dossier d'une des chaises rangées autour de la table. Chacune d'elles étaient peintes d'une couleur différente. Celle-là était vert foncé.

— Je suis désolé. Je ne voulais pas vous réveiller. Je pensais que vous retourneriez peut-être à la cidrerie. Je voulais vous voir avant votre départ.

Elle continua à verser du café.

— Oralee doit aller chez le dentiste, alors nous ne commencerons pas avant neuf heures.

— À quelle heure êtes-vous partie hier ?

— Quatre heures, répondit-elle en refermant le couvercle de la boîte.

— Vous devez être fatiguée.

— Oui, mais c'est une saine fatigue.

Elle posa la cafetière sur le poêle et alluma le feu en dessous. Serrant le châle contre elle, elle se retourna enfin.

— Cela m'a occupé l'esprit. (Elle planta ses yeux dans les siens.) Que s'est-il passé ?

— Terry Sullivan m'a appelé hier. Il m'a dit que vous aviez été mariée.

Elle ne cilla pas. Seul le tressaillement de ses mains, agrippant son étole, indiqua qu'elle était émue.

— Ce ne sont pas réellement mes affaires, commença-t-il, lorsqu'elle l'interrompit.

— Va-t-il publier cela ?

— J'en doute. Je ne crois pas que le journal ait envie d'aller plus loin, vu ce qui s'est passé. J'ai pensé téléphoner au directeur de la rédaction, mais je risque d'aiguiser sa curiosité en disant que c'est un mensonge.

— C'est la vérité, dit-elle. (Sans le quitter des yeux, elle s'assit sur la chaise la plus proche - de couleur pourpre. Il la vit prendre une profonde respiration, puis redresser la tête un instant.) À la fin de ma première année, je suis partie, l'été, étudier l'art à Mexico. Brad terminait ses études. Je me suis crue amoureuse. Je m'étais sentie si seule à la fac que cela me semblait la meilleure chose à faire. On a passé six semaines de rêve. Se marier était une suite logique. Mais la réalité a repris le dessus le jour où nous sommes rentrés. Il m'a réveillée un matin en m'annonçant qu'il aimait quelqu'un d'autre et que notre mariage ne pouvait plus durer.

Derrière la gêne qu'elle ressentait, John entrevit une blessure béante. Ressentant le besoin d'en savoir plus, il reprit :

— Alors vous l'avez fait annuler.

— J'ai payé un homme de loi pour faire le travail mais ce n'était pas nécessaire. Notre mariage n'était pas légal. Brad l'avait toujours su. Je me suis sentie idiote.

— Est-ce que quelqu'un le sait, ici ?

Elle secoua la tête, puis enleva une mèche de cheveux qui était restée collée à ses lèvres.

— Nous nous sommes mariés deux jours avant la fin de l'été. Brad disait qu'il valait mieux attendre avant de l'annoncer. Cette idée me plaisait. J'avais peur de la réaction de mes parents. Après, ça n'avait plus d'importance.

Elle s'arrêta, semblant retenir son souffle, attendant. Il était facile de deviner la question qu'elle ne voulait pas poser.

— Je ne le dirai pas, jura-t-il. (Mais comme elle ne semblait pas le croire, il mit sa fierté de côté, et ajouta :)

Donny n'est pas le seul Kipling à avoir volé une voiture – seulement lui, il l'a fait plusieurs fois et il s'est fait prendre. Quand j'avais quatorze ans, je voulais absolument une bagnole. Mon père ne m'autorisait même pas à conduire son camion avec lui. Alors j'en ai volé une dans le centre-ville. Lily semblait refréner sa curiosité.

— Laquelle ?

— Celle de Willie Jake.

Devant sa stupéfaction, il éclata de rire. À la fois de plaisir et de soulagement. Elle était adorable.

— Ouais. Il possédait une petite Mustang de sport dont il était très fier. Il la garait devant le commissariat pendant qu'il faisait ses rondes en bateau.

— Devant ? Comment avez-vous pu la voler sans que personne ne vous voie ?

— Vous vous souvenez de cette incendie à l'Académie ? Non, vous étiez probablement trop jeune... Un jour, le feu a pris dans le dortoir, à cause d'un mégot mal éteint. Un type a voulu cacher sa cigarette avant que la surveillante ne le surprenne. Le foyer était une vieille bâtisse en bois, tout le monde était au rez-de-chaussée ou sur les terrains de sport. Les flammes ont tout dévoré. On a évacué le centre-ville après avoir vérifié que tous les garçons étaient sortis. La Mustang était là, au milieu de l'incendie, les clefs sur le contact. Je l'ai pris pour faire le tour du lac puis je suis allé jusqu'à l'usine.

— Quelqu'un vous a-t-il vu là-bas ?

— J'ai attendu au coin du bâtiment jusqu'à ce qu'il n'y ait plus personne près des voitures. Puis je l'ai ramenée dans le parking, j'ai refermé la voiture et je suis parti. (Elle semblait penser qu'il était fou.) Où aurait été le défi si je l'avais laissée au bord du lac ? Un psy dirait que je voulais me faire prendre et il aurait probablement raison mais ce n'est pas arrivé. Willie Jake était furieux. Il a interrogé des douzaines de gars mais il n'a jamais découvert qui avait pris sa Mustang. Une nuit, j'ai enterré ses clefs dans un vieux mur derrière chez lui. À ma connaissance, il ne les a jamais trouvées. Dans une centaine d'années, un archéologue à la recherche de vestiges s'apercevra qu'une des pierres a été déplacée et il prendra son détecteur à métaux...

Calmement, Lily demanda :

— Ainsi, vous avez volé une voiture et vous n'avez pas été pris. Moi je n'en ai pas volé et je me suis fait arrêter...

— Oui, répondit John. Vous avez quelque chose à dire à Willie Jake, maintenant.

— Il y a prescription.

— Mais cela nuirait à ma crédibilité si on le savait. Si je révèle que vous êtes mariée, vous pourrez raconter cette histoire. Ça prouvera que ma parole ne vaut rien.

— Et Terry ? Va-t-il le dire ?

— Pas maintenant, pas après les excuses. Il va faire profil bas pendant un moment.

— Et puis ?

— Ça dépend. Si on sait des horreurs sur lui, on le neutralisera.

— Cela ressemble à du chantage.

— Oh non ! Il pourra dire ce qu'il veut. Personne ne l'écoutera. C'est tout.

John trouvait ça plutôt bien. Lily semblait y réfléchir. Quand le café commença à couler, elle baissa la flamme et resta près du poêle, pensive, les bras serrés autour de la taille, la tête penchée. John ne fit aucun effort pour meubler le silence, le percolateur faisait ça très bien. Quelques minutes plus tard, l'odeur du café se répandit dans la pièce. Chez lui, il possédait une cafetière moderne qu'il remplissait de grains fraîchement moulus mais ça ne sentait pas aussi bon. Ça n'avait pas le même goût non plus, décida-t-il cinq minutes plus tard lorsqu'il en but une tasse. Il se resservit. Quand il quitta le cottage, il se sentait éveillé mais amolli. L'esprit de Celia apportait vraiment la paix.

Ce ne fut que lorsqu'il fut au volant de son camion, sur la route longeant le lac que la culpabilité l'assaillit de nouveau. Le mariage précoce de Lily, tout comme peut-être son amitié avec le cardinal, prouvait qu'elle était en quête d'amour et d'affection. Ce besoin était sans doute la raison de son retour à Lake Henry, elle voulait renouer des liens avec sa mère. Ce qu'il avait appris l'aidait à peaufiner le portrait qu'il se faisait d'elle. Mais s'il écrivait cela dans un livre traitant de la violation de la vie privée, il empiéterait encore davantage sur son intimité.

17

Lily ne faisait pas confiance à John. Elle avait fait trop d'erreurs de jugement par rapport aux hommes. Certes, elle aimait son allure, la façon dont il parlait, les secrets qu'il lui confiait. Elle aimait la connaissance qu'il avait des canards et sa joie devant l'admiration qu'elle éprouvait pour eux, mais elle ne prendrait aucun risque. Quand elle l'appela une demi-heure après son départ, ce ne fut que pour connaître les dernières nouvelles.

— Rien, dit-il d'un ton presque frustré.

Elle fut soulagée de voir que le journal ne faisait pas état de son mariage. Elle ne tenait pas à s'en expliquer avec Maida, qui se montrerait blessée et furieuse. Elles avaient passé toute la journée d'hier sans anicroche. C'était un record. Cela dit, elles n'avaient parlé que du travail, mais c'était mieux que rien. Lily ne voulait pas faire de vagues. Malheureusement, l'absence d'article signifiait également ni excuses ni démenti.

— Nulle part ? demanda-t-elle à John.

— Nulle part.

— Ils laissent pourrir cette affaire en me faisant passer pour la coupable.

Au bout de trois jours, c'était une certitude.

— Oui, ils essaient. Mais vous avez des fans là-bas. Dans le courrier des lecteurs, il y a trois lettres qui accusent la direction du journal de vous prendre comme bouc émissaire. C'est leur technique habituelle pour soulager leur conscience. Ainsi, ils prouvent qu'ils sont justes et objectifs.

Lily ne partageait pas cette opinion. Après avoir remercié John, elle lui dit au revoir, hésitant à appeler Cassie. Cependant cette dernière ne pouvait rien faire de plus dans l'immédiat. En outre, il était l'heure d'aller chez Maida. Elle monta en voiture, empruntant la route qui menait à la cidrerie et se laissa envahir par le travail, l'odeur des pommes fraîches et le halètement des machines. À la pause, cependant, tout lui revint en mémoire. Quand elle retourna à la grande maison, elle appela Dan Curry.

— Lily ! s'exclama-t-il. (Il paraissait heureux d'entendre sa voix.) On parlait justement de toi avec George. Comment vas-tu ?

Une vague de nostalgie la submergea. Combien de fois s'était-elle arrêtée au club pour récupérer un chèque avant de s'asseoir devant un café et des scones en compagnie de George et Dan !

— Ça va bien. Et vous deux ?

— Ça va, répondit-il gaiement. Nous sommes complets tous les soirs bien que ce scandale soit terminé. Certains habitués regardent le piano avec regret, je sais que tu leur manques. Ton remplaçant n'a pas fait l'affaire. Nous avons dû nous en séparer au bout de deux soirs. Il ne connaissait pas les chansons. Tu es difficile à remplacer, Lily Blake.

C'était agréable à entendre. Mais il ne lui avait pas encore tout dit...

— Les journaux ne semblent pas pressés de s'excuser auprès de moi comme ils l'ont fait pour le cardinal. Sais-tu s'il... si les membres de son équipe s'en occupent.

Fran Rossetti lui avait dit qu'ils le feraient. Dieu sait qu'ils n'avaient pas perdu de temps pour régler le problème concernant l'archevêché.

— Ça alors, je n'en sais rien, dit Dan.

— Je ne me sentirais bien que lorsqu'ils l'auront fait.

— Bah, lança-t-il, l'air jovial, tous ceux qui te connaissent n'ont jamais douté de toi.

— Peut-être musicalement ou physiquement mais

psychologiquement ? Est-ce que les gens me rendent responsable de ce scandale ?

— En fait, je ne parle pas de ça avec eux. Ils savent ce que je pense.

Certes. Dan était de son côté. Mais, les membres du club pouvaient lui en vouloir de l'avoir engagée. Elle tâta le terrain.

— Plus les jours passent, plus je songe à rentrer. Les gens oublieront-ils ?

— Les personnes qui comptent l'ont déjà fait. C'est du passé. Mort et enterré.

Lily avait toujours apprécié Dan mais elle n'était pas stupide. Elle savait que son talent de manager consistait à savoir dire aux habitués ce qu'ils voulaient entendre. Il se comportait de la même façon avec elle. Condescendant. Alors, elle posa la question plus clairement.

— Quand penses-tu que je pourrais revenir travailler ?

— Ici ? (Il parut tellement surpris – comme si l'idée ne lui était jamais venue à l'esprit – qu'elle vacilla.) Oh, c'est encore prématuré. Tu n'es partie que depuis une semaine.

— Mais puisque cette histoire est fausse...

— Il n'y a pas que ça, Lily. Il y a le reste aussi.

— Mais ce sont des mensonges.

— Il faut attendre que tout soit enterré. Cela ne sert à rien de précipiter les choses.

Calmement, elle reprit :

— C'est mon... mon... mon boulot, Dan. Cet argent me sert à payer mon loyer.

Dan soupira. Sa voix sembla soudain atone.

— Je sais. Mais sincèrement, si tu reviens, tout va recommencer. Je ne peux pas faire ça aux membres du club. Je t'ai choisi un remplaçant. Celui-là est vraiment très bien.

Lily accusa le coup. Elle comprit que cela ne servirait à rien de discuter. Il était le patron. Sa décision était prise.

— Je vois.

— Je t'ai envoyé un chèque à ton appartement, le restant de ce que te dois. Mais si tu n'es pas là...

— Je le récupérerai. Merci.

— Je suis vraiment désolé, Lily. C'est une décision d'ordre purement professionnel. Je ne me sens pas fier. Tu ne pouvais pas savoir que tes paroles déclencheraient un scandale pareil.

Sa dernière phrase la choqua par-dessus tout. La colère la saisit. D'un ton sec, elle articula chacun de ses mots, non pas pour contrôler son élocution, mais pour faire la leçon à Dan qu'elle avait espéré plus loyal.

— Que les choses soient bien claires, je n'ai jamais dit ces phrases telles qu'elles ont été rapportées. Je n'ai jamais été attirée par le cardinal. S'il n'avait pas eu l'intention de sauver mon âme, nous n'aurions même jamais été amis. Une fois pour toutes, cria-t-elle, déchaînée, c'est lui qui a voulu notre amitié. Je ne suis pas catholique ! Je ne crois en aucune religion ! Je n'aurais jamais pensé le rencontrer s'il ne m'avait pas approchée en premier !

Elle coupa la communication avant que Dan pût s'excuser et, le cœur battant, composa le numéro d'Élisabeth Davis. Elle supposa que sa voisine devait être chez elle, encore au lit après une soirée tardive. En effet, la voix qui lui répondit était endormie.

— Salut, Élisabeth, c'est Lily.

Élisabeth parut s'éveiller instantanément, sincèrement enthousiaste.

— Lily. Wouah, ça fait du bien de t'entendre. Tout va bien ?

— Je suis furieuse, lança-t-elle sous le coup de la colère. Les journaux m'ont laissée en plan, j'ai perdu définitivement mon boulot au club Essex et je veux récupérer ma voiture ! (Elle prit une respiration et reprit d'une voix plus calme.) Comment ça se passe là-bas ?

— Tu as du courrier, gazouilla Élisabeth.

Si le ton était moqueur, la phrase ne l'était pas.

— Beaucoup ?

— De quoi remplir un sac de supermarché. Il y a

surtout des pubs et des catalogues. Un tas de factures. Il y a un mot de Justin Barr. Veux-tu que je l'ouvre ?

— Oui.

Elle entendit le bruit d'une enveloppe qu'on déchirait puis un silence.

— Wouah ! Il t'offre de l'argent pour participer à son show.

— Quel hypocrite ! Il affirme toujours qu'il ne paie pas les gens !

— Ouais. Quoi d'autre ? murmura Élisabeth. Tu as des lettres, Lily. (Elle commença à lire les adresses des expéditeurs. Certaines d'amis, d'autres d'étrangers.) Tu veux que je te les lise ?

— Si ça ne te gêne pas.

Sara Markowitz lui avait écrit quelques lignes chaleureuses, tout comme son ancienne camarade de collège, plusieurs professeurs et étudiants de l'école Winchester et copains de New York. Devant ce soutien, Lily se sentit revivre. Puis vinrent les messages plus négatifs. Ils étaient blessants ! Élisabeth venait juste de lui en lire un particulièrement mesquin quand elle ajouta :

— En parlant de choses qui fâchent, écoute la dernière. Les copropriétaires se sont réunis la nuit dernière. Les journalistes n'arrêtent pas d'appeler pour retrouver ta trace et avoir de tes nouvelles. Ça ne fait pas les gros titres, ce sont juste les petites feuilles de chou. Ils ne planquent pas en bas de chez toi, ils se contentent de faire le guet aux heures de pointe. Malheureusement, c'est le moment où la plupart des propriétaires rentrent ou sortent de chez eux. Ils détestent la notoriété.

— Tony Cohn.

— C'est lui qui fait le plus de bruit, mais il y a les autres. Moi, je fais partie de ceux qui croient que toute publicité est bonne à prendre mais nous sommes une minorité. Les autres, mon Dieu, sont plutôt réac. Ils prennent cette affaire très à cœur et sont partis en guerre. Ils estiment qu'il n'est pas juste qu'une locataire – une simple locataire – puisse leur causer autant de problèmes.

— Cette simple locataire paie probablement bien plus qu'eux, tous les mois le droit d'habiter là.

— Je sais. Je suis de ton côté, Lily. Je n'ai pas dit qu'ils avaient raison. Je t'explique leur point de vue. Ils veulent savoir ce qui est vrai et ce qui ne l'est pas, où en est l'affaire et si tu as l'intention de te battre. Ils savent que tu n'es pas là et se demandent quand tu rentreras.

— Ils t'ont posé la question ?

— Oui, j'en ai peur, admit Élisabeth. J'ai fait l'erreur de prendre ta défense un peu trop vivement, alors ils pensent que je sais quelque chose. C'est une demi-vérité, si tu vois ce que je veux dire.

Lily voyait très bien mais ça n'avait pas d'importance. La seule chose qu'elle retenait de cette conversation, c'était qu'elle serait mal accueillie à son retour. Mais elle ne rencontrait pas souvent ses voisins et se moquait désormais de ce que pensait Tony Cohn. Cependant, avait-elle envie d'être dévisagée ? Observée ? Qu'on parlât derrière son dos ? Qu'on lui en veuille ? Si elle gagnait au tribunal, peut-être les choses changeraient-elles ? Mais il faudrait plusieurs années avant qu'un verdict fût rendu et le procès hyper médiatisé ne plairait sûrement pas à ses voisins. Elle se demanda si un démenti publique immédiat ferait la différence. Y avait-il un risque pour que les accusations mensongères dont lui avait parlé Dan Curry restent gravées dans les esprits ?

Maida pénétra dans la cuisine et mit la bouilloire à chauffer. Elle sortit la boîte de sachets de thé, prenant bien soin de rester dos à Lily, comme pour lui montrer qu'elle ne s'intéressait pas à son dilemme. Mais Lily avait besoin d'aide. Au bord de la nausée, elle glissa les mains dans les poches arrière de son jean.

— Le club Essex a embauché quelqu'un d'autre. Je ne peux pas retourner là-bas.

Maida ouvrit le lave-vaisselle. Un jet de vapeur s'en échappa. Elle sortit avec précaution les assiettes encore chaudes et les empila sur le comptoir.

— Les voies du Seigneur sont impénétrables.

— Pourquoi dis-tu cela ? cria Lily, blessée par cette remarque acerbe. Elle savait exactement ce que voulait dire Maida et se demanda pourquoi elle ne parvenait pas à lui montrer un peu de compréhension.

— Parce que ce n'était pas un endroit pour toi, répliqua Maida, haussant le ton par-dessus le tintement de la vaisselle. C'est aussi bien que tu aies perdu ce travail. Je me moque de ce que tu dis, un club est un club. Les journaux t'ont traitée de chanteuse de cabaret. Seigneur ! Ce n'est pas une jolie image !

— On m'a aussi appelée la femme du cardinal alors que je ne le suis pas. (Elle ne savait pas comment parvenir à se faire comprendre de Maida.) J'avais une vie respectable, maman. Je passais mes journées à enseigner aux enfants et mes soirées à assouvir ma passion, c'est-à-dire chanter et jouer du piano. Ce n'était pas s'abaisser, ce n'était pas sordide. Je n'ai ri... ri... rien fait de mal.

Maida laissa éclater un rire sans joie.

— Cette fameuse phrase ! Qui ne l'a jamais prononcée dans sa vie ?

Elle reposa le range-assiettes dans le lave-vaisselle et commença à sortir les tasses.

— Quand as-tu dit une chose pareille ? demanda Lily.

Maida resta muette une minute. Puis, fermement, elle reprit :

— Lorsque ton père est mort, je me suis apitoyée sur mon sort. (Elle se retourna et regarda Lily.) Je ne savais pas quoi faire de l'entreprise. C'était notre moyen d'existence. J'avais le choix d'apprendre à travailler ou de vendre. Quel choix as-tu ?

Lily n'avait pas eu le temps d'y songer, pas depuis ce nouveau coup. Elle avait quitté Boston en pensant qu'elle y reviendrait. Certes, son bail était toujours valable. Elle pouvait rester dans son appartement jusqu'à la fin juin, sans tenir compte de ce que diraient les gens de l'immeuble. Mais sans travail ? Terry Sullivan avait un job. Dans le journal du matin, il signait un article sur le meurtre de Back Bay qui retenait l'attention du public. Il avait causé plus de mal qu'elle n'en avait jamais fait, mais il n'avait pas été viré. Ce n'était pas juste.

La bouilloire commença à siffler. Lily aurait tourné les talons et quitté la pièce si Maida n'avait pas ostensiblement posé deux tasses, deux petites cuillères et deux muffins sur la table. Pourtant, elle était assez en colère pour partir en claquant la porte. Elle avait besoin de sympathie, d'encouragement. Maida avait l'habitude de lui refuser ce genre de choses. Une tasse de thé et un muffin ne représentaient pas ce qu'elle attendait, mais c'était mieux que rien. Alors, elle resta.

Lily aimait vraiment son travail à la cidrerie. Bien que routinier, il demandait de la concentration. La matinée passa à une allure vertigineuse. Cependant, à l'heure du déjeuner, elle monta dans sa voiture et partit pour le centre-ville. Cette fois, elle ne s'embarrassa pas de son écharpe, du chapeau et des lunettes noires. Elle n'avait plus besoin de se déguiser. Tout le monde savait qu'elle était de retour. Néanmoins, les gens se retournèrent sur son passage quand elle descendit Main Street. Méfiante et agacée, elle leur sourit et leur fit signe de la main. Passant devant chez Charlie, elle tourna au coin du bureau de poste et se dirigea vers la bâtisse victorienne. Elle avait à peine serré son frein à main que John sortit du bureau. Tête baissée, il tripotait son trousseau de clefs. Il leva la tête, stupéfait, et lança un coup d'œil rapide sur la route. Elle baissa sa vitre et l'appela.

— Ils sont au courant.

Quand il s'approcha, elle reprit plus calmement.

— J'ai besoin d'aide. Pouvons-nous parler ?

Il fit le tour du véhicule, s'installa sur le siège du passager et referma la portière. Puis, lui faisant face, il glissa son bras sur le dos de son fauteuil.

— Je suis tout à vous.

Elle aurait pu sourire si elle n'avait pas été aussi préoccupée.

— Je veux me battre. Comment dois-je faire ?

Il frotta l'endroit où sa barbe formait une ligne étroite sous sa lèvre.

— Contre Terry ? Proprement ou non ?

— Eh bien, Cassie se charge de le faire légalement mais ça prendra du temps. J'ai besoin d'agir maintenant ou au moins d'avoir l'impression de le faire. J'en ai assez de rester assise à attendre. Quels sont mes choix ?

Il y réfléchit une minute, l'étudiant avec des yeux étonnamment chaleureux.

— Ça dépend. Vous voulez parler de vengeance ?

— Appelons ça la justice.

Il eut un sourire narquois.

— C'est presque la même chose.

— Je préfère le mot justice.

— Jusqu'à quel point en avez-vous envie ?

— Totalement.

Il resta pensif une minute mais cela ne la troubla pas. Elle se sentait bien avec lui. Elle avait le sentiment d'entreprendre enfin quelque chose.

— Voilà comment je vois la situation, expliqua-t-il. Vous avez deux façons de vous venger – ou d'obtenir la justice, comme vous dites. Une bonne et une mauvaise. Vous souhaitez un résultat immédiat ? Je vous donnerai une liste d'articles douteux que Terry a écrits pour le journal, vous convoquez une conférence de presse, vous racontez tout, et bingo, vous le collez dans le pétrin devant tout le monde.

— Est-ce que vous le feriez ?

Il secoua la tête.

— Je pense que ces histoires de reportages bidonnées, c'est le haut de l'iceberg. Quand il était au collège, on l'a soupçonné de plagiat à quatre reprises. Il y a eu enquête mais on n'a jamais rien pu prouver. J'ai un contact qui a de quoi établir ces faits et certaines de mes sources peuvent produire d'autres exemples. En clair, plus nous creuserons, plus notre dossier sera solide. Mais cela prend du temps. Vous devez décider maintenant si vous voulez vous venger tout de suite ou plus tard.

— Je peux attendre, mais pas trop longtemps. C'est... humiliant. (Tout bien considéré, humiliant était un mot faible, mais c'était celui qui lui venait à l'esprit.) Terry m'a trahie alors que je lui faisais confiance. Je ne peux pas être la seule à en payer le prix.

— Non. Je parierais qu'il y en a d'autres. Je suis persuadé qu'il y a quelque chose qui cloche dans sa vie personnelle. Il a déménagé plus de fois que la normale. Peut-être se fait-il virer parce qu'il ne paie pas ses loyers ? Peut-être dégrade-t-il les lieux ? Ou alors, il déguerpit une fois qu'il a baisé ses voisins – passez-moi l'expression. Je veux savoir pourquoi il déménage autant.

— Je veux savoir pourquoi il s'est acharné contre moi, dit Lily.

— Je veux savoir pourquoi il s'est acharné contre le cardinal, corrigea John.

Lily comprit alors qu'ils étaient sur la même longueur d'onde. Oui, son but était de discréditer Terry, de lui rendre la pareille. Comprendre ses motivations était un bon moyen d'y parvenir. S'apprêtait-elle à vendre son âme au diable ? En tout cas, le démon était séduisant avec ses mâchoires carrées, sa moustache et sa barbe bien taillées, ses cheveux lui tombant sur le front, ses tempes légèrement dégarnies. Ses traits semblaient plus fatigués au petit matin, mais il avait du charme à revendre. Elle se demanda s'il le savait. Ses yeux étaient marron clair. Pas charmeurs. Mais agréables. Ils donnaient confiance. Trompeurs ? Elle lui réclamait son aide, demandant à un journaliste de punir la presse. La dernière fois, il lui avait offert son appui en échange d'une interview et elle avait refusé d'emblée. C'était il y a un siècle.

— Votre prix est-il le même ?

Il enleva son bras du dossier et examina ses mains. Ses doigts étaient longs et minces. Sa chemise de flanelle, qu'il portait sur un jean défraîchi, roulée jusqu'aux coudes, révélaient des avant-bras légèrement poilus. Il rencontra son regard.

— Oui.

Était-ce cher payé ?

— Ma version de l'histoire.

Il hocha la tête.

— En exclusivité.

— Pour le journal ?

— Non, je veux faire un livre sur le problème de l'intrusion des médias dans la vie privée. Ce qui vous est arrivé est un bon exemple. Il prouve les ravages dont la presse est capable.

Elle ne pouvait qu'être d'accord. Ce n'était pas une mauvaise idée. L'approche paraissait plus réfléchie.

— Suis-je le seul exemple de votre livre ?

— Je pense que votre expérience illustre un problème très répandu.

— Oui ou non ?

— Oui, finit-il par concéder. Votre cas sera le point central du bouquin. Le dysfonctionnement des médias est un sujet d'actualité. Mon livre pourrait être publié cet été.

— Vous en êtes sûr ?

— Mon éditeur s'y engage.

Ah ! Il avait déjà contacté une maison d'édition. Il était ambitieux. Cela jouait en sa défaveur. Elle avait raison de ne pas lui faire confiance trop vite. Néanmoins, cela ferait bouger les choses. Juillet était dans neuf mois. C'était mieux que les trois ans que demanderait une action en justice.

— La sortie de ce livre fera du bruit, dit-il. Mon éditeur est un spécialiste des best-sellers. Il tire en général à 10 000 exemplaires, et, grâce à son service de presse, obtient des passages dans tous les médias importants, les plus grands talk-shows.

— Je n'irai pas dans ce genre d'émission.

— J'irai. C'est une façon de faire connaître votre version de l'histoire.

Décidément, l'idée lui plaisait.

— Comment puis-je être certaine que vous ne me trahirez pas ?

De nouveau, il examina ses mains. Quand il releva la tête, il avait l'air grave.

— Je vous ai déjà donné ma parole.

— J'ai été échaudée, John.

— Je le comprends mais je n'en suis pas responsable. En outre, vous connaissez mon opinion sur Terry. J'ai l'intention de parler autant de lui que de vous. L'un est le bon, l'autre le méchant. Vous voyez ce que je veux dire.

Oui, elle voyait.

— Vous avez un intérêt personnel à salir Terry. Le révélerez-vous ?

— Je n'ai pas encore pris de décision.

Elle avait décidé pour lui.

— C'est la seule chose honnête à faire. Si j'accepte de coopérer, je veux que vous le fassiez.

— Honnêteté.

— Et pouvoir de veto, ajouta-t-elle – cela ne coûtait rien.

Si elle acceptait de travailler avec lui, elle perdrait le peu d'intimité qui lui restait.

— Vous ne voulez pas qu'on parle de votre mariage.

— Non.

— Autre chose ? demanda-t-il.

Comme il semblait conciliant, elle ajouta :

— Je ne sais pas. Je vous le dirai au fur et à mesure.

— Cela vous donne un avantage.

Elle haussa les épaules.

— Je ne peux pas faire mieux. À quel point tenez-vous à votre best-seller ?

Le regard qu'il lui lança était lourd de sens. Il pivota un peu plus sur le côté pour la regarder bien en face.

— Vous n'avez aucun autre interlocuteur, à part moi.

— Je le sais parfaitement. Mais je ne suis pas bavarde.

Il sourit.

— Vous êtes redoutable quand il s'agit de conclure un marché, lui dit-il.

Elle lui rendit son sourire.

— C'est la force du désespoir.

— Vous voulez obtenir justice à ce point-là ?

Tout lui revint en mémoire : les pertes qu'elle avait subies, la mortification, l'embarras, l'humiliation. Terry Sullivan n'avait pas travaillé pour rien ; d'autres journaux avait pris le train en marche et repris l'histoire à leur compte. Mais il était le principal responsable car il avait menti. Pour une raison qu'elle ne connaissait pas, il avait fichu sa vie en l'air.

— Oui, répondit-elle avec solennité.

Lily se sentait revivre. De retour à la cidrerie, vêtue de son tablier en caoutchouc, elle positionna adroitement les casiers, pliant les tissus, répétant les mêmes gestes à l'infini. Son cœur battait au rythme du pressoir, calme et régulier, résolu. Maida dirigea le travail jusqu'à la pause de l'après-midi mais, quand vint le moment de transférer le cidre de l'unité de réfrigération au poste d'embouteillage, elle laissa sa place à Oralee. Une fois qu'ils eurent envoyé à l'entrepôt les sept cents litres quotidiens, nettoyé les machines et lavé la cidrerie au jet, Lily descendit jusqu'à la grande maison. Maida était pelotonnée dans un fauteuil à bascule, sous le porche, le teint pâle.

— Ça va ? s'inquiéta-t-elle.

Maida se balança d'avant en arrière.

— Fatiguée. Les accidents laissent des traces.

— Comment vont les hommes ?

— Ça va. Par contre, la pelle mécanique... ! On l'a réparée une fois de trop. Il faut en changer.

— Est-ce que ça coûte cher ?

Maida lui lança un coup d'œil réprobateur.

— Si tu le savais, tu ne poserais pas une telle question.

Évidemment, pensa Lily. Maida soupira et contempla les vergers qui encadraient l'allée de gravier.

— Je ne peux pas me permettre de m'en payer une autre. Bientôt, il y aura une vente aux enchères dans le

Nord. J'en trouverai une pour un prix intéressant. Elle vient d'une des dernières petites laiteries, qui hélas n'arrivait plus à s'en sortir...

Lily s'appuya contre un poteau et suivit son regard. Les pommiers étaient d'un vert terne, presque sale en comparaison des feuillages colorés qui entouraient le lac, mais ils n'avaient pas encore perdu toute luxuriance. Il y avait une vieille cagette en bois au pied d'un tronc, ainsi qu'un outil servant à la cueillette.

— Lorsque je suis venue ici la première fois, les arbres étaient plus grands, dit Maida d'une voix rêveuse, presque lointaine. À l'époque, c'était la technique, ils étaient plus touffus mais moins nombreux. Puis la méthode a changé, on a commencé à en planter quatre petits au lieu d'un gros. Le rendement s'est amélioré.

Lily se rappela de la période d'incertitude qui avait accompagné cette transition. C'était son père qui avait endossé la responsabilité de ce changement, changement progressif mais douloureux.

— Que donne la production cette année ?

— Oh, elle est excellente. Nous avons fait une année record. Mais aurons-nous plus d'argent pour autant ? Non. Les charges grossissent plus vite que les profits. Cela m'inquiète parfois. Non pas parce que je n'ai que des filles qui ne veulent pas reprendre l'exploitation. Il y a des jours où je me demande pourquoi je me tue au travail. Je mourrai dans mon sommeil comme votre père et l'affaire sera vendue. J'aurais dû avoir un fils.

Lily avait déjà entendu ce discours. Il commençait toujours par la même phrase : « Non pas parce que je n'ai que des filles. » Elle s'en était toujours culpabilisée. Mais Dieu, comme elle était fatiguée de ce sentiment ! Alors, froidement, elle demanda.

— Pourquoi n'en as-tu pas eu ?

Maida tourna sa tête contre le dossier du rocking-chair pour rencontrer les yeux de Lily.

— J'ai passé commande mais ça n'a pas marché.

C'était le genre de phrase qu'affectionnait Maida.

Cette fois-ci, c'était différent. Son regard était malicieux, une note d'humour transparaissait dans sa voix. Lily en fut légèrement décontenancée.

— Tu aurais pu réessayer, reprit-elle plus gentiment.

Maida sourit, secoua la tête et ferma les yeux.

— Je n'ai pas pu. J'ai eu une grossesse très difficile pour Rose. On m'a conseillé de ne pas avoir d'autre enfant. Alors j'en suis restée là, avec mes filles.

Lily sentit comme une onde de chaleur. Au-delà des mots, elle devina chez sa mère une forme de satisfaction, de paix. C'était complètement nouveau et si agréable. On entendit le bruit d'une voiture remontant l'allée. Maida s'avança au bord du fauteuil.

— C'est Alice.

Alice Bayburr était l'une de ses meilleures amies. Elle se leva et se posta à l'extrémité du porche.

— Je vais partir, dit Lily.

— Reste un peu. À ton avis, pourquoi vient-elle, si ce n'est pour te voir ?

En effet, Alice était à peine descendue de voiture qu'elle s'écria :

— Ils en parlaient en ville mais je voulais m'en rendre compte par moi-même ! Lily Blake ! Tu es une célébrité !

— C'est ce que tu as toujours voulu, siffla Maida en aparté.

— Non. Ce que je voulais, c'était jouer du piano.

— Et chanter.

— Oui.

Alice était une petite brune robuste de taille moyenne, qui combattait la médiocrité de son apparence en s'habillant de rose. Lors de son dernier séjour à la maison, à Pâques dernier, Lily avait découvert grâce à Alice qu'il existait des jeans de cette teinte-là. Aujourd'hui, Alice portait un pantalon rose, un chemisier et une veste évasée de la même couleur.

— Seigneur, tu m'as fait peur, tu ressembles tellement à Celia ! dit-elle en prenant Lily par la main pour l'observer. Tu es un peu plus grande, plus mince. Mais tu sens les pommes, comme ta mère.

— Elle nous a aidés à la cidrerie, expliqua Maida.

— J'en ai entendu parler. C'est gentil de ta part, Lily. Quelqu'un d'autre dans ta situation se contenterait de ne rien faire, de se cacher, après avoir été traitée de salope. (Elle se reprit.) Oh, mon Dieu, c'est un peu vache. Enfin, je veux dire qu'après avoir traversé une telle épreuve, une autre femme moins courageuse resterait assise chez elle complètement *paralysée*. (Les gaffes se succédaient.) Ce que je voulais dire...

— Nous savons ce que tu voulais dire, coupa Maida.

Lily se rappela qu'Alice était réputée pour mettre les pieds dans le plat.

— Je fais ça à chaque fois, s'excusa-t-elle. (Puis elle se tourna vers Lily.) Quand es-tu rentrée ?

— Le week-end dernier.

Cela faisait pile une semaine. Difficile à croire. Boston lui paraissait à des années lumière.

— Et on ne l'apprend que maintenant ? C'est aussi bien. Tout le monde s'est fait beaucoup de souci, ici, surtout les bénévoles de l'église qui se sont remémoré l'incident avec ce garçon. Nous ne savions que croire quand cette affaire a éclaté. Lily Blake corrompant un prêtre ? Certains affirmaient qu'ils n'étaient pas surpris, d'autres prenaient ta défense. Mais visiblement tu le connaissais très bien. Nous avons vu les photos. Tu étais là, assise contre lui. Le cardinal... (Elle baissa la voix, jouant les conspiratrices.) À quoi ressemble-t-il ?

— Alice ! protesta Maida.

Mais Alice reprit :

— Je veux savoir. (Elle répéta sa question.)

— C'est un homme bien, affirma Lily.

— Aussi beau que sur les photos ?

— Je pense.

— Un vrai homme à femmes !

— Alice ! gronda Maida.

Alice lui fit signe de se taire et se tourna vers Lily.

— C'est vrai ?

— Non.
— Tu ne crois pas qu'il a déjà...
— *Alice* !
— Oui ! Bon sang, Maida ! C'est une question naturelle...
Elle regarda Lily.
— C'est le nœud du problème, tu sais. Le fait-il ou non ? Après sa nomination, les journaux ont raconté plein de choses sur lui. C'était fatal qu'on en vienne à parler de ça. Toi, ma chère, tu as eu le malheur d'être là quand c'est arrivé.
Une clameur s'éleva derrière la maison. Bientôt, on entendit des pas sur le gravier, des rires essoufflés. Les deux plus jeunes fillettes de Rose apparurent en criant, courant sur la pelouse en traînant les pieds. Rose les suivait, d'un pas plus calme. En la regardant, Lily s'émerveilla du pouvoir de la génétique. Elle et ses sœurs – toutes les trois – ressemblaient beaucoup à leur mère ; Rose ne se distinguait que par la couleur de son teint et la façon dont elle était vêtue. Maida et Lily portaient des jeans bien pratiques pour travailler à la cidrerie. Rose, de longues jupes ou des pantalons de tailleur, idéals pour faire le marché, conduire, ou visiter ses voisins. Elle grimpa les marches du porche, déposa une marmite sur la balustrade et donna un baiser à Alice.
— Tu es venue en touriste, n'est-ce pas ?
— Il vaut mieux que ce soit moi plutôt que les autres. Ils sont dévorés par la curiosité. Depuis qu'on sait que ta sœur est de retour, le téléphone n'a pas arrêté de sonner. Crois-moi, ça fera date dans l'histoire de Lake Henry. Il n'y a pas eu de telles rumeurs depuis... depuis...
— L'affaire des polygames, coupa Rose sèchement.
— C'est vieux, mais tu as raison. Encore un problème de morale. Décidément, cette ville aime ça. Crois-moi, si je n'avais pas annoncé que je venais ici, la moitié des femmes de Lake Henry auraient accouru. J'ai vu ce que je voulais voir, alors je m'en vais maintenant.
— Pas de thé ? demanda Maida.
— Pas aujourd'hui. Lily, ne t'en fais pas si on te

dévisage. Tu es une célébrité, c'est tout. Non. C'est pas ça. Tu es différente des gens, désormais. Ils s'habitueront.

Elle avait déjà descendu l'escalier avant que Lily ait eu le temps de lui expliquer qu'elle ne resterait pas assez longtemps pour ça. Mais elle n'avait plus de travail au club. C'était fini.

— Restez ici, les filles ! hurla Rose, les arrêtant de la main jusqu'à ce que la voiture d'Alice eût fait demi-tour et disparu au coin de l'allée.

Puis elle leur fit signe qu'elles pouvaient à nouveau courir, soupira et se tourna vers Maida.

— J'ai fait un ragoût de poulet. Il te fera plusieurs jours. Comment te sens-tu ?

— Ça va bien.

— Tu étais malade ? demanda Lily.

— Elle a des migraines, répondit Rose. À cause de sa tension.

— Non, reprit Maida. Ce sont mes yeux. J'ai besoin de nouvelles lunettes.

— Percy DeVille est mort l'été dernier, expliqua Rose à Lily, alors elle ne sait pas qui consulter. Il y a un bon ophtalmo à Concord. J'ai dû y emmener Hannah le mois dernier.

— Au fait, où est-elle ? demanda Lily.

— Hannah ? appela Rose.

Hannah grimpa tranquillement les marches.

— Nous pensions qu'elle avait besoin de lunettes. Son professeur nous avait appelés pour nous dire qu'elle louchait. Dieu merci, c'était une fausse alerte.

— Cela ne m'aurait pas gêné, dit Hannah.

— Tu aurais été affreuse avec des lunettes.

— Des stars de cinéma en portent. Certaines ont l'air cool.

— Tu ne l'aurais pas été, répliqua Rose avant de se tourner, consternée, vers Maida.

— Le crois-tu ? Voilà à quoi je suis condamnée maintenant. Elle discute tout ce que je dis.

Lily songea que l'inverse était vrai aussi. Elle savait ce qu'on ressentait.

— En fait, dit-elle en étudiant le visage rond et sérieux d'Hannah, tu ne serais pas mal avec des Calvin à montures d'acier.

— Lily ! gémit Rose, pourquoi dis-tu ça ?

— Parce que c'est vrai. Un jour elle aura peut-être besoin de lunettes. Si c'est le cas, elle sera adorable.

Rose leva la main.

— Je ne veux pas discuter de ça avec toi. Le problème ne se pose pas pour l'instant. Ne me demande pas pourquoi on a parlé de strabisme mais elle a de bons yeux. Dieu merci. Elle n'a que dix ans.

— Presque onze, riposta Hannah. Mon anniversaire est mardi prochain.

Lily sourit.

— Tu vas le fêter ?

Rose porta ses mains à son front.

— Voilà un autre sujet de dispute. Elle veut donner une fête. Ne me demande pas pourquoi. Ce n'est pourtant pas son genre. Je ne saurais même pas qui inviter.

— Moi si, dit Hannah.

— Qui ? Melissa et Heather ?

Elle se tourna vers Maida.

— Ce sont les seules dont j'ai entendu parler. Elle n'a pas beaucoup d'amies. Je ne vois pas l'intérêt d'organiser quelque chose juste pour trois filles.

— Pourquoi pas ? lança Lily.

Son cœur saignait pour Hannah ; Rose avait tort de penser des choses pareilles. Le pire c'était de les exprimer, qui plus est devant l'enfant. Rose se tourna vers elle et sourit :

— Parfait. Tu t'en occupes.

Lily adorait ce genre de défi. Elle lui rendit son sourire.

— Cela me plairait beaucoup. (Elle tendit la main à Hannah.) Accompagne-moi jusqu'à ma voiture. J'ai besoin de savoir quel genre de fête te ferait plaisir.

Alors qu'elle attendait que sa nièce la rejoignît,

Lily réalisa brusquement qu'elle risquait d'aggraver la situation entre la mère et la fille. Mais elle ne pouvait pas rester sans agir, sans aider la pauvre enfant à prendre confiance en elle. Elle avait besoin qu'on la soutienne. Lily avait pu compter sur Celia, mais Hannah, visiblement n'avait personne. Elle referma sa main sur celle d'Hannah. Passant devant Maida, elle lui lança calmement :

— Je serai là lundi matin.

Maida ne répondit pas. Elle semblait effrayée... non pas par Lily. Ses yeux étaient fixés sur Rose.

18

Griffin Hughes, le « baryton sexy », essaya à nouveau de joindre le chef de la police le vendredi, à l'heure où il avait appelé le mardi précédent. Poppy ne le croyait ni stupide ni tête en l'air. Elle était persuadée qu'il savait pertinemment que si Willie Jake n'était pas à son bureau à 19 h 30 le mardi, il n'y serait pas non plus ce jour-là. Cela signifiait que c'était elle que Griffin cherchait. Le rêve continuait. Depuis leur dernière conversation, il avait un visage. Poppy imaginait des cheveux roux, des yeux bleus et de belles petites oreilles. Mais c'était sa voix qui la touchait le plus. Elle était divinement grave.

— Salut, lança-t-elle gaiement.

— Bonjour, Poppy ! Comment allez-vous ?

— Très bien. Si vous cherchez Willie Jake, il n'est pas là.

— Il est chez lui, hein ?

— Ouais !

— Parfait, reprit Griffin avec une honnêteté admirable. En fait c'est vous que je voulais. Des rumeurs affirment que Lily est revenue à Lake Henry. J'ai pensé que vous, vous le sauriez.

Certes, Poppy était au courant mais elle n'avait pas l'intention de céder à Griffin, voix sexy ou non.

— Le savoir est une chose, le dire en est une autre.

— Vous me le diriez ?

— Non. Rien n'a changé ici.

— Je ne suis pas votre ennemi.

— Tous ceux qui cherchent à faire du fric avec ma

sœur et cette histoire inventée ne sont pas les bienvenus dit-elle, avec bonhomie.

C'était difficile de se montrer dur avec un type aussi charmant.

— Je suis là pour l'aider, protesta Griffin. (Et avant qu'elle ait pu répondre, il ajouta :) Vos amies sont-elles là ce soir ?

Poppy cligna de l'œil à Lily adossée au montant de la porte. Elles venaient de finir de dîner – un poulet au citron d'après une recette que Lily avait apportée. C'était délicieux. Griffin, bien sûr, faisait référence à son groupe de mardi soir.

— Non, répondit-elle sans mentir. Elles ne sont pas là.

— Alors dites-moi quel âge vous avez.

Elle s'enfonça dans son fauteuil.

— Trente-deux ans.

— Aïe, aïe, aïe, vieille ! De quelle couleur sont vos cheveux ?

— Blancs.

— Non ?

— Non, ils sont châtains et courts. Probablement plus courts que les vôtres.

— Pour une raison particulière ?

Il y en avait bien sûr une mais il ne pouvait pas s'en douter.

— Pourquoi me demandez-vous ça ?

— C'est l'une des questions pièges que nous autres journalistes aimons poser. A priori, elle semble anodine mais la réponse est révélatrice. Si vous avez les cheveux courts parce que vous aimez être à l'aise, cela prouve que vous êtes une femme simple, cool et indépendante. Si c'est par goût, alors vous êtes à la mode. Si c'est pour montrer que vous avez une tête bien dessinée, vous êtes superficielle. Sinon, c'est que vous avez de l'assurance, si vous voyez ce que je veux dire. Alors, la réponse ?

Poppy réfléchit une minute.

— C'est plutôt la première solution.

— Cool et indépendante ? Je ne l'aurais pas deviné.

Vous êtes trop réservée. Mais c'est peut-être le fait de vivre à Lake Henry qui a déteint sur vous. Je n'arrête pas de penser à l'histoire que vous m'avez racontée la dernière fois. Vous savez celle sur James Everell Henry ? Sur l'indépendance farouche. J'ai une question à vous poser à ce propos.

Il se rappelait le nom complet du fameux baron. Poppy fut impressionnée.

— Oui ?

— Vous m'avez dit que plus les étrangers insisteront, plus les gens de la ville se tairont. Cela veut-il dire qu'ils croient la version de Lily ? Ou qu'ils se taisent par principe ?

Poppy regarda sa sœur.

— Les gens font confiance à Lily.

Elle n'en avait pas la preuve mais refusait de dire autre chose. Ce n'était pas pour faire plaisir à sa sœur. Mais pour le cas où Griffin en parlerait à un ami.

— J'ai une autre histoire. Vous voulez l'entendre ?

— À votre avis ?

— Il était une fois, commença Poppy, à l'époque où Lake Henry s'appelait Neweston... – je vous l'ai déjà raconté ça.

— Oui.

— On l'avait baptisée Neweston à cause du port de Weston d'où sont partis les colons britanniques.

— Ah !

— Donc, lorsque Lake Henry était encore Neweston, il y avait ici une colonie de polygames qui cherchaient un endroit où s'installer.

— Des polygames ?

— Oui. Comme ils aimaient le lac, ils ont acheté des maisons et y ont emménagé. Les habitants de la ville ont mis un certain temps avant d'apprendre ce qui se passait entre leurs quatre murs. Ce fut unanime : les riches, les pauvres, les baptistes, l'église épiscopale, ou congrégationaliste se sont unis comme jamais. Ils ont créé une association mettant en commun leurs ressources pour tenter de racheter les demeures des polygames. Mais ces derniers refusèrent de vendre. Alors, ils ont décidé de ne pas les quitter des yeux.

— Comment cela ?

— Partout, au bureau de poste, l'école, à l'épicerie. Ils se sont montrés inflexibles. Un jour, ils ont même aligné leurs bateaux sur le lac et les ont épiés... Sans même parler, ils sont parvenus à leur rendre la vie impossible...

— Les colons ont-ils fini par vendre ?

— À votre avis ?

— Quel est le message...

Poppy surprit le regard de Lily.

— La recherche de l'exigence. Les habitants de Lake Henry croient en certaines valeurs. S'ils pensaient, ne serait-ce qu'un seul instant, que Lily est coupable comme l'affirment vos collègues, notre famille serait mise aussitôt à l'index. Cela ne s'est pas produit.

— N'est-ce pas un peu dur pour votre mère ?

Une petite sonnette d'alarme résonna dans la tête de Poppy. Cela ressemblait à une interview. Elle fut aussitôt sur ses gardes.

— Pourquoi me demandez-vous cela ?

— Parce que j'ai lu qu'elle ne s'entendait pas bien avec Lily, alors je suppose que cette histoire doit la faire souffrir.

— N'importe quelle mère souffrirait dans une situation pareille.

Il ne répondit pas immédiatement. Quelques secondes plus tard, il reprit la parole, calmement.

— Touché !

Il avait quelque chose à l'esprit. Poppy attendit.

— J'ai une sœur et quatre frères, commença-t-il lentement. Il n'y a qu'une fille dans la famille, alors on pourrait penser qu'elle était très proche de ma mère, mais en fait elles ne l'ont jamais été. Elles passaient leur temps à se disputer. Cindy était têtue et voulait vivre selon ses désirs. Finalement, ma mère l'a laissée faire. Elle n'avait pas le choix. Un enfant ne reste pas mineur très longtemps. Le jour où elle a eu dix-huit ans, Cindy a déménagé et a fait toutes les bêtises possibles – elle s'est acoquinée avec des sales types, est tombée enceinte, s'est fait avorter, a commencé la fac, en est partie, y est retournée, etc. Ma mère jurait que cela ne la regardait pas, mais à chaque fois, elle souffrait. Dès que l'un de nous lui rappelait qu'elles étaient différentes, elle acquiesçait et nous donnait raison mais on voyait bien dans son regard qu'elle avait du chagrin.

— S'entendent-elles bien aujourd'hui ?

— Ma mère est morte.

— Je suis désolée.

— Moi aussi. La vie n'est plus la même sans elle. Nous sommes tous dispersés à travers le pays, mais elle savait nous donner envie de rentrer à la maison en nous offrant de belles vacances.

— Votre père est-il toujours vivant ?

— Hum, hum. Vivant et plutôt deux fois qu'une. Il fait la fête. Il a épousé ma mère quand il avait vingt ans, alors aujourd'hui, il se rattrape. Il est tombé amoureux cinq fois en cinq ans. Toujours d'une femme différente.

— Mais s'il est heureux...

— Aucune d'elles n'est ma mère...

Poppy ne sut que répondre. Mais il n'attendait visiblement aucun soutien. Il continua, rapidement, presque embarrassé.

— Pourquoi est-ce que je vous raconte cette histoire ? Cela ne rime à rien.

— Elle vous tient à cœur.

— Cela n'a rien à voir avec vous ou votre sœur. Vous ne me direz rien, n'est-ce pas ?

— Sur Lily ? Non.

— Sur vous, alors ?

— Je vous ai déjà tout dit.

— Une chose encore. Dites moi une chose de plus. N'importe quoi.

Elle pensa lui dire qu'elle avait un diplôme de forestier mais elle craignit qu'il ne lui demandât pourquoi elle travaillait dans un bureau. Elle aurait pu lui dire qu'elle aimait la vie en plein air mais il risquait de lui poser des questions sur le sport. Et si elle lui disait qu'Armand Bayne, qui finançait le *Lake News* et connaissait toutes les personnes influentes dans le monde de la presse, n'hésiterait pas à lui nuire s'il la trahissait ? Non, c'était risqué ! Griffin aurait peut-être le culot d'appeler Armand, qui gafferait en lui racontant qu'elle était paralysée.

Alors elle se contenta de lui dire :

— Ma maison se trouve sur le bord du lac. Je regarde par la fenêtre en ce moment. La nuit est magnifique – pas trop froide. On pense qu'il fera beau et chaud ce week-end.

— Je pense y faire un saut en voiture. Je suis dans le New Jersey. Ce ne serait pas difficile.

Son cœur se mit à battre.

— Ce n'est pas une bonne idée.

— Pourquoi ?

— À cause de la foule. La circulation. L'automne est à son apogée. Il y aura plein d'autobus partout. Et des camping-cars, des motos. Dès qu'il y a un accident, l'autoroute est bloqué sur des kilomètres. Cela ressemble à un zoo ici, à cette époque de l'année. En outre, je ne serai pas là. Personne n'acceptera de vous parler, alors vous n'avez aucune raison de venir.

— Où allez-vous ?

— Je pars, répéta Poppy qui n'avait pas trouvé mieux comme mensonge.

— C'est dommage, reprit Griffin. Cela aurait pu être sympa.

Oui, pensa Poppy quelques moments plus tard après qu'il eut raccroché, *cela aurait pu être sympa*. Mais cela ne servait à rien de se perdre avec des « si ». Cela ne faisait aucun bien, alors elle chassa cette idée... Seulement elle continua de fantasmer.

Cette nuit-là, assise entre les racines de pin au bord du lac, Lily était plus sereine. Ses inquiétudes l'avaient quitté. La compagnie de Poppy y était pour quelque chose. En l'écoutant parler au téléphone – avec son flirt –, elle avait perçu le chagrin qu'elle tentait de dissimuler. Difficile d'en mesurer la profondeur, mais cela donnait un éclairage plus juste à sa propre vie. Était-ce parce qu'elle travaillait à la cidrerie, qu'elle préparait la soirée d'anniversaire de Hannah ? Ou parce qu'elle avait conclu un accord avec John ? Peut-être était-ce dû simplement au temps écoulé. Elle avait surmonté le premier choc. Les bouleversements qu'elle avait subis lui paraissaient moins violents, moins nouveaux. Oh, elle était toujours en colère. Mais elle se sentait moins perdue.

Poppy avait raison, la nuit était magnifique. Une grosse lune ronde brillait au-dessus de la ville, transformant le clocher de l'église en une élégante baguette blanche avant de se poser doucement sur le lac et sur les îles. La fenêtre éclairée du cottage se reflétait sur le rivage. C'était le seul signe d'humanité. Le flux et le reflux balayaient le sable de la plage. Sous ses doigts, la terre semblait riche. L'air sentait bon le feu de bois. Le blouson de base-ball de Celia lui tenait chaud.

Lily avait adoré les nuits de Manhattan, surtout à la fin de l'année, quand la ville s'illuminait au moment des vacances. Elle avait aimé celles de Boston, l'été, et ses foules colorées sur Newbury street. On y respirait un parfum d'histoire et de vieille Europe. Les nuits de Lake Henry étaient... plus primitives. Elle attendit, tendant l'oreille intensément, mais aucun canard ne se manifesta. Alors, doucement, elle commença à fredonner une chanson, un chant celtique. Sa mélodie toute simple semblait capturer le mystère du lac, prenant vie au fil des mots dont elle ne connaissait pas la signification. Elle enserra ses genoux de ses bras et se balança en rythme, portée par un profond respect. Elle revoyait les dimanches de son enfance lorsqu'elle chantait à l'église. Le sentiment était presque le même.

Elle était liée à cet endroit. Était-ce parce qu'elle y avait grandi, que sa mère et ses deux sœurs y vivaient, ou parce que son père et de nombreux amis reposaient dans le cimetière éclairé par la lune ? Elle ne le savait pas, mais ici, elle se sentait en paix, étrangement comblée. Cette sérénité lui venait peut-être simplement de sa chanson... Il y avait neuf jours qu'elle n'avait pas chanté... Une éternité. Pourtant, jusque-là, l'idée ne lui avait pas traversé l'esprit.

John passa une bonne partie de son samedi au bureau. Il s'accorda plusieurs pauses en descendant au bureau de poste, chez Charlie ou à la foire artisanale installée dans le centre-ville. Il y avait des stands de paniers, de couronnes de balsa, des bougies coulées à la main, des écharpes tissées et des vendeurs de gravures sur bois, de peintures, de sculptures en pierre. Malgré la profusion d'objets, John était plus intéressé par les gens qui déambulaient. Il les connaissait tous pour la plupart. Les autres étaient des touristes venus humer les senteurs automnales, achetant des souvenirs de leur séjour. Mais quelques personnes lui parurent suspectes. Il reconnut un reporter d'un journal de Concord et un autre qui devait venir de Springfield. Il était prêt à parier que ce couple d'étrangers, là-bas, travaillait à la télévision. Il paraissait trop propret dans sa tenue L.L Bean pour être réel, en outre, les locaux lui faisaient grise mine... Satisfait de voir que Lily était sous bonne protection, il retourna au journal et classa les informations qu'il venait de récolter en vue du prochain numéro du *Lake News*. Il commença à rédiger l'article de une, concernant la mort accidentelle d'un enfant de trois ans tué par un revolver la veille à Ashcroft, revenant sur la législation régissant le port des armes dans le pays. Cependant, il concentra surtout ses recherches sur Terry Sullivan. Il voulait découvrir pourquoi ce type déménageait autant.

Par les fenêtres grandes ouvertes lui parvenait une odeur de pommes d'amour que les membres du Garden Club faisaient cuire au feu de bois dans un énorme récipient, sur la plage. Le temps était idéal – assez froid pour que le candi se figeât en couche épaisse, assez chaud pour que les gens eussent envie d'en acheter. Peut-être se serait-il lui aussi laissé tenter s'il n'avait été intrigué par une information qui apparut sur son écran. Il surfa d'une page à l'autre et passa quelques coups de fil dans l'intervalle. À dix-neuf heures, il rentra chez lui en voiture, avec dans l'idée de reprendre ses notes à la main. Mais alors que le soleil ambré descendait sur la forêt, il se sentit appelé par le lac. Enfilant un vieux pull sur son T-shirt et son short, il tira son canot au bord de l'eau, s'installa dedans et s'éloigna à la rame.

À peine avait-il atteint l'île où s'ébattaient les canards que ces derniers émergèrent de l'obscurité. Il n'y avait que les deux petits et l'un des parents. L'autre avait dû partir en balade, un comportement classique pour les plongeons adultes à la fin septembre. Même s'il faisait plus doux qu'au début de la semaine, l'automne était presque à son apogée. Le plumage de l'oiseau avait déjà perdu de sa vivacité. Plus le feuillage des arbres s'embrasait, plus les plongeons devenaient ternes. C'était l'une des tristes particularités de la nature. Bientôt, les feuilles allaient se flétrir et tomber, les oiseaux partiraient.

Bien qu'il aimât le froid pour les plaisirs qu'il procurait, John n'avait pas hâte de voir arriver l'hiver. Certes, il adorait skier, pêcher dans la glace, marcher avec des raquettes. Il aimait se réfugier au chaud chez Charlie tandis que la neige tourbillonnait à travers les bouleaux, les chocolats fumants coiffés de crème fouettée. Mais l'hiver était une période solitaire. Manœuvrant ses rames dans l'eau laiteuse, il fit demi-tour et se dirigea vers Thissen Cove. Quand il y parvint, le soleil était déjà couché à l'ouest derrière les collines et les ombres sur la plage viraient au violet. À dix mètres du rivage, il posa ses rames et laissa le canot dériver. Puis il attendit un signe.

Il en reçut trois. D'abord, il vit une lumière s'allumer à la fenêtre de chez Celia. Puis il entendit l'appel d'un canard à l'autre bout du lac. Enfin, une voix s'éleva. Le son était plus doux et mélodieux que le chant des oiseaux. Il mit une minute avant de comprendre de quoi il s'agissait.

Lily n'avait jamais été une excellente cuisinière. Enfant, elle avait fui la cuisine pour éviter Maida. Étudiante, elle avait manqué de temps. Une fois qu'elle était entrée dans la vie active, elle s'était contentée de se nourrir de plats cuisinés. En ville, on pouvait en trouver à tous les coins de rue. À Lake Henry, il y avait moins de choix mais ce n'était pas un problème. Pour la première fois de sa vie, Lily avait une véritable cuisine, le temps et le désir de faire à manger. Elle n'était pas guidée par l'ennui, plutôt par la curiosité. Celia avait laissé un carnet rempli de recettes. Il était recouvert de tissu matelassé et consistait surtout en une série de feuilles volantes mais il était utile. En le tenant entre ses mains, Lily se souvenait de Celia le feuilletant de ses doigts ridés.

Le poulet au citron qu'elle avait concocté avec Poppy était l'une des recettes de sa grand-mère. Ce soir, elle en avait essayé deux autres. Poppy lui ayant donné une douzaine d'épis de maïs doux, fraîchement cueillis, qu'un de ses amis lui avait apportés, elle avait préparé une soupe, un plat idéal pour la saison et un pain auquel elle avait ajouté de la farine de maïs, des œufs, du beurre, du sirop d'érable et des noix. Le cottage sentait divinement bon. Lily avait entrouvert la fenêtre pour surprendre les bruits du dehors mais les arômes s'accrochaient à la pièce. Quand elle entendit dans le lointain s'élever le chant d'un canard, elle réalisa que finalement elle aimait ce genre de soirée en solitaire. Il y avait pire comme samedi soir !

Instinctivement, elle se mit à chanter en remuant la soupe et en sortant le pain du four. Tout en fredonnant, elle déposa un joli set tissé sur la table, choisit un bol et une assiette dans la collection de vaisselle hétéroclite de Celia, alluma trois grosses bougies de formes et de tailles différentes. Puis, elle déboucha délicatement une bouteille de vin, un autre cadeau de Poppy. Elle venait à peine de se remplir un verre quand elle entendit frapper à la porte. Elle se tut brusquement et, suffoquée, retint sa respiration. Le cœur battant, elle poussa un profond soupir de résignation. Les gens en ville savaient qu'elle était là. Il ne faudrait pas longtemps avant que le reste du monde ne découvrît sa cachette. Mais le visage qui l'observait à travers la vitre lui était familier.

— Ce n'est que moi ! s'écria John.

Soulagée, presque étourdie, elle ouvrit la porte.

— Je ne peux pas vous dire ce qui m'a traversé l'esprit.

— Je n'y ai pensé qu'au moment où j'ai frappé. Désolé. Je ne voulais pas vous effrayer.

Elle respira profondément, émue à l'idée de se retrouver seule face à face avec un homme aussi séduisant. Elle n'avait pas besoin de lui faire confiance pour prendre plaisir à sa visite. Chanter n'était pas la seule chose qui lui avait manqué. Elle s'était trouvée bien seule ces derniers temps. Elle glissa les mains dans les poches arrière de son jean.

— Que se passe-t-il ? demanda-t-elle.

Elle le vit regarder la table dressée, derrière elle.

— Oh, oh ! J'arrive à un mauvais moment.

Elle éclata de rire. Ce n'était pas la peine de faire semblant.

— Pas vraiment. C'est juste une petite dînette pour célibataire.

— Une dînette ! (Il prit une longue respiration bruyante.) En tout cas, ça sent drôlement bon.

— Avez-vous mangé ?

— Non. Mais je ne suis pas du genre à m'inviter.

Elle le réprimanda du regard, et se reculant, lui fit signe d'entrer. Il se lissa la barbe et enleva son pull.

— Je fais plutôt négligé.

Certes, son pull-over était distendu, son short effrangé, mais il était propre – elle ne pouvait en dire autant. Après avoir essuyé les tâches de farine qui maculaient son T-shirt et son jean, elle répliqua :

— Moi aussi.

Avec lui dans la pièce, elle n'avait pas le temps d'y remédier. En outre, le dîner était prêt. Elle retourna à la cuisine, le laissant décider d'entrer ou de repartir et posa un second set sur la table. Une minute plus tard, elle avait coupé le pain de maïs en quartiers et les avait déposés dans une corbeille. John, debout dans le salon, contemplait la pièce. Elle servit la soupe, plutôt satisfaite. Ce ne fut qu'après avoir rempli les verres à vin – alors qu'il continuait à regarder autour de lui – qu'elle se laissa aller à analyser ses pensées. Oui, elle était ravie d'avoir de la compagnie. Oui, c'était en quelque sorte un repas d'affaires. Elle désirait que John découvrît le moindre faux pas de Terry Sullivan. Mais elle n'était pas prête à accepter n'importe quel accord. Elle se redressa lentement.

— Vous prenez des notes ?

John étudiait la pièce. Il sourit.

— Des volières ?

Elle suivit son regard.

— C'est Celia qui les a fabriquées. Toutes.

Il avança vers l'escalier en spirale, prêt à monter, mais s'arrêta.

— C'était un personnage.

Puis il aperçut le dîner servi, le vin versé dans les verres. Lily l'avertit.

— Ce n'est pas à cause de votre livre. C'est parce que vous êtes arrivé au moment où j'allais manger.

— D'accord, pas pour mon livre, promit-il en s'approchant.

Il ouvrit de grands yeux, brillants de plaisir.

— Je ne donnerais ma place à personne. Dînez-vous toujours de cette façon ?

— Non. Je ne suis pas bonne cuisinière. Vous mangez à vos risques et périls.

— Avec une si bonne odeur, ça ne peut pas être mauvais. De plus, vous l'avez cuisiné pour vous. Si vous l'aviez fait spécialement pour moi, j'aurais eu peur que vous l'ayez empoisonné – un peu d'arsenic, une pincée de ciguë. (Sourcils relevés, il montra la place la plus proche de lui.) Vous voulez bien que je me mette là ?

Elle avait à peine hoché la tête qu'il s'empressa de lui avancer une chaise. Elle fut impressionnée. Étant donné son excitation, on avait presque l'impression qu'il n'avait pas mangé depuis huit jours.

— Merci, dit-elle quand il l'aida à s'asseoir.

Il fit le tour de la table, s'installa à sa place et posa

sa serviette sur ses genoux. Il regarda ensuite son bol empli de soupe et la marmite encore pleine mijotant sur le poêle.

— Je ne vous ai pas demandé si vous en aviez assez.

Elle sourit.

— Il y a de quoi nourrir au moins dix personnes supplémentaires. Je pensais que vous deviez manger plus que moi.

— Vous avez vu juste, dit-il dans un sourire.

Son visage s'adoucit brusquement. Ses traits prirent une expression sérieuse, touchante.

— Merci. Je ne m'attendais pas à ça quand je suis venu chez vous.

— À quoi vous attendiez-vous ?

— Je ne sais pas. J'étais sorti sur le lac pour voir les canards et avant même de m'en rendre compte, je vous ai entendu chanter. Vous avez une voix magnifique.

Terry Sullivan lui avait dit la même chose.

— Les plongeons aussi.

— Vous chantez avec davantage de puissance.

— Ma voix ne porte pas aussi loin.

— Peut-être. Mais c'est très joli.

Il souleva son verre de vin, proposant un toast. Quand elle leva le sien à son tour, il lança :

— À votre talent.

Mais John ne ressemblait pas à Terry Sullivan. Avait-elle tort de le croire sincère ? L'alcool lui réchauffa la gorge.

— Merci, dit-elle. Cela m'a manqué.

— De travailler au club ?

— De chanter. J'ai réalisé la nuit dernière à quel point cela faisait longtemps. Je ne m'en étais pas aperçue.

— Vous aviez d'autres choses en tête, dit-il. (Il ne la quittait pas des yeux.) Je n'ose pas commencer avant vous mais l'odeur de cette soupe est un véritable supplice. (Elle la goûta. Elle lui parut aussi bonne que ce qu'elle avait espéré.) Elle est encore meilleure que ce que je pensais, dit John en se servant une tranche de pain quand elle lui tendit la corbeille.

Pendant quelques minutes, ils mangèrent en silence. Les plongeons ayant cessé de chanter, Lily se leva pour aller mettre un CD. Une mélodie de Liszt, légère et enlevée pour changer. Elle revint à table.

— Le cottage est magnifique, dit-il.

Elle regarda autour d'elle.

— Je pourrais y mettre un piano. J'en ai un à Boston. J'ai aussi une BMW.

— Ah ! souffla-t-il. L'infâme BMW.

Elle ne put s'empêcher de sourire devant son ton ironique mais resta sur la défensive.

— Savez-vous à quel point j'ai travaillé dur pour m'en offrir une ? Pareil pour le piano. Ils me manquent tous les deux. Traitez-moi de matérialiste, si vous le voulez, mais je ne le suis pas. Je n'ai pas acheté cette voiture pour impressionner les autres. Cela représentait quelque chose pour moi.

— Quoi ?

Elle le regarda droit dans les yeux avec une lueur de défi.

— L'indépendance. La capacité de prendre soin de moi.

Même si la presse l'avait traînée dans la boue, si elle avait perdu deux boulots ou l'estime de ses voisins, elle était loin d'être timide. Elle savait se défendre. Elle voulait qu'il le sache.

— Et le piano ? demanda-t-il.

Elle sourit malgré elle.

— C'est comme l'un de mes membres. (Elle se redressa sur sa chaise.) Quand vais-je pouvoir le retrouver ?

Il fallait bien sûr qu'elle parvînt auparavant à rétablir sa réputation.

— Est-ce une discussion d'affaires ?

— Oui. (Elle posa sa cuillère.) Avez-vous trouvé quelque chose ?

— Oui. Mais je ne sais pas encore ce que ça veut

dire. (Il s'empara d'un morceau de pain, le mâcha et l'avala.) C'est merveilleux, dit-il avant d'engloutir le reste avec une gorgée de vin.

— J'ai fait une nouvelle recherche de domiciliation. J'ai eu la confirmation des différentes adresses de Terry. J'ai déniché une autre information : il possède une vieille Honda âgée de huit ans et il multiplie les immatriculations. Soit il est paresseux, soit distrait ou audacieux. Il laisse expirer les délais puis enregistre à nouveau sa voiture. C'est pareil avec ses contraventions. En général, il les paie en une fois, le plus souvent au moment où il immatricule son véhicule. Il a eu plein d'amendes pour excès de vitesse et à chaque fois, il fait appel.

— Est-ce qu'il gagne ?

— Oui. Il a du bagout. Il arrive toujours à se tirer d'affaire.

Lily s'en était aperçue. Elle se rappelait comment il l'avait piégée. Mais elle ne voyait pas en quoi des problèmes de voiture pouvaient l'aider. Le découragement la saisit.

— C'est tout ?

— Autre chose. (Il la regarda droit dans les yeux.) Un détail intéressant qui explique peut-être pourquoi il déménage si souvent. Il a été marié trois fois.

— Quel âge a-t-il ?

— Comme moi. Quarante-trois ans. Je sais ce que vous pensez et vous avez raison. Il y a plein de types de mon âge qui se sont mariés trois fois.

Non. Lily se demandait simplement si John l'avait jamais été.

— Ce qui est étrange, continua-t-il, l'œil assombri, c'est que personne ne l'a jamais su. Absolument personne. Il a épousé sa première femme lorsqu'il était à la fac. À l'époque, nous étions camarades de classe, mais je n'ai jamais été au courant. J'ai appelé deux anciens copains, eux non plus ne savaient rien. Il s'est marié pour la deuxième fois à Providence. Je connais un photographe qui faisait souvent équipe avec lui. Non seulement il n'a jamais rencontré son épouse mais il n'en a jamais entendu parler. Enfin, la troisième fois, c'était à Boston. J'ai téléphoné à trois personnes, dont son directeur de la rédaction. Ils ont tous cru que j'avais inventé cette histoire. Ils ne connaissaient pas l'existence de la femme de Terry, encore moins des deux autres.

— Peut-être est-il très réservé ?

— Mais c'est étrange, vous ne trouvez pas ? D'accord, ce n'est pas un type qui aime vivre en bande, il sépare sa vie professionnelle de sa vie privée. Mais on invite des amis à un mariage ? Ou on annonce la bonne nouvelle, ses fiançailles ? La plupart des gens présentent leur femme à leurs collègues de travail. Ou y font référence, du genre : « Je dois me dépêcher car mon épouse m'attend. » Pas Terry. Se marier trois fois n'a rien d'extraordinaire. Par contre, c'est bizarre que personne ne soit au courant.

Plus Lily y réfléchissait, plus elle était d'accord.

— Avez-vous les noms de ces femmes ?

Il hocha la tête.

— Oui, ils sont sur les baux de location. Je vais les contacter.

— Pourquoi aurait-il gardé ce secret ?

Les raisons d'un tel silence pouvaient être innocentes ou accablantes mais ce n'étaient que des hypothèses. Lorsque John eut fini sa seconde assiettée de soupe et son pain de maïs, Lily en avait assez de parler de Terry. John l'intriguait davantage. Elle réchauffa du cidre, le versa dans des tasses et emporta son plateau sous le porche. La nuit était si sereine, le lac si paisible, qu'au début ils n'éprouvèrent pas le besoin de parler. Ils s'assirent sur les marches, sirotant leur boisson en admirant le paysage. Lily était consciente de sa présence, de ses mains, de ses genoux nus, de ses jambes duveteuses. Elle laissa le silence s'installer.

— Avez-vous froid ? demanda-t-il.

Elle secoua la tête.

— Parlez-moi de vous.

— Que voulez-vous savoir ?

Elle voulait savoir s'il était honnête, si réduit à la

dernière extrémité, il ferait passer ses propres intérêts avant les siens. Pouvait-elle le croire ? Mais elle n'avait aucune raison de l'interroger. Si elle n'était pas sûre de pouvoir lui faire confiance, ses réponses n'avaient aucun sens. Alors, elle demanda :

— Terry a votre âge et il a été marié trois fois. Et vous ?

Il lui sourit, légèrement ironique.

— Vous avez entendu certaines choses, hein ? Je ne dis pas que vous avez posé des questions mais les gens parlent. Poppy vous a dit où j'habitais.

Elle ne chercha pas à nier.

— Vous n'avez jamais été marié, dit-elle. On dit la même chose à mon propos.

Il fit mine de soulever un chapeau imaginaire, lui concédant le point.

— Pour moi, c'est un fait. J'ai vécu longtemps avec une femme. Marley et moi sommes restés ensemble huit ans. À l'écouter, nous étions sur le point de nous marier. Je ne dirais pas cela.

— Pourquoi ?

— Elle n'aimait pas mes horaires.

— Elle ne travaillait pas ?

— Si, bien sûr. Elle était cadre dans la pub. Ses journées de travail étaient pires que les miennes, seulement elle voulait que je sois libre quand elle l'était. Cela n'arrivait pas souvent. C'est probablement pour ça que nous sommes restés aussi longtemps ensemble.

— Parce que vous ne vous voyiez pas beaucoup ?

Il acquiesça.

— Nous étions très différents. Elle n'était pas du genre à faire la conversation. Vous voyez ce que je veux dire ?

Lily comprenait. Sara Markowitz l'appelait souvent juste pour bavarder. Mais c'était avant... Pour l'heure, Sara ne savait pas où elle était. John reprit :

— Marley n'aurait pas aimé passer ses samedis matins dans le centre-ville. Elle n'aurait pas apprécié les canards. Elle n'aimait pas se détendre. Moi si.

Curieuse d'en savoir davantage, Lily demanda :

— À quoi ressemble votre maison ?

— À Wheaton Point ? Elle est modeste mais ça s'arrange. Quand je l'ai achetée, elle ressemblait à toutes les vieilles demeures de vacances du bord du lac. Elle était minuscule et sentait le moisi. Et froide. J'y ai d'abord installé un poêle à bois, mais ce n'était pas suffisant. Le premier hiver, j'ai littéralement gelé. Mes canalisations aussi. Ce fut une sacrée expérience. Alors, je les ai réparées, j'ai fait l'isolation et installé une nouvelle plomberie au printemps. Le premier été, j'ai ajouté une autre pièce au rez-de-chaussée et l'été suivant, deux autres chambres à l'étage.

— Êtes-vous revenu ici à cause de votre père ?

Il scruta l'obscurité.

— Non. Le travail qu'on me proposait m'a paru intéressant.

Lily pensait qu'il devait avoir eu d'autres propositions de boulot. Elle était en train de se dire qu'il ne ressemblait pas vraiment aux gens de Lake Henry quand il avoua :

— Ouais. (Sa voix était calme.) C'était à cause de lui. Gus et moi avions des choses à régler.

— Vous l'avez fait ?

— Pas encore. C'est un type coriace.

Lily connaissait la même chose avec Maida.

— Votre retour a-t-il été difficile ?

— Oui. Je ne me sentais bien nulle part. Après quelques numéros du *Lake News*, les gens en ville ont commencé à se dégeler.

Il tourna la tête et la regarda.

— J'ai reçu quelques lettres adressées à l'éditeur à votre sujet.

Des lettres ? Laissant tomber sa tête sur les genoux, elle se mit à trembler. C'était inévitable, bien sûr, surtout depuis que les gens savaient qu'elle était revenue. Elle entendit un froissement d'étoffe mais ne comprit de quoi il s'agissait que lorsqu'elle sentit le poids du pull-over de John peser sur ses épaules. Elle aurait voulu protester mais la chaleur lui faisait du bien. Elle enfouit ses mains dans le lainage et releva la tête.

— Sont-elles bonnes ou mauvaises ?

— La plupart sont cordiales.

— La plupart ?

— L'une d'elles exprime la crainte de voir les journalistes fouiner à Lake Henry à cause de votre retour. D'autres vous souhaitent la bienvenue en des termes plus ou moins gentils. Voulez-vous que je les publie ?

Elle fut effrayée.

— Est-ce une question ?

— Oui.

Elle ne s'était pas attendue à cela.

— Si je vous réponds non, m'écouterez-vous ?

— Bien sûr. C'est à vous de choisir.

Elle serra le pull contre son corps. Il sentait John, un mélange apaisant d'odeur de propre et d'homme. Sans aucune raison, elle sourit.

— Est-ce parce que vous êtes quelqu'un de généreux ou parce que vous voulez être de mon côté ?

— Les deux. Je n'ai pas mangé aussi bien depuis des années.

— De la soupe et du pain ? Ce n'est pas vraiment un dîner.

— Une soupe épaisse, un pain de maïs tendre, un vin moelleux. Tout cela en compagnie d'une femme ravissante – c'était un véritable repas.

Lily tourna la tête vers lui. Ses traits étaient à peine visibles dans l'obscurité mais elle devina qu'il souriait. Cela lui fit chaud au cœur. Même venant d'un séducteur, c'était agréable à entendre. Brusquement, un son se fit entendre. Elle leva la tête et écouta. Un petit cri résonna dans le lointain, suivi d'un autre. Ce n'était pas les canards. L'appel était trop perçant. Un rire humain ?

— Qu'est-ce que c'était ? murmura-t-elle.

John gloussa :

— C'est le dernier samedi soir de septembre.

— Oh, mon Dieu. Encore ?

— C'est une tradition à Lake Henry.

Tous les derniers samedis de septembre, les habitants de la ville, généralement les adolescents ou les jeunes gens d'une vingtaine d'années, se baignaient nus, à l'abri d'une petite anse, dissimulée dans un recoin du lac. Parfois, il faisait carrément froid. En pensant à ces corps nus, là-bas sur la plage, avec la présence de John à ses côtés, Lily sentit monter en elle un étrange frisson. John se rapprocha.

— Y avez-vous déjà participé ? murmura-t-il de sa voix chaude.

Ses cuisses n'étaient qu'à quelques centimètres des siennes. Elle baissa les yeux sur ses genoux et secoua la tête.

— Et vous ?

— Oh, oui ! Dès que j'ai eu onze ans. C'est là que j'ai touché pour la première fois les seins d'une femme.

Lily essaya de visualiser la scène mais elle ne parvenait pas à se représenter John à cet âge-là. En revanche, elle l'imaginait bien adolescent. Il devait ressembler à l'homme assis à côté d'elle, sauf qu'il était nu.

— J'étais là, murmura-t-il, au milieu de tous ces bras, ces jambes, ces corps... On ne sait pas qui on touche. C'était un étrange petit rêve, troublant, qui devenait réalité.

Elle ne put se retenir.

— À qui appartenaient les seins que vous avez touchés ?

— Je ne sais pas mais c'était très agréable.

Elle étouffa un rire dans le pull-over, embarrassée, mais secrètement ravie. Elle réalisa soudain qu'elle était excitée. Cela faisait longtemps qu'elle n'avait pas ressenti une telle chaleur embraser son corps. C'était l'une des surprises de la soirée plutôt agréable. Mais alors qu'elle se demandait comment la situation pourrait évoluer, il déclara brusquement :

— Je ferais mieux de partir.

Avant qu'elle ait pu ébaucher un geste pour le retenir, il avait quitté le porche et s'éloignait vers le lac d'un pas résolu. Elle songea à le rappeler d'un « Hé, votre pull ! » ou « Merci d'être venu », « Restez encore un peu ! ». Mais elle ne bougea pas. Elle resta assise, enveloppée par son parfum et regarda le canot s'éloigner du dock, sous les rayons de lune.

Comment s'endormir après cette soirée ? Le monde nouveau qui s'offrait à elle la tenait éveillée. Elle ne désirait plus se contenter d'admirer ses longues jambes duveteuses, minces et musclées, elle avait envie de les toucher. Couchée dans son lit, solitaire et brûlante de désir, elle imagina qu'elle le faisait. Le pull-over de John, posé sur une chaise, ne lui facilitait pas les choses... Elle s'endormit, frustrée, et s'éveilla le lendemain matin, le cœur troublé. Elle ne savait pas si elle pouvait faire confiance à John, s'il fallait mélanger le travail et le plaisir. Avait-elle réellement besoin d'ajouter une nouvelle complication à sa vie qui n'en manquait pas...

Elle réalisa soudain avec ironie que, hormis l'aspect sexuel de l'affaire, c'était le genre de choses dont elle aurait pu discuter avec le cardinal. À l'époque où elle hésitait à quitter Albany pour Boston, elle l'avait consulté. Elle sortait alors avec un homme excitant, romantique et passionné. Mais il était joueur – ce n'était pas pour cette raison que le père Fran lui avait conseillé de laisser tomber. Il ne lui avait pas dit ce qu'elle devait faire ou penser, il s'était contenté de la guider. Il lui avait posé des questions. Grâce à cela, elle était parvenue à prendre une décision. Elle était dans la même situation aujourd'hui, soumise à trop de pensées contradictoires. Le père Fran aurait pu l'aider à voir clair en elle, à trouver la paix. Il n'était cependant plus disponible. Alors, comme on était dimanche, elle décida d'aller à l'église.

19

Chercher la paix paraissait simple mais, comme toutes les bonnes choses, ce n'était pas facile à trouver. Lily savait qu'en décidant d'assister à l'office du dimanche matin à l'église de la Première Congrégation de Lake Henry, elle prenait le risque d'être vue. Une partie d'elle-même n'était pas prête à affronter cela. Mais dans le même temps, elle en avait assez de se cacher comme une petite grenouille timide. Elle décida qu'il était temps de briser la glace. Elle se doucha, imaginant son placard rempli de vêtements à Boston et revêtit l'unique tailleur pantalon qu'elle avait emporté avec elle. Elle mit du mascara et du blush, se coiffa soigneusement puis se prépara un café, en prenant son temps, l'œil fixé sur la pendule. À l'heure où elle savait qu'elle pourrait pénétrer dans le fond de l'église sans se faire remarquer, juste au début de la messe, elle monta en voiture, la laissa chauffer, comme Élisabeth le lui avait montré, et prit la route qui contournait le lac.

La matinée était fraîche, mais pas froide. Le ciel était clair, les arbres resplendissants. C'était un temps idéal pour conduire mais Lily était trop anxieuse pour y prendre du plaisir. Comme il n'y avait plus de place sur le parking de l'église, elle alla se garer près de la bibliothèque et revint à pied. Quand elle arriva, deux adolescentes grimpaient les hautes marches de pierre blanche en courant. Elle ne les connaissait pas mais devant leurs regards insistants, elle comprit qu'elles l'avaient reconnue. Elles disparurent à l'intérieur du bâtiment.

« Fais demi-tour et rentre chez toi », lui cria une petite voix dénuée de courage, mais elle aspirait à autre chose qu'à une vie de prisonnière au fond d'un cottage. En outre, si elle faisait demi-tour, les jeunes filles qui l'avaient aperçue ne se gêneraient pas pour le raconter à tout le monde... Les langues se délieraient.

Nerveuse mais déterminée, elle pénétra dans l'édifice. L'entrée était vide mais résonnait des accords de l'orgue. Quand elle entendit la chorale entonner *Faith of Our Fathers*, elle revit brusquement les dimanches de son enfance, les heures passées à chanter au milieu du chœur. Comme elle avait aimé ces instants-là ! Maida ne s'y était pas opposée... C'était l'une des rares fois dans sa vie où elle avait pu vivre en accord avec ses désirs...

Légèrement tremblante, elle poussa une profonde respiration et s'avança dans l'encadrement de la porte. La salle était noire de monde, tous les bancs étaient occupés, mais elle aperçut une place, sur le côté, à l'avant dernière rangée. Jetant un regard d'excuse au jeune frère de Charlie Owens qui, visiblement se l'était réservée pour être plus à l'aise, elle s'assit discrètement, les mains serrées sur ses genoux, la tête baissée. Sans même lever les yeux, elle savait que sa mère, Rose et les Winslow occupaient, comme à leur habitude, le quatrième banc sur la droite, entourés par les autres familles influentes de Lake Henry. Elle connaissait la plupart des gens assis derrière elle, mais ne les regarda pas. Elle sentait leurs yeux fixés sur sa nuque – de façon aussi tangible que le tremblement qui agitait ses mains – et ne voulait pas les voir.

Alors, elle se concentra sur les notes qui s'échappaient de l'orgue, les hymnes et la chorale. Après *Blessed Assurance*, l'assistance entonna *Sweet Hour of Prayer*. Elle ne chanta pas et resta silencieuse au cours des lectures qui suivirent mais elle écouta chaque parole. De la chaire lui parvenaient des mots qui parlaient de charité. Elle s'ouvrit tout entière à la puissance qui émanait de la voix du prêtre, chassant la confusion et la frustration qui l'habitaient. Elle se laissa envahir par la piété, laissant le baume de la miséricorde panser ses blessures. Lorsque le dernier hymne retentit, elle prit une lente et profonde respiration et se glissa hors de l'église avant la bénédiction finale, effrayée à l'idée de perdre le sentiment de plénitude qu'elle avait acquis en se mêlant à la foule. Son calme demeura. Une sensation inattendue s'empara d'elle, l'impression que pendant quelques instants, assise avec les habitants de Lake Henry, elle avait appartenu à une communauté. Elle ne se souvenait pas avoir jamais ressenti une chose pareille.

Avant même que John entendît les rumeurs qui agitaient l'assemblée, il sut que Lily était à l'église. Mû par une sorte de sixième sens, il avait levé la tête au moment même où elle était entrée. Il était assis à l'extrémité du banc, juste devant le sien et était arrivé peu de temps auparavant, bien qu'il n'assistât pas souvent à l'office. Pourquoi était-il venu ? Au terme d'une nuit consumée par un désir inextinguible, il avait éprouvé le besoin de se laver l'esprit. Hélas ! Un seul regard à Lily et ses bonnes intentions furent réduites à néant... Alors, il chanta de tout son cœur chacun des hymnes et écouta intensément le sermon du prêtre. À la fin de la messe, il était redevenu lui-même. Libéré de son obsession toute physique, il avait pu saluer Lily.

Elle s'était montrée courageuse en venant à l'église, en bravant les murmures et les regards. Certes, elle était partie avant la fin, mais c'était une chose qu'il avait déjà faite, à son retour à Lake Henry.

À la différence, lui était parvenu à gagner le respect de ses concitoyens. Lily n'en était pas encore là. Elle aurait dû s'avancer jusqu'à l'aile centrale pour aller s'asseoir avec sa famille. Il était ennuyé qu'elle n'ait pas réussi à le faire. Il réfléchissait à cette question, en regardant les gens descendre lentement les marches illuminées par le soleil automnal lorsqu'il aperçut Cassie Byrnes. Elle était en compagnie de son mari et portait un enfant dans ses bras. Deux autres étaient accrochés à sa jupe. En la voyant se diriger vers sa voiture tandis que son époux s'éloignait pour parler au pasteur, John s'arrangea pour croiser son chemin. Il hissa sur ses épaules le plus jeune de ses deux enfants, un petit garçon de quatre ans prénommé Ethan, et s'éloigna avec Cassie, le gamin accroché à son cou.

— As-tu vu Lily ? se débrouilla-t-il pour demander en dépit de la menotte qui lui enserrait la mâchoire.

Elle lui lança un regard facétieux.

— Difficile de faire autrement !

— Elle m'a dit que tu défendais ses intérêts... Comment ça marche ?

— Si c'est pour ton journal, je n'ai aucun commentaire à faire.

— Je te demande ça en tant qu'ami. (C'était une demi-vérité.)

— Celui de Lily ?

— Oui.

Elle s'arrêta et le regarda. Elle dut y trouver la réponse à sa question car elle se remit aussitôt en route.

— Eh bien, en fait, je n'en sais rien. J'ai envoyé un fax au journal vendredi pour leur rappeler qu'ils n'ont qu'une semaine pour publier un démenti avant que nous les attaquions. Le délai expire demain.

— Crois-tu qu'ils vont le faire ?

— Et toi ? rétorqua-t-elle. Tu les connais mieux que moi.

Sur ce point, elle avait raison.

— Ils vont te laisser aller jusqu'au bout, maintenir leur version. Ils ont un enregistrement.

— Lily me l'a dit. C'est à la fois un avantage et un inconvénient.

— Elle ne savait pas qu'elle était enregistrée.

— C'est le point positif, répliqua Cassie alors qu'ils atteignaient la voiture. C'est illégal.

Elle déposa l'enfant dans le siège auto. John fit descendre le plus jeune de ses épaules et le passa à Cassie, qui l'installa près de son frère. Quant le troisième eut grimpé lui aussi à l'arrière, Cassie se redressa et regarda John droit dans les yeux.

— Cette affaire est merdique. Même si Lily n'était pas ma cliente, même si elle n'était pas l'outsider, je serais de son côté. Je me souviens d'elle lorsque nous étions enfants. Elle a souffert.

— À cause de son bégaiement ? demanda John.

Lily n'avait pas bégayé une seule fois la veille au soir. Il voulait croire qu'elle se sentait bien avec lui.

— À cause de Maida, dit Cassie. (Ils étaient assez éloignés des autres véhicules, cependant elle baissa la voix.) Moi aussi, j'ai eu des problèmes avec ma mère. Toutes les filles en ont. Ça n'a pas vraiment collé entre nous pendant mon adolescence mais je me souviens que j'ai remercié le ciel – plus d'une fois – que Maida ne soit pas ma génitrice.

— Elle était aussi terrible que ça ?

Cassie roula des yeux.

— C'était une perfectionniste. Tout devait se dérouler comme sur des roulettes.

— Pourquoi ?

— Je ne sais pas exactement. Je ne sais que ce que ma mère m'a dit.

— Et c'était ?

— Que Maida était ainsi depuis le jour où elle est arrivée ici pour épouser George.

— Sa vie était-elle parfaite avant la naissance de Lily ?

— En tout cas, c'était l'image qu'elle cultivait. Mais qui connaît la vérité ?

John était de plus en plus intéressé. Les gens avaient toujours une raison pour agir. Sa mère à lui avait été élevée dans une famille aisée, vivre avec Gus s'était donc révélé une épreuve douloureuse. Gus n'avait jamais vraiment vu son père se comporter en mari, aussi il n'avait pas la moindre idée de la façon dont jouer son rôle. En grandissant, John n'avait jamais reçu l'approbation de Gus, et à quarante-trois ans, il la recherchait toujours. Et Maida ? Maida Blake voulait la perfection. Il se demanda pourquoi.

— Qui peut la connaître ? demanda-t-il à Cassie.

— Ni moi ni ma mère, ajouta-t-elle en tendant les clés de voiture à son mari qui venait de les rejoindre.

Essaie d'aller voir Mary Joan Sweet. Elle connaissait Maida à l'époque.

Mary Joan était la présidente du club de jardinage. Ce rôle lui allait à merveille. C'était une petite femme délicate, aux cheveux gris frisottant sur le front, qui se poudrait les paupières en bleu et les joues en rose. Elle rappela à John les pensées que les membres du club plantaient sur le rebord des fenêtres de la ville au printemps. Elle était douce et avait la réputation de savoir mieux parler aux plantes qu'aux être humains. Elle était d'ailleurs en train de s'enthousiasmer sur les feuillages flamboyants qui se trouvaient devant chez Charlie quand John l'aperçut, après la messe. Il quitta le parking et traversa la rue en courant.

— Ça fait longtemps qu'on se connaît, admit-elle lorsqu'il mentionna le nom de Maida. J'étais déjà au club quand elle s'y est inscrite la première fois. J'étais plus vieille qu'elle mais nous sommes devenues immédiatement amies. Quand Lily est entrée dans l'église... (Elle lança un regard triste à John.) Pauvre Maida.

— Pauvre Lily, dit John.

— Pauvre Maida, insista Mary Joan. Elle a vraiment tout essayé avec sa fille.

— Croyez-vous ce que disent les journaux ?

— Non, répondit-elle d'une voix traînante, en appuyant sur le mot. Mais le mal est fait. Encore un choc de plus pour Maida. D'abord le bégaiement de Lily. Puis les jambes de Poppy, la mort de George. Et aujourd'hui, à nouveau Lily.

Elle secoua la tête et, écrasant une poignée de feuilles rousses et brillantes dans sa main, murmura quelque chose à l'arbuste.

— Pardon ? demanda John.

Elle se redressa.

— Je disais que Maida était venue ici pour connaître une vie meilleure.

— Meilleure que quoi ?

— Que ce qu'elle avait connu.

— Qu'est-ce que c'était ?

Mary Joan sourit. Elle se pencha et regroupant gentiment les branches, les replaça au cœur du buisson. Elle montra à John la terre qu'elle avait déblayée.

— Regardez ces petites pousses qui sortent du sol. Elles font partie des racines de cette plante. (Elle relâcha l'arbuste avec précaution, se redressa et regarda John droit dans les yeux.) Ce sont des surgeons. Je ne le suis pas. Vous posez trop de questions, John Kipling. Vous commencez à ressembler à Terry Sullivan.

— Il vous a appelée ?

— Moi comme tout le monde. C'était normal je suppose, étant la présidente du club et Maida une amoureuse des jardins. Il s'est montré particulièrement insistant.

— Que lui avez-vous dit ?

— Ce que suis en train de vous dire.

Elle releva son visage, les lèvres serrées.

— Ah ! fit John. (Puis il fit une tentative.) Je ne fais pas un article pour le journal.

— Peut-être, mais Maida est mon amie, je ne trahirais pas ses secrets.

— Vous les connaissez ?

— Bien sûr. Je fréquente Maida depuis trente-cinq ans.

À nouveau, elle releva la tête d'un air de défi, fermement décidée à ne rien dire de plus. Elle le contempla une longue minute tandis qu'il essayait de trouver un nouveau moyen d'approche. Voyant qu'il se débattait avec sa conscience, elle lui lança un sourire désolé et s'éloigna.

Alors qu'il se dirigeait en voiture vers le Ridge, John tenta d'imaginer les secrets de Maida. Mais ce qui lui venait à l'esprit ne le faisait pas avancer d'un pouce. Cependant, cela l'empêchait de céder à la tristesse qui l'envahissait. Il fit un geste de la main aux gens assis sous les porches mais personne ne le regarda. Il n'attendait aucun signe de bienvenue. Une fois garé devant chez

Gus, il prit un sac de provisions et pénétra à l'intérieur. Gus était assis sur le canapé, à moitié affalé. Il portait un pantalon vert froissé et une chemise orange mal boutonnée. John avait demandé à Dulcey de le raser de temps en temps, mais vu la barbe de plusieurs jours qui hérissait ses joues, elle avait dû renoncer à livrer bataille. Avec son regard asymétrique et ses cheveux blancs ébouriffés, Gus offrait une vision désolante. Ses chaussettes étaient trouées. John s'en montra irrité. Lançant le sac d'épicerie, il s'approcha du sofa.

— Qu'est-il arrivé à tes chaussettes neuves ?

— Quelles chaussettes ? grommela Gus sans le regarder.

— La douzaine de paires que j'ai mises dans ton tiroir le mois dernier.

— J'te les ai pas demandées.

— Non, mais je les ai achetées. C'était un cadeau pour toi.

— J'aime mieux les miennes !

— Les tiennes sont déchirées.

Gus leva la tête. Son œil tombant était à moitié fermé.

— Qu'est-ce que ça peut t'faire si j'veux mettre des chaussettes pourries. C'est mes affaires. Et dis à Dulcey Hewitt de pas venir. J'en ai marre des gens qui m'disent c'que j'dois faire.

Il avait l'air si malheureux que John fut désemparé. Il alla dans la cuisine qui, pour une fois, était étonnamment propre. Il pensa que Gus était resté sur le canapé toute la matinée, depuis le départ de Dulcey.

— As-tu déjeuné ? cria-t-il.

Comme Gus ne répondait pas, il passa la tête par la porte. Gus regardait fixement le plancher. Plutôt que de risquer une autre dispute, John déballa les provisions, cuisina une omelette avec des toasts beurrés et apporta le tout. Le regard de Gus passa du sol à l'assiette.

— C'est tout ce que tu aimes, dit John, du jambon, du fromage, du poivron vert. Et voilà du pain d'avoine tout frais que j'ai acheté chez Charlie ce matin.

— J'déteste l'poivron.

John ne le crut pas une seule seconde. Gus adorait les écraser dans sa main, les déchirer en lamelles pour les manger une par une.

— C'est bon pour toi.

Gus renifla.

— Ça va m'rendre fort ? Me rajeunir ? Bah !

Mais il prit le plat des mains de John. Devinant qu'il mangerait mieux s'il était seul, John retourna dans la cuisine. Debout devant la cuisinière, il mangea directement dans la poêle le reste de l'omelette et fit la vaisselle. Puis, il nettoya les étagères du réfrigérateur. La nourriture qu'il avait apportée la dernière fois avait presque disparu, mais il ne savait pas si Gus l'avait mangée ou si Dulcey l'avait jetée. Au bout d'une vingtaine de minutes, il osa retourner dans le salon. Gus s'était endormi. Il ne semblait pas avoir bougé mais l'assiette était vide. Satisfait, il la débarrassa. Puis il s'assit un moment sur la vieille chaise rembourrée, regardant son père dormir comme il le faisait quarante ans plus tôt. À l'époque, Gus lui paraissait immense, un homme costaud, aux yeux vigilants et à la voix de stentor. John se rappela qu'il aimait observer les veines proéminentes sur les avant-bras de son père, les cicatrices sur ses doigts, les poils au creux de ses oreilles. C'étaient pour lui des signes de puissance. Il avait admiré Gus, sans pouvoir le lui dire.

Si John ne connaissait pas les secrets de Maida, il connaissait en revanche ceux de Gus. Son père souffrait d'être un enfant illégitime et d'avoir raté son mariage. Il avait passé sa vie entière à poser des pierres, muré dans le silence, dans la solitude. Gus n'était pas causant. John non plus d'ailleurs. Il aimait s'asseoir et écrire. L'écriture était un travail solitaire. C'était même une forme d'art, malgré ce que Gus pouvait en dire. Son père, bien sûr, ne serait pas d'accord. Il n'avait aucune estime pour ce qu'il faisait. Rudyard Kipling écrivait des œuvres de fiction. C'était créatif. Mais le reste ? Gus estimait que les journalistes se contentaient de rédiger des informations parce qu'ils n'avaient pas assez de talent pour les créer.

John pourrait en discuter avec lui pendant des heures, rien de ce qu'il dirait ne convaincrait son père. Un livre assorti d'un succès commercial pourrait peut-être y parvenir.

Le fax qui l'attendait à son bureau, lorsqu'il s'y arrêta au retour, lui mit du baume au cœur. Il émanait de Jack Mabbet et lui donnait deux renseignements importants. Paul Rizzo avait démarré sa carrière grâce à un faux curriculum vitae. Il déclarait avoir obtenu un DEUG d'anglais à l'université de Duke et une licence de journalisme à celle de New York. En fait, il avait commencé ses études à Duke avant de se faire recaler et d'être transféré à l'université de Miami qu'il avait quittée peu de temps après. Il n'avait donc pas de DEUG. Quant à l'université de New York, il n'y avait suivi aucun cours, ne s'y étant même pas inscrit. Il avait menti à la fois à ses employeurs et à ses lecteurs. Et Justin Barr, l'ardent défenseur du foyer, de la famille et de la chasteté ? Il avait des goûts sexuels excentriques et avouait une attirance pour les call-girls qui faisaient aux homme mariés des choses que leurs femmes ne leur faisaient pas. Elles possédaient une clientèle de privilégiés prêts à payer leur discrétion à prix d'or. Mais tout était enregistré. Il y avait même des photos. Aucun doute là-dessus. Ils avaient réussi à épingler Justin Barr. Si John avait été à la place de Terry Sullivan, il aurait pu utiliser cette information sans prendre de gants, de la façon la plus choquante qui fût mais il voulait se montrer plus élégant. Alors, il se contenta de la mettre de côté, satisfait de l'avoir à sa disposition s'il en avait besoin.

20

Avant de partir pour la cidrerie le lundi à l'aube, Lily appela Cassie. Il n'y avait pas de démenti dans le journal du matin et le délai imparti était écoulé. Cassie lui promit d'entamer les poursuites judiciaires avant la fin de la journée mais Lily était profondément déçue. Elle avait prié pour que les choses se règlent au plus vite. Sa vie lui paraissait toujours suspendue à un fil. Elle avait besoin de savoir où elle en était pour continuer...

Elle fut encore plus heureuse que d'habitude de se laisser happer par le rythme du pressoir. Habillée de caoutchouc de pied en cap, elle se jeta à corps perdu dans le travail. Elle souleva, poussa, tira, plia et se chargea même de laver le sol à grande eau lorsque Maida partit chercher d'autres pommes. Pendant la première pause café de la matinée, elle conduisit elle-même l'élévateur. Il lui fallut plusieurs tentatives avant de manœuvrer la cuillère de métal et positionner correctement l'énorme caisse de fruits au-dessus du bac de lavage mais quand elle y arriva, elle ressentit une intense satisfaction. Avant même le retour des autres ouvriers, elle était de nouveau sur la plate-forme, près du pressoir, superposant des casiers, les tissus et la compote.

À l'heure du déjeuner, elle sut ce dont elle avait besoin. Elle fit une rapide toilette et descendit en courant vers la grande maison. Au lieu d'aller dans la cuisine, elle dirigea ses pas vers le magnifique demi-queue qui trônait dans le salon, s'assit sur le banc d'acajou et ouvrit le clavier. Avant même d'effleurer une seule touche, elle se sentit soulagée. Elle avait le sentiment de retrouver de vieux amis bien aimés. Elle caressa l'ivoire du bout des doigts, respirant son odeur. Puis elle se mit à jouer. Sans penser à chanter, elle laissa courir ses mains. Elles connaissaient son cœur. Elle égrena des notes douces et mélancoliques si semblables à son état d'âme, solitaire et troublé. Elle était heureuse d'être là. Fermant les yeux, elle se laissa emporter par la beauté des accords. La tension au creux de son estomac s'estompa. Son esprit s'apaisa. Quand elle sentit que la force lui revenait, ses mains s'immobilisèrent. Elle respira profondément, redressa le dos et ouvrit les yeux.

Maida se tenait debout au centre du salon. Une main sur la nuque, la tête baissée, elle semblait aussi déroutée que Lily. Elle laissa retomber son bras et la regarda.

— Personne d'autre ne peut tirer un son pareil de ces touches, dit-elle avec nostalgie. (Puis elle poussa un soupir et lança d'une voix plus neutre :) Veux-tu déjeuner ?

Revigorée par ce compliment, Lily découvrit soudain qu'elle était affamée. Elle fit mine de se lever. Mais Maida sortait déjà.

— Reste ici et joue. Je te l'apporterai.

Un second compliment ? Maida s'apprêtant à la servir ? Alors Lily joua, choisissant des chansons qu'aimait sa mère, à la fois pour la remercier et parce que divertir les autres était ce qu'elle faisait de mieux. Elle ne s'arrêta pas lorsque Maida revint avec un large plateau d'argent, pas avant qu'elle eût déposé les sandwichs au jambon et au fromage, et versé le thé odorant comme si elle avait été son invitée.

— Merci, dit-elle quand elles furent assises sur le canapé.

Maida pressait un citron dans sa tasse.

— C'est le moins que je puisse faire. Tu as bien travaillé à la cidrerie.

— J'aime ça.

— Je devrais te payer.

Lily était sur le point de prendre un sandwich. Elle le reposa aussitôt.

— Ne fais pas ça.

— Je paie bien les autres.

— Ils ne sont pas de la famille. Cela ne me gêne pas d'aider. Que pourrais-je faire d'autre ?

— Tu pourrais être chez Cassie, répondit Maida. (Elle épousseta des miettes sur ses genoux.) Vas-tu vraiment aller en justice ?

— Je n'ai pas vraiment le choix.

Maida avala une bouchée. Puis reposa son pain et sourit.

— Te souviens-tu de Jennifer Hauke ? Elle était dans la même classe que toi à l'école. Elle s'appelle Jennifer Ellison maintenant, elle a épousé Darby Ellison, ce garçon aux cheveux noirs. Elle vient d'avoir un bébé. C'est leur troisième. Une autre fille.

Lily ne voyait pas le rapport entre le dernier-né de Jennifer Hauke et ses poursuites judiciaires mais ce sujet de conversation était beaucoup plus neutre.

— C'est passionnant. Vivent-ils ici ?

— Non. Ils ont une maison à Center Sayfield. Anita Ellison est morte le mois dernier.

— La grand-mère de Darby ? Je suis désolée.

— C'était l'une des amies de Celia.

Lily s'en souvenait... Elle avait passé assez de temps chez Celia pour connaître ses amies. Elle aimait tant recevoir. Elle invitait plusieurs groupes en même temps, paraissant visiblement dans son élément quand son cottage était plein. Lily se revit pelotonnée dans le lit sur la mezzanine tandis que ces dames riaient aux éclats de choses qu'elle ne comprenait pas. En général, elles parlaient des hommes. Lily aurait aimé les écouter aujourd'hui.

— Celia me manque, dit Maida à sa grande surprise.

— À moi aussi.

— C'était quelqu'un de bien.

— Oui.

— Elle avait si bon cœur.

— Et de si grandes oreilles, plaisanta Lily. Je pouvais lui parler de n'importe quoi.

Maida se reprit. Elle se redressa.

— Oui, toi. Mais ta génération est différente de la mienne. Nous ne nous serions jamais permis d'aborder certains sujets.

— Tu n'as pas besoin de permission. Il faut juste laisser aller ses pensées.

Maida esquissa un rire.

— Ce n'est pas si facile.

— Si, ça l'est.

Elle regarda Lily avec un rien de provocation.

— Que voudrais-tu que je te dise ?

Lily se renfonça dans le canapé. Elle et sa mère avaient partagé si peu de choses qu'elle ne voulait pas gâcher cet instant.

— C'était un exemple.

— Je suis sérieuse. De quoi veux-tu que je te parle ?

Lily sentit revenir la vieille raideur familière derrière sa langue. Elle fit l'effort de se détendre puis reprit :

— À quoi ressemblait ton enfance ? Je n'en ai pas la moindre idée.

— En quoi cela a-t-il de l'importance ? Quelle différence cela fait-il ? Ma vie a commencé quand j'ai épousé ton père. Tu es mal placée pour me dire que je devrais parler. Et toi ? Tu t'es confiée à Celia mais jamais à moi.

Lily s'obligea à la regarder.

— J'avais peur de bégayer.

— Tu ne bégaies pas pour l'instant.

Non. Ses pensées étaient claires. Elle se contrôlait. Un « Maman » crié à tue-tête leur parvint à l'autre bout de la maison.

— Ici ! hurla Maida en réponse. C'est Rose !

Lily l'avait deviné. Rose n'avait pas le même timbre de voix que Poppy et elle était la seule à appeler Maida maman. Rose apparut sur le seuil et lança un coup d'œil étonné au plateau d'argent, à l'assiette de canapés et au service à thé.

— C'est sympa, fit-elle remarquer. L'élégance en plein milieu d'une journée de travail.

— Nous devions manger, expliqua Maida en lui tendant l'assiette. Il reste un demi-sandwich. Il est pour toi si tu veux.

Rose secoua la tête.

— Pas le temps. J'ai mis de la poitrine de dinde au frigo. Elle est cuite. Tu n'auras qu'à la réchauffer. L'école commence de bonne heure ce matin. Les filles sont dans la voiture.

— Seulement Ruthie et Emma, lança Hannah en se glissant près d'elle. Salut, mamie. Salut, tante Lily.

— Je t'ai demandé d'attendre dehors, pesta Rose.

— Elles me pinçaient.

Elle s'appuya contre le bras du canapé à côté de Lily. Cette dernière lui tapota l'épaule en signe de bienvenue, recevant en retour un sourire éclatant.

— Elles peuvent venir. Toutes les quatre.

— Super ! s'exclama Lily.

Elles étaient tombées d'accord sur un dîner au restaurant et une séance de cinéma. Hannah lui avait demandé si elle pouvait inviter trois de ses amies. Voyant que Lily acceptait, elle avait prudemment avancé le nom d'une quatrième copine.

— Au cas où elles ne viennent pas. Elles ne voudront peut-être pas.

— Mais si ! avait affirmé Lily en souhaitant ardemment ne pas se tromper.

À elles deux, elles avaient rédigé les invitations sur le joli papier à lettres en cachemire de Maida. Hannah s'était fait conduire par son père au bureau de poste pour les mettre à la boîte, vendredi soir. Lily l'avait su par Poppy, qui l'avait elle-même appris par Rose, qui s'en était légèrement offusquée.

— C'est de la culpabilité, avait affirmé Poppy à Lily. Elle sait qu'elle aurait dû organiser cette fête elle-même, mais comme elle a dit qu'elle était contre, elle n'a pas l'intention de lever le petit doigt pour donner un coup de main.

— Elle me rend folle avec cette soirée ! disait maintenant Rose.

— En fait, je ne sais pas quoi mettre, murmura Hannah.

— Elle a un placard plein de vêtements, interrompit Rose. Ce n'est pas de ma faute s'ils ne lui vont pas.

— Tu les as pris trop petits.

— Tu as grandi trop vite.

— Je ne le fais pas exprès.

— Oh, oh, si !

Les mots étaient différents mais le ton était exactement le même. Lily se rappelait trop des arguments entendus dans son enfance pour pouvoir les supporter.

— Je pense, s'empressa-t-elle de dire, que je dois aller faire des courses. Je n'ai pas apporté beaucoup de choses ici. Je ne sa... sa... savais pas combien de temps je resterais. Je n'ai aucune tenue pour cette fête.

— Ce n'est qu'une soirée au cinéma, dit Rose. Ce que tu portes est très bien.

— C'est un anniversaire, répliqua Lily. (Elle ne bégayait plus. Elle savait où elle voulait en venir.) Hannah n'a qu'à m'accompagner. Nous nous trouverons quelque chose toutes les deux, mon trésor.

— Quand ? répondit Hannah, de nouveau radieuse.

Soudain, Lily se sentit aussi excitée qu'elle.

Lily et Hannah se rendirent en ville le lendemain après-midi. Lily venait à peine de terminer son travail à la cidrerie et de se laver quand Hannah remonta la route en courant. Son grand T-shirt et son jean flottant étaient aussi peu flatteurs que d'habitude et elle portait une queue-de-cheval qui augmentait la rondeur de ses joues, mais ces yeux brillaient et elle avait les joues roses. Lily, qui s'identifiait tellement à sa nièce, se montra satisfaite – la promesse était là. Elles allèrent à Concord. Poppy avait fourni à Lily une liste de magasins par ordre de préférence, mais elles n'eurent pas loin à chercher. Dans la première boutique, Hannah tomba amoureuse d'une robe. Elle était de style Empire, faite d'un tissu soyeux et fluide. Hannah ne parvenait pas à détacher son regard de son reflet dans le miroir et Lily savait pourquoi.

Ainsi vêtue, elle paraissait adulte et remarquablement mince. Elles achetèrent un ruban pour ses cheveux, un collant vert foncé assorti et une paire de chaussures à semelles compensées. Après avoir mis ces affaires de côté, elles se dirigèrent au rayon femmes et de nouveau Hannah fut séduite en voyant Lily essayer une longue jupe, un chemisier en rayonne bleu bruyère et une veste aux teintes multicolores. Lily aurait pu chercher pendant des jours sans trouver meilleur choix.

— Des souliers, aussi ? demanda Hannah qui avait pris de l'assurance.

— Merci, gronda Lily, mais j'ai ce qu'il me faut.

— Des boucles d'oreilles, alors ? reprit Hannah en lui indiquant un présentoir.

— Merci, dit Lily sur le même ton. (Elle chercha son portefeuille.) Ma carte de crédit n'est pas illimitée.

Elle la sortit et la tendit à la vendeuse qui s'éloigna pour enregistrer la vente. Elle ne réalisa son geste que lorsqu'elle vit l'employée s'immobiliser. La jeune femme, mignonne et élégante, âgée d'une petite vingtaine d'années examina la carte puis Lily, puis à nouveau la carte. Elle écarquilla les yeux.

— Vous êtes Lily Blake ? demanda-t-elle enfin avec respect. *La* Lily Blake ?

Le cœur de Lily se mit à battre. *Dis-lui que ce n'est pas vrai*, lui murmura une petite voix. Il y a d'autres Lily Blake dans le monde.

— J'étais sûre que je vous avais déjà vue, s'écria la fille, excitée. On n'a pas souvent de gens célèbres par ici. (Sa bouche s'arrondit.) Oh, mon Dieu ! Attendez que je le dise à ma patronne. Elle va être folle d'apprendre qu'elle vous a ratée.

Lily sentit sa langue se tendre. Elle leva la main et secoua la tête tout en tentant de se décontracter. Dès qu'elle le put, elle répondit :

— Ne faites pas ça. Je me cache.

— Seulement à ma patronne, promit la fille. Elle ne va pas s'en remettre.

Hannah apparut soudain aux côtés de Lily. Se redressant telle une gamine impérieuse, elle assena d'un ton sans réplique :

— Si vous le dites à quelqu'un, vous allez gâcher mon anniversaire. Si vous en parlez, nous ne viendrons plus jamais dans ce magasin. Ni moi, ni ma mère, personne de ma famille ou de notre ville.

Gamine impérieuse ? Elle ressemblait à Rose ! À ce moment-là, Lily s'en moquait. La seule chose à laquelle elle pouvait penser, en signant à toute vitesse le bordereau de carte bleue et en sortant précipitamment du magasin avec les paquets, c'était qu'elle aurait dû payer en liquide.

Le téléphone de Poppy sonna de bonne heure le mercredi matin. Ce n'était pas le premier coup de fil et ce ne serait pas le dernier. Mais ce fut celui qui retint le plus son attention.

— Salut, Poppy ! lança Griffin Hugues. Comment va ma copine ?

Elle adorait sa voix, oh oui !

— Bien, mais où est Willie Jake ?

L'appel provenait du commissariat ; mais le chef de la police n'avait pas averti Poppy qu'il devait s'absenter.

— Il est à son bureau. Comme il m'a annoncé qu'il ne me dirait rien, j'ai demandé à vous parler. Il m'a répondu que vous ne le feriez pas davantage mais j'avais envie d'essayer.

— Je vous parle toujours.

— Pas de Lily.

Poppy prit une grande respiration.

— Ah ! Nous y voilà ! Et moi qui commençais à penser que vous vous intéressiez à moi.

— C'est le cas.

— Mais vous n'arrêtez pas de me poser des questions sur Lily. Tout le monde n'arrête pas de parler de ma sœur ! J'ai reçu quatre autres appels de la presse ce matin à son sujet !

— Parce qu'on sait qu'elle est revenue ! Cette fois il ne s'agit plus d'une rumeur. On l'a vue. Alors, qu'en pensez-vous ?

— À propos de quoi ?

— De son retour.

Poppy soupira.

— Griffin, Griffin, Griffin... Les médias se sont montrés cruels envers Lily. De quoi aurais-je l'air si je parlais ?

— Je ne suis pas reporter. Je suis écrivain. Il y a une différence. Un journaliste travaille pour quelqu'un d'autre. Tout ce qu'il écrit dépend d'une éventuelle publication. Il est soumis à des délais de bouclage, aux résultats commerciaux, à une politique directoriale.

— Et vous ne l'êtes pas ?

— Non. Je suis mon propre patron. J'écris mes articles comme je l'entends, puis j'essaie de les vendre. J'ai fait d'autres choses pour *Vanity Fair*. Ils m'apprécient, aiment ma façon d'écrire.

— N'ont-ils pas d'objectifs financiers ? demanda Poppy. Je ne vous crois pas.

— Si, ils en ont. Mais j'écris exactement ce que veulent les lecteurs. La clientèle est ciblée, pour ainsi dire.

— Et ils ne voulaient pas votre article hier ?

— Si. Une bonne partie est rédigé. J'ai commencé à l'écrire bien avant l'affaire de Lily. Mais cette histoire est un plus. Allez, Poppy, dit-il d'un ton enjôleur. Dites-moi un petit quelque chose.

Elle fut lourdement tentée. Sa voix était si séduisante.

— Pourquoi m'appelez-vous sans cesse ? Pourquoi n'essayez-vous pas quelqu'un d'autre ?

— Je l'ai fait. J'ai téléphoné à, heu... (Elle entendit un froissement de papier.) un agent immobilier du nom de Allison Quimby, à un vieux type nommé Alf Buzzell et au patron de l'épicerie.

— Vous ont-ils dit que Lily était là ?

— Ils sont restés dans le vague. Je n'ai jamais rencontré de gens plus évasifs que chez vous.

Poppy sourit.

— Ce n'est pas un crime. On protège nos concitoyens. Vous ai-je déjà raconté l'histoire de la gourde sacrée ?

Il y eut un silence puis Griffin répondit d'un ton amusé :

— Je ne crois pas !

— Eh bien, il était une fois une gourde... C'est une courge avec une épaisse peau...

Il s'éclaircit la voix.

— J'ai appris cela.

— Donc, un été, une courge calebasse poussa dans une ferme située à l'extrémité sud du lac. C'était une vraie beauté, verte et pourpre, un régal. Mais elle était différente des autres, presque anormale. Quand on se tenait dans le champ, on se sentait mieux rien qu'en la regardant. Si vous aviez mal à la tête en arrivant, hop, un instant après, votre migraine disparaissait. Vos soucis s'envolaient...

— Qu'a-t-elle fait pour vous ?

Poppy retint sa respiration.

— Que voulez-vous dire ?

— Quels sont les problèmes que la gourde vous a aidée à résoudre ?

Une question innocente. Elle poussa un soupir.

— Cela se passait au début des années 50. Je n'étais pas encore née.

— Oh ! D'accord. Continuez.

— Donc, reprit-elle, soulagée, quand on allait la voir, il se passait quelque chose. Bientôt, la nouvelle se répandit. Les gens avertirent leurs amis, leurs connaissances, et tout le monde accourut pour admirer cette calebasse magique. Vous savez comme les bruits courent vite... Un petit article dans le journal et les touristes déferlèrent de toute la Nouvelle-Angleterre.

— Il a dû y avoir foule.

Poppy continua.

— Il ne faut jamais sous-estimer les Yankees. Ils sont méthodiques et astucieux. Ils ont profité de l'affluence pour vendre des produits locaux dans le champ. Ainsi, en attendant leur tour, les gens avaient de quoi s'occuper.

— C'était une façon, l'interrompit Griffin, de faire des affaires.

— Oui, admit-elle, mais pouvons-nous les blâmer ? C'était l'époque des récoltes. Ils avaient sous la main des boisseaux de maïs et de pommes, des litres de cidre.

— Alors si j'étais venu voir cette gourde et si j'avais acheté du cidre, je n'aurais jamais su en rentrant chez moi si je me sentais mieux à cause du fruit, de la boisson ou de ma journée passée à la campagne.

— Oh, ce n'était pas la calebasse, assura-t-elle. Elle était tout ce qu'il y avait de plus ordinaire. Elle était juste d'une couleur inhabituelle. Les gens du pays ont très vite su qu'il n'y avait aucun miracle là-dedans.

— Alors, ce n'était que du marketing ?

— Brillant, n'est-ce pas ?

Griffin resta silencieux un instant mais quand il reprit la parole, elle entendit comme un rire dans sa voix.

— Qu'est-il arrivé à la gourde ?

— Un cochon l'a mangée à la fin de la saison. On en a fait du sacrément bon bacon, dit-elle en forçant sur l'accent.

Il gloussa.

— La morale de cette histoire, c'est que les gens de Lake Henry sont malins quand il s'agit de défendre leurs intérêts.

— C'est ça ! s'exclama-t-elle.

— Il me semble que j'aimerais beaucoup cet endroit. Je devrais vraiment venir y jeter un coup d'œil.

Dans ses fantasmes, il était le prince qui la prendrait dans ses bras. S'il venait, le rêve s'évanouirait.

— Vous ne seriez pas le bienvenu ici, l'avertit-elle. Surtout vu la situation, en ce moment.

— Avec le retour de Lily, vous voulez dire ?

— Non, répondit-elle prudemment. Je ne voulais

pas dire ça. Je n'ai jamais avoué que Lily était là. Mais je ne suis pas la seule à en avoir assez qu'on demande si elle est revenue.

— Certifiez-moi qu'elle n'est pas rentrée et je ne vous appellerai plus.

Pendant un moment, Poppy se sentit prise au piège. Mais la perte de ses jambes lui avait appris à se servir de son cerveau. Sa voix se fit plus douce. Le fantasme reprit vie.

— Mais je veux que vous continuiez à me téléphoner. J'aime parler avec vous. Alors appelez encore, Griffin. N'importe quand.

21

Le mercredi matin, John se trouva débordé. Il se débattait pour boucler le *Lake News* de la semaine, Jenny était au lit avec un rhume et le téléphone n'arrêtait pas de sonner. Les appels provenant de journalistes étrangers furent rapidement gérés ; il leur disait qu'il ne savait pas où était Lily, ce qui était finalement la vérité... Richard Jacobi son éditeur, se montra plus pressant. Il avait entendu dire que Lily était revenue en ville et était inquiet à l'idée que quelqu'un d'autre pût le gagner de vitesse. John lui fit remarquer qu'il était le seul à Lake Henry susceptible de traiter cette histoire. Richard lui rappela qu'ils avaient conclu un accord pour un récit exclusif qui serait en librairie à l'été prochain. John lui répondit qu'il comprenait mais qu'il savait pertinemment qu'un éditeur était capable de sortir un livre en un mois, s'il le voulait. Bien sûr, Richard argumenta. Un tel délai compliquait les choses légalement, surtout quand l'auteur n'avait pas de références. Il avait pris des risques en lui offrant un tel contrat. John lui rappela alors qu'il n'avait encore rien signé. C'est en cours, lui répondit Richard.

Ils se quittèrent sur une note aimable mais John raccrocha l'estomac noué, sensation qu'il n'avait pas connue depuis l'époque où le stress faisait partie de sa vie de journaliste. Son plus gros problème était la question de temps, un bon livre ne s'écrivait pas en quelques jours. Et bien sur, il y avait Lily. Il l'appréciait trop pour la forcer à donner des informations contre son gré. Il se sentait même coupable à l'idée de fouiner dans le passé de Maida dans cette petite ville forestière et rurale du Maine.

En outre, il y avait le *Lake News* dans lequel il travaillait à plein temps. Ce n'était peut-être qu'un petit hebdomadaire provincial mais il y avait de grandes responsabilités – et il en tirait de la fierté. Son nom étant inscrit en gros dans l'ours, il voulait que chaque numéro fût parfait. Il chassa les pensées parasites de son esprit et se concentra sur les publicités municipales à insérer, relut les articles de une, réécrit un papier assez médiocre venant de Center Sayfield et choisit l'emplacement des photos concernant les nouvelles sportives et locales. Il envoya la dernière page à l'imprimeur peu avant une heure puis s'enfonça dans son fauteuil. Il ferma les yeux et se pinça l'arcade du nez en essayant de se détendre. Il avait des crampes à l'estomac, pourtant se rappela-t-il, il était revenu à Lake Henry pour échapper à la pression. Peut-être n'était-il pas fait pour écrire des livres. Le téléphone sonna, c'était Terry Sullivan. John était loin d'être de bonne humeur. Terry l'agaça au plus haut au point en attaquant d'un ton suffisant :

— La fille a été vue avec sa nièce dans un magasin de Concord, hier. As-tu toujours l'intention de nier bêtement qu'elle est rentrée ?

Irrité, il se pencha en avant.

— Pourquoi m'appelles-tu ? Pourquoi continues-tu à t'intéresser à Lily Blake ? Cette affaire est terminée. Je te l'ai déjà dit la dernière fois. Il n'y a rien de changé. C'était du vent. Ça ne t'a mené nulle part, tu as perdu, Terry.

— Pas moi. Mon histoire tient debout.

— À cause de ton enregistrement ? accusa John. Elle n'était pas au courant. C'est illégal.

— Ah ! Alors, tu as parlé avec elle. Ça veut dire qu'elle est revenue.

— Illégal, Terry ! Si j'étais toi, je me ferais du souci... Peu importe l'endroit où elle est ! Qu'est-ce que ça peut te faire de toute façon ?

— Je suis en train de préparer une suite.

John resta incrédule – et cela n'avait rien à voir avec son goût pour la compétition.

— Pour quel journal ? Au cas où tu ne l'aurais pas remarqué, le *Post* a laissé tombé. Sur quoi, bon sang, veux-tu faire une suite ? Sur les journalistes qui inventent des scandales bidons ?

— Plutôt sur les chanteuses de cabaret qui perdent la tête et confondent le rêve et la réalité.

— Ouais. D'accord. Tu vas prouver ça avec une bande illégale ? (Il pensa soudain à quelque chose.) Une bande qui a été montée ?

Il y eut un silence puis Terry reprit d'un ton glacial :

— Tu es gonflé.

— C'est pas moi, mon pote, répliqua John.

Un tic agita sa paupière inférieure.

— Tu as du culot de poursuivre une affaire dont plus personne ne veut entendre parler. Et tu me rappelles ! Je t'informe qu'il y a une autre version à cette histoire. La dernière fois que tu m'as téléphoné, tu m'as dit que j'avais perdu le don. Ne te réjouis pas trop vite. Pour commencer, je sais qui a appelé la femme du commissaire de Lake Henry sous un faux prétexte. Je sais que tu as piégé cette innocente vieille dame pour l'obliger à te parler d'un dossier qui a été classé voilà dix-huit ans. Tu sais comment je l'ai appris ? Il y a un enregistrement, c'est drôle n'est-ce pas ? L'arroseur arrosé, mon pote. Seulement cette bande est réglo, parce que c'est la ligne officielle de la police et on y entend ta voix. Si tu ne me crois pas, nous la soumettrons à l'avis d'un expert. J'ai eu aussi connaissance d'une série de plagiats dont tu t'es peut-être rendu coupable à la fac.

— Tu enquêtes sur moi ?

John n'avait pas l'intention de se justifier. Il n'était pas Terry Sullivan. Jamais il ne révélerait publiquement ses informations ou ne verserait dans la calomnie. Il était simplement satisfait de les avoir, comme celles concernant Paul Rizzo ou Justin Barr.

— Depuis quand les écrivains trichent-ils ?

— À la fac ? C'est de l'histoire ancienne. D'ailleurs tu n'as aucune preuve.

— Le fait est que je suis sûr que tu ne veux pas que ça se sache. Cela pourrait nuire à ta carrière. Et puis – John était lancé – il y a des trucs bizarres dans ta vie, ces trois épouses par exemple. Je pensais qu'à l'époque, nous étions amis, Terry, mais je n'ai jamais su que tu étais marié... même pas la première fois ! On était ensemble à la fac. Tous tes amis étaient célibataires. Personne ne savait que tu avais une femme. Pourquoi ce secret ? – à trois reprises – pourquoi les caches-tu ? Que leur fais-tu, Terry ? Tu les attaches et les bâillonnes ? Il y a quelque chose de pas clair là-dedans. Je parie que tes ex auraient des choses à raconter. Et puis il y a le cardinal. Bon sang ! Quel est ton lien avec Rossetti ? (Il devait y avoir quelque chose forcément.) As-tu un grief personnel contre lui ? Ou contre l'Église ? Es-tu un de ces petits garçons de chœur qui a été maltraité par un prêtre ?

La voix de Terry lui parvint, hostile.

— Je n'ai jamais été enfant de chœur.

— Peut-être chanteur à la chorale, alors ? Il doit y avoir une raison pour que tu t'en sois pris à une femme innocente dans le seul but d'abattre le cardinal.

— Qu'est-ce qu'elle est pour toi ? cracha Terry. Tu la baises, Kipling ? Tu essaies de me faire passer pour un salaud pour avoir l'air d'un type bien.

John se leva d'un bond.

— Je ne fais passer personne pour ce qu'il n'est pas. Mais je te préviens, si tu fouilles dans sa vie, elle va fouiller dans la tienne.

— Elle ou toi ?

— C'est pareil, coupa John, qui raccrocha brutalement.

Quelques secondes plus tard, il s'empara à nouveau du combiné et appela Brian Wallace au *Post*.

— Une question rapide, dit-il, voyant que Brian ne semblait pas ravi de l'entendre.

— Cet enregistrement que Terry a fait de sa conversation avec Lily Blake... ?

— Si tu penses à porter plainte, tu ne nous atteindras pas... Nous n'avons aucune preuve qu'elle n'était pas au courant. On a publié l'histoire en toute bonne foi. J'ai consulté nos avocats à ce sujet. Le journal est couvert légalement. Elle nous attaque en justice mais elle perdra.

Il semblait un peu trop sur la défensive... John ne l'avait pas appelé pour cette raison.

— As-tu vérifié l'authenticité de cette bande ?

— Que veux-tu dire ?

Dans l'esprit de John, c'était pourtant assez clair.

— As-tu vérifié l'authenticité de la bande ? répéta-t-il.

— Authenticité... Tu veux dire si c'était vraiment la voix de Lily ?

— Je ne pensais pas à ça mais c'est intéressant à creuser. Non, la bande a-t-elle été trafiquée ?

— Qu'est-ce que ça veut dire, bon sang ?

— Des copiés-collés, Brian. Tu sais comment on fait. On coupe des mots ou on les efface entièrement. La télé fait ça tout le temps. Cela s'appelle monter une interview. Seulement le texte final n'a rien à voir avec l'original. Penses-tu que Terry ait pu faire une chose pareille ? Il a pu se faire aider par quelqu'un qui connaît le fonctionnement d'une table de montage. Terry est doué de ses mains. Il peut l'avoir fait tout seul.

— Pourquoi crois-tu qu'il aurait été jusque-là ?

— Parce que la dame en question nie les phrases qu'il lui fait dire dans son article. Je suppose que la bande, si tu l'as écoutée, ressemble au contenu de son papier, sinon tu ne l'aurais pas publié texto.

— As-tu parlé avec elle ?

— Là n'est pas la question, reprit John avec impatience. Le problème est de savoir si Terry a falsifié cet enregistrement.

Il entendit un grognement.

— À ton avis, quand a-t-il pu faire ça ? Il n'a pas eu le temps, Kip. Tu n'as pas de mémoire. Il était tard, on était en plein bouclage et il devait se grouiller pour finir son papier.

— Dix contre un qu'il l'avait déjà écrit plusieurs jours auparavant. Il ne lui restait qu'à mettre les citations.

— Ouais, et il a quitté Lily, courut jusqu'au journal avant de m'appeler à onze heures, pour me faire écouter la bande. Quand aurait-il eu le temps de faire un montage ?

— L'as-tu écoutée entièrement ?

— J'ai entendu les passages compromettants.

— Mais comment sais-tu qu'il n'a pas coupé des phrases autour ? Comment sais-tu qu'il ne les pas sorties du contexte pour qu'elles signifient autre chose ?

— Parce que j'ai moi-même passé et écouté cette cassette le lendemain.

— Quand ? Le matin ? L'après-midi ? Il aurait pu te passer des extraits le soir au téléphone, puis la monter avant que tu ne l'écoutes entièrement. Tu crois qu'il a fait ça ?

Brian grogna.

— Comment le saurais-je, bon sang ?

— Tu aurais pu faire vérifier l'enregistrement.

— Pourquoi aurais-je fait une chose pareille ?

— Pour te couvrir, suggéra John. La version écrite par Terry ne correspond pas à ce que Lily affirme avoir dit.

— Elle ment.

— Ou *il* ment. Son « scoop » a déjà pris du plomb dans l'aile. Cherches-tu à excuser le bidonnage ?

Brian soupira.

— Je ne prendrais pas ça contre moi. Je vais essayer de me souvenir que Terry n'a pas été sympa avec toi et que tu as peut-être envie de le voir se casser la figure. Mais moi, c'est le journal qui m'intéresse, et lui, il ne dégringolera pas. Crois-moi, John. Cet enregistrement est authentique.

Généralement, le mercredi après-midi, John allait voir Gus. Mais ce jour-là, il fit une exception. Sa conversation avec Terry Sullivan l'avait galvanisé. Il passa l'après-midi à passer des coups de fil. En suivant la piste des baux de location, il localisa deux des femmes de Terry avec une facilité effrayante. La dernière vivait toujours à Boston. Elle s'appelait Maddie Johnson et visiblement avait été prévenue.

— Il m'a dit que vous appelleriez. Je n'ai rien à dire.

— Pourquoi ?

— Je n'ai rien à dire, répéta-t-elle.

— Vous a-t-il menacée ?

— Il m'a avertie que vous me forceriez à parler.

— À quel sujet ? demanda John en tentant de rester calme et mesuré. Hé, je ne veux rien savoir sur vous. Je m'intéresse seulement à Terry.

— Ouais et bien, nous avons été mariés, grommela-t-elle.

— Mais vous ne l'êtes plus. Pourquoi le protégeriez-vous ?

— Parce qu'il est dangereux ! Si je parle de lui, il parlera de moi. J'ai des secrets comme tout le monde. Et vous êtes journaliste comme Terry. Vous savez ce que je veux dire. Vous êtes tous une menace.

John pensa qu'elle allait lui raccrocher au nez. Comme elle ne le faisait pas, il se montra plus gentil :

— Je ne sais pas ce que Terry vous a fait quand vous étiez sa femme et sincèrement je ne veux pas le savoir, mais il a démoli une jeune femme innocente dans cette affaire, Lily Blake. J'essaie juste de comprendre pourquoi.

— L'ego. Il voulait sa signature en gros. C'est ce qu'il a toujours voulu.

— C'est tout ? Il n'y a pas de raisons plus profondes ? Aucune rancœur contre l'Église catholique ?

— Pourquoi me demandez-vous ça à moi ? cria-t-elle. Vous croyez qu'il ne ment que dans sa vie professionnelle ? J'ai été mariée avec lui quatre ans et je n'ai appris qu'il avait déjà eu deux femmes que lorsque son ex a téléphoné. Il m'a raconté que son mariage avait été un tel fiasco qu'il voulait l'oublier, que sinon il en deviendrait fou, mais quand j'ai appelé le journal, on ne connaissait même pas mon existence. Que croyez-vous que j'ai ressenti ? Je n'arrêtais pas de demander à Terry pourquoi on ne sortait jamais avec d'autres. Il voulait que je reste à la maison. Il ne voulait pas que je travaille, rien. Il se mettait en colère quand je voyais mes amis et pourtant, je vivais ici bien avant lui. Il m'a dit qu'il voulait des enfants. Bah ! J'ai attendu d'avoir assez d'argent de côté mais nous n'économisions pas grand-chose. Il l'envoyait à sa mère – une femme que je n'ai jamais rencontrée, soi-disant parce qu'elle était folle et qu'il ne la voyait plus. Mais elle était morte. Je l'ai appris au cours de notre divorce. Au bout d'un moment, on ne sait plus ce qui est vrai ou pas. (Elle se tut brutalement, réalisant ce qu'elle venait de dire.) Merde ! Il va me tuer !

— Non, la réconforta John. Il ne saura jamais que vous m'avez parlé.

— Vous allez publier ce que je vous ai dit.

— Non. Je vous l'ai promis. Je ne m'intéresse qu'à Terry. Je suis persuadé que ses autres femmes diraient la même chose que vous.

— Il n'en a eu qu'une avant moi.

— Non, deux.

Elle jura de nouveau.

— Il est cinglé.

— Je le crois aussi mais je ne suis pas psychiatre. Je ne suis qu'un journaliste qui se demande pourquoi il a cherché à abattre Francis Rossetti. Vous avez une idée là-dessus ?

Elle eut un rire sarcastique.

— Je suis la dernière qui pourrait le savoir. Une semaine après notre rencontre, nous nous sommes mariés dans une ville inconnue, au beau milieu de la nuit devant un juge de paix choisi au hasard. Pendant nos quatre années de vie commune, Terry n'a pas cessé de me dire qu'il ne connaissait rien à la religion. Vu ces autres mensonges, j'aurais tendance à penser qu'il a probablement menti aussi à ce sujet. Si vous trouvez la réponse à votre question, j'aimerais bien la connaître.

John raccrocha en songeant qu'il approchait peu à

peu du but. Son impression se confirma quand il réussit à joindre la première épouse de Terry. Rebecca Hooper avait l'air d'une fille plus calme et plus simple. Elle aussi connaissait le nom de John.

— Il m'a dit que vous appelleriez, fit-elle d'une voix timide.

D'après la date de leur mariage, John devina qu'elle avait au moins quarante ans mais elle en paraissait vingt de moins. Gentiment, il demanda :

— Vous a-t-il dit pourquoi ?

— Il a expliqué que vous tenteriez de me faire chanter pour me faire parler de nous deux. Mais il n'y a rien à dire, ajouta-t-elle vivement, honnêtement.

John n'insista pas, pas plus qu'il ne l'avait fait avec Maddie.

— Vous a-t-il dit que j'étais allé à la fac avec lui ?

— Oui.

— Alors, vous devez avoir reconnu mon nom.

— Non. Il ne parlait jamais de la fac quand il était à la maison.

— Pourquoi ?

Elle mit du temps à répondre, puis lâcha :

— Je ne veux pas parler avec vous.

— Je ne vous ferai pas de mal. J'essaie seulement de comprendre un peu Terry.

— Bonne chance.

John gloussa.

— Hé, c'est une énigme. Il vous tient à distance. Je pense que ça s'explique par quelque chose qu'il a vécu au cours de son enfance.

— Savez où il a grandi ?

— Non.

Personne ne le savait, même pas Ellen Henderson qui avait vérifié dans le dossier de Terry à la fac. Il ne comportait qu'une adresse à Dallas où il avait passé ces deux dernières années de lycée. John avait téléphoné là-bas mais l'établissement était immense. On l'avait baladé de bureau en bureau, sans résultat.

— Et vous ? demanda-t-il alors à Rebecca.

— Meadville.

— En Pennsylvanie ? demanda John.

— Oui.

C'était un début.

— Je suis heureux que vous me l'ayez dit.

— Je ne l'ai connu qu'à Lancaster...

La fac se trouvait là-bas.

— ... Mais vous avez raison.

— À quel propos ?

— Il s'est passé quelque chose à Meadville.

— Vous savez de quoi il s'agit ?

— Non. Je dois vous quitter.

Elle raccrocha mais il était satisfait. John alluma l'ordinateur et se mit au travail. Meadville... C'était faisable. La ville était beaucoup plus petite que Dallas. En un rien de temps, il dénicha le numéro de téléphone du directeur adjoint du lycée de Meadville. L'homme sembla ravi de son appel et volontiers désireux de parler.

— Terry est parti bien avant mon arrivée mais tous les nouveaux ici le connaissent. Notre principal actuel a été son professeur. C'est lui qui nous a appris que Terry avait écrit cet article fracassant. Je veux dire, on ne pense jamais à lire la signature des papiers de une, surtout dans les journaux de Boston, n'est-ce pas ? Personne n'aurait rien su si la sœur de notre directeur n'avait pas habité là-bas. Elle a reconnu le nom car Al lui avait parlé de Terry.

— Était-il donc si doué ? fit remarquer John.

Beaucoup d'années s'étaient écoulées depuis l'époque où Terry avait fréquenté le lycée.

— Pour un professeur d'anglais, oui, répondit l'adjoint du principal. À seize ans, il écrivait déjà très bien. Son frère, non. Ce dernier était une catastrophe pour le département de littérature, mais il était intelligent, le meilleur garçon du monde.

Après les trois mariages, John venait de découvrir que Terry avait un frère.

— Combien d'années ont-ils de différence ?

— Oh, quatre ou cinq ans. Peut-être plus. Comme je

vous l'ai dit, je n'étais pas là à cette époque. Quelqu'un en a parlé l'autre jour mais on mentionne surtout Terry. Al l'a eu comme élève en première et deuxième année d'anglais. Il était brillant, à des années-lumière des autres. Faites-vous un article sur lui ?

— Oui, admit John. Avait-il des amis ?

— Eh bien, je ne saurais le dire. On parle surtout de la façon dont il écrivait. Il a fait quelques articles magnifiques pour le magazine de l'école. Un de ceux qu'il a écrit en deuxième année a été primé plusieurs fois. Il a même été publié dans la *Tribune*.

— La *Meadville Tribune* ?

— Oui. J'en ai une copie ici sur mon bureau. On l'a fait circuler quand on a appris le rôle de Terry dans l'affaire Blake-Rossetti. Je serais heureux de vous le faxer, si vous voulez.

Cinq minutes plus tard, John lisait une copie du papier. Il décrivait la vie dans un quartier italien de Pittsburgh juste après la guerre de 1945. Le texte n'était pas long. Le talent de Terry, son style s'y affirmaient déjà. Même à cette époque, Terry avait le don de choisir l'adjectif qui faisait mouche. Il savait rendre vivant les personnages locaux. Non pas que John eût envie d'en croiser un seul. L'article n'était pas flatteur. Dans l'histoire, son méchant était un membre de l'église catholique.

Le sujet paraissait étrangement sinistre pour avoir été écrit par un garçon de seize ans. Mais cela n'avait rien d'étonnant si son auteur avait des rancœurs à exhaler. John était sur la bonne piste. Il le sentait. Il lui restait juste à apprendre quelles étaient ces obsessions. Cela pouvait attendre.

Le *Lake News* était prêt. Heureux du travail accompli, John laissa tomber le mystère Terry et partit pour Elkland. Là, il chargea les trois mille exemplaires du journal dans le Tahoe puis alla les livrer dans les bureaux de poste de Hedgeton, Cotter Cove et Center Sayfield. Comme toutes ces bourgades, sauf la dernière, possédaient un supermarché, il y laissa quelques numéros ainsi que dans le petit restaurant familial de Center Sayfield. Bien évidemment, il rencontra des gens de connaissance et s'arrêta pour faire la conversation avant de dîner à Cotter Cove avec un ami. La soirée était bien avancée quand il revint à Lake Henry. Il déposa quelques journaux à la Poste, chez Charlie puis chez Armand. Ce ne fut que lorsqu'il prit la route menant à Wheaton Point que Terry lui revint en mémoire. Brusquement, il comprit.

Lily était assise, dehors, sur le dock, les jambes repliées et les coudes sur les genoux. Un canard plongeon barbotait quelque part sur le lac. Elle avait entendu un cri puis plus rien. Elle scruta l'obscurité, tentant de le repérer, mais l'eau ressemblait à une masse noire peuplée d'ombres. Le murmure d'une rame brisa le silence, l'approche d'un canot. Elle retint sa respiration, pensant qu'il s'agissait peut-être de John, mais l'embarcation longea la jetée sans s'arrêter. Un promeneur nocturne ? Un curieux ? Si elle n'avait pas su que le lac était inaccessible aux étrangers, elle aurait pu s'inquiéter. Tout le monde savait désormais qu'elle était là. Elle avait vu passer près du cottage plus de personnes que d'habitude mais les gens avaient eu le respect de ne pas s'arrêter.

Le canot fut bientôt hors de vue et le silence retomba. Ce n'était pas John. Il se serait arrêté. Elle en aurait probablement été contente. Il lui plaisait bien, au fond. Mais la solitude lui convenait aussi à merveille. Pour un début octobre, la nuit était douce. Elle portait un jean et le pull-over de John, qui, bien qu'il fût un peu grand, remplaçait agréablement ceux qu'elle avait laissés à Boston. L'odeur de pin qui montait du rivage se mêlait à celle de l'huile de jasmin – appartenant à Celia – qu'elle avait versée dans son bain en rentrant du travail. Elle se sentait fraîche et propre, presque lasse, étrangement contente. Elle se mit à chanter doucement, espérant bercer un canard avec sa chanson, mais la nuit resta silencieuse. Au bout d'un moment, elle retourna à la maison, mit un CD et s'assit sous le porche pour l'écouter. C'était un disque d'Harry Connick Jr., une mélodie douce et rythmée, un peu paresseuse, presque sensuelle.

Elle était en train de fredonner *Où* et *Quand* lorsqu'elle entendit des pneus sur les graviers. Elle s'arrêta, tourna la tête et retint sa respiration. Avait-on découvert sa cachette ? Le moteur s'arrêta. Une portière s'ouvrit et claqua dans un bruit mat. C'était un camion ou un van.

— Lily ? appela John.

Soulagée, mais méfiante, elle se leva et avança jusqu'à la balustrade, sous le porche. Il l'aperçut dès qu'il eut fait le tour du cottage.

— Bonnes nouvelles ! chanta-t-il en montant à quatre à quatre les deux premières marches.

L'espoir qui la saisit l'effraya. Il attrapa ses poignets et les posa sur ses épaules. Son visage était presque à la hauteur du sien, éclairé par la lampe qui brillait à travers la fenêtre. Sa bouche paraissait plus chaleureuse, son regard brillait d'excitation. L'air triomphant, il lança :

— Terry Sullivan a grandi à Meadville, en Pennsylvanie. Il a écrit des articles pour le magazine de son lycée jusqu'à ce que sa famille déménage avant son entrée en première. Son œuvre la plus réputée racontait la vie quotidienne dans une communauté italienne de Pittsburgh à la fin des années 40.

Il s'arrêta, attendant visiblement sa réaction. Elle ne comprenait pas.

— Oui ?

— Ça vous parait familier ? Ça vous dit quelque chose ?

Perplexe, elle secoua la tête. Il rayonnait.

— Le cardinal Rossetti a grandi dans un quartier italien de Pittsburgh. C'est l'une des nombreuses informations que l'on a données quand il a été nommé cardinal. Combien de faubourgs italiens y avait-il alors à Pittsburgh ? (Il leva un doigt en guise de réponse.) Alors, est-ce une coïncidence ? Cela se pourrait.

Lily percevait son excitation.

— Mais ce n'est pas ce que vous pensez.

Il secoua la tête.

— Terry Sullivan qui a si récemment essayé d'abattre Francis Rossetti, a écrit – à l'âge de seize ans – un essai détaillé et vivant sur la ville natale du cardinal. Terry n'y est pas né. Alors comment connaissait-il tous ces détails ?

— Peut-être y était-il allé ? Ou a-t-il passé des étés là-bas... Peut-être avait-il connu quelqu'un qui en était originaire ? (Elle se prenait au jeu, cédant à son enthousiasme.) Quelqu'un qui connaissait le père Fran ?

— Je ne sais pas. Son article ne le mentionnait pas.

— Il me l'aurait dit s'il avait déjà rencontré Terry.

— Ils n'ont pas besoin de se connaître personnellement pour qu'il y ait un lien entre eux, dit John.

Lily acquiesça. Comment ne pas l'être alors qu'il se montrait si sûr de lui. Ses yeux brillaient. Lily éprouva une telle onde de chaleur qu'un sourire illumina son visage. S'ils pouvaient prouver une connexion entre le cardinal et Terry, elle aurait de quoi plaider la malveillance. Son affaire serait claire comme de l'eau de roche. Elle ne pouvait plus s'arrêter de sourire. Dans un élan de joie, elle noua ses mains autour du cou de John.

— C'est génial.

Il était hilare. Ses dents blanches formaient comme un croissant au-dessus de sa barbe rase.

— Ouep ! s'écria-t-il.

Avant qu'elle eût le temps de comprendre ce qui lui arrivait, il la souleva par la taille, l'entraîna loin du porche et la fit tournoyer en l'air en riant aux éclats. Quand il la reposa, il la serra contre lui. Lily était folle de joie. Il y avait longtemps qu'elle n'avait pas vécu quelque chose d'aussi exaltant. Même le bain parfumé à l'huile de Jasmin de Celia ne lui avait pas paru aussi agréable. Et ce n'était qu'un début. Lorsque Harry Connick se remit à chanter *It had to be you*, John la fit danser sur les aiguilles de pin. L'air frais, les ombres de la nuit, ce corps ferme qui la soutenait... C'était un enchantement. Il dansait bien, c'était un plaisir de se laisser guider. Grâce à son métier, Lily avait connu beaucoup de bons danseurs, mais John rivalisait avec les meilleurs. Il avait le rythme et bougeait en cadence, tenant sa main contre son cœur avant de la poser contre sa cuisse. Quand il se mit à fredonner à son oreille, elle sentit la douce caresse de sa barbe contre sa joue. Il enfouit sa bouche dans ses cheveux... La chaleur de son geste l'émerveilla. Ils glissaient sur le sol, doucement, lascivement, s'avançant sous le porche, puis près du lac. Chacun de leurs pas était coordonné ; à travers l'ivresse de l'instant, elle sentait son corps contre le sien.

Puis il l'embrassa, profitant d'un silence entre deux chansons. Un baiser qui n'avait rien d'effrayant, qui faisait partie de l'instant fait de douceur et de paresse. C'était délicieux. Chaque seconde était la bienvenue... Elles auraient pu durer une éternité. Il embrassait aussi bien qu'il dansait. Mais déjà, il se remettait à évoluer en rythme. Cependant quelque chose avait changé. Elle était brusquement consciente du contact de ses jambes, de sa poitrine, de son ventre. Il paraissait aussi troublé qu'elle. Même si son corps ne l'avait pas trahi, elle l'aurait senti... À la fin de la chanson, il l'embrassa avec passion, affamé, le corps tendu contre le sien. Nouant ses bras autour de son cou, elle se laissa emporter, s'abandonnant à la sensation de vertige qui la saisissait.

Brusquement, un bruit se fit entendre. D'abord, elle crut que c'était sa respiration à son oreille. Elle mit une minute à réaliser qu'il s'agissait d'une voiture. Quelques secondes plus tard, des phares trouèrent la nuit noire. Elle eut le souffle coupé et tenta de s'éloigner de John mais il la retint contre lui.

— Attends, murmura-t-il d'une voix rauque. Attends.

La voiture s'arrêta. Une voix familière appela :

— Lily ?

— Poppy, murmura Lily. (Soudain effrayée, elle leva les yeux sur lui.) Il est très tard. Il s'est passé quelque chose.

Elle se dégagea et courut vers la Tahoe de Poppy, suivie de John. La portière était ouverte et le van éclairé.

Lily pensa immédiatement à Maida mais les yeux de Poppy regardaient John fixement.

— Comme tu ne répondais pas au téléphone, j'ai eu une intuition, lui dit-elle. (Lily n'avait pas branché son portable.) Alors me voilà.

— Que se passe-t-il ? demanda John.

— Gus a eu une attaque cardiaque.

22

L'hôpital se trouvait à North Hedgeton, à trente bonnes minutes en voiture de Lake Henry. John s'y rendit en trombe, faisant fi de toute prudence, craignant que Gus ne meure avant son arrivée – un acte de pure malice. Il ne pouvait pas se le permettre. Ils devaient parler. Si le vieil homme tirait sa révérence avant, ces trois dernières années n'auraient été qu'une farce.

Seul, il aurait conduit encore plus vite mais Lily avait insisté pour l'accompagner et il n'avait pas eu le cœur de discuter. Il avait une impression de déjà vu – éprouvant le même sentiment que lorsqu'il avait quitté le lac à quinze ans avec sa mère. À l'époque, il avait dissimulé sa peur sous un air bravache, mais impossible de se comporter ainsi, après quarante ans.

Lily lui rappelait l'heure et le lieu. Elle le raccrochait au présent.

« Ça va ! » lui répondait-il toutes les deux minutes. Alors elle hochait la tête, lui touchait le bras, en murmurant « Je sais » d'une voix douce. Cela lui faisait du bien et l'aidait à se contrôler.

En se garant devant l'hôpital, John se rassura avec des détails insignifiants. S'il était à Boston, il aurait perdu du temps à se garer. Là, il laissa le Tahoe devant la porte des urgences, prit Lily par la main et pénétra en courant dans le bâtiment. Dès qu'il eut donné son nom à l'infirmière, on le conduisit au deuxième étage et il se précipita sur trois docteurs qui discutaient devant une chambre.

Gus y était couché, difficilement visible sous un lourd appareillage. Il était branché à un respirateur, à un électrocardiogramme, et avait le bras relié à une perfusion. Deux autres machines attendaient encore.

Gus était blême. Son corps semblait long, maigre et totalement inerte sous les draps – il était endormi ou peut-être inconscient.

Sans quitter son père des yeux, John demanda aux médecins :

— Comment va-t-il ?

— Pas bien, répondit Harold Webber.

Il soignait Gus depuis sa précédente attaque, quelque temps avant le retour de John en ville. Tous deux s'étaient mis d'accord pour forcer Gus à mener une vie plus calme, mais ils s'étaient battus pour rien. La fatigue qu'ils avaient soulagée en le mettant à la retraite n'avait fait qu'aggraver son état psychologique.

— Cette crise est plus importante que la dernière, reprit calmement Harold. Ce n'est pas bon signe.

— Pouvez-vous l'opérer ?

— Pas maintenant. Il est trop faible. Nous allons devoir attendre. Puis, s'il est d'accord...

Le pontage était devenu une opération banale mais comportait toujours des risques. La dernière fois que Harold l'avait suggéré, Gus avait refusé tout net. C'était quatre mois auparavant.

— Que s'est-il passé ? demanda John.

— Dulcey a vu de la lumière plus tard que d'habitude et elle est allée voir. Elle a appelé l'ambulance. Cela aurait pu être pire. Son cerveau n'a pas manqué d'oxygène. Il fonctionne toujours. Mais Gus est très faible.

— Est-il conscient ?

— Ça va, ça vient.

John serra ses doigts autour de ceux de Lily.

— Peut-on entrer ?

— Cela ne lui fera pas de mal. Il est rouspéteur par nature. Vous ne le bouleverserez pas plus, de toute façon.

John avança vers la porte mais Lily recula. L'appréhension se lisait sur son visage. Il réalisa que ce devait être difficile pour elle de rendre visite à Gus – éprouver de la compassion devait lui coûter.

— Peut-être devrais-je t'attendre ici ? murmura-t-elle.

— C'est probablement la dernière personne sur terre que tu aies envie de voir.

— Je pensais d'abord à lui. Il ne voudra pas de moi. Je vais lui rappeler Donny.

C'était une possibilité. Cependant, John avait besoin d'elle. Il se sentait vidé. Sa situation avec Gus n'avait jamais été aussi mauvaise.

— Viens avec moi. S'il te plaît.

Elle le suivit, comme il s'y attendait. Elle était sans conteste plus digne que tous les Kipling.

Terrorisé et au bord du vertige, il s'approcha du lit. Lily resta un peu en retrait sans lui lâcher la main.

— Gus ! appela-t-il doucement.

Gus ne répondit pas. Ses paupières restaient closes.

— Papa, c'est John. Tu m'entends ?

Voyant qu'il ne manifestait aucun signe, John expliqua :

— Je vais le voir tous les mercredis. Aujourd'hui, je n'y suis pas allé. Je pensais venir demain. J'aurais dû y aller. J'aurais dû y aller. (Il renifla.) Voilà toute ma relation avec Gus résumée en quelques mots. Quarante-trois années de « J'aurais dû ».

Lily lui caressa le bras et cela le réconforta un peu. Il posa ses coudes sur la barre du lit et étudia le visage de son père. Il semblait figé dans la colère comme si sa hargne modelait même son inconscient.

— Je n'en ai pas la moindre idée, dit-il calmement.

— De quoi parles-tu ? demanda Lily.

— De la colère qui lui donne cet air renfrogné. J'ai toujours cru que c'était à cause de moi. Tu sais, il ne m'a souri qu'une seule et unique fois.

— À quelle occasion ? murmura-t-elle.

— Je suis allé me coucher avec une pierre. Il les taillait.

— Des pierres ?

— Il sculptait de petits visages – des yeux, des nez, des bouches. Il m'en a donné une quand j'avais six ans.

— Pour ton anniversaire ?

— Non. Il se fichait de ce genre de fêtes. Il me l'a donnée parce qu'il en avait envie, je pense. Je n'ai jamais su pourquoi. Encore un de ces trucs auxquels je n'ai jamais eu d'explication.

Il avança deux chaises rangées contre le mur.

— Ça t'ennuie qu'on s'assoie un petit moment ?

Une heure s'écoula. Ils virent passer un défilé impressionnant de docteurs et d'infirmières ; Gus était le seul patient aussi gravement atteint. John les regarda vérifier l'électrocardiogramme, tour à tour, affalé sur sa chaise, penché en avant, les mains entre ses genoux ou debout.

Gus ne bougeait pas. Les paupières fermées, il n'émettait aucun son.

Quand ils se retrouvèrent seuls, Lily lâcha brusquement :

— Toutes les familles connaissent ça.

— Ça quoi ?

— Des choses qui restent inexpliquées.

— Comme toi et Maida.

— Surtout.

— Tu as de la chance, elle est en bonne santé. Tu as encore le temps.

Cependant Gus n'en avait plus pour longtemps. John en était profondément conscient. Mais en y repensant, il aurait dû s'en douter. Bon sang, lors de ses dernières visites, Gus n'avait pas bougé du canapé.

Il aurait dû comprendre.

À minuit, John ressentit une impression d'impuissance. Lily était pelotonnée sur sa chaise, à côté de lui. Ses yeux se fermaient de temps en temps mais dès qu'il pensait qu'elle s'était endormie, elle les rouvrait, lui souriant d'un air bienveillant. Elle ne disait rien, ce n'était pas utile. Son sourire lui montrait clairement qu'il était là où il fallait qu'il soit.

Elle avait raison. Gus était son père. John avait été absent lorsque Donny avait eu des problèmes et il s'en voudrait toute sa vie. Maintenant, c'était au tour de Gus. Il ne pouvait pas ne pas être là.

Mais Lily n'était pas obligée de lui tenir compagnie. C'était égoïste de lui faire passer la nuit à l'hôpital.

Alors quand elle ferma à nouveau les yeux, il lui toucha la main. Elle se redressa immédiatement.

— Tu n'es pas forcée de rester, murmura-t-il. Tu es épuisée.

— Je me sens bien.

— Prends le Tahoe, rentre chez toi dormir. Je ne peux pas partir...

— Tu préfères être seul ? demanda-t-elle gentiment.

Non, ce n'était pas ça. Il secoua la tête. Elle sourit. Étirant ses jambes, elle se rassit sur la chaise. En la regardant, John sentit une incroyable plénitude l'envahir. Ce fut à cet instant qu'il comprit qu'il était amoureux.

Lily s'assoupit. John luttait contre le sommeil. On était au milieu de la nuit, la chambre était plongée dans la pénombre et le bip du moniteur émettait un son hypnotique. Ses yeux restaient secs, un tic battait sous sa paupière mais il refusait de se laisser aller. Lorsqu'une infirmière lui apporta du café chaud, il le but jusqu'à la dernière goutte. Puis il continua de fixer les machines et d'observer les faits et gestes du personnel hospitalier, mais Gus ne se réveilla pas.

Lily avait à peine dormi une heure, elle se redressa, d'un bond, le souffle court. Ses yeux se posèrent sur John puis, inquiets, sur Gus.

— Rien de neuf, confirma John.

— Je suis désolée. J'ai rêvé que c'était ma mère.

Elle se pencha en avant et appuya son front sur ses genoux, tournant la tête afin de le regarder.

— Parle-t-elle pendant que vous travaillez ? demanda-t-il.

— Pas de ce dont nous avons besoin de discuter.

— Tu veux dire que vous parlez mais que vous ne vous dites rien ?

Elle hocha la tête.

Il se tourna vers Gus. Pensant avoir perçu un léger battement de paupières. Il prit la main de son père mais la reposa, après avoir esquissé une caresse. Leur relation n'avait jamais été physique. Sa voix, cependant, trahissait son angoisse.

— Gus ? Dis-moi quelque chose, Gus.

— Peut-être devrais-tu lui parler ? lui suggéra Lily, doucement.

John ouvrit la bouche, il cherchait ses mots. Il avait l'impression d'avoir quinze ans. Il se sentait extrêmement mal à l'aise.

— Je ne peux pas.

— Pourquoi ?

C'était comme le toucher.

— Je n'ai pas l'habitude, c'est tout.

— Alors parle-moi.

— De Gus ?

— Oui. Qu'aimes-tu en lui ?

« Absolument rien », fut la première pensée qui lui vint à l'esprit. Il lui aurait été plus facile de dire ce qu'il détestait. Où ce pour quoi il lui en voulait. Ou ce qu'il ne comprenait pas. Il aurait pu en écrire des listes. Mais il devait y avoir autre chose sinon il n'aurait pas eu aussi peur. Il n'éprouverait pas cette frustration, cette sensation de vide. Il serait couché chez lui, attendant que l'hôpital l'appelle pour lui dire que c'était fini. Bon sang, s'il ne ressentait rien, il ne serait même pas à Lake Henry !

Que pouvait-il aimer en Gus ?

— Il construit des murs magnifiques, commença John. Il en a probablement bâti des centaines. Ils resteront bien après notre mort à tous les deux. J'ai toujours été impressionné par son travail.

— C'est un artiste, dit Lily.

John hocha la tête. Il eut l'impression que son père avait l'air moins renfrogné et il reprit courage.

— Il a passé toute sa vie à travailler la pierre. Il n'a jamais rien fait d'autre.

— Comment a-t-il appris ?

— Il ne me l'a jamais raconté. Il a dit à maman qu'il se sentait bien dans les bois. Il a quitté l'école à quatorze ans. Pendant des mois, personne n'a su où il passait ses journées. Puis, un jour, on l'a trouvé en train d'aider un vieux maçon. Il se débrouillait bien, il ne faisait pas de problèmes et apprenait un métier, alors on ne l'a pas renvoyé à l'école. Moi, j'ai manqué un jour de classe et il est sorti de ses gonds.

— Il voulait que tu aies une vie meilleure.

— Meilleure que celle d'un artiste ? s'étonna John. (Il avait du mal à le croire.) J'aurais été heureux de travailler avec lui mais il ne voulait pas en entendre parler. Ni pour moi ni pour Donny. Il disait que nous fichions la pagaille. C'était un perfectionniste. Il était fier de ce qu'il avait construit.

— N'es-tu pas fier de ce que tu écris ?

— Je le suppose.

— Alors tu es comme lui.

John aurait voulu le croire, mais écrire était différent. Les murs de pierre étaient utiles et esthétiques. Ils n'avaient pas le pouvoir de détruire la vie des gens. C'était cela qui lui restait en travers de la gorge. Terry avait peut-être raison. Peut-être n'était-il pas assez coriace pour faire son chemin, surtout si cela voulait dire brandir une plume empoisonnée.

Oui, il était fier de ce qu'il écrivait. Il avait quitté Boston quand cela n'avait plus été le cas. Il était fier du *Lake News*. Il était bien écrit et servait la communauté. Il était utile et esthétique... exactement, oui, comme les murs de Gus.

Peu avant l'aube, les paupières de Gus s'entrouvrirent. John se précipita au-dessus du lit.

— Papa ?

Gus avait le regard vide. Il fixa John un court instant puis referma les yeux. John regarda l'électrocardiogramme. Le battement devint irrégulier puis se calma. Une infirmière vint examiner Gus et jeter un coup d'œil aux appareils. John ne savait pas s'il devait essayer de le réveiller à nouveau. C'était certainement bon signe mais si cela devait provoquer une irrégularité cardiaque, il préférait attendre que Gus se réveillât de lui-même. Le tracé était revenu à la normale. Plus paisible.

Alors il resta debout, observant son visage. Enfant, il avait passé de nombreuses nuits à regarder dormir son père dans son fauteuil près du poêle. Ainsi, il paraissait moins menaçant. Dorothy, qui demandait toujours à John de se tenir tranquille, semblait plus calme, plus affectueuse envers lui.

L'aurore apporta une lumière douce qui embellissait les souvenirs. Au moment où Lily se leva pour le rejoindre, John dit :

— Il était vraiment beau. Il en reste quelque chose aujourd'hui.

Il revit son visage carré, aux cheveux courts, rasé de prés, ses épaules droites, ses mains puissantes.

— Ma mère en parle encore. Il était asocial mais séduisant.

— Comment se sont-ils rencontrés ?

— Ma mère se baladait en voiture dans les collines avec une amie et elle a crevé. Lui, il aimait la vie en plein air et avait belle allure. Quand il a vu qu'elles étaient en panne, il leur a donné un coup de main. Un mois plus tard, elle lui a apporté du moka qu'avait fait sa mère. Elle avait le béguin. Elle a passé des heures à le regarder travailler, à lui faire la cuisine jusqu'à ce qu'il réalisât qu'elle valait le coup qu'il se rangeât. Il approchait de ses quarante ans. Elle était jeune, jolie et impatiente.

John soupira.

— Je n'ai jamais osé mentionner son nom les rares fois où je l'ai vu après leur séparation.

— Tu l'as vu ici ?

— Pendant mes années de fac. Je pensais qu'il serait fier de moi. Il ne voulait même pas me regarder. Alors, je préférais partir... Tout ce que j'avais sur le cœur me pesait mais je n'ai rien pu lui dire.

Une infirmière entra avec deux tasses de café. Elle ausculta Gus, ajusta le goutte-à-goutte et ressortit de la chambre.

John referma ses mains autour de la tasse fumante. Il se sentait soutenu par Lily mais les souvenirs du passé lui faisaient froid dans le dos. Oui, une vie entière de : « J'aurais dû. »

— Je voulais lui dire, expliqua-t-il, que je comprenais ce qui était arrivé entre ma mère et lui. Que ce n'était pas entièrement de sa faute. Elle aurait voulu le changer. C'est elle qui lui a couru après mais elle n'a pas supporté la vie au Ridge. Ce n'était pas assez romantique. Mais il ne lui avait jamais fait de promesses. Elle avait trop d'attentes, alors elle a laissé tomber. Je ne peux pas le blâmer. Ni pour le mariage, ni pour le divorce. Je voulais lui dire ça.

« Tu l'as fait », crut-il entendre. Mais elle se contenta de hocher la tête, silencieuse.

Lily n'avait jamais veillé un homme mourant. Un mois plus tôt, si quelqu'un lui avait dit qu'elle serait au chevet de Gus Kipling, elle en aurait frémi. Mais à cet instant précis, elle n'imaginait pas être ailleurs. Un psychiatre penserait peut-être qu'elle cherchait à se racheter de ne pas avoir assisté à l'agonie de son propre père, mais elle n'était pas de cet avis. Elle était là pour John. Elle voulait être avec lui. C'était aussi simple que cela. Elle eut néanmoins du mal à l'expliquer à sa mère quand elle l'appela peu après sept heures.

— Mais pourquoi es-tu là-bas ? demanda Maida.

Son ton hostile déclencha chez elle un réflexe conditionné : une vague de panique l'envahit. Lily lutta. Elle ferma les yeux, se forçant à s'éclaircir les idées.

— Parce que je suis avec John. Il passe un sale moment.

— Gus Kipling ne te remerciera pas.

— Je ne suis pas là pour lui. John et moi étions en

train de discuter quand il a appris la nouvelle. Je ne pouvais pas le... le... le laisser y aller seul.

— Les Kipling se servent de toi. D'abord Donny, maintenant John. C'est une habitude, Lily.

— C'est différent, rétorqua-t-elle avant de se rappeler qu'elle était une grande fille. (Elle n'avait pas à demander la permission à Maida.) Je t'appelle simplement pour savoir si un ouvrier du verger peut me remplacer à la cidrerie afin que je puisse rester ici.

— Es-tu sûre que c'est ce que tu veux ? demanda Maida. On va jaser. Veux-tu que toute la ville sache que tu es à l'hôpital ?

L'exaspération s'empara de Lily.

— Eh bien, pourquoi pas ? s'énerva-t-elle. Voilà un joli rebondissement, tu ne crois pas ?

La matinée tirait à sa fin. Harold Webber passa faire sa visite en compagnie d'autres docteurs. Tous se montrèrent surpris par la résistance de leur patient, mais sans afficher trop d'optimisme. Gus s'affaiblissait. D'après leurs pronostics, les heures suivantes seraient déterminantes.

John se prit à espérer. Il eut la vision de Gus debout, rendu conciliant par l'approche de la mort. Ils pourraient passer quelques mois ensemble, peut-être plus... John n'en demandait pas davantage.

En début d'après-midi, Gus s'éveilla par intermittence. Chaque fois qu'il émergeait de son inconscience, il fixait John, semblant le reconnaître. John en avait la certitude. Cependant, il ne savait pas si cela lui faisait du bien.

Puis, en milieu d'après-midi, le tracé de l'électrocardiogramme se modifia. Les docteurs et les infirmières parvinrent à calmer son rythme cardiaque mais le diagnostic n'était pas bon. Ils parlaient d'une attaque secondaire, d'une aggravation générale, de sécrétions dans les poumons.

John attendit dans le hall avec Lily et dès que les médecins sortirent de la chambre, il retourna s'asseoir au bord du lit. Son père avait le teint cireux. Mourant d'envie de faire quelque chose, il prit maladroitement sa main. Elle était froide et molle, mais il ne pouvait pas la lâcher maintenant qu'il avait établi un lien.

— Allez, Gus, murmura-t-il. Allez. Ne me laisse pas. Comment oses-tu m'abandonner ainsi ?

Comme Gus ne répondait pas, il continua :

— J'essaie de t'aider. Pour l'amour de Dieu, j'essaie de t'aider.

Devant le silence qui s'éternisait, il se mit en colère.

— Tu peux m'entendre, Gus. Je le sais. Tu as toujours su te détourner et faire comme si ce que j'avais à te dire ne valait pas le coup et peut-être avais-tu envie de te venger. Je t'ai abandonné. J'en suis désolé. Je t'ai laissé tomber ainsi que Donny, et si je pouvais revenir en arrière, je le ferai. Mais je suis là maintenant et je veux que tu me donnes une chance.

Son indignation s'évanouit. Comment la faire exister sans les sarcasmes de Gus ? Abattu, il ouvrit la main de son père et étudia ses phalanges usées, couvertes de cicatrices. Pour la première fois, elles semblaient vulnérables. Alors, davantage pour lui-même que pour Lily ou Gus, il murmura :

— Comment demander pardon à un homme qui ne veut pas vous écouter ?

Un léger frémissement parcourut les doigts qu'il tenait - rien de violent mais assez pour prouver qu'ils étaient toujours vivants. John découvrit le regard de son père, posé sur lui. La voix du vieil homme était rauque et cassée mais il comprit chacun de ses mots.

— Tu l'as aujourd'hui comme tu l'as toujours eu, dit-il. (Il ferma les yeux, puis les rouvrit.) Moi qui t'ai laissé tomber... Moi qui ai tout gâché... Moi qui n'a... jamais été assez bon... pour ta mère... Don... et toi...

John mit un moment à comprendre le sens de ses paroles.

— Ce n'est pas vrai, répondit-il.

Mais Gus avait fermé les yeux.

Quelque chose semblait différent. Ce ne fut que lorsque Lily lui toucha le bras et que la chambre se remplit de médecins et d'infirmières que John s'aperçut que l'électrocardiogramme était plat.

On tenta un premier massage cardiaque. En vain. Ils recommencèrent une deuxième puis une troisième fois. Les docteurs se consultèrent du regard, en silence, hésitants. L'instant d'après, tout espoir avait disparu, comme l'air dans les poumons qui avaient cessé de fonctionner.

Le personnel soignant quitta la pièce.

— Il a dit ce qu'il avait besoin de dire, murmura Lily avant de sortir.

John n'essaya pas de la rattraper. Il avait besoin de rester seul avec son père, quelques instants. Il ne parla pas. Il ne parvenait même pas à penser. Il resta debout, la main de Gus dans les siennes, contemplant ce visage qu'il avait à la fois aimé et détesté. Il se pencha, embrassa son père sur la joue et se dirigea vers la porte. Mais une impulsion soudaine l'attira à nouveau près du lit. Il voulait rester avec Gus encore un peu, le cœur en paix. Et quand il fut certain que l'âme de son père s'était envolée, il lui caressa l'épaule une dernière fois et quitta la pièce.

Lily l'avait attendu dans le hall. Elle se redressa en le voyant s'avancer vers elle. Il paraissait épuisé mais il réussit à esquisser un sourire triste. Sans un mot, il la prit dans ses bras et la serra si fort qu'elle se mit à trembler. Le réconforter la rendait heureuse au-delà de toute raison. Quand il relâcha son étreinte, il avait les yeux humides. Il les leva au plafond et prit une grande inspiration. Puis il la regarda.

— Je te dépose chez toi. Je dois aller au Ridge.

Ils repartirent pour Lake Henry, sans un mot. Il s'arrêta devant le cottage et la remercia.

— Cela représente beaucoup pour moi de t'avoir à mon côté.

Elle posa un doigt sur ses lèvres, lui faisant signe de se taire. Le cœur vibrant, elle descendit, le regarda faire demi-tour et s'éloigner. Quand le Tahoe disparut au bout de l'allée, elle fit lentement le tour du cottage.

Il était presque cinq heures de l'après-midi. Le ciel et la côte éloignée de l'île Elbow se reflétaient sur le lac. L'air était pur, digne, dans le sillage de la mort de Gus. Désireuse de communier avec Celia et un ou deux canards plongeons, elle longea la pelouse couverte d'aiguilles de pin, descendit les marches et se réfugia sur le dock, se demandant si elle était folle d'éprouver de tels sentiments.

23

John se sentit seul dès qu'il déposa Lily chez elle, mais il devait aller chez Gus. Sa maison ? C'était également la sienne. Mais s'était-il jamais senti chez lui là-bas ? Il y avait grandi. On aurait beau la repeindre, redessiner le paysage, changer les meubles, rien ne changerait cet état de fait. En roulant en direction du Ridge, il comprit qu'avec la mort de son père, il devait admettre ce lien.

Il se gara près de la maisonnette et y pénétra comme il l'avait fait des milliers de fois, enfant. La chambre qu'il partageait avec Donny avait été transformée en salon. En se laissant tomber sur le canapé, il eut l'impression d'entendre les sons d'hier : les hurlements, les rires aussi. Contrairement à Gus, sa mère était douée pour le bonheur. Son frère aussi. Lui et Donny avaient passé de bons moments ensemble.

John renversa sa tête contre le dossier et ferma les yeux. Il se sentait épuisé, bien au-delà d'une simple fatigue physique. Désormais, il était le seul homme de la maison, le chef de famille. Certes, il avait déjà endossé cette responsabilité au cours des trois dernières années, mais il ne s'était agi que d'une aide matérielle : apporter de la nourriture, payer la femme de ménage ou réparer la maison. Aujourd'hui, c'était une affaire de sentiments.

Écrasé sous le poids de ses émotions, harassé par une nuit blanche, il s'assoupit sur le sofa comme Gus l'avait si souvent fait. Un cri étouffé le réveilla en sursaut.

Dulcey Hewitt se tenait sur le seuil, une main sur la bouche.

— Vous m'avez fait peur, dit-elle le souffle court. Je viens d'apprendre pour Gus et je venais ranger un peu, et vous êtes là, assis, comme lui.

Groggy, John mit un bon moment à réaliser où il se trouvait. Puis il se rappela que Gus était mort et ressentit un pincement au cœur. Il se leva péniblement.

La lumière était allumée. Dulcey avait dû appuyer sur l'interrupteur. Dehors, il faisait nuit.

Il fit courir sa main dans sa barbe et ses cheveux.

— Quelle heure est-il ?

— 20 heures. Je suis désolée pour votre père.

John hocha la tête.

— Merci d'être passée la nuit dernière. Je n'aurais pas voulu qu'il meure seul ici.

— Vous étiez avec lui ?

Il acquiesça avant de jeter un coup d'œil autour de lui.

— Ce n'est pas en désordre. Il n'avait plus la force de tout déranger à la fin. Rentrez chez vous, Dulcey. Retournez auprès de vos enfants.

John la regarda s'éloigner, totalement perdu. Il ne savait plus où il en était. Il désirait être seul. Dulcey venait à peine de partir que la voisine d'en face vint lui offrir ses condoléances. Elle resta sur le pas de la porte comme les autres visiteurs venus dire à quel point ils étaient désolés. John était touché. Bien que Gus ne se fût pas montré plus chaleureux avec ses voisins qu'avec sa propre famille, ces gens étaient venus. Il se sentit coupable de toutes les pensées négatives qu'il avait eues à l'égard du Ridge.

Éprouvant soudain le besoin d'agir, il alla ouvrir le placard de la chambre. Il tenait à ce que son père fût beau pour ses funérailles. Il y régnait une pagaille totale. Soit Dulcey avait renoncé à ranger, soit Gus lui avait interdit d'y toucher. John découvrit un pardessus qui lui rappela son enfance, deux chemises qui n'étaient ni en flanelle ni en tissu écossais. Il y avait aussi – incroyable –

quelques robes ayant appartenu à sa mère. Et un costume. John le sortit. Après un bon nettoyage, il serait parfait. Il brossa un endroit où la veste faisait une bosse. Sentant quelque chose sous ses doigts, il tira sur le revers. Accroché sur le cintre se trouvait un sac en plastique. Il étala le costume sur le lit, décrocha le sachet et l'ouvrit. Une liasse de coupures de presse s'en échappa. Certaines étaient vieilles et jaunies, d'autres plus récentes. Elles étaient classées par ordre chronologique, soigneusement, comme si quelqu'un avait pris soin de les aplatir méticuleusement avant de les ranger.

John les examina les unes après les autres jusqu'à ce que son cœur saignât. C'était un résumé de son travail, conservé par un père qui, jamais, pas une seule fois, ne lui avait dit qu'il l'aimait. Le corps meurtri, John se redressa et pressa ses mains sur ses yeux. Il gémit sans en éprouver de soulagement. Il se frotta la nuque, contempla les articles et geignit de nouveau.

Incapable de rester sans rien faire, il sortit par la porte de derrière et fit les cent pas dans la cour plongée dans l'obscurité. Il longea le mur dont Gus s'était occupé tout récemment puis repartit dans l'autre sens, essayant de se reprendre. Brusquement, surgie de nulle part, l'image de Gus tombant sur les fesses, et de lui-même tentant de l'aider à se redresser avant de se faire chasser, lui revint en mémoire. Puis il entendit une voix faible et rauque.

C'est moi qui t'ai laissé tomber. C'est moi qui ai tout gâché. Moi qui n'ai jamais été assez bon. Ni pour ta mère. Ni pour Don ni pour toi.

Il comprit alors cet homme, qui avait souffert d'être un enfant illégitime à une époque où cela était marqué du sceau de l'infamie. Cet homme qui avait grandi en se croyant bon à rien, cet homme qu'il avait aimé parce qu'il était son père. John tomba à genoux dans l'herbe. Le dos voûté, incapable de faire taire sa terreur, il pleura doucement sur tout ce qu'il n'avait pas vu, pas su, pas fait.

Il ne se rappelait plus de la dernière fois où il s'était

laissé aller ainsi. Cela lui faisait du bien, alors il laissa couler ses larmes jusqu'à ce qu'elles se tarissent d'elles-mêmes. Puis, lentement, il se releva. Il s'essuya les yeux avec sa manche, rentra dans la maison et se passa de l'eau froide sur le visage. Quand il releva la tête, il se sentait mieux.

Soigneusement, il replaça le paquet de coupures de presse dans le sac où son père les avait conservées et le raccrocha sur le cintre pour l'enterrer avec Gus et le costume. Il sortit une chemise propre, une cravate, des sous-vêtements, des chaussettes et des chaussures et alla les déposer dans le camion. De retour chez lui, il suspendit ces affaires dans son placard et prit une douche. Il en avait affreusement besoin.

Son corps était encore humide quand il prit place dans le canot. Frissonnant dans l'air glacial, il se mit à ramer calmement mais vigoureusement pour se réchauffer. En arrivant à hauteur des canards, il s'arrêta. Les quatre oiseaux nageaient tranquillement dans l'obscurité, plongeant à l'occasion, élevant leurs voix à l'unisson dans un chant primitif qui lui faisait chaud au cœur.

Ici, le temps ne comptait pas... La mort n'était qu'une étape. C'était cela leur histoire, l'éternel retour des saisons, l'immuabilité des choses – deux petits arrivaient au monde pour perpétuer l'espèce. Certes, lorsque les nids avaient été inondés, les bébés mangés par des prédateurs, ils avaient connu des pertes. Mais ici, c'était le règne de la raison et de l'ordre. Tout avait un sens.

Respirant cette atmosphère, conscient de ses privations et de ses bienfaits à la fois, John replongea sa rame dans l'eau et s'éloigna. Le cri des plongeons le suivit, résonnant doucement jusqu'à Thissen Cove.

Lily était assise au bout du dock. Elle se leva comme si elle l'attendait. Lorsque le canot glissa le long de la jetée, elle lui prit la corde des mains et l'attacha à un piquet. Quelques secondes plus tard, il la prit dans ses bras de la façon la plus naturelle, la plus juste qui fût. Il ne pensait pas à écrire un livre. Il ne se sentait ni hypocrite, ni intéressé. Son esprit et son cœur étaient en parfaite harmonie. Il la garda serrée contre lui tandis que le lac clapotait autour d'eux, bercé par l'appel des canards. Il l'embrassa une fois puis une deuxième – doucement d'abord puis avec insistance. Au troisième baiser, leur désir s'enflamma.

À l'invitation de Lily, ils remontèrent jusqu'à la maison, grimpèrent les escaliers et gagnèrent le lit sur la mezzanine. Le moindre de leurs gestes – se déshabiller, se toucher, découvrir le plaisir – était naturel et juste.

John avait rêvé du corps de Lily mais il était plus beau que tout ce qu'il avait imaginé. S'émerveillant devant sa chair chaude et ferme, ses courbes douces, il y trouva ce qu'il cherchait depuis toujours, la consolation, l'espoir et le réconfort. Son corps naquit à la vie comme jamais auparavant. Enfoui en elle, de plus en plus profond, il ressentit un sentiment absolu de plénitude alors même que sa faim ne faisait que grandir.

Elle jouit en reprenant sa respiration et en poussant un petit cri. Il resta un peu en elle, réticent à l'idée de la quitter. Puis il se glissa sur le côté et l'attira contre lui, sans dire un mot. Il l'embrassa doucement et l'étreignit, songeant qu'il serait heureux de rester là pour le restant de sa vie, couché, sans bouger, auprès de Lily Blake. Quelques minutes plus tard, il repensa à cet instant quand son pénis se raidit de nouveau.

Elle était prête. Elle accueillit son désir tout au long de la nuit, progressant timidement dans la recherche du plaisir. Ses mains étaient encore maladroites mais elles apprenaient. Sa hardiesse croissante lui faisait l'effet d'un aphrodisiaque, nourrissant son excitation. Enfin, la fatigue les prit et John se laissa aller. À l'abri dans le lit de Lily, réchauffé par la chaleur de leurs corps et l'odeur du sexe, il plongea dans un sommeil profond.

Je suis à la cidrerie. J'aurai fini à seize heures.

Lily posa le billet sur l'oreiller puis le reprit pour y inscrire ses initiales dans une spirale qui ressemblait vaguement à un cœur. John l'interpréterait à sa façon. Elle n'était pas habituée aux matins qui suivaient les nuits d'amour. Elle ne savait pas quand il se réveillerait ni dans quel état d'esprit. Mais elle avait promis à Maida de travailler aujourd'hui et, en outre, elle avait besoin d'espace.

Arrivée à la cidrerie, elle pensa à la nuit passée, à celle de la veille, aux deux dernières semaines, essayant de faire le lien mais elle avait le sentiment d'avoir traversé une vie entière, riche en émotions. Comment régler tant de problèmes non résolus ? Comment les gérer ? Maida avait préparé des sandwiches et les servit sous le porche. Elle ne lui posa pas de questions sur sa journée à l'hôpital, ni sur Gus, John ou Terry. L'instant était brumeux, paisible, et Lily accueillit cette pause avec plaisir. Elle retourna travailler l'après-midi, plus consciente de son corps qu'elle ne l'avait jamais été et s'activa pour le réchauffer.

L'heure de la sortie approchait. Elle avait enlevé ses habits de caoutchouc et aspergeait le sol quand John apparut à la porte. Il paraissait hésitant. Ne sachant quoi faire, elle acheva rapidement sa tâche, se lava et sortit à sa rencontre.

Les mains enfoncées dans les poches de son jean, il semblait mal à l'aise. Mais ils étaient amants maintenant. Elle même avait accepté cette idée. Elle avait beau se tourmenter pour savoir si elle devait lui faire confiance, cela ne changeait rien aux sentiments qu'elle éprouvait.

— Tu marches avec moi ? demanda-t-elle avec un petit sourire.

Ses traits se détendirent si rapidement que cela en fut presque comique. Pas complètement cependant. C'était touchant, pensa Lily en lui montrant le verger. Quelques minutes plus tard, ils marchaient sur la route boueuse, entourée de remblais, qui longeait les rangées de pommiers. Elle en choisit une et l'emmena sur l'herbe. La brume cachait le soleil et les pommes dégageaient un parfum sucré.

— À quelles variétés appartiennent-elles ? s'enquit-il.

Elle les pointa du doigt une à une.

— Cortland. Macoun. Gravenstein. McIntosh.

— Elles sont mélangées.

— C'est obligatoire. Les fleurs ont besoin de recevoir le pollen de différentes variétés pour être fertilisées. La Cortland ne peut pas féconder la Cortland et la Mac ne peut pas féconder la Mac. Malheureusement les abeilles ne le savent pas. Elles vont d'arbre en arbre.

— Avec laquelle fait-on du cidre ?

— Lesquelles ! C'est un mélange. Chaque verger a sa propre recette.

— Quelle est la vôtre ?

— Je ne sais pas. Seule ma mère est au courant. Pour elle, c'est devenu une véritable science. Je sais que les Délicieuses produisent un cidre clair.

— Il n'est pas bon ?

— Non.

Elle s'approcha d'un pommier, examina les fruits et en cueillit deux, avec la queue, comme on lui avait appris, enfant. Elle en donna une à John et regarda autour d'elle. Des échelles de bois et des cageots étaient posés contre les arbres.

— Encore deux semaines et la récolte sera finie. Les pommes destinées au marché partiront au conditionnement. Celles pour le cidre seront stockées dans nos caves, sous oxygène contrôlé afin d'éviter qu'elles s'abîment. Nous ne sortons que le nécessaire pour produire les litres de cidre hebdomadaires. Plus elles sont fraîches, meilleur c'est.

Elle lui montra l'un des arbres les plus imposants, le plus vieux, et se laissa glisser au bas de son tronc. Il l'y rejoignit.

Pendant un instant, ils croquèrent dans leurs pommes, en silence. Puis calmement, John dit :

— J'avais envie de toi quand je me suis réveillé.

Elle tourna la tête vers lui mais il observait les arbres.

— Qu'as-tu fait, alors ?

— Je suis allé en ville. Préparer les funérailles.

— C'est pour quand ?

— Demain matin.

Elle étudia son visage. Malgré la douleur, il était impassible. Elle avait embrassé ces yeux fermés, cette bouche ouverte. C'est lui qui lui avait appris.

Il rencontra son regard.

— C'était sa naissance illégitime. J'ai toujours pensé qu'il ne se sentait pas désiré. Il avait l'impression de n'avoir aucune valeur.

— Je suis heureuse qu'il te l'ait dit. Cela aide.

— Moi oui. Pas lui.

— En es-tu sûr ?

Il la contempla un instant et, renversant sa tête en arrière, examina les branches au-dessus de lui. Il resta si longtemps immobile qu'elle cessa d'attendre. Puis il baissa les yeux et sourit.

— Très maligne pour une chanteuse de cabaret, plaisanta-t-il.

Il l'attrapa par le cou avec le creux de son coude et l'attira à lui. Lily ne savait pas si c'était le sourire, le compliment ou sa présence si près d'elle, mais une onde de chaleur l'irradia jusqu'au bout des orteils.

Et le désir.

Oh oui !

Le désir ! Sa main glissa sous sa chemise, sur sa poitrine. Il n'était pas aussi poilu que d'autres hommes. Ses pectoraux, un peu trop minces, étaient doux au toucher. Il avait une touffe de poils en haut du torse, une plus large au-dessus du nombril, une plus dense à l'aine.

— Je te suis jusqu'à chez toi, se contenta-t-il de dire, mais ces mots contenaient une promesse.

Quand elle se gara près du cottage, après avoir contourné le lac, elle était aussi excitée que lorsque John l'avait attirée contre lui la première fois. Non ! Encore plus peut-être. Aujourd'hui, elle savait le plaisir de la caresse de sa barbe contre ses seins, la façon dont son corps se raidissait en tremblant. Elle connaissait l'odeur de sa peau après la douche ou après l'amour. Elle l'avait touché alors qu'il était sur le point de jouir. Cette fois, ils n'atteignirent pas le lit mais firent l'amour en haut des marches en enlevant le minimum de vêtements. Ensuite, il la garda contre elle jusqu'à ce que leurs corps fussent calmés et il appuya son front contre le sien. Il ne parlait pas. La voix qu'elle entendait n'existait que dans sa tête. De quoi était-il question ? De s'ouvrir à la vie pour lutter contre la mort, de trouver une amie dans une période difficile, ou simplement de désir. Peut-être s'agissait-il d'amour – pensée intéressante mais effrayante. Alors elle la chassa de son esprit. John garda Lily sur ses genoux jusqu'à ce que l'obscurité eût envahi le cottage. Il resta toute la nuit. Quand Lily se réveilla le lendemain, il était parti.

Les funérailles avaient lieu à l'église de Lake Henry. Le service fut bref, un enterrement simple pour un homme compliqué mais il y avait foule. La plupart des habitants du Ridge avaient fait le déplacement, les autres étaient venus nombreux, par respect pour John. Comme le dimanche d'avant, Lily se glissa sur un banc du fond et s'assit tête baissée pendant le sermon du prêtre. Mais alors qu'elle pensait se rendre au cimetière sans se faire remarquer, John lui avait pris la main et l'avait entraînée lorsque le cercueil était sorti de l'église.

Elle était coincée. Ne pouvant partir sans le blesser, elle avança. Il s'agrippait à elle comme à une bouée, elle semblait son seul réconfort. Mais c'était différent aujourd'hui. Ils n'étaient pas seuls.

Inquiète de la réaction des gens de Lake Henry, Lily garda les yeux baissés. Après quelques prières, le cercueil fut descendu en terre. John était tendu, elle le sentait. Elle aurait aimé pouvoir le consoler en toute intimité mais elle était prise au piège. Au moment des condoléances, les gens défilèrent devant John avec un mot rapide, une poignée de main, une tape sur le bras et la regardaient au passage. Leurs visages avaient un nom : Il y avait là, Cassie, Charlie Owens, junior et senior ; Willie Jake et son Emma ; Allison Quimby, Liddie Bayne, et d'autres anonymes. Lily hochait la tête, épouvantée, la gorge sèche, remerciant le ciel de ne pas avoir à parler. En vérité, elle n'était ni vraiment là, ni vraiment ailleurs.

Elle attendit avec John que les fossoyeurs aient fini de recouvrir la tombe de terre. La foule s'était dispersée. Plus personne pour exprimer désapprobation ou curiosité.

Pour Lily, c'était une mince consolation. Elle craignait, malgré elle, de s'être embarquée dans un nouveau problème insoluble.

John pensait différemment. Il aimait l'idée de prendre Lily sous son aile. Si le respect que lui témoignaient les gens de la ville s'étendait à elle, il en serait ravi. Plus ils seraient chaleureux à son égard, plus elle se sentirait la bienvenue à Lake Henry... Peut-être alors penserait-elle à rester.

Il ne songeait pas à son livre. Il se sentait mal à l'aise à ce sujet comme si cela abîmait ce qu'ils avaient partagé. Son désir de la garder auprès de lui n'avait rien à voir avec son projet littéraire.

Mais il savait par ailleurs que Lily ne s'installerait à Lake Henry que si ses problèmes étaient résolus. Depuis le scandale, sa vie était entre parenthèses. Tout ce qu'elle possédait était resté à Boston, son appartement, ses vêtements, son piano, sa voiture. Le *Post* se refusait visiblement à publier un démenti et Cassie avait entrepris toutes les démarches auxquelles la loi l'autorisait. Une solution légale demanderait infiniment de patience.

Lily était fière. John n'avait qu'à se souvenir du premier dimanche où il l'avait vue, énervée, vêtue de sa robe de chambre et de son châle, pointant un fusil sur son cœur, pour s'en persuader. Elle ne resterait pas à Lake Henry faute d'endroit où aller. Elle ne s'y installerait que si elle en éprouvait le désir, après avoir fait la paix avec sa mère. Il voulait l'y aider. Mais il avait l'impression d'être un intrus en enquêtant sur le passé de Maida.

Par contre, il n'avait aucun scrupule concernant Terry. C'était de bonne guerre puisque cela touchait Lily. John souhaitait l'aider à prouver la malveillance. Il n'y voyait aucun conflit d'intérêt.

Alors, après avoir passé le dimanche à travailler sur le prochain numéro du *Lake News*, essentiellement alimenté par des informations glanées auprès du comité de Poppy, il se rendit de bonne heure au bureau le lundi matin et reprit là où il s'était arrêté lorsque Gus était tombé malade. Pour commencer, il téléphona à une église du quartier italien de Pittsburgh et finit par dénicher un prêtre assez âgé pour avoir connu Terry Sullivan. Certes, le curé connaissait son nom, mais seulement à cause du récent scandale. Jamais Terry n'avait été membre de la paroisse. Il ne connaissait donc pas la communauté catholique de Pittsburgh qu'il avait décrite dans son essai.

Faisant machine arrière, John contacta le presbytère de Meadville. En vain. Personne là-bas ne se souvenait de la famille Sullivan. Il rappela alors le directeur adjoint du lycée avec lequel il avait déjà parlé. Ce dernier, toujours aussi empressé, lui donna les coordonnées d'un professeur du collège, lequel le mit en contact avec un enseignant du primaire. Les deux hommes corroborèrent mutuellement leurs versions, chacun s'émerveillant de voir que Terry avait réussi malgré les difficultés de son enfance.

— Difficultés ? demanda John à chacun des enseignants.

— Il était différent de ses camarades, confia l'un d'eux. Toujours un peu seul.

Le second alla plus loin.

— Je peux dire cela aujourd'hui parce que je l'ai vu dans un talk-show le week-end dernier. Il est devenu un type solide et séduisant, mais autrefois, c'était un garçon chétif.

— Chétif ?

— Petit. Osseux. Toujours sur la défensive. Une pauvre chose accrochée aux basques d'un frère tellement différent.

— De quelle façon ?

— Neil ? C'était un beau garçon. Doux, de belle prestance, amical. Un vrai leader. Terry était meilleur à l'école, mais à cet âge-là, on se moque de l'intelligence si le reste ne suit pas. Terry payait cher le fait d'être bon élève. Les enfants se moquaient de lui parce qu'il connaissait toutes les réponses. Chez lui non plus il n'avait pas la vie facile. M. Sullivan était un homme sévère (l'autre professeur lui avait dit la même chose).

— Aujourd'hui, on n'hésite pas à dénoncer la maltraitance. À l'époque, on faisait comme si de rien n'était.

— Qu'aviez-vous remarqué ? interrogea John.

— Des bleus. Terry était un enfant battu. Son père était un homme hargneux qui jouait du ceinturon.

— Est-ce qu'il frappait aussi son frère ?

— Seigneur ! Non ! Il n'osait pas.

— Pourquoi ?

— Sa femme ne l'aurait certainement pas laissé lever la main sur lui. Elle l'adorait. Depuis sa plus tendre enfance, elle l'avait destiné à la prêtrise.

Le pouls de John s'accéléra.

— Est-il devenu prêtre ?

— Bien sûr. Nous en avons tous été très fiers.

Le lien était-il suffisant ? La haine que Terry éprouvait pour l'Église catholique venait-elle de ses rapports houleux avec son frère devenu prêtre ? Était-ce la raison de sa malveillance envers le cardinal Rossetti ? John ne le croyait pas. Il devait y avoir un motif plus puissant.

— Son frère ne pouvait-il pas s'interposer entre Terry et son père ?

— Non, personne ne pouvait arrêter cet homme. Il était grand, costaud et très colérique.

— Et la mère de Terry ?

— Oh, elle est morte ! Dans un accident de voiture, il y a une bonne dizaine d'années.

John avait effectivement appris le décès de ses parents.

— Mais où était-elle quand son mari maniait le ceinturon ?

— Dans les parages, je pense. Elle recevait sa raclée en premier.

Un peu malgré lui, John ressentit de la compassion pour son ancien collègue. Car, au-delà des insultes que ses propres parents échangeaient, jamais chez lui il n'y avait eu de maltraitance physique.

— Quel était le problème ? Buvait-il ?

Les deux enseignants n'avaient aucune certitude à ce sujet, mais l'un d'eux lui communiqua le nom d'une de leurs voisines à Meadville. Elle habitait toujours à la même adresse et n'éprouva aucun scrupule à parler.

— Est-ce que James Sullivan buvait ? Oui et sacrément. Il buvait parce qu'il était follement jaloux. Jean pouvait à peine lever les yeux en public sans qu'il l'accusât de regarder un autre homme. Il jalousait même son propre fils. Je vous le dis, James Sullivan était un être malfaisant.

— Pourquoi l'a-t-elle épousé alors ?

— Elle ignorait qu'il était si mauvais. Une femme ne le sait jamais. Les hommes ne montrent leurs vrais visages qu'à la sortie de la mairie. Il n'a pas attendu longtemps, celui-là. Il a commencé le soir de leur mariage, elle me l'a dit. Il l'a menacée et lui a dit de ne plus jamais songer au passé. Elle a eu beau lui jurer qu'elle n'avait jamais fait une chose pareille, il n'a pas voulu la croire.

— Avait-elle eu une passion de jeunesse ?

— Oh oui ! Un garçon qu'elle a aimé durant toute sa scolarité, au lycée puis à la fac. C'était le grand amour de sa vie, à en juger par son expression quand elle en parlait. Oh, c'était fugitif, mais je l'ai remarqué.

— Que s'est-il passé ? Pourquoi ont-ils rompu ?

— Je ne sais pas. Je lui ai posé la question mais elle a paru regretter d'en avoir dit autant.

— Où avait-elle grandi ?

— Je ne sais pas. Elle ne me l'a jamais dit. Je suppose qu'elle avait peur.

— À cause de l'autre type ?

— C'est une bonne déduction.

L'imagination de John s'emballait. Il devait en savoir plus.

— Connaissez-vous son nom de jeune fille ?

— Bocce. Comme le jeu. Je me rappelle l'avoir lu à la rubrique nécrologique. À l'époque, j'ai trouvé ça ironique. Elle était effectivement comme une de ces petites balles sur lesquelles on tape.

John connaissait assez le bocce pour comprendre le sous-entendu.

Bocce, comme le jeu. Comme le jeu pratiqué dans les quartiers italiens. Les quartiers italiens comme celui où a vécu Francis Rossetti.

Penché en avant, avançant à l'intuition, il termina sa communication et se tourna vers son ordinateur, mais à peine s'était-il connecté à Internet que Richard Jacobi l'appela.

De retour de week-end, il avait appris que Terry Sullivan essayait de vendre une suite de l'affaire Rossetti-Blake à *People Magazine*. John le rassura. Il y avait peu de chances qu'on l'achetât car la réputation journalistique de Terry était en chute libre.

Richard lui fit remarquer que cela ne nuirait pas forcément aux ventes du magazine en question – une observation valable, dut admettre John. Richard dit alors qu'il pensait avancer la date de parution car il risquait de se faire « griller » par d'autres ouvrages. Il voulait frapper un grand coup. Si John travaillait sans relâche, ils pourraient avoir le livre dès le mois de mars, une période idéale pour achever de discréditer Terry.

John n'aima pas l'expression « sans relâche », pas plus que l'allusion au mois de mars. Cependant l'idée de discréditer Sullivan lui plaisait.

« Rapide, consciencieux et exclusif » lui rappela Richard. John lui demanda alors où en était son contrat.

D'après Jacobi, il était en bonne voie. John lui fit remarquer qu'il lui avait dit la même chose une semaine auparavant. Comment pouvait-il s'attendre à ce qu'il écrivît un livre en moins de temps qu'il n'en fallait pour faire un contrat ? D'ailleurs, si l'accord exigeait qu'il discréditât Terry, peut-être que cela méritait un peu plus d'argent.

— Nous nous sommes déjà entendus sur la somme, répliqua Richard.

— Tant que rien n'est signé, il n'y a rien de définitif, répondit John.

Lorsque Jacobi lui demanda s'il commençait à avoir la frousse, John nia énergiquement. Ce n'était pas vrai, songea-t-il en raccrochant. Il avait juste besoin de réfléchir. Dès qu'il pensait à ce bouquin, il avait des crampes à l'estomac. Il devait y avoir un moyen de concilier son besoin d'écriture et ses sentiments pour Lily, une méthode pour les satisfaire tous les deux.

Il se remit au travail, l'esprit préoccupé. En quelques minutes, il parvint à trouver le nom de l'ancien lycée du cardinal. Puis, un numéro de téléphone.

Après avoir salué son interlocutrice d'un ton jovial, il expliqua :

— Je suis à la recherche d'une vieille amie. Je pense qu'elle a fait sa scolarité chez vous. Son nom est – il fit attention à sa prononciation – Jean Bocce. Si mes renseignements sont exacts, elle était là en même temps que Fran Rossetti.

La femme ricana.

— Quelle coïncidence ! J'ai son annuaire sous les yeux.

— Vous avez eu quelques appels récemment ? plaisanta John.

— Vous pouvez le dire. Bocce, vous dites ?

Il épela.

— Alexander... Azziza... Buford, lut-elle. Désolée. Pas de Bocce.

— Peut-être était-elle dans la classe en dessous. Ou dans le même club que Fran. Musique ? Débat ? Français ?

La mémoire de John n'était pas prise en défaut. Le cardinal avait participé à toutes ces associations.

— Ils devaient se connaître d'une façon ou d'une autre.

— Peut-être à l'église ?

— Peut-être.

Mais John ne se voyait pas demander aux prêtres

de l'Immaculée Conception des renseignements sur une copine du cardinal.

— Hum ! dit-il, je pensais que c'était là.

— Vous avez peut-être raison.

La femme semblait pensive, concentrée. Il l'entendit feuilleter des pages. Puis d'une voix forte :

— Ah ! voilà ! C'était dans les chœurs. La voilà, au deuxième rang, la troisième à partir de la gauche. Très jolie. En fait... dit-elle à nouveau pensive, elle me dit quelque chose. Attendez.

John avait bien l'intention d'attendre.

Elle reprit :

— Bien, bien. La revoilà. Je me trompe peut-être. Il n'y a pas de nom, juste une rangée de trois personnes, mais le visage, le sourire, les cheveux sont exactement les mêmes. On dirait la cavalière de Fran Rossetti au bal de fin d'année.

John aurait pu sauter de joie. Mais il ne prit aucun risque.

— En êtes-vous sûre ?

La femme restait prudente.

— Je connais les visages. Son nom est inscrit là, sur la photo de la chorale. Je vais vous envoyer des photocopies si vous voulez.

— Ce n'est pas que je ne vous crois pas, plaisanta-t-il. Seulement, avec ce qui se passe, je n'ai pas envie d'insulter le cardinal avant de m'apercevoir que ce n'est pas la bonne fille.

— Je comprends votre inquiétude. Laissez-moi regarder si j'ai des informations sur Jean Bocce.

John eut du mal à réfréner son impatience. Il sautait littéralement sur place et dut faire semblant d'être déçu quand la femme lui signala qu'elle n'avait pas l'adresse de la jeune fille. Par peur de pousser un cri de joie, il la remercia un peu rapidement avant de raccrocher. Puis il laissa exploser son soulagement.

Quelques secondes plus tard, il surfait sur Internet à la recherche d'informations sur le célibat et le vœu de prêtrise. Il ne mit pas longtemps à trouver le renseignement qu'il cherchait.

Puis il appela Brian Wallace.

— Je viens d'apprendre quelque chose que tu devrais savoir.

Brian soupira.

— Pourquoi ai-je le sentiment que je n'ai pas envie de l'entendre ?

— Parce que tu as de l'instinct, mon pote, mais tu t'es fait avoir. Terry Sullivan avait une bonne raison d'en vouloir à Rossetti. Savais-tu qu'il avait été un enfant battu ?

— Ah seigneur ! C'est démodé, Kip ! Si tu essaies de me dire qu'il fait partie de ces enfants de chœur...

John l'interrompit :

— C'est mieux que cela. Son père le battait, souvent en même temps que sa mère. Il était maladivement jaloux du grand amour de sa vie, quelqu'un avec qui elle était sortie pendant des années avant de l'épouser. Devine de qui il s'agissait.

Il y eut un long silence.

— Il y a une photo les montrant tous les deux ensemble au bal de fin d'année de la classe de Rossetti, dit John. C'est dans son annuaire de lycée.

— Tu n'as pas la preuve que c'était son amour de jeunesse.

— Une de ses voisines qui la connaissait bien m'a raconté qu'elle était avec le même type au lycée et à la fac. La photo a dû être prise à cette période.

Brian semblait sceptique, presque méprisant.

— Tu dis « avec » lui. Qu'est-ce que ça signifie ?

— Ce que ça voulait dire pour des mômes à cette époque-là.

— Tu penses qu'ils avaient des relations sexuelles. Oublie ça, Kip. Rossetti est prêtre.

— Ouais, c'est ce que j'ai d'abord pensé, mais j'ai fait quelques recherches. Les prêtres n'ont pas besoin d'être vierge. Ils doivent seulement rester célibataires une fois ordonnés. Il y a une différence. Apparemment, de nombreux prêtres ont déjà connu une femme, ce sont d'ailleurs d'excellents curés. Ils comprennent mieux leurs paroissiens et sont de meilleurs conseillers conjugaux.

— Tu y vas un peu fort, John.

— Ah bon ? Tu n'arrives pas à te représenter Rossetti étudiant ? Allez, Brian. Tout colle. Terry est battu régulièrement par son père, probablement parce qu'il défend sa mère qui est amoureuse de Fran Rossetti. Il devait hanter le lit conjugal. Alors Terry grandit en méprisant Rossetti, il écrit des essais condamnant l'église du quartier italien où sa mère a grandi. Comme par hasard, c'est celui où Rossetti a été élevé. Rossetti est nommé cardinal – Terry devait s'y attendre et ruminer ça depuis longtemps. Il cherche à le salir, et comme il ne trouve rien, alors il fabrique lui-même un scandale.

— Est-ce que sa mère confirme ton histoire ?

— Elle est morte

— Alors ce ne sont que des spéculations. Moi, j'ai toujours l'enregistrement.

— Fais-le expertiser.

John aurait pu en rester là. Mais il n'avait pas mentionné le frère – Neil Sullivan, le prêtre. Si ce dernier avait été plus aimé que Terry – le fils préféré –, moins battu et montré en exemple jusqu'à la nausée, le ressentiment de Terry était compréhensible. Il ne fallait pas être grand clerc pour deviner que Terry pouvait mettre son frère et l'Église dans le même sac, allant jusqu'à les détester tous les deux. Il y avait forcément un lien entre l'adoration de la mère pour son fils aîné, cet enfant qu'elle avait destiné à la prêtrise et la vocation de prêtre de Fran Rossetti.

Tout bien considéré, John possédait un excellent dossier. Mais en bon journaliste, il voulait plus... Il voulait le meilleur. Il décida de retrouver Neil Sullivan.

24

L'anniversaire de Hannah tombait le mardi suivant. Lily s'était arrangée pour quitter la cidrerie de bonne heure afin d'avoir le temps de se doucher, de se changer puis d'aider sa nièce à s'habiller. Elles devaient aller chercher ses amies à 16 heures avant de se rendre au cinéma et au restaurant.

Lily fut stupéfaite de trouver Hannah seule. Rose l'avait visiblement déposée à la maison après l'école et était repartie avec ses deux plus jeunes filles.

— Je lui ai demandé de partir, expliqua Hannah. Emma et Ruthie avaient leur cours de gymnastique. Je lui ai dit de les emmener. Je n'ai pas besoin de son aide pour m'habiller.

Lily s'en doutait mais aurait préféré que Rose ait choisi de rester.

Une fois encore, elle craignit d'avoir aggravé les relations entre la mère et la fille. Mais le mal était fait.

Hannah venait de prendre sa douche et était drapée dans une immense serviette de bain nouée sur sa poitrine plate et maintenue par ses bras dodus. Ses cheveux descendaient en boucles hirsutes jusqu'en bas de son dos. Elle attendait, le regard brillant d'excitation. Cela méritait un coup de pouce, décida Lily qui choisit d'oublier ses scrupules concernant sa sœur. Jouant les esthéticiennes, elle installa Hannah sur un tabouret et sécha ses cheveux jusqu'à ce qu'ils fussent brillants et soyeux, légèrement bouclés aux extrémités, comme le souhaitait Hannah. Elle les fit gonfler au séchoir, coupant quelques mèches pour créer une coiffure vaporeuse et flatteuse. Elle aida ensuite Hannah à mettre ses collants verts, vaporisa un peu de sa propre eau de toilette derrière ses oreilles et la regarda enfiler la robe en tissu écossais. Après l'avoir boutonnée, Lily noua le ruban dans ses cheveux le laissant retomber sur ses épaules gracieuses. Elle tourna Hannah face à elle pour lui poudrer légèrement les joues mais Hannah les avait naturellement roses.

Avec son teint de porcelaine, elle était de toute évidence la fille de sa mère.

— Tu es absolument ravissante, lui dit Lily, heureuse, en lui présentant un miroir.

Hannah parut s'allonger d'un centimètre sous ses yeux et semblait plus mince. Cette soirée de fête commençait sous de bons augures. De plus, Lily fut agréablement surprise par les amies de Hannah. Elles étaient délicieuses. Bien qu'un peu intimidées au début, même avec sa nièce, elles se dégelèrent vite. Ouvrir les cadeaux dans la voiture fut parfait pour briser la glace. Une fois sur la route, Lily écouta la conversation des fillettes tout en conduisant la camionnette qu'elle avait empruntée au verger Blake. La robe de Hannah était super, ses cheveux aussi, ses chaussures géniales... etc.

Hannah, charmante et posée, rivalisait de charme et d'aisance. Plus d'une fois, Lily souhaita que Rose, Art ou Maida puisse la voir. Elle se sentit fière pour quatre. Puisque Hannah passait un moment merveilleux, Lily aussi. Elle n'en était pas étonnée car elle était de belle humeur depuis le début de la soirée. Les récentes découvertes de John modifiaient la donne. Le *Post* n'avait pas encore accepté de vérifier l'authenticité de la bande, mais n'avait pas refusé non plus. Cassie pensait que c'était bon signe. Selon elle, si l'enregistrement se révélait suspect, le journal accepterait rapidement de conclure un arrangement.

Lily ne voulait pas d'argent. Elle désirait des excuses publiques. Elle n'oublierait jamais l'humiliation de voir sa vie privée ainsi exposée aux yeux du monde entier. Rien de ce qui s'était passé à Lake Henry ne pourrait compenser l'injustice qu'elle avait subie. Chaque fois qu'elle songeait à rentrer à Boston, la douleur et le chagrin l'assaillaient avec la même force.

Heureusement, les craintes qu'elle avait d'être reconnue avec Hannah et ses amies se révélèrent sans fondement. Les gens avaient-il déjà oublié ? Elle ne savait pas s'ils étaient moins nombreux à avoir vu sa photo ou si le fait d'être accompagnée par cinq jeunes filles brouillait les pistes, mais elle ne remarqua personne et ne fut à aucun moment importunée.

La soirée se déroula à merveille et, une fois qu'elles eurent ramené leurs jeunes invitées chez elle, Hannah se glissa sur le siège du passager et, se penchant au-dessus du frein à main, attrapa Lily par le cou.

— Ma fête n'était-elle pas magnifique ? cria-t-elle avec l'allégresse d'une enfant.

Lily sourit tout en regardant la route.

— Oui, c'est vrai.

— N'ai-je pas eu de beaux cadeaux ? continua Hannah avant de les commenter un par un.

Elle se mit ensuite à parler du film.

— J'ai préféré le dîner – pas à cause de la nourriture, ajouta-t-elle vivement, mais parce que ma robe était jolie et que j'étais avec mes amies.

— Ta robe était splendide, mais la fille qui la portait était superbe.

— Elles n'ont pas arrêté de dire ça, n'est-ce pas ? demanda Hannah, radieuse.

— C'est vrai.

— Oh, regarde tante Lily. Tu as oublié de tourner.

— Tu veux t'arrêter un instant chez mamie ? Lui raconter ta soirée ?

— Ouais !

Mais Maida n'était pas seule. Rose était là avec Emma et Ruthie, toutes deux en pyjama, prêtes à aller au lit. En descendant triomphalement du véhicule, Hannah exprima sa joie de savoir que sa mère était au Verger. Lily ne put s'empêcher de penser que si elle n'avait pas décidé de faire halte chez Maida, Hannah serait rentrée dans une maison vide. Pas tout à fait. Art y était probablement. Mais ce n'était pas la même chose. Hannah avait besoin d'être admirée par sa mère. Elle avait besoin que Rose lui dise à quel point elle était jolie.

Mais Maida fut la première à s'avancer, les yeux écarquillés de surprise.

— Regarde-toi, dit-elle avec un enthousiasme sincère. (Prenant Hannah par les épaules, elle la contempla de haut en bas.) Tu es ravissante. Mais où est ma petite-fille ? Tu as l'air si adulte !

— C'est moi ! répondit Hannah avec un sourire timide.

Elle chercha sa mère des yeux.

— Comment s'est passée ta fête ? demanda Rose.

Pendant un instant, le silence de la nuit ne fut interrompu que par le chant d'un criquet que le soleil du jour avait fait revivre.

Maida jeta un coup d'œil à Rose.

— C'était bien, renchérit Hannah avant de lancer à ses sœurs : J'ai eu des cadeaux !

Elles coururent les voir.

Craignant de ne pas se retenir devant Rose, Lily entra dans la maison. Elle s'installa derrière le piano et caressa le clavier. Sa colère ne fut pas longue à tomber. Elle commença par de simples arpèges et enchaîna avec une mélodie classique, au tempo lent. Puis, détendue, elle joua son répertoire habituel. Ces chansons étaient légères, faciles, douces. Elle chanta par moments, fredonnant quand elle ne se souvenait plus des paroles. Absorbée par la musique, elle n'entendit pas Maida arriver. Elle ne réalisa sa présence qu'à la fin du refrain. Tendant le cou d'avant en arrière pour étirer ses muscles, elle regarda machinalement vers la porte du salon, s'arrêta et se redressa.

— Sont-elles parties ?

Maida acquiesça. Elle se tenait debout sur le seuil, les mains enfoncées dans les poches de son pantalon fuseau. En dépit de la pose, elle semblait énervée.

— Jouer du piano te manque-t-il ?

Lily hocha la tête. Elle déplaça ses mains sur le clavier, hésitante.

— Ils pourraient t'employer à l'Académie dit Maida.

— Ici ?

— Tu pourrais y faire la même chose qu'à Boston.

— N'ont-ils pas de pianiste ?

— Il n'est pas très bon. Le directeur de l'école est un ami. Je pourrais lui en toucher un mot.

Lily ne sut que répondre. C'était un compliment. Mais elle ne savait pas combien de temps elle allait rester. Maida fronça brusquement les sourcils.

— Est-ce que l'histoire se répète ? lâcha-t-elle.

Lily resta interdite, sans comprendre.

— Pardon ?

Le regard de Maida s'assombrit. Elle paraissait presque en colère mais ce fut le mot « tourmenté » qui vint en premier à l'esprit de Lily.

— Rose. Tout à l'heure, reprit Maida. Est-ce cela que je t'ai fait subir ?

Le cœur de Lily se mit à battre. Refusant de discuter, elle baissa le nez sur les touches.

— Dis-moi, Lily.

Elle releva la tête.

— Les circonstances étaient différentes...

— Mais le résultat est le même.

Lily s'arrêta puis hocha la tête.

Maida croisa les bras sur sa poitrine. Elle leva les yeux au plafond. Ils étaient pleins de larmes. Lily se sentit embarrassée. Elle n'avait jamais vu sa mère ainsi. Posant ses mains sur ses genoux, elle essaya de réfréner son émotion. Les yeux de Maida rencontrèrent les siens.

— Je suis désolée, dit-elle, en avalant sa salive. C'était mal de ma part.

— Ça va, s'empressa de dire Lily. Tu avais d'autres choses en... en... en tête. Tu étais très prise avec papa, les associations et tes trois enfants, et de toute façon, j'avais Celia.

— C'était mal de ma part, répéta-t-elle.

Sa voix semblait contenir un défi. Elle était assez

incisive pour catapulter de nouveau Lily dans le passé. La douleur réapparut brutalement.

— Alors pourquoi l'as-tu fait ?

Tourmentée. Oui, certes, c'était le mot qui définissait le mieux l'expression de Maida mais Lily enchaîna :

— À cause de mon bégaiement ? Je ne le faisais pas exprès.

— Je sais.

— Était-ce si difficile de m'aimer ?

Les yeux de Maida s'agrandirent.

— Je t'aimais. Je t'aime...

— Tu ne me l'as jamais dit. Tu ne me l'as jamais montré. Tu étais heureuse quand je suis partie.

Elle haussa les épaules.

— Cela semblait la meilleure chose à faire après... cet incident.

— Je n'ai jamais volé de voiture.

— Je sais.

— Mais tu voulais que je parte.

Maida secoua la tête, puis s'arrêta, semblant réaliser qu'elle se contredisait. Elle plongea ses poings au fond de ses poches et serra ses bras contre son corps.

— Pourquoi ? demanda Lily.

Maida secoua la tête de nouveau. Lily faillit lui demander ce que cela voulait dire mais brusquement, elle eut envie de davantage. Maida n'avait pas besoin de répondre. Tout ce qu'elle avait à faire, c'était de traverser la pièce et de prendre sa fille dans ses bras. Si elle y était parvenue, Lily aurait pu lui pardonner. Mais elle ne bougea pas. Elle resta debout sur le seuil, avec ce même air tourmenté. Un instant après, elle détourna le regard, baissa la tête et s'en alla.

— Je vais peut-être manquer le travail demain, annonça Lily à John cette nuit-là.

Ils étaient allongés dans son lit, se faisant face, éclairés par le reflet de la lune. Un couple de canards chantaient en cœur sur le lac. Cela aurait dû la calmer mais la colère continuait de gronder en elle.

— Pourquoi ?

— Ma mère me considère comme un objet.

— Vous vous êtes disputées ?

Elle fit signe que non avec brusquerie.

— Vous avez eu des divergences polies, plaisanta-t-il.

Elle secoua la tête, l'air ronchon.

— Je ne te le dirai pas. Tu vas l'écrire dans ton livre.

— Ah ! Ah ! Nous avons convenu que je ne pourrai utiliser aucune de tes paroles proférées alors que tu n'es pas complètement habillée.

— Elle s'est excusée.

— Pour quoi ?

— À propos du passé.

John se redressa.

— Eh bien, c'est un pas en avant, n'est-ce pas ?

Lily bouillonnait.

— Oui.

— Mais ?

— Ce n'est pas assez.

Il lui caressa les cheveux. Cela la calma un peu. Gentiment, il reprit :

— Tu es très exigeante.

— Oui. Il y a un mois, j'aurais été ravie qu'elle s'excuse.

Mais à cette époque, Lily se trouvait à Boston. Vivre à Lake Henry ne l'intéressait pas. Aujourd'hui, elle avait soudain besoin de plus.

— Elle s'est montrée atroce avec moi. Elle m'a donné l'impression que je... je... je n'étais pas désirée, pas aimée et laide.

— Tu n'as jamais été laide.

— Laide psychologiquement. Comme si quelque chose ne fonctionnait pas bien chez moi. Tu sais qui m'a permis de me réconcilier avec moi-même ?

— Le cardinal.

— Il m'a appris que nous faisions tous des erreurs. Eh bien, désormais, le monde entier connaît les miennes. Je veux connaître celles de ma mère. Je veux qu'elle m'explique ce qu'elle ressentait pour moi et pourquoi. J'ai besoin qu'elle me dise que ce n'était pas moi le véritable problème...

Lily alla travailler le mercredi matin. Après avoir exhalé ses rancœurs auprès de John, elle dormit bien. Elle était détendue et reposée quand le matin arriva. Maida ne l'était pas. Elle semblait fatiguée. Pour la première fois, Lily pensa au veuvage et à ce que cela signifiait pour une femme comme sa mère. Maida avait vécu avec George pendant presque trente-trois ans, supervisant la maison tandis qu'il gérait le domaine familial. Aujourd'hui, elle était condamnée à tout assumer. Elle n'avait personne vers qui se tourner la nuit, personne pour la réconforter, comme l'avait fait John pour Lily. Maida avait l'entreprise à diriger. Hormis les problèmes de la pelle mécanique à remplacer et des ouvriers blessés, elle s'en sortait bien. Lily ne pouvait que l'en admirer – et ressentir de la compassion lorsqu'elle la vit s'arrêter de trier les pommes pour se masser le bas des reins. Quand vint l'heure de la pause déjeuner, Lily l'attendit. Elles remontèrent ensemble vers la maison.

— Tu as mal au dos ? demanda Lily.

— Un peu. C'est un muscle. Rien d'important.

— Ne peux-tu pas te reposer ?

— En janvier. Il n'y aura pas grand-chose à faire à cette période.

— C'est dur d'installer les cageots sur l'élévateur.

— Il faut bien le faire.

— Demande à Oralee.

— Oralee est trop vieille.

— Et moi ?

— Tu es trop jeune.

Lily ne répondit pas.

Elles arrivaient près de la maison quand Maida reprit d'un ton hésitant :

— Si tu veux le faire...

Elles échangèrent leurs places l'après-midi – juste pour essayer – et cela fonctionna parfaitement. Maida empila les caisses et les tissus et laissa à Bub le soin de pousser ou de tirer. Lily installa les cageots sur l'élévateur, versa les pommes dans le bac de lavage, les tria, ajusta les poulies, leva et abaissa la manette du pressoir. Elle conduisit la machine et s'occupa d'une des fuites des tubes de drainage, appréciant chacune de ces tâches. Elle n'avait pas éprouvé un tel sentiment d'accomplissement depuis... depuis... elle ne se rappelait plus. Et de satisfaction. Il était gratifiant de travailler pour une entreprise dont on portait le nom.

25

Le père Neil Sullivan, le frère de Terry, vivait à Burlington dans le Vermont. Quand il n'était pas à l'église du Christ Roi, il enseignait dans une école de la ville ou conseillait des étudiants d'un centre de réflexion religieuse. John se serait épargné le voyage, se contentant de téléphoner, s'il avait pensé que cela suffirait. Mais il était persuadé que l'homme ne parlerait pas. Terry ne l'avait pas trahi, il ne le trahirait pas à son tour.

John appela d'abord l'église pour s'assurer que Neil Sullivan était à Burlington et non pas en déplacement. Le secrétariat du presbytère l'informa qu'il assurait ses cours au College St. Michael. St. Michael se trouvait à Colchester, en banlieue proche de Burlington. C'était tout ce que John avait besoin de savoir.

Après s'être arrangé avec l'un de ses correspondants pour la distribution du *Lake News*, il quitta Lake Henry dès qu'il eut envoyé le journal à l'imprimeur. Burlington se trouvait à cinq heures de voiture. En supposant qu'il passât quelques heures en compagnie du prêtre, il serait trop tard pour reprendre la route le soir-même. John songea qu'il devrait y passer la nuit.

Il connaissait Burlington. Pendant cinq ans, au cours de ses années au *Post*, il avait participé à un séminaire de journalisme à l'université du Vermont. Il aimait cette ville qui se dressait sur une colline au-dessus du lac Champlain et l'énergie qui émanait de ses six facultés fréquentées par six mille étudiants. Bien que l'automne fût en avance dans cette région du Vermont, le soleil de fin d'après-midi éclairait le lac et le ciel de couleurs chatoyantes.

À l'église du Christ Roi, John apprit que le père Sullivan était en rendez-vous au centre de réflexion religieuse situé en ville, au deuxième étage d'un immeuble de type fédéral qui surplombait les berges du Champlain. Il consistait en un petit hall d'entrée prolongé par une série de bureaux s'ouvrant de chaque côté d'un long corridor. La réception était déserte. Les portes de deux des trois bureaux étaient fermées, cependant les lumières qui filtraient à travers les panneaux de verre suggéraient qu'ils étaient occupés. John s'avança jusqu'à celle qui était ouverte. La salle était vide. Il était sur le point de retourner dans la salle d'attente quand une femme apparut au bout du couloir, sur le seuil de ce qui lui parut être une petite cuisine. Elle était de taille moyenne, solidement bâtie, avec de longs cheveux séparées par une raie au milieu et portait des lunettes cerclées de métal. John supposa qu'elle avait plus de trente-cinq ans. Vêtue d'un pantalon-tailleur, elle ne ressemblait pas vraiment à un conseiller.

— Puis-je vous aider ? s'enquit-elle d'une voix autoritaire.

— Je cherche le père Neil Sullivan.

Elle longea le corridor, montrant l'une des portes fermées.

— Il aura bientôt terminé. Avez-vous rendez-vous ?

— Non. Je pensais que je pourrais le coincer cinq minutes à la fin de la journée.

— Pour...

— Juste pour lui parler.

— Au sujet de... ?

John hésita à mentir. Si cette femme était aussi sûre d'elle qu'elle le paraissait – et si elle connaissait la vie privée du prêtre – elle serait bien capable de l'envoyer sur les roses. Mais le père Sullivan était là, tout près. John pourrait l'attendre dans l'immeuble ou dans la rue. Il ne partirait pas tant qu'il ne lui aurait pas parlé. Esquiver la question semblait donc inutile.

— Au sujet de son frère.

Elle tressaillit légèrement, de façon presque imperceptible. Oui, elle était au courant pour Terry.

Elle glissa les mains dans les poches de son pantalon et s'appuya contre le mur.

— Pourquoi ?

Il haussa les épaules et s'avança vers elle.

— John Kipling.

Elle enleva l'une de ses mains de ses poches.

— Anita Monroe. Je suis la directrice.

Elle fit un pas en arrière. Elle gardait ses distances.

— Travaillez-vous pour un journal ?

— Un petit, dans le New Hampshire. Je travaillais avec Terry à Boston.

— Veinard ! lança-t-elle avec un subtile changement d'expression.

Mais avant que John ait pu le définir, une porte s'ouvrit derrière elle. Un jeune homme en sortit. Son âge et son sac à dos indiquaient qu'il s'agissait d'un étudiant. Les yeux baissés, il passa à côté d'eux et s'éloigna d'un pas rapide.

John se tourna vers l'homme au col de clergyman qui les observait du seuil du bureau. Il ressemblait vaguement à son frère, mais de façon indéfinissable. Neil était plus vieux que Terry. Il avait les cheveux grisonnants et des rides sur le front et les joues. Bien qu'il se tînt droit, il n'était pas aussi grand et aussi mince. La bouche était peut-être la même. Mais celle de Neil était plus douce. Les yeux aussi. Neil paraissait plus amical et chaleureux que Terry. Accessible. Quand il souriait, il était même séduisant. John n'avait aucun mal à croire tout le bien qu'on lui en avait dit.

Anita alla droit au but.

— Père Neil, voici John Kipling. Il veut vous parler de Terry.

Le prêtre prit une profonde inspiration et jeta la tête en arrière comme pour dire « On m'a découvert. » Son sourire vacilla mais il serra chaleureusement la main de John.

— Il y a beaucoup de Sullivan. Je me demandais quand quelqu'un ferait le rapprochement. Comment avez-vous fait ?

— Un ancien voisin de Meadville m'a dit que vous étiez dans le Vermont. Le diocèse local a fait le reste. Je connais Terry depuis des années. Nous sommes allés à la fac ensemble.

— Et ils ont travaillé dans le même journal, précisa Anita.

Le prêtre eut un sourire triste.

— J'ai peur que vous le connaissiez mieux que moi. Nous avons sept ans de différence. Nous n'avons jamais été proches.

— Êtes-vous toujours en contact avec lui ?

— Non. Nous avons pris des chemins différents. Je ne suis pas sûr de ce que vous cherchez et si vous venez de loin, j'en suis navré. Mais je n'ai vraiment rien à dire.

John aurait pu ruser, faire parler le prêtre de choses et d'autres et l'amener ainsi à la confidence. Mais, indépendamment de la présence vigilante d'Anita, cela ne lui semblait pas correct. Alors, il expliqua les raisons de sa venue en mentionnant son amitié pour Lily et les drames qu'elle avait vécus depuis le début du scandale.

— Elle essaie de se défendre. Je veux l'aider. Nous tentons de comprendre pourquoi Terry haïssait Fran Rossetti au point de vouloir l'abattre en entraînant une femme innocente dans sa vengeance. Je sais que votre mère et Rossetti ont vécu une histoire d'amour, que votre père en était jaloux et que Terry était maltraité. Je sais aussi que vous y avez globalement échappé.

La souffrance n'avait pas disparu. John le voyait dans les yeux de Neil. Calmement, le prêtre lui demanda :

— Si vous savez tout, pourquoi avez-vous besoin de moi ?

— Vous êtes le seul à pouvoir donner un sens à tout cela. On peut se livrer à des tas de spéculations sur ses motivations mais nous avons besoin de quelqu'un pour les confirmer.

— En vue d'une publication ? (Avec le même sourire

triste, le prêtre secoua la tête.) Je suis désolé. Je ne peux pas faire ça. C'est mon frère.

— Il a diffamé un cardinal, détruit la vie d'une femme.

— C'est quand même mon frère. Vous trouverez vos renseignements d'une façon ou d'une autre, mais pas par moi.

— Je veux être sûr de mes informations. Vous êtes le seul qui se trouvait là.

— Mais je n'y étais pas réellement. Comme je vous l'ai dit, j'avais sept ans de plus. C'est un monde quand on est enfant.

— Rossetti était-il à la source des problèmes familiaux ?

Neil inspira une nouvelle fois profondément. Il parut puiser une résolution.

— Il faudra le demander à mes parents.

— Ils sont morts.

— Oui.

Il resta silencieux. Le silence se prolongea.

John fit une nouvelle tentative.

— Avez-vous été surpris que ce soit Terry qui révèle cette affaire Rossetti-Blake ?

— Je ne répondrais pas à cette question.

— Cela ne vous gêne pas de voir que Terry a causé tant de mal ?

Le prêtre sembla réfléchir. Puis, l'air chagriné, il reprit :

— Cela me gêne que la presse ait le pouvoir de blesser les gens.

— Il faut bien que cela s'arrête un jour, insista John en pensant à Terry.

Neil pensait visiblement à John.

— Vous avez raison. C'est pour cela que je ne vous dirai rien.

C'était bien joué. John éprouva un élan de culpabilité qui tourna vite à la jalousie. Neil était sûr de lui mais sans arrogance. Il avait le calme et la confiance de ceux qui possèdent une certitude. John douta de pouvoir parvenir à l'émouvoir. Mais il tenta une dernière chose.

— Et si je vous promets une totale confidentialité ?

Il souhaitait vraiment s'y tenir. Cela lui paraissait juste.

— Pas question, répéta le père de la même voix tranquille. C'est mon frère cadet. Ce n'est pas mon rôle de le trahir.

— Même en sachant le mal qu'il a fait ?

— Ce n'est pas à moi d'en juger. Dieu s'en charge.

Il s'arrêta de nouveau. Le silence se prolongea. John chercha le soutien d'Anita.

— Pouvez-vous vous mettre à la place de Lily ?

La réponse de la jeune femme le surprit.

— Bien sûr. Si j'étais elle, je voudrais en savoir le plus possible. Mais je ne suis pas à la place du frère.

— Ne pouvez-vous pas le convaincre ? insista John en montrant Neil du menton.

— Non, lâcha Neil d'un ton définitif. Elle ne peut pas.

John savait reconnaître quand il avait perdu.

— D'accord. Vous êtes honnête. Je vais vous dire quelque chose. Je m'en vais mais je passerai la nuit à l'auberge. Si vous changez d'avis, pouvez-vous m'appeler là-bas ? Demain après-midi, je serais de retour à Lake Henry. (Il prit sa carte dans son portefeuille.) Voilà mon numéro personnel.

Le prêtre prit le bristol et le mit dans sa poche sans y jeter un regard.

John était découragé. Il savait qu'il serait difficile de faire parler le prêtre, mais maintenant, il en avait envie plus que jamais. En fait, c'était un désir personnel qui n'avait rien à voir avec Lily. Neil Sullivan était perspicace. Il devait l'être, étant donné sa fonction. John voulait savoir comment il assumait le fait de ne pas avoir été présent pour son frère. Mais Neil n'avait jamais douté. Il ne parlerait pas. John en était si persuadé qu'il se demanda s'il ne ferait pas mieux de rentrer à Lake

Henry. Mais la route était longue, il était fatigué et, même s'il était inutile d'espérer, il avait dit à Neil qu'il serait à l'auberge. Alors, il dîna sur le bord du lac et se balada dans le centre-ville en regrettant l'absence de Lily. Convaincu que le père Sullivan ne l'appellerait pas, il resta dehors jusqu'à la nuit tombée et rentra à l'auberge si épuisé qu'il s'endormit immédiatement. Il dormit profondément et se réveilla juste à temps pour prendre son petit déjeuner. Il n'y avait eu ni appel ni message. Alors qu'il pénétrait dans la salle à manger en songeant qu'il pourrait se passer de l'aide du prêtre, que Lily lui manquait et qu'il avait hâte de rentrer chez lui, il aperçut soudain Anita Monroe. Elle était assise devant une tasse de café dans un renfoncement de la salle meublé de trois petites tables.

Son regard croisa le sien.

John attrapa une cafetière posée sur le buffet, remplit une assiette de pâtisseries et la rejoignit. Il déposa l'assiette entre eux.

— Vous n'êtes pas à la place du frère, lui rappela-t-il.

Sa voix était plus douce que la veille mais tout aussi ferme.

— Non. Mais je l'ai vu souffrir sous le poids de la culpabilité et des regrets.

Culpabilité et regrets. Des mots puissants.

— Sait-il que vous êtes là ?

— Oui. Nous en avons discuté la nuit dernière.

— C'est lui qui vous a envoyée ?

— Pas explicitement. Mais il savait que je viendrais et ne m'en a pas empêchée. Au cours de notre discussion, j'ai endossé le point de vue de Lily. (Elle sourit.) Vous avez touché le point sensible. Si cela peut aider cette jeune femme, alors il doit le faire. Cependant, j'ai besoin que vous me garantissiez la plus complète confidentialité. Neil ne peut s'épanouir que dans l'anonymat. Il ne veut pas que la presse se rue jusqu'ici. Et il ne veut pas porter lui-même de coups à Terry.

— Vous vous en chargerez, lui rappela John avant de tendre le bras pour saisir son poignet.

Vexée par sa franchise ou par ce qu'elle estimait être sa propre suffisance, elle était sur le point de se lever.

— S'il vous plaît, supplia-t-il, presque désespéré. Rien de ce que vous me direz ne sera divulgué. Rien ne sera publié. J'en ai seulement besoin pour appuyer mes conclusions. C'est tout.

— Pour Lily.

— Oui.

Elle l'observa longuement, désorientée.

— Et pour moi, poursuivit John avec sincérité. J'ai besoin de comprendre.

Les yeux d'Anita se posèrent sur sa tasse puis elle releva la tête.

— Neil était le chouchou. Il ne mentait pas quand il disait qu'il n'était pas proche de Terry. Il n'était presque pas au courant de ce qui se passait chez lui.

— Comment pouvait-il ne rien remarquer ?

L'excuse de John était la distance géographique. Il était physiquement absent quand Donny avait mal tourné. Anita se transforma alors sous ses yeux en thérapeute patiente et perspicace.

— Neil n'a vu que ce qu'il était capable d'assumer. Il a occulté le reste. Il a réalisé davantage de choses avec le recul, ces dernières années et encore plus quand le scandale Rossetti-Blake a éclaté.

— Rossetti était-il responsable des problèmes du couple Sullivan ?

— Oui. Jean, la mère de Neil, savait que Rossetti devait entrer au séminaire mais elle pensait qu'il changerait d'avis. Évidemment, il ne l'a pas fait. Ils sont restés ensemble plus de huit ans et puis il est parti. Elle s'est sentie comme une veuve, en proie à de nombreuses émotions conflictuelles. C'était très déséquilibrant. Elle a pris le dessus en épousant le premier gars qui passait.

— À cause d'une déception amoureuse ?

— Apparemment. Elle ne l'aimait pas vraiment.

James était jaloux et alcoolique. Pire, c'était un fervent catholique.

— Pourquoi dites-vous ça ? Cela aurait dû les aider ? Leur donner un point commun ?

Anita secoua la tête.

— Cela l'a rendu plus furieux encore. Il détestait Rossetti à cause de tout ce qu'il représentait mais il ne pouvait pas lever la main sur Neil. Neil était destiné à la prêtrise. Cela le rendait intouchable. Alors James ne pouvait pas se défouler et, chaque fois qu'il regardait son fils aîné, il pensait à Rossetti.

— À cause de l'Église ?

— Et de la date. Neil est né neuf mois après le mariage. James était convaincu qu'il était le fils de Rossetti.

« Wouah ! » pensa John. Une information intéressante.

— L'est-il ?

— Non. Absolument pas. Rossetti était sorti de la vie de Jean deux mois avant qu'elle épousât le père de Neil. Neil pesait à peine trois kilos et demi à sa naissance. Ce n'était pas un bébé de onze mois.

— Alors quel était le problème ?

— La jalousie n'est pas toujours rationnelle. James s'est persuadé que l'enfant était celui de Rossetti. Il est même allé jusqu'à le signaler aux autorités religieuses. Il y a cinquante ans, on ne pratiquait pas les tests ADN mais les dates parlaient d'elles-mêmes. L'Église rejeta sa requête mais James continua d'y croire dur comme fer. Et Jean ? Elle l'avouait et le niait alternativement.

— Avouait ? Pourquoi faisait-elle une chose pareille ?

— Par volonté de s'en convaincre. D'après ce que je devine et ce que Neil m'a dit, elle a vite été déçue par sa vie et son mariage. Une part d'elle aurait voulu que Neil fût le fils de Rossetti, ainsi, elle ne l'aurait pas perdu tout à fait. La présence de Neil irritait James mais comme il ne pouvait pas se défouler sur lui, il se vengeait sur Jean.

— Et sur Terry.

— Et sur Terry, admit Anita, résignée. Neil réussit à s'en sortir en vivant le plus possible hors de chez lui. Il avait des tas d'activité à l'école et passait beaucoup de temps avec des amis. Après son entrée à la fac, il n'est pas revenu.

Cela lui rappelait quelque chose. John lui aussi était parti pour de bon – en tout cas il l'avait cru.

— N'a-t-il pas essayé d'aider sa mère ? Ou Terry ? Ne pouvait-il pas trouver quelqu'un pour lui porter secours ? Le signaler à l'école ? Ordonner à son père d'arrêter ? S'interposer physiquement entre eux ?

— C'était un enfant ! clama-t-elle avec conviction. Il n'était ni un dieu ni un saint, quoi qu'en pensât Jean. C'était un enfant dont la vie n'était pas aussi parfaite que l'histoire semble le dire.

John respira. Il parvenait à s'identifier à Neil. Et se sentait soulagé d'entendre Anita parler ainsi. Mais elle n'avait pas terminé.

— Vous êtes un garçon. Imaginez si vous aviez eu une mère qui aurait fait de vous le substitut d'un amour perdu. Imaginez la responsabilité que cela implique. Il vivait avec cela en permanence. C'était étouffant. Il n'y avait rien de sexuel là-dedans mais l'ambiance était oppressante. Elle se prosternait devant lui. Que pouvait-il faire ? Il savait que c'était une folie. Il voulait se rebeller. Mais elle avait une vie si triste, elle était battue à sa place. C'était sa mère et il l'aimait. Alors il a essayé de lui faire plaisir. Essayé d'être parfait. Essayé d'imiter Rossetti. (Elle respira et se redressa.) Si vous croyez qu'il n'éprouve aucun ressentiment pour Rossetti, vous vous trompez.

Évidemment, John comprenait qu'il avait dû le détester.

— Alors, cela ne l'a pas gêné quand Terry a fait éclater ce scandale.

— Pas au début. Il n'avait pas de mal à croire que Rossetti pût avoir une liaison amoureuse. Il était furieux que Rossetti séduise une autre femme après avoir brisé le cœur de Jean, mais il y a cru. Imaginez son dilemme :

il est prêtre et se sentait coupable de mettre en doute l'honnêteté d'un cardinal. Puis, vinrent les excuses officielles... Neil a passé des heures à scruter son âme, à prier. Peu à peu, il a ressenti du chagrin et de la honte.

— Pas suffisamment pour parler quand les journaux ont continué de harceler Lily, accusa John. La compassion qu'il ressentait pour cet homme avait ses limites. Neil mène une vie bien protégée.

Mais Anita s'énerva.

— Attendez une minute. Et le cardinal ? A-t-il parlé ? Non, il ne l'a pas fait. Il ne voulait pas prendre le risque que l'on évoquât des histoires de maîtresse et d'enfant illégitime, et à juste titre. Vous imaginez à quel point la presse s'en serait donné à cœur joie ? Vous voyez les dégâts ? On n'aurait rien pu prouver, mais les rumeurs auraient persisté et Neil aurait été mêlé à tout cela.

John ne pouvait qu'être d'accord. Il était en colère contre Rossetti qui avait abandonné Lily. Anita avait visé juste. Elle se montra soudain suppliante.

— Maintenant vous savez. Cela vous donne du pouvoir sur nous. Vous pouvez changer d'avis et utiliser ce que je vous ai dit, (Elle leva la main.) même si vous m'avez promis de ne pas le faire ou choisir de respecter la vie privée de Neil et de sa famille. C'est un homme bien. Il n'a peut-être pas été très présent pour Terry et il en portera la culpabilité jusqu'à sa mort mais il donne sans compter aux autres enfants dont la vie est un enfer.

Elle se recala au fond de la chaise et porta sa tasse de café à ses lèvres.

Cela vous donne du pouvoir sur nous. Cette phrase résonnait dans la tête de John. Il se sentait sale, bien qu'il fût heureux qu'Anita lui ait parlé. Enfin il connaissait les motivations de Terry. Il était impatient de les dire à Lily. Et il ne les publierait pas. Ce serait malhonnête. Cela irait à l'encontre de ce qu'il essayait de faire de sa vie. Mais Anita ne le savait pas.

— Pourquoi m'avez-vous raconté tout cela demanda-t-il.

Elle reposa sa tasse et prit une grande inspiration. Elle s'était départie de son rôle de thérapeute. Son regard était désemparé.

— Parce que je l'ai vu souffrir. Je l'ai vu étouffer sous le poids de ce secret qui lui nouait la gorge. Je l'aime bien. D'accord, je l'aime. S'il n'était pas prêtre, je pourrais tenter quelque chose. Puisqu'il l'est, je dors seule. Mais je veux qu'il soit heureux. Si ma confession aide Lily à mieux comprendre les raisons qui ont poussé Terry à se venger, Neil aura un fardeau un peu moins lourd à porter. C'est ça. C'est tout. Voilà ce que je veux.

26

Lily était rentrée percluse de courbatures la nuit passée, mais après un bain chaud et un autre dans la matinée, elle était prête à repartir. Maida se montrait docile. Oralee n'avait pas cillé devant le changement. Bub lui avait obéi de bonne grâce et c'était à elle que les ramasseurs de pommes avait rendu des comptes puisqu'elle était dans la cour.

Quand Maida se rendit l'après-midi à la vente aux enchères pour tenter d'acheter une pelle mécanique, Lily garda la boutique. Elle dirigea le travail à la cidrerie et, à la fin de la journée, alla téléphoner du bureau de Maida pour s'enquérir d'une livraison de capsules pour bouteilles plastiques.

La journée avait été belle, grandiose même. Le soleil couchant embrasait la cime des érables et des bouleaux dont le feuillage tardait à mourir. Elle rentra chez elle, écoutant la radio à tue-tête, le corps comblé. Son plaisir redoubla quand elle aperçut le camion de John devant le cottage. Il lui avait manqué. Il était assis sur le capot arrière du véhicule et sauta sur ses pieds en la voyant arriver...

— Tu es en retard, ronchonna-t-il, un sourire en coin.

Elle lui rendit son sourire.

— Il y avait beaucoup à faire à la ferme. Alors ? Elle était impatiente de savoir. Comment cela s'est-il passé ?

— Super !

Tout en marchant vers la maison, il lui parla du père

Neil Sullivan, de la thérapeute Anita Monroe et de Francis Rossetti sur lequel elle n'aurait pas pensé apprendre autant de choses.

— Ils pensaient que Neil était son fils ? s'étonna-t-elle.

— Le père de Terry le croyait. Sa mère aussi parfois. Personne d'autre ne l'a jamais cru sérieusement mais Anita a raison. Si la presse avait eu vent d'une telle histoire, ç'aurait été un enfer. Alors, même s'il n'a pas été juste avec toi, je peux comprendre pourquoi Rossetti est resté dans l'ombre une fois que le *Post* lui a eu publié des excuses. Il ne voulait pas attirer davantage l'attention sur lui.

Davantage l'attention... songea Lily. C'était remarquable, vraiment.

— On a presque tout dit sur lui après sa nomination. Comment ont-ils pu ne pas découvrir ça ?

— Facile. Qui est au courant ? James et Jean Sullivan sont décédés. Neil n'a pas parlé. Terry non plus. Les officiels de l'Église à qui James a pu se confier autrefois sont morts ou sont restés muets.

Lily regarda le lac, essayant de digérer ce flot d'informations.

— Au moins, il y a une raison à son silence. John ?

— Hummm ?

— On ne peut pas le révéler.

— Je sais.

— Je suis désolée. Je ne veux pas doucher ton enthousiasme. Mais on ne peut pas publier ça.

— Je sais. Ce n'est pas de l'enthousiasme.

Elle l'observa attentivement.

— De quoi s'agit-il alors ?

Il fronça les sourcils l'espace d'une seconde. Puis, son visage se détendit. Quand il la regarda, il semblait d'un calme impressionnant.

— Le soulagement. La paix.

— La compréhension, ajouta-t-elle.

Il hocha la tête.

— Cela ne veut pas dire que nous ne pouvons pas

utiliser le reste. Cela ne concerne ni Neil, ni Rossetti. Juste Terry. Pauvre mec. Il ne va pas être content.

— Non, dit Lily. (Elle éprouva un léger regret.) Il veut la gloire. Il veut se faire un nom.

— C'est un manipulateur et un intransigeant.

— Il veut tout contrôler. Comme son père.

— Probablement.

— Je peux compatir, ajouta-t-elle.

Comme John paraissait étonné, elle s'expliqua.

— Chercher désespérément l'amour de sa mère sans jamais le trouver... Moi au moins, j'avais mon père. Terry n'avait ni l'un ni l'autre. Alors il s'est marié trois fois. Il a besoin d'être aimé mais est incapable de vivre une relation.

— Tu n'es pas en train d'hésiter à l'idée de te venger, n'est-ce pas ?

— Non, rétorqua-t-elle.

En un clin d'œil, elle revit ce qu'elle avait vécu par la faute de Terry.

— J'ai besoin de retrouver ma réputation. J'ai besoin de ma liberté.

John la serra dans ses bras et elle sourit. Elle lui avait manqué la nuit dernière – sa présence autant que le sexe. Elle possédait tellement plus de choses que Terry Sullivan n'en aurait jamais. Tout bien considéré, elle avait de la chance.

— Tu as faim ? demanda-t-il.

Elle hocha la tête, blottie contre sa poitrine. Elle avait envie d'insouciance. Après une longue journée de travail, manger ferait l'affaire.

— Allons chez Charlie.

L'air soudain grave, elle sursauta et leva les yeux.

— Nous ?

John regarda autour d'eux. Non, il n'y avait personne d'autre.

— Heu, je ne sais pas, bredouilla-t-elle, déconcertée.

— Tu as bien survécu aux funérailles de Gus.

— C'était différent. Je n'avais pas le choix.

— Maintenant, tu l'as.

Les jeudis soirs étaient bondés chez Charlie, presque autant que le samedi. C'était ce jour là que Lily avait chanté pour la première fois dans l'arrière-salle. Elle n'y était pas allée depuis l'âge de seize ans, cinq jours avant sa virée en voiture avec Donny Kipling.

— Est-ce que ça a changé ? demanda-t-elle à John.

À l'époque, Charlie Senior gérait les spectacles. Le jeudi soir, la scène était réservée aux jeunes, aux valeurs montantes.

— Pas vraiment, répondit John.

Curieuse malgré elle, elle continua prudemment :

— Qui joue ?

— Un groupe de Middlebury. Deux guitares, un violon et un violoncelle. Ils font du folk avec une pointe de pop.

Lily aimait ce genre de musique. Si elle avait été sûre de ne pas être reconnue, elle aurait été partante. Mais on était à Lake Henry. Indépendamment du scandale, il était difficile d'y passer inaperçue.

— Les gens vont jaser, dit-elle.

— Cela te dérange ?

La question était absurde. À part Poppy qui, étant sa sœur, lui était tout acquise, John était son meilleur ami à Lake Henry. Elle le voyait tous les jours, avait dormi avec lui six nuits sur sept. Il était intelligent, séduisant, présentait bien. Elle aimait tout en lui, hormis son métier. Cela la gênait-il d'être vue en sa compagnie ?

Elle lui renvoya la question.

— Est-ce que cela te dérange, toi ?

Il ne cilla pas.

— Pas le moins du monde.

L'arrière-salle n'avait pas beaucoup changé depuis dix-huit ans. Des tables de bistrot et les chaises avaient remplacé les bancs et on avait installé une nouvelle sonorisation avec des haut-parleurs accrochés au plafond. Mais la petite scène surélevée était la même, ainsi que le poêle ventru et l'ambiance feutrée. Cette douceur de vivre était assez typique de Lake Henry, mais c'était encore plus notable, le jeudi soir chez Charlie. Personne ne se pressait ou ne parlait affaires. On ne s'habillait pas : tout le monde portait des jeans. Le parfum ? C'était défendu. On y respirait les odeurs d'un vieux bal folklorique, du café frais, du chocolat fondu et de la fête. L'atmosphère lui parut immédiatement familière mais Lily se sentait mal à l'aise, ne sachant pas à quoi s'attendre. Il n'y avait pas d'étrangers ici, seulement des gens du pays. Elle craignit d'être la cible des regards comme ce premier dimanche à l'église. Heureusement Poppy était là. Elle passa un long moment à discuter avec elle, Marianne Hersey et Charlie Owens qui s'arrêtèrent à leur table. Les habitudes de la maison furent bien utiles. Personne ne parla affaires, même pas Cassie, qui arriva avec son mari et s'assit avec eux. On leur servit bientôt du café accompagné des fameux cookies aux pépites de chocolat délicieusement fondant que les Owens proposaient à leurs clients depuis trois générations. Quand la salle fut pleine et que le groupe commença à jouer, les gens eurent mieux à faire que de regarder Lily.

Progressivement, elle se détendit. Il y avait des années qu'elle ne s'était pas trouvée de ce côté de la scène et l'enthousiasme de l'orchestre était communicatif. Quelques minutes plus tard, elle battait la mesure avec le reste des spectateurs, fredonnant à voix haute. Si les gens avaient remarqué sa présence, ils n'en laissaient rien paraître. Elle n'était qu'une habitante de Lake Henry comme les autres, se divertissant un jeudi soir.

À la fin de la soirée, les musiciens demandèrent au public de choisir des titres. Ce furent les tubes des années 70 et 80 qui remportèrent tous les suffrages, et beaucoup devinrent nostalgiques. Surtout Lily qui avait longtemps joué du Simon and Garfunkel, les Eagles, Carole King, Van Morrison, même les Beatles. Une envie presque douloureuse fourmilla brusquement au bout de ses doigts. L'association de la guitare, du violon et du violoncelle était parfaite pour des chansons telles que *Yesterday* ou *Desesperado* et elle ne fut pas la seule à le penser. Des applaudissements chaleureux éclatèrent à chacune de ces reprises, et après *Bridge Over Troubled Water* et *Into the Mystic*.

Elle savourait pleinement sa soirée quand Charlie apparut brusquement à son côté.

— Ils vont jouer *Tapestry*, annonça-il en lui tendant un micro.

Elle comprit ce qu'il avait en tête.

— Oh, nn... non ! murmura Lily, horrifiée, je ne pourrai pas.

Un sifflement d'encouragement retentit dans la salle – c'était Poppy – tandis que les gens commençaient à taper des mains en cadence. La frénésie augmenta. Lily regarda John qui semblait aussi paniqué qu'elle.

Bizarrement, cela fonctionna. Lily était une véritable artiste, c'était son métier. Elle avait chanté des dizaines de fois devant des étrangers, et devant de plus larges parterres. Puisqu'elle y était arrivée dans le passé, elle pouvait y parvenir ce soir, et si ce n'était pour elle, alors pour John.

Prenant le micro des mains de Charlie, elle alla s'asseoir sur le tabouret qu'on avait installé sur scène spécialement à son intention. Tête baissée, elle ignora la foule. *Tapestry* était sa chanson préférée de Carole King. Quand les guitares commencèrent à jouer, elle ferma les yeux, se concentrant sur la musique. À la fin de l'intro, elle prit une grande inspiration et leva le micro. Les paupières closes, elle se mit à chanter.

Ce fut facile, les mots coulaient les uns après les autres. Elle avait chanté si souvent en public que cela n'avait rien d'étonnant, mais elle ne s'était pas attendue à un tel soulagement. C'était comme respirer après des jours passés sous l'eau, comme voir à nouveau la lumière après avoir erré dans le noir. Sa voix était une vieille amie, un alto complice qui ne la trahissait pas. En rythme, elle la suivit, une phrase après l'autre, dansant sur les vagues mélodieuses. La force lui revenait.

Elle ouvrit les yeux et regarda l'orchestre plutôt que le public. Ce fut naturellement qu'elle enchaîna *You've Got a Friend*. Lily était dans son élément. Elle avait toujours adoré Carole King et les musiciens connaissaient bien son répertoire. De *You've Got a Friend*, elle passa à *So Far Away* puis à *Will You Love Me Tomorrow*. Elle était si bien qu'elle aurait pu se croire seule dans un petit studio avec quatre musiciens partageant sa passion. Elle tapota le micro sur son menton et leur sourit quand elle entendit les premières notes d'intro de *A Natural Woman*. En chantant la dernière phrase, elle dansait littéralement en rythme. Les instruments à cordes achevèrent le morceau. Revigorée, grisée, Lily posa le micro et s'inclina devant le quatuor qui se déplaça légèrement pour qu'elle se montrât au public. Elle entendit alors éclater des salves croissantes d'applaudissements. Avec un sourire embarrassé, elle se retourna et salua.

Poppy arriva chez elle peu après 22 heures. Il lui fallut une bonne minute pour s'installer dans son fauteuil et descendre de sa voiture et une autre pour pénétrer à l'intérieur de la maison. Annie Johnson, qui l'avait remplacée au standard, vint à sa rencontre dans le hall.

— Je pensais bien avoir entendu un véhicule, dit-elle en sortant un trousseau de sa clefs de sa poche. Il y a un appel pour toi. Un type avec une voix géniale.

Griffin Hughes. Poppy garda son calme.

— Autre chose ? s'enquit-elle alors qu'Annie franchissait déjà le seuil.

— Non, répondit-elle. Bonne nuit.

La porte claqua. Poppy roula son fauteuil jusqu'à la console téléphonique et attrapa le combiné, omettant de prendre le casque.

— A priori, Willie Jake doit dormir. Cet homme a soixante-dix ans. Pensiez-vous réellement qu'il serait disponible à cette heure-là ?

— Non, reconnut franchement le jeune homme. C'est pour cela que je vous ai appelée.

Poppy regarda les boutons allumés sur la table d'écoute et rougit en découvrant l'endroit où clignotait la petite lumière verte.

— Comment avez-vous eu mon numéro ?

Elle tuerait Willie Jake ou Emma, si l'un ou l'autre le lui avait donné.

— Dans l'annuaire, répondit Griffin de son ton bon enfant.

— Oh !

— J'appelle au mauvais moment ?

— Non.

— Étiez-vous sortie ?

— Oui. C'est jeudi soir.

— Alors ?

— J'étais chez Charlie.

— Qui est-ce ?

— Ce n'est pas quelqu'un. C'est une boutique. En fait, l'arrière-salle d'un magasin. On y donne des concerts le jeudi. Elle lui parla du groupe qui avait joué ce soir, sans mentionner bien sûr la présence de Lily.

— Ça paraît sympa, commenta Griffin.

— Bah ! Une toute petite ville. Vous êtes dans le New Jersey. Vous êtes habitué à New York. Vous vous ennuieriez.

— En voilà une généralité, Poppy Blake. C'est faux. Je vis à Princeton. Ce n'est pas une grosse agglomération mais j'ai choisi d'y vivre parce que l'ambiance y est plus provinciale. Je ne suis pas allé à New York depuis des mois. Je n'en ai pas besoin.

— Même pas pour travailler ?

— Non. Pas avec le téléphone, le fax et Internet.

— Enseignez-vous à la fac ?

— Non. Je me contente d'écrire.

— Et vous m'appelez toujours pour obtenir des informations sur Lily ? N'êtes-vous pas pressé d'avoir fini votre article ? N'avez-vous pas besoin d'argent ?

Calmement, mais objectivement, il répondit :

— Non. Je suis indépendant financièrement. Comme vous. Et je ne vous téléphone pas pour ça.

Elle en resta muette, bouche bée. Devant son silence, Griffin éclata de rire.

— Je vous ai eue, n'est-ce pas ?

— Pourquoi m'appelez-vous alors ? Il doit y avoir beaucoup de jolies petites étudiantes à Princeton.

— Elles sont trop jeunes.

— Même celles qui sont en fin d'études ?

— J'aime les femmes plus âgées.

Poppy sourit.

— La flatterie ne vous mènera nulle part. Je ne succombe pas aux voix profondes, rauques et sexy. On dirait que vous avez un chat dans la gorge.

— Je ne suis pas un chat.

Non. Elle ne le pensait pas.

— Je voudrais qu'on se rencontre, déclara-t-il.

— Ah ! Vous aimeriez que je sois d'accord. Ainsi, vous arriveriez ici avec une invitation en bonne et due forme et vous passeriez votre temps à fouiner à droite et à gauche. Je connais votre genre, Griffin. Je ne vous invite pas. Je n'ai pas le temps de vous balader en ville.

— Pourquoi ? Que faites-vous à part le travail ?

— J'ai des amis. On a des occupations.

— Ne pourrais-je pas venir avec vous ?

Elle soupira et d'une voix calme, elle reprit :

— Je ne vous invite pas.

— Y a-t-il quelqu'un d'autre ?

Elle hésita à mentir. Ce serait facile, un moyen de mettre fin à cette histoire. Propre et simple. Mais elle aimait rêver à Griffin Hughes. Elle n'avait que le rêve...

— Non. Il n'y a personne d'autre. (Elle se montra soudain suppliante.) J'aime parler avec vous. Vous avez l'air super. C'est sympa. Mais n'insistez pas. S'il vous plaît.

27

Les sentiments de John étaient si profonds qu'il ne savait pas quoi faire. Il était déjà tombé amoureux de Lily la cuisinière, Lily l'amie, Lily « la flingueuse », même de Lily « la chanteuse aux canards ». En l'admirant ce soir-là chez Charlie, il eut le coup de foudre pour la séductrice et c'était dangereux. Elle portait un simple jean et une chemise à col Mao, aucun maquillage et paraissait isolée dans son propre univers, celui de la musique. Il s'était senti envahi par le respect. Il n'avait jamais rien vécu de semblable avec Marley ou en regardant les films de Meg Ryan – trois fois chacun.

En fait, quand Lily revint à leur table, il se sentit intimidé puis ravi lorsqu'elle se pelotonna contre lui dans la camionnette sur le chemin du retour. À en juger par les apparences, elle semblait amoureuse. Tout au moins, c'est ce qui transparut dans ses gestes, quelques minutes avant de s'endormir.

Quand il se réveilla, elle était déjà partie travailler à la cidrerie mais sa présence hantait encore le cottage. Ce sentiment de respect un peu douloureux ne l'avait pas quitté. Des rêves et des projets à long terme se dessinaient dans son esprit. Assis au bord du dock, frissonnant sous la bruine d'octobre, il essayait de mettre en ordre ces pensées. Il n'y avait aucun bateau en vue. La plupart étaient amarrés, loin de l'eau, recouverts de bâches plastique pour l'hiver. Dans quelques semaines, les pontons le serait aussi, sinon les piliers risqueraient de se briser sous la couche de glace.

L'hiver approchait à grands pas. L'air était sec, le ciel comme de l'acier. Il n'y avait aucun canard à l'horizon. John ignorait s'ils étaient toujours là... Leur départ n'était désormais qu'une question de jours. Le froid et le brouillard les avertissaient qu'il était temps de partir.

Pour John aussi, le compte à rebours avait commencé. L'heure de pêcher ou d'enlever l'appât. Une nouvelle étape de sa vie l'attendait. S'il voulait écrire un livre, il devait s'y mettre.

Alors il se rendit à son bureau le vendredi matin, armé de grandes résolutions. Il n'était pas là depuis cinq minutes que Brian Wallace l'appela.

— J'ai pensé que tu aimerais être au courant, commença-t-il prosaïquement. On a le rapport des experts. L'enregistrement de Blake a été monté. On a viré Terry. (John attendit la suite.) N'est-ce pas ce que tu voulais ? Tu détestes Terry depuis des années. Cela dit, tu n'es pas le seul. On va se réjouir, ce soir, dans la vieille salle de rédaction.

Un mois auparavant, John aurait été heureux. Mais à l'époque, il ne prenait pas fait et cause pour Lily.

Aussi répondit-il prestement :

— Et alors ?

— Il range son bureau à l'heure qu'il est, en hurlant qu'il a bien mieux à faire que de se crever le cul pour nous. Un tas de conneries du même genre. Il est foutu.

John attendait autre chose.

— Oublie Terry. Et Lily ?

— Quoi, Lily ?

— Allez-vous faire un article ?

— Non. Le licenciement de Terry clôt définitivement cette affaire. Cela n'a plus aucune raison d'être.

— Pardon ? (John en resta abasourdi.) Une femme innocente a été lapidée par ton journal sur la base d'une bande que tu as refusée d'authentifier jusqu'à ce que je te prouve la malveillance de Terry, et tu ne lui dois rien ?

— Que veux-tu qu'on fasse ? demanda Brian, ennuyé.

— Son avocat a demandé un démenti.

— Oh, s'il te plaît, laisse moi respirer. Nous n'avons rien fait de mal. Nous avons agi en toute bonne foi. Cet article nous a paru légitime, étayé par une enquête...

— Basé sur une bande montée.

— Basé sur une bande que l'on croyait fiable. Seigneur, Kip, que veux-tu qu'on fasse ? Qu'on teste les enregistrements de tous les journalistes pour vérifier s'ils sont authentiques ?

— Non, reprit John lentement. Je connais des reporters de ton staff qui sont au-dessus de tout soupçon mais Terry n'en fait pas partie et tu le savais. Tu le savais, Brian, tout comme tu savais que ce scandale avait le pouvoir de blesser. Assume-le. Tu l'as publié parce que tu avais l'intention de vendre du papier et ça a été le cas. Tes types se sont comportés comme des bandits. Aujourd'hui, tu fais du sensationnel avec l'affaire de Back Bay. Pourquoi est-ce un problème de publier un démenti ?

— Le problème, expliqua Brian avec une candeur surprenante, c'est que nous nous vantons d'être les meilleurs. S'excuser auprès du cardinal était déjà mauvais pour notre image. Pourquoi insister ? Tout le monde sait que nous avons fait monter la sauce. S'excuser auprès de Lily Blake, c'est trop !

— Trop ? reprit John en écho, augmentant la pression. (Un démenti nuirait à l'intérêt de son livre car Lily ne serait plus complètement une victime, mais il le voulait pour elle.) Vous foutez en l'air la vie d'une femme innocente, et c'est trop de réparer vos fautes ?

— Trop d'humiliation. Pourquoi m'emmerdes-tu avec ça ? C'est Terry le voyou dans cette histoire.

— Tu l'y as autorisé. Tu as laissé faire, sans chercher à l'arrêter. Si tu avais agi plus tôt, tu aurais été capable de découvrir la vérité le concernant. Tu aurais été honnête vis-à-vis de Lily, la presse du monde entier aurait pensé beaucoup de bien de toi et cette affaire serait terminée.

Brian hurla :

— Cette affaire est terminée ! Écoute-moi, John ! Nous ne ramperons jamais !

John était livide quand il raccrocha, mais il savait reconnaître quand il était coincé. Brian n'était que le directeur de la rédaction. Il avait des patrons au-dessus de lui, des gens mieux placés pour décider de faire paraître un démenti. John pensa en appeler un. Puis il réfléchit. Lily avait besoin de clore cette histoire définitivement. Elle voulait des excuses publiques qui lui permettraient de retrouver sa réputation. Elle demandait la justice. Le licenciement de Terry ne lui apporterait rien. Certes, c'était l'aveu qu'ils s'étaient trompés mais ce n'était pas assez. Personne, à part les employés du *Post*, ne serait au courant. John aurait parié que le journal ferait croire qu'il s'agissait d'une démission. Terry trouverait un autre boulot et recommencerait ailleurs... Ce n'était pas cela la justice.

Alors, John pouvait menacer le *Post* d'annoncer ce licenciement à la une du *Lake News* s'il refusait de publier un démenti. Armand aurait son heure de gloire. Il téléphonerait à tous les journalistes qu'il connaissait à New York et cela aurait des répercussions. Oh oui, John pouvait jouer cette carte-là. Le *Post* céderait peut-être. Mais ils publieraient l'info le plus discrètement possible. Personne ne la verrait.

La vie de Lily avait été détruite à la une de la presse. Elle méritait d'être réhabilitée de la même façon. Malheureusement, ce n'était pas dans son intérêt à lui. Si cette affaire réapparaissait dans un journal national, surtout centrée sur Terry, il courait le risque de voir un autre reporter déterrer ce qu'il avait découvert. Si quelqu'un lui volait son travail, John pourrait dire au revoir à son livre.

Serait-ce si terrible ?

Il avait eu quatre motivations pour écrire : la célébrité, l'argent, l'approbation de Gus et l'envie de justifier sa vie en province. Que la célébrité aille se faire foutre. Il n'avait pas besoin de ça. Grâce à Lily, il se sentait important. Que l'argent aille se faire foutre également. Il pouvait vivre sans, Lily n'était pas intéressée. Auprès d'elle, il se sentait milliardaire. Et son mode de vie ? S'il était capable de se passer de gloire et de fric, le reste était parfait.

Par contre, il cherchait toujours à mériter l'amour de Gus même si ce dernier était mort. C'était donc une question de conscience et d'estime de soi. Alors, écrirait-il ce livre, oui ou non ? Il devait se décider et... vite.

Lily se montra aussi distraite que John durant le week-end. Le refus du *Post* de publier un démenti, malgré l'expertise de l'enregistrement, lui laissait entrevoir un procès interminable. Déjà, les avocats du journal avaient demandé à Cassie soixante jours pour se prononcer sur la plainte initiale.

— C'est une tactique classique, une façon de tergiverser, lui avait expliqué Cassie.

— Pouvons-nous refuser ? avait demandé Lily.

— Oui, mais ce n'est pas une bonne chose stratégiquement. Si nous leur refusons ce délai, ils peuvent demander une motion de rejet devant la Cour de l'État. On gagnera bien sûr... Le problème c'est le temps. S'ils demandent une résolution aujourd'hui, nous n'obtiendrons une date d'audience que pour le mois de février.

— Et qui nous dit qu'ils ne demanderont pas cela dans soixante jours ?

— Rien, concéda Cassie. S'ils veulent se comporter comme des salauds, ils le feront.

— En ont-ils l'air ?

— Non. Ce ne serait pas une bonne politique. L'avocat qui m'a appelée était plutôt humble et courtois. Faux-jeton mais très aimable. À mon avis, il faut se montrer bon prince et leur accorder trente jours. Cela ne nous retardera pas trop.

Lily se soumit à contrecœur. Trente jours, cela voulait dire encore un mois dans le flou le plus total. Son impatience n'était plus simplement liée à l'idée de regagner Boston. Elle commençait à se construire une vie à Lake Henry. Si elle souhaitait s'y installer, il y avait encore des choses à régler avec Maida, mais elle avait peur de faire des projets d'avenir avec John. De toute façon, mettre fin à ce scandale était une condition sine qua non. Rien ne pourrait voir le jour tant que cette affaire ne serait pas définitivement enterrée.

John emmena Lily à l'église le dimanche matin puis prendre un brunch chez Charlie avant de se balader dans les collines. Ils se rendirent ensuite au bureau du *Lake News*. Après lui avoir demandé de choisir trois articles parmi la liasse écrite par les élèves de l'académie, il la laissa rédiger les chèques mensuels destinés à la douzaine de correspondants, aux pigistes et à Jenny Blodgett.

Elle se montra ravie de l'aider et cela lui fit plaisir. Aimer le journal c'était un peu l'aimer lui-même.

« Oublie ce livre. Le *Lake New* attend d'être bouclé. » Mais il avait du mal à simuler de l'enthousiasme pour le prochain tournoi de foot intercommunal ou la mise en pages du numéro de la semaine. Une des maquettes était ratée, l'autre pire encore. Il n'avait pas le cœur à ça.

Au bout d'un instant, prétextant le besoin de s'aérer l'esprit, il laissa Lily devant l'ordinateur, tourna au coin du bureau de poste et traversa la rue en direction du cimetière qui jouxtait l'église. Il se recueillit devant la tombe de Donny, saisi d'une vieille douleur familière. Comme le père Sullivan, il aurait des regrets jusqu'à sa mort, mais les paroles d'Anita lui étaient d'un grand secours. *C'était un enfant*, avait-elle dit pour défendre Neil. *Ce n'était ni Dieu ni un saint, mais un enfant dont la vie n'était pas aussi parfaite que l'histoire semble le dire*. Ses mots auraient pu s'appliquer à John. Ils ne l'exemptaient pas de toute responsabilité mais apaisaient les blessures. Il se tourna vers la stèle proche de celle de Donny. La tombe de Gus. Elle n'était pas encore recouverte d'herbe. Il faudrait attendre le printemps. Mais la terre était jonchée de feuilles mortes, jaune pâle, rouille, brunes. L'endroit était calme, paisible comme l'éternité, John était persuadé que son père était au ciel. Un homme qui avait autant souffert méritait bien cela. *C'est moi qui t'ai laissé tomber. C'est moi qui ai tout gâché. Moi qui n'ai jamais été assez bon. Ni pour ta mère. Ni pour Don.*

Ni pour toi. Il était triste qu'il n'ait pu prononcer ces paroles qu'au moment de mourir. Triste que le mérite ait eu tant d'importance pour lui. Un homme sans conscience menait une vie facile, décida John. Un homme sans conscience n'avait aucun souci. Gus en avait. John aussi. Gus voulait que l'on reconnût sa valeur. John également. Gus construisait de magnifiques murs. John écrivait des papiers brillants. Mais cela ne prouvait rien.

C'était simple en réalité. Bâtir des chefs-d'œuvre de pierre et écrire des articles, c'était bien, certes. Mais on ne pouvait juger la valeur réelle d'un individu que dans ses rapports avec les autres.

Non, Lily ne voulait pas penser à ce qu'elle éprouvait pour John mais ses sentiments étaient solidement ancrés. Dans l'idéal, elle voulait mettre un terme à ce scandale, régler les choses avec Maida avant de penser à John. Mais la vie ne se déroulait jamais comme on le souhaitait. Son cœur se serrait et bondissait dans sa poitrine quand elle pensait à lui. Ce dimanche-là, en sentant son trouble, elle craignit qu'il réfléchît à leur relation.

Incapable de poser la question de peur qu'il ne l'avoue, elle l'aida du mieux qu'elle put au bureau puis, de retour au cottage, prépara le dîner pour lui faire plaisir. Il sourit, mangea jusqu'au dernier morceau et la remercia à plusieurs reprises. Mais une fois qu'elle eut fini de laver la vaisselle, elle s'aperçut qu'il s'était réfugié dehors sur le dock. Après avoir enfilé un pull et une veste, elle alla le rejoindre. Il faisait froid. Le vent s'était levé, ridant la surface de l'eau. Le mois d'octobre était bien entamé. Novembre apporterait de la neige.

Ses tennis résonnèrent sur les planches. John leva la tête et sourit. Attrapant sa main, il la fit asseoir entre ses jambes, face au lac, sa joue contre ses cheveux et la serra dans ses bras. Son étreinte était franche et solide. Cela la rassura un moment.

— Écoute les clapotis, murmura-t-elle.

— Mmmm. Une tempête se prépare. J'essayais d'entendre les canards.

— Tu y arrives ?

— Non. Ils ont dû partir. C'est difficile de les repérer, sans clair de lune. L'eau est trop agitée.

Sa bouche frôla sa tempe, la douce caresse de sa barbe.

— Tu as assez chaud ?

— Oui.

— Je t'aime, tu sais.

Son cœur fit un bond.

— Est-ce réciproque ? demanda-t-il, hésitant, d'une voix si attachante.

Elle était totalement folle. Depuis quand pouvait-elle faire confiance à un journaliste ?

— Complètement.

Elle le sentit se détendre un peu.

— Je veux ce qu'il y a de mieux pour toi.

Elle le croyait. Elle comprit alors les raisons de son humeur maussade. La cause de sa distraction ne venait pas de leur relation, mais de ce scandale qui pourrissait leur vie... Elle fut soulagée et effrayée à la fois.

— Quels sont mes choix ?

Il soupira comme quelqu'un qui avait soigneusement envisagé toutes les solutions.

— Tu en as trois, dit-il. D'abord, tu peux aller en justice. Laisser Cassie s'occuper du dossier et attendre de voir. (Cela convenait à merveille. Cette solution prendrait du temps.) Deuxièmement, tu peux tout raconter dans mon livre. Jacobi veut le sortir en mars. J'aurais préféré quelques mois de plus pour une question de qualité mais je peux le faire pour cette date-là. Tu auras des résultats plus rapidement qu'en allant au tribunal.

Tu peux tout raconter dans mon livre. Cela ressemblait à une œuvre commune. C'était important.

— Troisièmement, conclut-il, on peut faire les gros titres cette semaine. J'ai la possibilité de consacrer le numéro du *Lake News* à cette affaire. Tout mettre sur la table. Armand s'assurera que la presse nationale répercutera l'information. Tu auras une tribune.

Elle avala sa salive. Une tribune rien que pour elle. Elle serait exposée, ce qu'elle détestait. Mais cette fois, elle aurait d'énormes manchettes, l'occasion de se justifier, une revanche totale.

— Si je choisis ça, fit-elle remarquer, tu ne pourras pas faire ton livre.

Il resta silencieux un long moment. Quand il reprit la parole, il semblait résigné.

— Tu as peut-être plus besoin de cela que moi de mon livre.

Elle fut plus touchée qu'elle ne l'aurait cru.

— C'est à toi de choisir, annonça-t-il.

— Mais tu voulais l'écrire !

Elle savait à quel point. Ils avaient parlé de ses rêves. Elle n'était même plus effrayée. Pas vraiment. C'était une question de confiance.

— Je peux encore le faire.

— Cela n'aura pas la même portée.

— Peut-être que non. Mais tu as besoin qu'on parle de toi, d'apparaître en pleine lumière.

— Je déteste les lumières.

Il l'obligea à se retourner et la regarda droit dans les yeux.

— Tu as beau détester ça mais, bon sang, il n'y a que ça qui marche. Tu as tout perdu sous le feu des projecteurs, tes boulots, ta maison, ta réputation. As-tu envie de les retrouver ?

Elle se rappela la fierté qu'elle avait ressentie à l'école Winchester quand elle avait organisé un concert pour son groupe a capella, le plaisir d'interpréter ses chansons favorites au club Essex pour des gens comme Tom et Dotty Frische. Elle se souvint du plaisir de traverser à pied le jardin public et de descendre Commonwealth avenue jusqu'à son appartement qu'elle avait acquis en travaillant dur. Sa réputation était à la base de son existence.

— Alors ? demanda John.

— Oui.
— Veux-tu être réhabilitée ?
Voulait-elle que le monde sache qu'elle n'avait jamais eu de liaison avec Francis Rossetti ? Voulait-elle raconter aux gens ce qu'elle avait fait de sa vie ? Voulait-elle des excuses pour toutes les humiliations et les moqueries qu'elle avait endurées ?
— Oui !
— Veux-tu punir ceux qui t'ont fait souffrir ?
Tant de gens seraient honteux, tant de gens dans les coulisses qui avaient laissé faire – par où commencer ? Il y avait Justin Barr, le menteur de la radio qui l'avait comparée à Jézabel, et Paul Rizzo, qui l'avait suivie et harcelée, sans jamais, jamais lui accorder le bénéfice du doute. Mais Terry Sullivan était le pire de tous. Il avait inventé cette histoire. Voulait-elle qu'il fût puni ? Elle le désirait ardemment.

John passa la nuit chez Lily mais il fut le premier à partir dans la matinée. Il s'arrêta boire un café chez Charlie et récupérer les journaux des villes voisines avant de se rendre au bureau. Il ne les ouvrit pas. Il avait suffisamment de choses à écrire et les mots coulèrent sans effort, de son esprit jusqu'à ses doigts. Il retint même sa plume. Il avait bien assez d'informations ; il pourrait même encore écrire son livre.

Le *Lake News* prit de l'importance au fur et à mesure que les heures passèrent. Il voulait que cet exemplaire fût le meilleur qu'il ait jamais fait. S'autocensurer n'était pas la solution. C'étaient des informations sensationnelles. Journalistiquement parlant, c'était le rêve de John. Les idées qu'il gardait pour son livre passait au second plan. Sa priorité était de servir les intérêts de Lily. Gus lui avait dit un jour, dans un élan de cynisme provoqué par la frustration, que les journalistes se contentaient de rapporter des nouvelles parce qu'ils n'étaient pas assez doués pour les inventer. Eh bien, John était intelligent. Il avait suivi son intuition, enquêté et déniché de quoi donner un nouvel éclairage à une vieille affaire.

Non, le travail d'un journaliste n'était pas de faire l'information. Il l'avait appris des années auparavant. Rien de ce qu'il entreprenait, pensait ou imaginait aujourd'hui ne le ferait changer d'avis. Il avait découvert la vérité et la faisait connaître. Cela lui semblait la meilleure chose à faire.

Le mardi matin, quand Liddie Baynes arriva avec la chronique d'Armand, John était à la porte pour l'accueillir.

— Pour votre moitié, dit-il en lui tendant une grande enveloppe avant de s'emparer de la plus petite. Comment va le patron ?

— Grognon, répondit Liddie affectueusement. Sa nouvelle hanche ne le rajeunit pas.

John sourit et lui montra le pli qu'il venait de lui donner.

— Cela devrait lui rendre le sourire.

Il fallut cinq minutes à Liddie pour rentrer chez elle en voiture et cinq autres à Armand pour lire les papiers de John. Sa réaction ne se fit pas attendre. Il appela à l'instant même où John avait posé son stylo, guettant son coup de téléphone.

— Qu'est-ce que c'est que ça, bon sang ? lui aboya Armand dans l'oreille. D'où cela vient-il ? Depuis combien de temps mènes-tu cette enquête ? En connais-tu les implications ? Seigneur, John, pourquoi ne m'as-tu rien dit. Je suis le directeur de la publication. Quand avais-tu l'intention de me mettre au courant ?

— J'ai pris la décision à la dernière minute, répliqua John, sachant qu'Armand était plus excité qu'en colère. J'ai cherché pendant un moment, mais je n'étais pas sûr de ce que j'allais trouver. Alors ? Qu'en penses-tu ?

— À ton avis ? Je suis... Je suis déstabilisé !

John sourit.

— Tu as encore le temps de remanier la parution si tu ne veux pas le publier, plaisanta-t-il.

— Je suis d'accord. La question est : que fait-on après la parution ?

John s'éclaircit la voix.

— J'ai une idée. Mais j'ai besoin de ton aide.

— Parfait. Exclus-moi de ce dossier et tu es viré.

Tout était une question d'organisation. Le but était d'appâter les gens sans leur permettre de mettre leur nez dans cette affaire. C'était délicat quand il s'agissait de journalistes. C'étaient des accros. Dès qu'ils reniflaient une nouvelle, ils battaient aussitôt le pavé.

John et Armand établirent leurs listes séparément et les comparèrent pour éliminer les doublons. Ils avaient prévu de téléphoner le mardi soir aux reporters qui avaient de la route à faire et le mercredi à ceux qui habitaient plus près.

Pour John, c'était presque un jeu d'enfant d'appeler ses vieux copains de la presse en leur posant assez de questions sur l'affaire Rossetti-Blake pour faire naître leur suspicion. Il en profita pour leur confier que Lily Blake était effectivement revenue chez elle, que le *Lake News* s'apprêtait à publier une info de toute première importance et qu'il organiserait probablement une conférence de presse en temps voulu. Oui, il supposait que tous les gros légumes seraient là.

« Supposer » était le mot magique. Il savait comment travaillaient les journalistes. Ils ne prendraient pas le risque d'ignorer une information de peur qu'un concurrent s'en emparât et ne réalisât un scoop. Il ne téléphona pas à Terry ; il n'avait pas à le faire. Les gens qu'il appela étaient des initiés qui connaissaient le lien de Sullivan avec l'affaire. De plus, et c'était un avantage, ils respectaient John. Au fur et à mesure qu'il leur annonçait que la conférence de presse – si elle avait lieu – se déroulerait dans l'église de Lake Henry le mercredi à 17 heures, il entendit les murmures et les bruissements de papier indiquant que ses interlocuteurs notaient le rendez-vous. Mercredi, 17 heures...

John ne pensait pas pouvoir récupérer le *Lake News* chez l'imprimeur beaucoup plus tôt. Lily aurait le temps d'achever son travail à la cidrerie, de repasser chez elle avant de le rejoindre en ville. L'affaire éclaterait à temps pour le journal télévisé du soir.

Le mardi, au lieu de se rendre chez Lily, John préféra passer des coups de fil jusqu'à minuit puis acheva la rédaction du *Lake News*, de certaines informations locales qu'il avait négligées à cause du scandale mais qui étaient importantes pour ses lecteurs. À 8 heures, le lendemain matin, il était de nouveau au téléphone. À 11 heures, il passa un dernier appel, boucla le journal et l'envoya à l'imprimeur peu avant midi.

Ce fut alors que Richard Jacobi l'appela.

Le téléphone arabe fonctionnait bien. Richard avait entendu les mots « scoop » et « conférence de presse ». Il n'était pas ravi.

— Tu vas annoncer beaucoup de choses ? demanda-t-il.

— Non. Juste un morceau du puzzle.

— Il doit être solide pour que tous les journalistes fassent le déplacement. Écoute, John, j'ai ton contrat ici sur mon bureau prêt à partir au courrier, mais si tu révèles tout aujourd'hui, qu'y aura-t-il de neuf à révéler ?

— Des détails. De la profondeur.

— Ce serait très bien si tu t'appelais David Halberstam mais ce n'est pas le cas. Tu es un journaliste dont le point fort est de savoir faire du sensationnel. J'espérais que ce serait un best-seller. C'est pour cette raison que je t'ai accordé de l'argent.

— Je pensais que c'était pour le contenu. La véritable histoire est derrière ce scandale. Il n'y a rien de changé.

— On devait signer pour une exclusivité. Si tu publies l'affaire dans ton hebdomadaire, cela rompt notre accord. Bon sang, John, c'est le business. Les détails et la profondeur, c'est sympa, mais ce n'est pas ça qui fera décoller les ventes. Je payais pour un coup de librairie. Avec un bon matraquage publicitaire, les lecteurs auraient été sur les dents. Le marketing travaille déjà dessus. Ainsi que la pub et le service artistique. Ce devait être un truc énorme, nous aurions fait un lancement du tonnerre avec une conférence de presse. Si tu fais ça maintenant, notre accord ne tient plus.

— Bon, acquiesça John.

La description que lui faisait Richard ne le faisait plus rêver. Il ne serait peut-être jamais David Halberstam. Il avait souhaité écrire ce livre pour se prouver qu'il était un bon écrivain. En tout cas, c'était le rêve qu'il avait fait autrefois. Ça ne l'était plus. Il voulait prouver sa valeur en tant qu'être humain. Et y parviendrait très bien sans écrire de livre.

— Je vais te dire ce que je vais faire, dit Richard, pensant se montrer conciliant. Je garde ton contrat ici. Appelle-moi après ta conférence de presse et nous verrons où nous en sommes.

John raccrocha, presque sûr qu'il ne l'appellerait pas. Il n'en éprouvait pas la moindre déception.

28

Lily passa le mercredi matin dans un état de nervosité qui rappelait ses derniers jours à Boston. Cherchant un peu de soulagement dans la routine, elle se consacra fiévreusement au travail de la cidrerie, empilant casiers et tissus, mais l'impatience couvait sous son calme apparent. Ses émotions bouillonnaient, passant de l'excitation à la peur, de la satisfaction à l'embarras et à la colère. Une certitude restait immuable : elle voulait la justice. Le plus drôle, c'était qu'elle allait peut-être l'obtenir par Terry Sullivan, la personne même qui l'avait rendue célèbre. John n'avait qu'à le murmurer à ses amis journalistes pour qu'ils fassent le déplacement dans le New Hampshire. Une fois à Lake Henry, il braquerait les projecteurs sur Terry. L'arroseur arrosé. Cette pensée lui donnait un grande satisfaction.

Par contre, en imaginant la foule, les questions qui pourraient être posées, de nouveau le tourbillon médiatique, elle était mal à l'aise. Mais elle ne pouvait pas avoir l'un sans l'autre.

— Tu as quelque chose en tête, fit remarquer Maida.

Elles rentraient à pied à la maison pour aller déjeuner. La journée était ensoleillée, mais froide. Lily avait enfoui ses mains dans les manches de sa veste. Elle aurait dû en parler à Maida. John lui avait dit que la presse accourrait en masse ou ne viendrait pas. Dans ce cas, Maida n'avait pas à en être informée. Cependant, il y aurait de toute façon un rassemblement à l'église. Lily aurait aimé expliquer à sa mère pourquoi ils avaient entrepris cette démarche. Elle aurait souhaité l'entendre dire qu'ils avaient raison. Mais Maida ne le ferait pas. Elle ne voulait pas voir la presse dans les parages. Elle s'était montrée très claire le premier jour où Lily était venue la voir.

— Cela a-t-il un rapport avec John Kipling ? s'enquit Maida en lui tenant la porte.

La sonnerie du téléphone retentit à l'intérieur, mais elle ne se dépêcha pas de répondre car Poppy était là pour prendre les appels.

Lily la suivit dans la cuisine, inquiète de savoir si elle avait eu vent de quelque chose ou si elle avait deviné. De quoi était-elle au courant ?

— Pourquoi me demandes-tu ça ?

Le téléphone sonna de nouveau. L'ignorant toujours, Maida posa sa veste sur le dossier d'une chaise. Une main sur la porte du réfrigérateur, elle jeta un regard incrédule à Lily.

— Je ne suis pas stupide, Lily. Ni sourde. Même si je me suis débrouillée pour ne pas entendre tes appels, même si tu ne m'as pas dit que tu étais restée avec lui pendant que Gus était mourant, puis aux funérailles, même si je ne t'ai pas vue à l'église en sa compagnie, des amis m'en ont parlé. On m'a dit aussi que tu avais fait un tabac chez Charlie jeudi soir.

— Ce n'était pas prévu, se défendit vivement Lily. C'est arrivé par hasard. Charlie est venu me chercher. J'ai seulement chanté deux chansons.

Maida sortit un pot de soupe du réfrigérateur. Elle le mit sur la cuisinière et alluma le gaz.

— Est-ce sérieux avec John ?

Sur une échelle de un à dix ? Lily ne savait pas où situer son histoire avec John, ni ce qu'en pensait réellement sa mère. Alors, elle répondit :

— Je n'en suis pas sûre.

— C'est un Kipling.

— Il n'était pas concerné par cette histoire de voiture. Et Donny et Gus sont morts tous les deux.

Maida souleva le couvercle et remua le contenu de la casserole avec une force excessive.

— Étais-tu obligée d'aller aux funérailles ?

On y était. La désapprobation. Mais au moins ce n'était pas une condamnation directe de John. Lily lui en fut reconnaissante.

— Oui.

Voyant que Maida se taisait, s'occupant de la soupe, Lily alla chercher les assiettes dans le placard. Elle avait presque fini de mettre le couvert quand le téléphone sonna de nouveau. Ses yeux se posèrent sur l'appareil mais Maida avait déjà décroché.

— Oui, lança-t-elle sèchement dans le combiné.

Lily entendit une voix excitée à l'autre bout de la ligne. Maida se retourna brusquement et lui jeta un coup d'œil. Puis, la main sur la hanche, elle fixa le mur. Ses épaules se raidirent. Lily eut l'impression de perdre pied. Après avoir raccroché, Maida s'avança vers elle, les bras croisés.

— C'était Alice, annonça-t-elle d'un ton cassant. (Son visage était d'une extrême pâleur.) Elle dit que le téléphone n'arrête pas de sonner. À propos d'une conférence de presse.

— Oui.

— À cause de John et toi. Des reporters qui viennent aujourd'hui ?

Que pouvait répondre Lily ?

— Oui.

— Pourquoi ?

— Parce que nous avons trouvé des informations sur Terry Sullivan qui prouvent...

— Je me fiche de Terry Sullivan ! cria Maida, blessée. Je m'occupe de nous. Les choses s'étaient calmées, la presse avait laissé tomber. C'était bel et bien terminé. (Son ton se fit suppliant.) Ça se passait bien entre nous, n'est-ce pas ?

Si Lily avait pu remonter le temps à cet instant et s'opposer à cette conférence de presse, elle l'aurait peut-être fait. Maida avait raison. Cela se passait bien.

Mais la vie ce n'était pas juste ça. Doucement, elle reprit :

— Cela ne nous concerne pas, toi et moi.

— Si ! rétorqua Maida. (Elle posa ses mains sur ses hanches puis sur le comptoir derrière elle.) C'est une question de respect, dit-elle en se frottant le bas de la nuque. Un respect que tu ne m'as jamais montré. Chanter à l'église ne te suffisait pas. Il a fallu que tu ailles chez Charlie. Il te fallait danser à Broadway. Tu savais que je détestais ça mais tu l'as fait quand même.

— C'était ce que je savais faire de mieux.

— Et puis cette histoire à Boston... C'était bel et bien fini et aujourd'hui, tu relances tout. Ne pouvais-tu pas abandonner ?

Lily s'était posée cette question des douzaines de fois. Elle soupira.

— Non, je ne pouvais pas. Il m'a pr... pr... pris quelque chose. Je devais le récupérer.

— Qu'est-ce qu'il t'a pris ? Un appartement trop cher ? Une boîte de nuit ?

— Mon nom.

— Ton nom est parfaitement reconnu, ici. N'est-ce pas ce que tu cherchais à prouver jeudi soir chez Charlie ? Pourquoi en veux-tu toujours davantage ?

— Pas davantage, maman. Autre chose.

— Mais tu n'es pas différente ! hurla Maida. (Elle arracha un torchon de son crochet et se mit à s'essuyer les mains, qui étaient pourtant propres et sèches.) Tu n'es pas du tout différente. Tu laisses les gens profiter de toi, comme je l'ai fait. Toi aussi, tu es utilisée. Donald Kipling, Terry Sullivan, John Kipling aujourd'hui. Il ne fait pas ça pour toi, cria-t-elle, méprisante. Il le fait pour lui. Alors ne monte pas sur tes grands chevaux en prétendant que tu es différente. Tu n'es pas meilleure que moi. La seule différence, c'est que j'ai eu le bon sens de tirer un trait une fois pour toutes.

Poussant une exclamation consternée, elle jeta l'essuie-mains et s'enfuit de la maison.

Lily ne déjeuna pas. Elle éteignit le feu sous la soupe

et attendit le retour de Maida, mais quand il fut l'heure de repartir travailler, elle n'avait toujours pas réapparu. Alors Lily regagna la cidrerie. En arrivant près du hangar, son appréhension grandit mais Maida ne se montra pas de l'après-midi.

Lily appela l'un des ramasseurs de pommes pour aider Bub à empiler les casiers et les tissus et dirigea les opérations à la place de sa mère sans en éprouver ni joie ni fierté. Elle accomplit machinalement la besogne habituelle, distraite. Ce n'était plus la conférence de presse qui la préoccupait. Le cœur lourd, elle se demandait où pouvait être Maida et quel était son état d'esprit. Pourraient-elles recoller les morceaux ? Elle ne comprenait pas pourquoi Maida se montrait toujours aussi bouleversée par de vieilles histoires. Ni pourquoi elle continuait à se soucier de sa mère.

Oralee avait dû remarquer ses yeux humides, car elle lui intima l'ordre de rentrer chez elle avant la pause de l'après-midi. Il lui restait trois heures à tuer avant la conférence de presse. Lily hésita à repartir au cottage ou à se rendre directement au journal.

Maida s'apaiserait en temps voulu. Elle le faisait toujours. Oui. Elle le faisait toujours. Elle se calmait, les choses rentraient dans l'ordre sans être jamais résolues ou discutées. Mais cette fois, c'était différent. Sa rencontre avec les journalistes était imminente. Lily était assez déstabilisée pour souhaiter crever l'abcès avec Maida. Il fallait qu'elles parlent. Elle n'avait pas réussi à lui faire comprendre ses sentiments comme elle l'aurait voulu.

La cuisine était vide. Comme le bureau. Lily devina que Maida devait se trouver à l'étage mais elle ne pouvait pas aller la rejoindre. Cela faisait longtemps qu'elle avait quitté cette maison, longtemps qu'elle n'avait plus de raison de monter l'escalier. Aller dans la chambre de Maida ? Cela lui paraissait une véritable intrusion.

Alors elle s'assit devant le piano et commença à jouer. Une étude de Chopin, une sonate de Liszt – elle alla de l'une à l'autre, sans les interpréter jusqu'au bout. Sa vie n'était qu'une longue quête...

Quand avait-elle vécu autre chose ? Quand avait-elle réellement connu la stabilité ? Elle y réfléchit une minute, se revoyant brusquement en train de chanter à l'église, à l'âge de dix ans. Son existence était simple alors. Maida était fière.

Inconsciemment, elle se mit à pianoter les hymnes qu'elle interprétait à la messe. Elle joua *Onward Christian Soldiers* et *Faith of Our Father*, laissant la paix l'envahir. Elle attaquait *Amazing Grace* quand Maida apparut sur le seuil de la porte. Elle semblait fatiguée, vieille, presque vaincue. Lily s'arrêta.

— Tu penses que j'ai tort, attaqua Maida d'une voix ténue. Tu ne comprends pas pourquoi j'apprécie la vie calme que je mène ici, ni pourquoi cette affaire avec le cardinal me bouleverse autant, mais il y a des choses que tu ignores.

Elle croisa les bras. Lily se mit à trembler. Un léger frisson qui ressemblait à un mauvais pressentiment.

— Quelles choses ?

— Des choses que j'ai faites avant de rencontrer ton père.

Le cœur de Lily battait à tout rompre. Elle attendit la suite.

— Ne t'es-tu jamais demandé pourquoi je ne parlais jamais de mon enfance ? demanda enfin Maida.

— Tout le temps. Je t'ai posé des questions. Tu ne l'évoquais jamais. Il n'y avait aucune photo, rien. Quand j'ai interrogé Celia, elle a souri et m'a dit que cela ne valait pas la peine d'en parler.

— Jusqu'à aujourd'hui. Mais s'ils viennent ici et nous voient ensemble... S'ils recommencent à fouiner...

Sa voix s'éteignit. Elle glissa une main tremblante dans ses cheveux. Lily fit mine de se lever, mais s'arrêta. Le piano lui permettait de garder ses distances. Cela rendait l'instant moins angoissant.

— Mon père est mort jeune, commença Maida.

Mais j'avais de la famille à Linsworth. Celia avait quatre frères.

Lily pensait qu'ils étaient trois – à cause de photos qu'elle avait trouvées dans un tiroir après la mort de sa grand-mère. Adulte, elle avait cru qu'il n'y avait plus personne à contacter à Linsworth. Après avoir découvert ces vieux clichés, elle avait essayé, sans y parvenir, de se souvenir des gens qui avaient peut-être assisté, dans le fond de l'église, à l'enterrement de Celia. Mais à l'époque, elle était trop absorbée par son propre chagrin pour remarquer qui que ce soit.

Maida parlait doucement, accablée, les yeux dans le vague...

— Ses frères étaient tous plus jeunes qu'elle, le dernier avait presque vingt ans de moins. Il était plus de ma génération que de la sienne. C'était un ami, une baby-sitter, un frère, un amoureux.

Lily pouvait à peine respirer. Les yeux de Maida se remplirent de larmes.

— Il se glissait dans ma chambre la nuit quand tout le monde dormait. Il m'a appris des choses sur mon corps et sur l'amour. Il était beau, gentil et intelligent. Elle essuya ses larmes avec le dos de sa main et regarda loin devant elle.

— Un jour, alors que j'avais seize ans, on nous a surpris et on l'a éloigné.

Seize ans, c'était l'âge qu'avait Lily quand elle avait été surprise avec Donny Kipling dans une voiture volée. Lily commençait à comprendre ce que Maida avait dû ressentir. Une impression de déjà vu. Mais Maida ne pensait pas à cela. La lumière tamisée de la lampe posée sur le piano dansait sur ses joues couvertes de larmes, mais elle regardait Lily droit dans les yeux, comme pour la défier.

— On a dit que c'était de sa faute, que j'étais trop jeune pour comprendre, mais c'était faux. Je comprenais très bien. J'étais consentante. C'est le seul merveilleux souvenir que j'ai de ces années-là. Traite-moi d'immorale ou de dépravée, mais tu ne vivais pas là-bas. Tu ne sais pas à quoi ça ressemblait. Nous vivions tous ensemble dans un endroit exigu. À cette époque, c'était fréquent dans les familles. Mon père travaillait avec les frères de Celia, qui s'occupaient d'eux comme une mère. Alors c'était normal. Nous étions pauvres. Nous partagions tout. Quand les hommes chassaient, c'était pour manger. Comme j'étais la seule fille, j'avais ma propre chambre. Elle contenait un matelas bosselé posé à même le sol. J'avais à peine la place de me tenir debout. C'était tout. Il faisait froid et sombre. Philip était ma chaleur et ma lumière.

Son menton trembla.

— Je l'aimais. J'adorais ce qu'il me faisait. Il était le seul luxe que je possédais.

— Celia n'en était-elle pas un ? cria Lily, plus offensée par cette dernière remarque que par le reste.

— Tu ne la connaissais pas alors, ironisa Maida. Elle était différente. Elle était tout le temps occupée et elle était dure. Après la mort de mon père, elle a eu la responsabilité de ses frères et de moi. Elle gérait la maison et gagnait l'argent.

— Ses frères ne travaillaient-ils pas ?

— Ils ne ramenaient pas grand-chose et dépensaient presque toute leur paie en boisson. Philip se débrouilla, pas longtemps. Il cachait de l'argent pour le jour où j'aurais besoin de partir. Il avait écrit dans une lettre l'endroit où il l'avait mis et à quoi il devait servir. Il tenait ce mot dans sa main quand il mourut.

Lily haleta.

— Il s'est tué, continua Maida. Deux mois après son départ. De nos jours, il aurait été envoyé en prison, mais la police ne savait rien. Il avait erré, ne sachant que faire de lui-même. Des amis l'avaient aperçu en ville, mais on a retrouvé son corps dans les bois, à un kilomètre de chez nous.

Elle posa sa main contre son ventre, comme si elle souffrait. Lily se leva d'un bond mais Maida lui fit signe de ne pas bouger. Ses lèvres pincées semblaient presque incapables de parler.

— Je n'ai pas fini. (Elle se reprit.) Tu voulais savoir, écoute jusqu'au bout.

Lily se sentait désorientée, blessée. Elle était si choquée et peinée que les larmes lui montèrent aux yeux. Mais Maida ne la laisserait pas s'approcher. Alors elle reprit sa place contre le piano.

— On l'a enterré dans le caveau familial. Les gens de Linsworth disaient qu'il ne le méritait pas, mais Celia n'aurait pas voulu qu'il soit ailleurs. Elle l'avait aimé, elle aussi. Elle se croyait coupable de ce qui était arrivé. En plus de toutes ses responsabilités, elle avait ce poids à porter.

Elle et moi sommes devenues plus proches. Nous partagions le même chagrin et je voulais l'aider. Alors j'ai arrêté l'école et je suis allée travailler dans l'entreprise forestière où elle était employée. (Ses yeux et sa voix redevinrent distants.) Ce n'était pas facile. Tout le monde en ville était au courant. À part Celia et moi, il n'y avait que des hommes. Quand je sortais du bureau, ils me dévisageaient. Certains lançaient des remarques sur mon passage. Ils me touchaient dès qu'ils pouvaient. Leur grand jeu était d'essayer de me faire craquer. Ils me demandaient de sortir avec eux mais je refusais, alors cela aggravait les choses. Si je m'étais liée à l'un d'eux, j'aurais peut-être été protégée. Mais comme j'essayais de bien me comporter, j'étais une proie facile. (Elle baissa la voix, soudain fatiguée.) Celia et moi avons bientôt compris que je ne pouvais pas rester là. Ni dans cette usine, ni dans cette ville. Alors qu'on réfléchissait à une solution, George est apparu un jour pour acheter du matériel à mon patron. J'avais assez discuté avec lui pour savoir qu'il n'était pas marié, mais nous pensions que s'il restait trop longtemps dans les parages, il finirait par apprendre trop de choses pour ne pas vouloir de moi. Alors Celia est allée m'acheter de beaux vêtements avec l'argent de Philip. (Elle sembla s'accrocher un moment à cette pensée.) Et elle s'est débrouillée pour m'envoyer à Lake Henry livrer la marchandise. J'y suis ensuite retournée pour apporter la facture et une autre fois pour lui délivrer un reçu. C'était un long voyage sur des petites routes, qui nécessitait presque une journée. (Ce souvenir l'égaya un peu, la fierté se lisait sur son visage.) J'ai joué mon rôle à merveille, mieux que tu ne l'as jamais fait, parce que ma vie en dépendait. Je me suis inventée un personnage de femme intelligente, stylée, qui savait comment tenir une maison, des livres de comptes et satisfaire un homme. Eh oui ! Cette créature avait un passé sans tâche et réussissait ce qu'elle entreprenait. Tout le temps. Ton père est tombé amoureux de cette femme. C'est celle que j'ai toujours été depuis. (Les mâchoires serrées, elle planta son regard dans celui de Lily.) Je savais ce que c'était que d'être dévisagée et je te voyais chanter en public, accueillir ces regards lubriques. Que penses-tu que j'ai ressenti quand tu as été surprise avec Donny Kipling ? Ne crois-tu pas que j'avais peur que tu ne te retrouves dans la même situation que moi ? Seulement, tu n'as pas trouvé ton George. Tu es allée à New York et ça a été pire. Mais je n'étais pas obligée d'y assister... jusqu'à cette affaire de Boston. Comment crois-tu que j'ai réagi quand les journaux ont commencé à exposer des sales choses de ton passé ? Je n'arrêtais pas de me demander si, en creusant davantage, ils n'allaient pas trouver des histoires sur moi ? Personne ici n'est au courant. Quand Celia a emménagé ici, elle aussi a commencé une nouvelle vie. Nous n'avons jamais parlé du passé. Nous avons fait table rase.

— Personne ne le découvrira, jura Lily.

— Ma vie est ici. Elle est agréable. J'ai des amis et un travail. Un nom.

— Personne ne le découvrira, répéta Lily.

— Comment le sais-tu ?

— Parce que je ne suis plus concernée. Maintenant les projecteurs sont braqués sur Terry Sullivan.

Maida allait relever cette remarque. Elle ouvrit la bouche, puis s'arrêta, posant une main sur ses lèvres. Lily crut tout d'abord qu'elle était paralysée à l'idée que la ville pût savoir. Mais c'était un sentiment d'horreur qui se lisait dans ses yeux, pas de peur. D'horreur. Parce qu'aujourd'hui sa fille savait.

— Tout va bien, murmura Lily en faisant un pas en avant.

Mais Maida recula aussitôt, secouant la tête, horrifiée. Lily ressentit plus que jamais le besoin de la toucher. S'avançant à nouveau, elle lui dit :

— Cela ne change pas mes sentiments...

Mais Maida s'était déjà retournée... Couvrant son visage de ses mains, elle grimpa l'escalier quatre à quatre. Lily courut derrière elle, effrayée, mais s'arrêta au pied des marches.

— C'était il y a longtemps ! cria-t-elle. Tu t'es ra... ra... rachetée plus d'une dizaine de fois. Tu as été une bonne épouse pour papa et une bonne mère pour nous. Regarde-toi au... au... aujourd'hui. Tu diriges l'entreprise de papa presque mieux qu'il ne l'a fait lui-même.

Mais Maida était partie.

Lily savait qu'elle n'oublierait jamais le regard d'horreur que lui avait lancé Maida. Elle se rappellerait pour le restant de sa vie cet instant où, échangeant leurs rôles, sa mère lui avait demandé son approbation, cet instant où elles étaient devenues égales.

Elle réalisa, effrayée, que sa mère n'avait pas plus de réponses qu'elle à certaines questions. Elle resta debout une bonne vingtaine de minutes puis s'assit sur la marche du bas. Elle aurait voulu aller la rejoindre, la remercier d'avoir partagé ce qu'elle possédait parce que cela expliquait beaucoup de choses. Elle aurait voulu la remercier de lui avoir fait confiance, lui assurer qu'elle était à la hauteur et que personne, à part elle, ne saurait jamais, qu'elle ferait en sorte que rien, absolument rien, ne filtre lors de la conférence de presse. Elle aurait voulu monter la voir mais n'osait pas et se détestait à cause de cela. Toujours cette peur d'être rejetée.

Mais le temps passait. Il était presque 16 heures. Elle devait se doucher, se changer et rejoindre John au bureau. Elle rentra chez Celia le cœur lourd, peinée pour sa mère, effrayée par ce qui l'attendait, puis terrifiée à l'idée que John pût connaître le secret de Maida. Lily n'avait encore pas vu le *Lake News*. Elle lui avait fait confiance quand il avait dit qu'il n'écrirait que sur Terry. Elle essaya de l'appeler, mais Poppy intercepta l'appel. Elle ne savait pas où il était. Alors elle prit rapidement sa douche, recomposa le numéro du bureau avant de réaliser qu'elle n'oserait rien raconter au téléphone. Les portables étaient loin d'être sûrs... Sa ligne de Boston qu'elle croyait inviolable n'avait-elle pas été mise sur écoute ? Dieu seul savait si celle de John ne l'était pas ?

Elle se dépêcha de se maquiller, de se coiffer, enfila son unique tailleur et partit aussi vite que possible pour le centre-ville par la route qui contournait le lac. Il y avait des dizaines de voitures. Des voitures et des camions avec des antennes satellite sur le toit, arborant en grosses lettres sur leurs flancs le nom de stations de télévision locales et nationales, et des reporters à côté testant leurs caméras et leurs micros. L'estomac de Lily fit un bond. Faisant son possible pour ressembler à madame Tout-le-monde, elle tourna au coin de la poste mais, devant l'affluence des reporters, dut se garer sur l'herbe près du bureau.

Elle avait à peine quitté sa voiture que les journalistes l'aperçurent. La sensation d'être une bête traquée revint, aussi puissante qu'à Boston. Elle courut vers la porte latérale. Les journalistes la suivirent.

— Depuis combien de temps êtes-vous là ?

— Voudriez-vous commenter les poursuites judiciaires que vous avez entamées ?

John ouvrit la porte et la referma sur elle. Elle tremblait de tout son corps. Il la tint serrée contre lui mais elle était parcourue de frissons.

— Cela recommence, murmura-t-elle, prise de panique.

La voix de John était calme.

— Seulement parce qu'ils n'ont personne d'autre à pourchasser. Attends un quart d'heure. Ce sera différent.

Elle releva la tête.

— Où est le journal ?

— De l'autre côté de la rue, dans l'église. Willie Jake monte la garde.

— Y a-t-il quelque chose sur Maida dedans ? demanda-t-elle, cherchant à lire sur son visage des signes de trahison.

Il semblait plus étonné qu'autre chose.

— Non. Je parle des épreuves que tu as traversées à Boston. Mais l'essentiel concerne Terry.

Elle en fut tellement soulagée qu'elle se sentit faible.

— Avez-vous parlé toutes les deux ? s'enquit-il.

Lily hocha la tête. Elle voulait tout lui dire. Mais elle ne le pouvait pas. La confiance qu'elle ressentait était trop récente.

Il la força à le regarder. Ses yeux étaient de ce brun foncé qu'elle aimait, franc et honnête.

— J'ai suivi la trace de Maida jusqu'à Linsworth mais je n'ai pas pu me résoudre à fouiner dans son passé. Ce qu'elle a vécu là-bas, c'est son affaire. Si elle a choisi de t'en parler, j'en suis heureux, mais tu n'as pas à me le raconter. Il n'y a rien que j'aie besoin de savoir que je ne sache déjà. Il lui caressa la joue du bout des doigts. Je regrette certaines choses, comme la façon dont elle t'a traitée quand tu étais adolescente, la façon dont elle me regarde, mais c'est une femme bien, Lily. Une femme digne. Elle a rendu ton père heureux pendant des années et a su diriger l'entreprise familiale. Peu importe ce qui s'est passé à Linsworth. En ce qui me concerne, elle est celle qu'elle est aujourd'hui. Point final.

Le regard planté dans le sien, Lily ressentit un immense élan d'amour. À la fois parce qu'il respectait Maida et qu'il ne l'obligeait pas à la trahir.

— Es-tu prête ? demanda-t-il doucement.

Elle mit presque une minute à chasser de son esprit ce dont ils venaient de parler mais la réponse à sa question ne se fit pas attendre. Était-elle prête ? Elle ne l'était pas. Elle imaginait John expliquant sa version de l'affaire devant des journalistes qui décidaient de se rallier à Terry parce qu'il était l'un des leurs. Leurs efforts seraient anéantis. Mais cela pouvait se passer autrement. Était-elle prête ? Elle hocha la tête.

— Tu veux y aller ?

Non, elle ne voulait pas. Elle voulait rentrer chez elle et se cacher au sein du cocon douillet qu'elle s'était fabriqué. Cependant, elle voulait aussi se justifier.

Elle acquiesça de nouveau.

John se redressa et prit une longue respiration. Lily pensa qu'avec son blazer, sa chemise, sa cravate et son jean, il était l'homme le plus beau du monde. Alors il ouvrit la porte.

29

Le hall d'entrée était comble. Lily le remarqua dès que John la fit pénétrer par une porte latérale. Tous les bancs étaient occupés, la plupart par des gens équipés de matériel.

Des projecteurs éclairaient les reporters qui, debout dans les allées, ajustaient leurs oreillettes avant de lancer leur sujet à leurs chaînes respectives. Les gens du pays s'étaient regroupés dans le fond de la salle et au balcon. Par-dessus le murmure des conversations, on entendait le ronronnement des caméras. Le cœur de Lily battait à tout rompre au souvenir de ces bruits familiers. Une longue table avait été dressée à l'avant de la salle. La forêt de micros retenus par du ruban gainant étaient déjà branchés. Un enchevêtrement de câbles traînait sur le sol.

Lily prit le siège que John lui indiqua. À peine s'était-il installé à sa droite que Cassie se glissa sur la chaise de gauche. Elle se pencha vers elle, et dans un murmure, lui expliqua les raisons de sa présence.

— C'est pour le cas où quelqu'un essaierait de te déstabiliser.

John s'avança pour lui glisser un mot :

— Le couple âgé au premier rang, c'est Armand et Liddie. Tu les connais, n'est-ce pas ?

Lily les connaissait mais ne les avait pas vus depuis des années. Armand lui sembla très malade, malgré ses joues rouges et ses yeux brillants.

— Armand quitte rarement sa maison, continua John. Le groupe à sa droite vient de New York ; à sa gauche, de

Washington. Le couple de derrière arrive de Springfield. Je vois des gens de Chicago, Kansas City, Philly, Hartford et Albany, rien que pour les premiers bancs. Les médias de Nouvelle-Angleterre sont juste derrière : Concord, Manchester, Burlington, Portland, Providence.

Lily remarqua le visage puéril de Paul Rizzo, plusieurs rangs derrière.

— Tu as invité Paul Rizzo ?

John secoua la tête, mais son regard pétilla d'une lueur maligne. Il était visiblement ravi que ce dernier fût venu. Elle reconnut d'autres personnes aperçues à Boston et certaines, familières, plus amicales – Charlie et Annette Owens, Leila Higgins, Alice Bayburr et sa famille. Les amies de Poppy étaient assises sur le même banc, Poppy trônant à l'extrémité sur son fauteuil. Quand elle croisa le regard de sa sœur, elle lui sourit. Lily se détendit quelque peu.

— Regarde ce gars plutôt ordinaire, sur la gauche, murmura Cassie.

Lily parcourut la salle des yeux et hocha la tête.

— Justin Barr.

— Oh mon Dieu !

La voix de John lui parvint à nouveau, toujours douce, mais frémissante d'une excitation qu'il avait du mal à maîtriser.

— Regarde bien le type, à deux heures, là-bas au fond.

Lily sursauta. Pas d'erreur possible ! Elle connaissait cette moustache. Elle éprouva un sentiment de révulsion puis une jubilation absolue. Regardant John, elle murmura :

— Que fait-il ici ?

— Il doit penser qu'il va glaner des infos pour son article.

— N'est-il pas au courant ?

John sourit.

— Je ne saurais le dire.

Son sourire s'éteignit.

— Prête ?

John n'aurait pas pu être plus heureux devant cette assistance. Il s'était attendu à voir le contingent de journalistes de Nouvelle-Angleterre, plus une poignée d'autres fidèles et avait imaginé que sa conférence de presse ferait honnêtement le plein. Mais il était surpris d'une telle affluence. La présence de Sullivan, Rizzo et Barr était un véritable cadeau. Bien qu'il n'en ait invité aucun des trois, il n'était pas étonné qu'ils soient venus. Ils avaient l'intention de le défier. Les gens arrogants étaient prévisibles.

S'éclaircissant la voix, il se pencha vers les micros et, d'une voix puissante, remercia ceux qui s'étaient déplacés. Il fit un bref historique du *Lake News* – un peu d'autopromotion, que diable ! – rappelant les mérites d'Armand. Puis il sortit le nouveau numéro du journal. Ayant répété son discours des douzaines de fois, il parla sans lire ses notes.

— Le mois dernier, j'ai suivi avec intérêt le récit de la prétendue liaison entre le cardinal Rossetti et Lily Blake, en partie parce que miss Blake est originaire de Lake Henry et parce que j'ai travaillé dans le passé avec le reporter qui a révélé cette affaire : Terry Sullivan. Dès le début, j'ai douté de la véracité de cette histoire, aussi n'ai-je pas été surpris quand le Vatican a innocenté le cardinal Rossetti et que le *Boston Post* a dû s'excuser publiquement auprès de lui. Mais j'ai dû patienter, comme miss Blake et sa famille, et constater que les journaux la rendaient responsable de ce scandale.

Il sentit la jambe de Lily trembler et pressa sa cuisse contre la sienne. Il ne lui en voulait pas d'être déstabilisée. Dans la salle, les visages étaient avides. Les ronronnements des caméras vidéo, les crépitements des appareils photo, le bruissement des feuilles de papier et le décor étaient assez différents de ce dont elle avait l'habitude. Les enjeux non plus n'étaient pas les mêmes.

Conscient de sa responsabilité, John s'exprima plus clairement.

— Tout ceux qui la connaissent témoignent de son caractère pondéré, de sa compétence et de son équilibre.

Pas une seule personne n'a évoqué quoi que ce soit susceptible de confirmer les accusations d'instabilité mentale avancées par le *Post*. Il nous a paru évident que le journal essayait de justifier ses informations mensongères. La question est de savoir pourquoi un tel article a été écrit. (Il brandit le *Lake News*.) Le numéro de cette semaine répond à cette interrogation. Vous en aurez tous une copie afin de prendre connaissance des détails. Je voudrais juste vous les résumer.

Voilà ce qu'il désirait, récapituler le résultat de son enquête devant un auditoire attentif. Il avait créé l'événement en convoquant une conférence de presse, en parvenant à faire déplacer journalistes et reporters. Il multipliait ses chances de voir ses informations reprises dans la presse. En constatant que le public buvait ses paroles, il fut soulagé. Rien qu'à regarder Terry, il se sentait encore mieux. Terry paraissait content de lui. John le surveillait du coin de l'œil, sans en avoir l'air. Il ne voulait pas rater l'instant où son expression changerait. Cela se produirait. Oh oui !

— Depuis le début, cette histoire a été celle de Terry Sullivan. Dès qu'elle a éclaté, d'autres ont pris le train en marche mais c'est lui qui l'a imaginée, qu'il l'a fait naître coûte que coûte. Pour cela, il a fait pression sur les éditeurs du *Post*, qui se montraient réticents. Ils ont résisté jusqu'au moment où il leur a fourni une cassette audio dans laquelle miss Blake confirmait, elle-même, sa liaison avec le cardinal Rossetti.

Inquiet de la réaction de Lily, il serra à nouveau sa jambe contre la sienne. *Attends*, lui disait-il. *Attends un peu*.

— Cet enregistrement était illégal, poursuivit-il. Miss Blake ne sachant pas qu'on l'enregistrait. La semaine dernière, on a également prouvé que cette bande était bidon.

Un murmure parcourut la foule. Les traits de Terry se durcirent mais il resta calme. John s'émerveilla devant cette suffisance qui l'empêchait d'être mal à l'aise, devant cette assurance excessive qui le rendait aveugle. Terry ne devinait rien, n'imaginait pas le moins du monde où John voulait en venir.

John continua :

— Ceux qui connaissaient les méthodes de travail de M. Sullivan pressèrent le *Post* de faire expertiser la cassette mais ils refusèrent. Ce ne fut qu'après avoir pris connaissance de preuves indiquant sa malveillance qu'ils acceptèrent d'agir. Leurs propres experts découvrirent que la bande avait été montée, ce qui confirmait les déclarations de miss Blake. En effet, depuis le début, cette dernière a affirmé que M. Sullivan l'avait entraînée dans un dialogue hypothétique et puis avait remodelé leur conversation afin d'en extraire des citations.

Terry secouait doucement la tête comme pour suggérer que la tentative de John de le discréditer était quelque peu pathétique.

— Vendredi dernier, continua John, le *Post* a viré M. Sullivan.

Terry fit mine d'écarquiller les yeux. Mais John surprit une ou deux réactions d'étonnement dans la salle.

— L'affaire fut expédiée rapidement et sans bruit, vite étouffée, laissant à miss Blake le soin d'endosser le mauvais rôle dans cette affaire. Le *Lake News* de cette semaine se charge de vous expliquer qui est le véritable coupable. M. Sullivan a été la force directrice de ce scandale. Il a cherché par tous les moyens à vendre son article à ses supérieurs qui essayaient de le décourager. Il est allé jusqu'à falsifier une preuve pour arriver à ses fins. La logique veut qu'il ait eu une bonne raison de faire cela. Le *Lake News* vous la révèle.

Lily regardait et attendait. C'était le moment. Terry était immobile. Mais quelque chose attira son regard au fond du hall, quelqu'un. Maida était là. Elle semblait perdue dans une grande veste noire mais c'était bien elle. Lily essaya de croiser son regard, rivé sur John.

— M. Sullivan a grandi à Meadville, en Pennsylvanie. Un essai qu'il a écrit et qui a été publié dans le journal local alors qu'il était adolescent suggère que, déjà à cette époque, il avait une dent contre l'Église catholique.

Inutile de se demander pourquoi. Des sources bien informées à Meadville confirment que son père le battait, ainsi que sa mère. Pourquoi ? Par jalousie. Sa mère l'avait épousé alors qu'elle aimait quelqu'un d'autre, quelqu'un avec qui elle avait fait sa scolarité, mais qui l'avait quittée pour entrer au séminaire. Cet homme, c'était Fran Rossetti.

Un murmure s'éleva. Terry se glissa hors de son banc et se faufila vers la sortie mais les gens du pays resserrèrent leurs rangs, l'empêchant de sortir. L'auditoire se retourna, le cherchant des yeux alors qu'il prenait la fuite. Les cameramen et les photographes entrèrent en action.

Œil pour œil, pensa Lily dans un instant de rage perverse. *Il faut être parfait pour critiquer les autres*.

Piégé, Terry fit volte-face et se redressa.

— C'est une méthode classique d'abattre le messager quand le message ne vous plaît pas.

John se leva d'un bond avant même que Lily ait eu le temps de le voir venir. Sa voix retentit :

— Faux ! C'est le cas classique de l'abus de pouvoir.

— Exactement, hurla Terry en retour. Tu essaies de reprendre cette affaire à ton compte pour en faire un livre. Parlons de ce contrat important que tu as signé.

— Il n'y a pas de contrat, rétorqua John. Il n'y a pas de livre. Tout ce que j'aurais pu écrire (Il leva le *Lake News*.) est publié ici.

— Ce journal est un tissu de mensonges, accusa Terry. J'espère que tu es prêt à en répondre devant la justice, car c'est ce que tu as gagné.

Indigné, il repoussa la foule pour s'ouvrir un passage. Lily se rappela avoir fait la même chose à Boston quand elle voulait se frayer un chemin. Elle espérait que Terry ressentait ne serait-ce qu'un peu de l'humiliation, de l'impuissance, de la frustration et de la peur qu'elle avait vécues. Peut-être y réfléchirait-il à deux fois avant de nuire aux autres désormais. Elle souhaitait que cet exemple servît à ses collègues.

Deux photographes, un reporter et un cameraman le

suivirent tandis que le reste de l'assistance se retournait vers John.

Maida était assise, les épaules droites. Un signe de colère ou de fierté ? Lily n'en avait pas la moindre idée. Néanmoins, elle pria pour que sa mère comprît enfin la situation et se montrât pour une fois satisfaite de son comportement.

Calmé, John se rassit.

— Voilà toutes les informations que je possède. Si vous avez des questions, nous serons heureux d'y répondre.

Des mains se levèrent, des voix fusèrent un peu partout dans la salle.

— Le cardinal a-t-il joué un rôle dans votre enquête ?

— Non.

— Avez-vous la preuve que la mère de M. Sullivan et le cardinal se connaissaient ?

— Oui. Il y a une photo du bal de fin d'année dans le dossier de scolarité du cardinal au lycée et beaucoup de gens pour le confirmer. Il ne mentionnait pas le frère de Terry. Il n'avait pas l'intention de lancer la presse sur les traces de Neil Sullivan. Tout comme il ne voulait pas créer de problèmes au cardinal.

Une relation de lycée était parfaitement acceptable et serait aisément expliquée par Rossetti. John ne disait que le strict nécessaire. La seule chose qu'il voulait, c'était réhabiliter Lily.

— Le cardinal est-il au courant de son lien avec M. Sullivan ?

— Je ne sais pas.

— Le *Post* a-t-il publié des excuses à miss Blake ?

— Non.

— Allez-vous le demander ? demanda un reporter à Lily.

Cassie se pencha vers le micro.

— Des poursuites judiciaires sont en cours. Miss Blake n'a aucun commentaire à faire pour le moment.

La question suivante s'adressa à John.

— Vous avez essayé de mettre M. Sullivan sur le banc des accusés. N'est-ce pas un abus de pouvoir ?

John eut du mal à croire à une pareille stupidité.

— Excusez-moi, dit-il au reporter qui venait de poser la question. Pouvez-vous vous présenter ?

— Paul Rizzo du *Cityside*.

— Paul Rizzo. Ah !

Quel crétin ! John était excité. Il n'aurait pu espérer mieux, même s'il avait écrit le scénario. Paul Rizzo venait, de son propre gré, de se mettre sur la sellette. C'était une proie facile.

— Quelles qualifications avez-vous pour vous trouver dans cette pièce ?

Les gens se regardèrent, étonnés, Paul Rizzo lui-même sembla stupéfait.

— J'appartiens à l'équipe du *Cityside* depuis sept ans.

— Et avant cela ? demanda John. (Le *Lake News* ne mentionnait pas le sujet. Il concentrait ses attaques sur la malveillance de Terry et les épreuves traversées par Lily. Mais une chance s'offrait à John.) Votre cursus universitaire ?

Rizzo jeta un coup d'œil autour de lui, mal à l'aise. Fermement, il répondit :

— Cela n'a aucun rapport.

— Ah bon ? Vous vous vantez d'avoir un DEUG de l'université de Duke et une licence de celle de New York. C'est ce que mentionne votre curriculum du *Cityside*. Je suppose que c'est ce que vous leur avez dit quand vous avez postulé pour la place. Je vous ai moi-même entendu. Le seul problème, c'est qu'ils n'existent pas. Selon Duke, vous vous êtes fait recaler au bout de deux ans. L'université de New York n'a aucune trace de votre présence. Alors, il s'agit d'une fausse déclaration. Puisque vous êtes capable de mentir pour ce genre de choses, comment peut-on faire confiance à ce que vous écrivez ?

Lily se sentit presque désolée pour lui. Ce n'était pas

drôle d'être humilié en public et deux fautes ne constituaient pas un crime. Mais John n'était pas un homme cruel. S'il avait pu procéder autrement, il l'aurait fait. En outre, aussi douloureuse que fût la leçon pour Paul Rizzo, il y avait une morale à cette histoire. Elle redressa la tête. Elle aurait pu jurer que Maida venait de lui sourire.

« Justice », voilà ce dont il était question, songea John en voyant que Rizzo bredouillait.

— Vos informations sont fausses. De toute façon, l'endroit où j'ai étudié ne regarde que moi.

— C'est juste, reprit John. Tout comme les lieux où miss Blake fait ses courses ou passe ses vacances ne regardent qu'elle. Ce qu'elle mange aussi, c'est son affaire.

— Vous ne répondez pas à ma question.

— Puisque ma question n'est pas recevable, la vôtre ne l'est pas non plus, conclut John en montrant du doigt un autre journaliste.

— Oui ?

— La question de Rizzo est valable, dit l'homme. Vous avez fait jouer vos relations pour nous convoquer à votre conférence de presse. N'est-ce pas un abus de pouvoir ?

John aurait pu se sentir coupable d'avoir utilisé des gens dans le passé mais pas aujourd'hui. Il était serein.

— Je n'ai forcé personne à venir. Il n'y avait aucun leurre. J'ai dit que j'avais de nouvelles informations. Je vous ai invités et vous êtes venus. Je vous ai révélé ce que j'avais appris.

Un autre reporter demanda :

— Et votre tentative de faire endosser les responsabilités à M. Sullivan ?

— Ce n'est pas un procès. C'est du journalisme d'investigation. J'ai simplement publié les résultats de mon enquête dans mon journal.

— En quoi est-ce différent de ce qu'il a fait subir à miss Blake ?

— Il a fabriqué les éléments. Il les a falsifiés. Il a

inventé. Par contre, ce qui est publié dans le *Lake News*, ce sont des faits.

— Vous n'aviez pas à donner une conférence de presse pour cela.

— Si, je le devais. Ce nouveau rebondissement concerne une affaire qui vous a occupés pendant plusieurs jours. Aujourd'hui, vous vous en êtes lassés, vous êtes passés à autre chose. Vous n'auriez pas repris la moindre information du *Lake News* si je ne vous avais pas fait venir ici.

— Comment savez-vous que nous allons les reprendre ?

Il sourit. Il était en terrain connu. Il connaissait le mode de fonctionnement des médias. Forcément, c'était le sien.

— Regardez autour de vous. Il y a beaucoup de journalistes ici. Prendrez-vous le risque de vous faire griller par l'un ou l'autre de vos confrères ? De perdre l'occasion de faire un coup ? Miss Blake a été calomniée à la une du *Post*. Elle mérite d'être disculpée de la même manière.

— Sullivan sera mouillé au passage. Il a été viré. N'a-t-il pas été assez puni ?

— Cela aurait dû être suffisant. Mais le *Post* ne veut pas faire de remous. Ils n'ont pas l'intention d'annoncer le licenciement de Terry Sullivan parce que cela prouverait qu'ils se sont trompés. Ils vont camper sur leurs positions et se tairont quand il ira travailler dans un autre journal. Cela ne me gêne pas. Ce type a le droit de gagner sa vie. Je pense simplement que les lecteurs ont le droit de savoir ce que vaut sa crédibilité.

Il fit signe à un homme qui levait la main.

— Mademoiselle Blake, vous êtes une artiste. Pensez-vous que cette notoriété va donner un nouvel élan à votre carrière ?

Lily sentit battre son cœur à tout rompre. John avait parlé. Cassie aussi. C'était à son tour. Elle prit quelques secondes pour se détendre et y parvint assez facilement. Quand elle se pencha vers le micro, elle se sentit extraordinairement forte.

— Je suis professeur. J'ai perdu mon travail à cause des accusations parues dans le *Post*. Je suis également pianiste. J'ai perdu mon job parce que cette notoriété m'a valu une très mauvaise publicité. (Elle s'arrêta puis se reprit.) Cette expérience a été très négative. Je ne veux plus jamais connaître ce genre de célébrité.

— Pouvez-vous nous parler de l'accusation de vol de voiture ?

Cassie la devança et prit la parole.

— Je vais répondre à votre question puisque j'ai vu le dossier du tribunal. Il n'y a jamais eu d'accusation. Miss Blake ne savait pas qu'elle était dans une voiture volée. Comme elle était mineure et avait un casier vierge, le juge n'a pas rendu de conclusions. Les poursuites ont été interrompues et l'affaire abandonnée. Par contre, M. Sullivan a violé la loi et les droits de miss Blake lorsqu'il a publié des informations concernant ce dossier. Il devra en répondre.

Un homme d'apparence ordinaire, assis au milieu à gauche, se leva. Lily éprouva une inquiétude en le voyant s'adresser à John.

— Est-il vrai que vous avez un grief personnel, demanda Justin Barr d'une voix de pharisien, contre Terry Sullivan ?

— C'est un euphémisme, déclara John, enhardi.

Il n'avait pas plus demandé à Justin Barr d'apparaître en pleine lumière qu'il ne l'avait fait pour Paul Rizzo. Encore un cadeau. Le nom de Lily Blake resterait dans les annales, et pas seulement à cause de sa prétendue liaison avec un cardinal. Il eut un moment de doute quand il jeta un coup d'œil à Lily et vit son regard désemparé. Elle savait ce qui se préparait et le regrettait. Lui aussi, bon sang. Mais Justin Barr n'était pas innocent. Il se servait des gens. Il les agressait pour le plaisir. Il méritait d'être attaqué à son tour. Priant pour que Lily comprenne et lui pardonne ce qu'il était sur le point de faire, il regarda Barr. John avait-il un grief contre Terry Sullivan ?

— Je déteste cet homme.

— Alors, vous le calomniez comme il a calomnié le cardinal Rossetti ?

— Je ne le calomnie pas. Je présente simplement des faits sur son enfance et sa famille qui apportent un éclairage sur ce qu'il a fait à miss Blake.

— Que représente miss Blake pour vous ? demanda Barr d'un ton suffisant.

John ne cilla pas.

— Une victime innocente. À mon tour, monsieur Barr. Il existe à Boston une call-girl très chère du nom de Tiffany Coupe. Qu'est-elle pour vous ?

— Je ne connais personne de ce nom.

— Non. Mais Jason Weidermeyer, lui, la connaît. Il a signé des chèques à Mme Coupe. Son nom apparaît sur son livre de comptes depuis huit ans. Jason Weidermeyer. N'est-ce pas votre vrai nom ?

— Il y a d'autres Jason Weidermeyer dans le monde, rétorqua Barr alors que la foule commençait à glousser.

Grâce à sa célébrité, Justin Barr avait accordé de nombreuses interviews. Son émission de radio, qu'il animait avec arrogance et dans laquelle il déployait détermination, diligence et moralité, lui avait permis de transformer Jason Weidermeyer, un inconnu notoire en un homme respecté et célèbre, M. Justin Barr. Jason Weidermeyer. Jason Weidermeyer. Jason Weidermeyer. Tous ceux qui connaissaient Justin Barr savaient qu'il s'appelait en réalité Jason Weidermeyer. Les gloussements continuèrent. Barr avait peu d'amis dans la salle. Lily sembla pousser un soupir de soulagement. John sut qu'elle le comprenait et lui pardonnait. Sa colère s'évanouissait. En cet instant, il sut que la journée avait été un succès. Barr éleva la voix, avec emphase.

— Qui êtes vous pour m'accuser ? Qui êtes-vous pour contester les références de M. Rizzo ? Vous n'avez pas réussi à Boston, alors vous en êtes réduit à travailler dans un bled pour un hebdomadaire à la noix. Qui êtes-vous pour oser fouiner dans la vie des gens ?

John se leva de nouveau.

— Je suis un citoyen concerné. La vie de Lily Blake

a été mise en pièces dans le seul but de faire vendre du papier, ou, dans votre cas, de faire grimper l'audience. Vous l'avez laminée dans votre émission, monsieur Barr. Vous avez fait croire qu'elle était mauvaise et dépravée. Que faites-vous de votre attirance pour le cuir et les fouets ? Les menottes et les chaînes ? Si vous voulez stigmatiser les autres, monsieur Barr, vous feriez mieux de vous assurer que vous êtes irréprochable.

Il regarda ailleurs.

— D'autres questions ?

Un silence abasourdi lui répondit. Lily eut l'impression que personne n'oserait parler de peur d'en prendre pour son grade. Enfin, un reporter prit la parole. C'était une femme d'apparence si timide que l'on ne l'aurait pas entendue si le calme n'avait pas régné dans la pièce.

— Miss Blake va-t-elle écrire un livre ? demanda-t-elle.

— Non, répondit Lily, frissonnant à cette idée.

Il y eut un bref silence. Puis un cri s'éleva :

— Nous ne sommes pas tous mauvais.

Elle le savait. John lui avait appris cela. Elle voulait croire qu'ils étaient plusieurs ici à mériter estime et respect. Elle se sentit revigorée. C'était agréable, tellement agréable de faire à nouveau confiance.

John en fut presque aussi impressionné.

— Je sais. C'est pourquoi je compte sur vous pour parler de cette conférence de presse de la façon dont vous avez couvert le scandale au départ. Les reporters qui bidonnent des articles salissent ceux qui ne le font pas. Il faut absolument faire taire les grandes gueules qui ne l'ouvrent que dans le but de se grandir eux-mêmes. Ils nous font une mauvaise réputation. Je ne sais pas ce que vous en pensez, mais moi, je suis fatigué de tout cela.

Il avait l'air épuisé. Se penchant vers le micro, il lança à la foule :

— C'est tout. Merci d'être venus.

Il se tourna vers Lily et lui murmura à l'oreille :

— Je t'embrasserais volontiers tout de suite si je

n'avais pas peur qu'ils se précipitent pour le raconter. Mais tu peux considérer que je t'ai embrassée.

Lily en prit bonne note. Elle se sentait submergée par l'émotion, le soulagement, le triomphe, l'amour. Les larmes lui montèrent aux yeux. Elle regarda le banc où était assise Maida mais, avant de pouvoir discerner sa silhouette, elle se retrouva cernée par la foule – des techniciens enlevant les micros, des photographes la mitraillant une dernière fois, des reporters cherchant à lui arracher une réponse. Certains enregistraient devant les caméras, d'autres étaient en direct. Elle tendit le cou pour chercher sa mère des yeux, mais il y avait trop de monde...

— Retournez-vous à Boston ?

— Allez-vous tenter de récupérer votre travail au club Essex ?

— Le cardinal vous a-t-il appelée ?

Estimant qu'elle s'était assez dévoilée pour une vie entière, elle leva la main et se détourna.

— C'est tout, dit Cassie aux journalistes en passant un bras autour de ses épaules et en l'aidant à se dégager de la bousculade qui entourait John.

Quand elles furent seules, Lily lui demanda :

— Qu'en penses-tu ?

— John a réussi. Ils écriront ce qu'il a dit. Si tu n'as pas droit à la une, ce sera tout comme...

— Cela va-t-il avoir des conséquences sur notre procès ?

Lily voulait que tout soit réglé. Les choses reprenaient leur place.

Cassie sourit.

— Ça met la barre plus haut, c'est sûr. Terry sera interrogé pour cette histoire d'enregistrement. Je suppose que les avocats du *Post* vont vouloir régler l'affaire. Vite.

Elle gloussa :

— Max Funder, dommage pour vous !

— Ce n'est pas pour l'argent, expliqua Lily.

Elle ne voulait rien toucher.

— Si tu reçois quelque chose, tu en feras don. C'est important de recevoir des dommages et intérêts quand on a été calomnié, cela incite les autres à ne pas recommencer...

Lily entendit à peine sa dernière phrase. Tandis que la foule se dispersait, elle aperçut Poppy qui la regardait avec tant de fierté que ses yeux se remplirent à nouveau de larmes. Soudain, à travers ses pleurs, elle vit Maida. Elle était presque arrivée à la hauteur de l'estrade mais s'arrêta en croisant le regard de sa fille.

— Excuse-moi, murmura Lily à Cassie.

Rassurée, elle passa près des reporters qui s'attardaient avec John. Maida, la main posée à l'extrémité du banc, n'avait pas bougé. Elle paraissait avoir envie de fuir, de pleurer, de s'effondrer mais sans pouvoir le faire. Lily s'avança vers elle. Oh, oui, elle avait peur d'être rejetée, cependant, son besoin de savoir était plus fort. Elle s'approcha lentement, comblant le fossé qui les séparait. Quand elle arriva à moins d'un mètre, elle s'immobilisa.

Que dire ? Que demander ? Supplier ?

Maida prit une inspiration profonde et tremblante. Elle leva une main hésitante vers la joue de Lily. Une esquisse de caresse... Légère et maladroite. Comme une tentative.

— Tu me pardonnes ? murmura-t-elle.

Voulait-elle parler de ses torts quand Lily était enfant, de sa propre jeunesse, des événements plus récents ? Lily l'ignorait mais elle n'avait jamais eu aucun doute. Là où les Sullivan, les Rizzo et tous les Barr du monde étaient concernés, Lily avait eu besoin de justice. Avec sa mère, elle avait besoin... elle avait besoin... Maida ouvrit des bras tremblants, mais décidés... Lily s'y jeta, en larmes, soulagée, s'agrippant à cette présence chérie à laquelle elle avait tellement aspiré aux pires instants de sa vie à Boston.

Elle n'était plus seule désormais. Elle avait des amis. Un homme qu'elle aimait. Mais Maida était sa mère, ce qu'elle lui offrait était unique.

Poppy n'était pas du genre à pleurer, mais en voyant

Lily et Maida dans les bras l'une de l'autre, elle faillit se laisser aller. Elle savait mieux que quiconque que dans la vie, certaines choses étaient impossibles à changer. Heureusement, d'autres l'étaient. Reconnaissante envers le destin, elle fit demi-tour avec son fauteuil et se dirigea vers le fond de la salle.

Elle pensait à ce qui allait changer dans la vie de Maida, à sa sœur qui allait enfin trouver un nouvel équilibre, aux prochaines vacances tellement plus gaies, à Lily qui devrait rester à Lake Henry et épouser John, à la joie de l'avoir auprès d'elle, en bref à tout sauf à l'endroit où elle allait quand en débouchant au coin du hall elle se trouva nez à nez avec un homme qu'elle n'avait jamais vu – en tout cas pas en chair et en os. Mais elle savait qui il était. Il portait un jean, un pull et une veste en molleton bleu marine qui rehaussait le bleu de ses yeux et jurait avec sa chevelure épaisse, bien coiffée... et rousse.

Où aller ? *Fais demi-tour !* Où se cacher ?

Mais il était trop tard. Il savait. Elle le lut dans ses yeux.

En le voyant s'approcher, elle se sentit coupable de ne rien lui avoir dit, déçue de voir son rêve se briser, consternée d'être ce qu'elle était quand elle aurait voulu être différente.

Il se pencha vers elle et planta son regard dans le sien.

— Pensiez-vous sincèrement que j'y accorderais de l'importance ? demanda-t-il.

Sa voix était si gentille qu'elle faillit pleurer pour la deuxième fois. Mais Poppy Blake ne pleurait pas. Pleurer n'apportait rien. Elle avait décidé cela douze ans auparavant.

Alors elle répondit à sa gentillesse en lui jetant la vérité au visage.

— Je ne peux pas courir. Je ne peux ni skier ni faire de randonnées. Je suis incapable de travailler dans la forêt malgré mes diplômes parce que je peux pas manœuvrer mon fauteuil dans les chemins à ornières. Je ne peux pas danser. Je ne peux conduire qu'une voiture spécialement équipée. Je ne peux pas ramasser de pommes ni travailler à la cidrerie. Je ne peux même pas me tenir debout sous la douche.

— Pouvez-vous manger ?

Sur un ton bourru, elle répondit :

— Bien sûr.

— Puis-je vous offrir à dîner ?

Son cœur fit un bond. Elle luttait contre son attirance.

— Oui, mais si vous pensez que je vais vous parler de ma sœur, ma réponse n'a pas changé.

— Votre sœur ne m'intéresse pas. J'ai envie de savoir des choses sur vous. (Il examina rapidement les poignées du fauteuil, puis la regarda avec une impuissance si sympathique qu'elle céda à son charme.) J'apprends vite. Dites-moi ce que je dois faire.

Poppy avait des bras puissants. Elle savait se propulser dans n'importe quel endroit accessible aux fauteuils roulants et la rampe de l'église était très commode. Elle était fière d'être indépendante. Mais ses amis la poussaient quand elles sortaient ensemble. Elles disaient qu'elles avaient l'impression de marcher avec elle.

Comme elle souhaitait se promener avec Griffin, Poppy lui dit :

— Je montre le chemin, vous poussez.

Elle lui indiqua en effet la route à prendre et ils s'en allèrent tous les deux.

La fête fut spontanée, une réunion d'amis – de plus en plus nombreux dans l'arrière-salle de chez Charlie. Quand les reporters tentèrent de se joindre à eux, Charlie leur ferma la porte au nez.

— Désolé. Soirée privée, annonça-t-il alors qu'il passait en compagnie de ses enfants chargés de plateaux remplis des meilleurs mets de la maison.

Lily ne chanta pas. Elle n'en avait pas besoin. Elle parla, rit, consciente de posséder un trésor qui ne lui avait pas manqué jusque-là mais qu'elle n'aurait pas abandonné pour tout l'or du monde. La joie mêlée à la peur de se réveiller d'un rêve merveilleux.

Mais elle ne dormait pas. John était réel, il la quittait rarement. Maida également ; elle souriait chaque fois qu'elle croisait le regard de sa fille. Quant à Lake Henry... Elle avait pu compter sur lui au moment où elle en avait eu tellement besoin. Jamais elle n'avait eu le sentiment d'une telle harmonie dans sa vie.

C'est alors que le cardinal l'appela. Elle venait juste de pénétrer dans le cottage quand son portable se mit à sonner. Elle crut que c'était Poppy.

— Hé ! lança-t-elle un peu essoufflée, n'était-ce pas génial ?

— Hé, toi-même ! fit la voix.

Elle retint sa respiration.

— Père Fran !

— Votre sœur m'a donné votre numéro. Je serai à Rome demain mais je voulais vous parler avant de partir. Vous êtes la dernière chose que j'ai à régler...

— Il n'y a rien...

— Voilà ! (Sa voix était d'une gravité qu'elle ne lui connaissait pas.) Je vous dois des excuses, Lily. Je savais qui était Terry Sullivan. Je ne l'avais jamais rencontré personnellement mais j'avais entendu parler de lui. Quand il a publié son article, mensonger de toute évidence, j'ai deviné qu'il était au courant de ma relation avec sa mère et qu'il voulait se venger. Je ne savais pas qu'il était battu... Je ne l'ai appris que ce soir lorsqu'on m'a appelé après votre conférence de presse...

— Ils vous ont appelé ?

Bien sûr, c'était fatal.

— Je suis désolée...

— Ne le soyez pas, gronda-t-il gentiment. Je m'en suis sorti sans difficulté. Cela ne me pose aucun problème d'avouer ma liaison avec Jean. Nous étions amoureux mais je ne lui ai jamais caché que je voulais devenir prêtre. J'ai la conscience tranquille à ce sujet. Par contre, je m'en veux des souffrances de Terry, des vôtres. Si j'avais révélé l'existence de cette relation, le scandale aurait pris fin plus tôt et vous n'auriez pas perdu autant. Je suis désolé, Lily. C'était mal de ma part. Vous méritez mieux.

Oui. C'était vrai. Elle avait le droit d'en vouloir au cardinal. En outre, il avait minimisé sa relation avec Jean. Cependant elle comprenait. Connaissant la voracité des médias, elle lui pardonnait. Une autre personne dans sa situation aurait sans doute estimé que les excuses du cardinal arrivaient trop tard. Mais Lily était quelqu'un de différent. Elle était douce et généreuse.

— Vous savez, ajouta-t-il, depuis que j'ai été nommé cardinal, j'ai vraiment douté de ma valeur à cause de cet immense gâchis.

— Oh non ! Il ne faut pas.

— Il n'y a pas de place pour la fierté dans mon travail. Ni pour la malhonnêteté, même par omission.

— Mais le monde a besoin de guides comme vous.

— Ce n'est pas mon rôle de faire souffrir les gens.

— Mais je suis rentrée chez moi, insista Lily.

Comment en vouloir à quelqu'un alors qu'elle était si comblée ? Peut-être que la souffrance avait un but.

Il se tut un instant. Puis il changea de sujet.

— Est-ce que tout marche bien pour vous là-bas ?

— Très bien. Je pense que je me suis trouvée.

— Ah ! (Il semblait sourire.) Cela me réchauffe le cœur. Cela n'absout pas mon égoïsme – Dieu aura beaucoup à me pardonner – mais cela me rend vraiment heureux. Je ne suis pas surpris, attention. J'ai toujours su que vous étiez forte.

Elle souriait elle aussi.

— C'est vrai.

— Vous y croyez enfin, alors ?

— Ici, j'y... parviens.

— Me tiendrez-vous au courant des progrès ?

— Cela dépend. Le Père McDonough me laissera-t-il vous parler ?

Le cardinal gloussa :

— Vous pariez ? La paix soit avec vous, Lily.

— Et avec vous, dit-elle en raccrochant.

Une grande chaleur l'envahit. Elle sentit qu'elle venait de combler le dernier manque de sa vie.

30

Il fallait être fou pour aller sur le lac. La nuit était noire et l'air était trop froid en cette troisième semaine d'octobre pour faire du canot, mais Lily n'aurait pas souhaité être ailleurs. Les dernières heures avaient été si riches en émotions qu'elle avait besoin de souffler. Ici, même sous ce vent glacial, les choses étaient plus simples.

Il n'y avait pas de lune. Le ciel était couvert de nuages épais. Plus à l'ouest, ils étaient épars, révélant par instants un lit d'étoiles.

— L'hiver arrive, dit John. On le sent.

Lily sentait l'odeur d'un feu de bois sur la plage et celle de John contre lequel elle s'était pelotonnée, mais les feuilles étaient trop sèches pour exhaler une quelconque senteur.

— La neige ? demanda-t-elle.

— Bientôt. Puis la glace. Dans un mois, il y aura une mince couche. Un mois plus tard, plus de trente centimètres d'épaisseur. C'est une petite pièce d'eau, quand ça arrive, ça va très vite.

L'embarcation se soulevait sous les rafales de vent. Ils étaient à dix mètres environ de l'île où vivaient les canards de John. Lily scruta l'obscurité à la recherche des plongeons.

— Je ne les vois pas.

Gentiment, il mit ses mains sur sa tête protégée d'un chapeau de laine et la fit tourner sur la gauche.

— Là. Ces choses qui bougent.

Elle mit une minute à faire la différence entre le reflet créé par les vagues et les oiseaux. Puis elle les vit. Ils étaient deux et nageaient l'un près de l'autre, cherchant ensemble un réconfort, imagina-t-elle. L'instant suivant, elle comprit.

— La maman et le papa sont partis, confirma John. Ils sont allés vers le sud.

— Les reverront-ils jamais ?

— Pas pendant trois ans au moins. Jusqu'à leur retour ici pour l'accouplement. Mais reviendront-ils sur notre lac ou sur un autre ? Reconnaîtront-ils leurs parents et vice versa ? C'est à voir.

— C'est triste ! dit Lily.

Elle pensait à Maida et... à ce qu'elle ressentait maintenant qu'elles avaient comblé le fossé.

— Soyons honnêtes, gronda John. Ces types sont des cracks côté survie. Ils doivent l'être pour avoir réussi à survivre pendant tant de millions d'années. Mais sensibles ? Sentimentaux ? Je ne le pense pas.

— Non ? N'est-ce pas toi qui disais qu'ils sortaient pour venir à ta rencontre ?

Il se moqua de lui-même en ricanant.

— Ouais, eh bien j'aimais le penser. Mais la vérité est qu'il suffit d'attendre assez longtemps et de se rendre invisible pour les voir arriver.

Elle renversa sa tête en arrière. Même dans l'obscurité, avec ses sourcils en broussaille, son nez droit et sa mâchoire carrée adoucie par une barbe rase, son visage était beau. Prenant soin de ne pas faire chavirer le canot, elle se déplaça afin de se nicher dans le creux de son bras pour pouvoir le regarder plus confortablement.

— J'aime l'autre explication. Je pense que toi aussi, tu es sensible, sentimental.

Puis, parce qu'elle s'était posé la question pendant des heures, elle demanda :

— Tu étais sincère quand tu as dit que tu n'écrirais pas de livre ?

John n'eut pas besoin d'y réfléchir. Il était parfaitement à l'aise, confiant.

— Je le pensais.
— Pas de livre du tout ?
— Pas sur ce sujet. L'affaire Blake a été couverte comme je le voulais.
— Et sur Terry ?
— Le *Lake News* s'en est chargé.
— Quelqu'un d'autre l'écrira en détail.
— Cela ne me gêne pas.
— Et l'argent ? Et la gloire ?

En la regardant allongée avec tant de confiance entre ses bras, John ne parvenait même pas à épeler les mots, encore moins à désirer l'un ou l'autre.

— L'argent et la gloire, c'est drôle. Ils ne peuvent ni faire du canot avec toi dans le froid ni te réchauffer après dans un lit. Ils ne parlent pas. Ils ne chantent pas. Ils ne peuvent pas avoir d'enfants.

Ses yeux s'agrandirent un peu. L'obscurité ne put le cacher. Il n'avait pas eu l'intention de dire cela, pas encore... mais c'était fait. Cette envie devait être enfouie moins profondément qu'il ne le pensait.

— Je peux avoir des enfants, dit-elle.
— Je le sais, mais en as-tu envie ?
— Pourquoi pas ?
— Si tu espères repartir à Boston par exemple. Tout au moins tu ne les feras pas avec moi parce que je ne crois pas avoir envie de partir d'ici. Alors ? Le veux-tu ?
— Quoi ?
— Repartir à Boston ?

Lily n'avait pas réellement pris de décision mais cela ne voulait pas dire qu'elle n'avait rien décidé. Sa résolution était prise. C'était facile.

— Qu'ai-je à retrouver là-bas ? demanda-t-elle, incapable de trouver une seule chose plus importante que ce qu'elle avait trouvé ici.
— Ta voiture. Ton piano. Tes vêtements.
— C'est drôle. Une voiture ne peut faire de canot avec toi dans le froid. Un piano ne peut pas te réchauffer après dans un lit. Les vêtements ne peuvent ni chanter, ni parler ou avoir des enfants.

— Mais ce sont tes affaires. Elles peuvent t'être utiles.

Elle ne baissa pas les yeux.

— Comme les entreprises de déménagement. En outre, comment puis-je être avec toi à Boston si tu ne veux pas partir d'ici ?

— Mais tu ne dois pas rester simplement à cause de moi !

— Pourquoi pas ?

Elle l'avait eu. Il se contenta de sourire. Son air radieux la réchauffa.

— Je te signale – histoire que tu ne prennes pas la grosse tête – qu'il y a d'autres choses qui me retiennent ici. Il y a Maida. (Le quittant des yeux, elle contempla l'extrémité du lac en direction des vergers.) Elle n'a pas arrêté de travailler depuis la mort de papa. Maintenant, regarde...

— Elle ne m'aime pas.

Lily le regarda.

— Elle ne te connaît pas. Mais elle a l'esprit ouvert. Elle l'a prouvé aujourd'hui. Donc, il y a Maida et Poppy. Et Hannah. Maida est dans son camp aujourd'hui, mais si Rose ne change pas, je veux être là aussi.

— Si tu restes, que feras-tu ?

— Je pourrais enseigner. (Maida lui avait dit que l'académie cherchait un professeur.) Je pourrais travailler pour le *Lake News* afin que le rédacteur en chef ait davantage de temps libre. (Elle aimait l'idée de travailler avec John.) Je pourrais voir s'il y a un orchestre de chambre à Concord qui cherche un pianiste. Il y a des possibilités.

— Boston ne te manquera pas ?

— Ce que j'ai trouvé ici est mieux. T'ai-je dit à quel point tu as été bon aujourd'hui ?

John n'était pas fâché de l'entendre.

— Ah bon ?

Elle sourit :

— Magistral.

— Je pense que mon message est bien passé.

— Totalement.

Elle lui toucha la joue de sa main gantée.

— Merci d'avoir fait ça pour moi.

— Je l'ai fait pour moi aussi. C'était agréable de dire de telles choses. Elles me rongeaient depuis des années.

— Gus aurait été fier.

John aurait voulu le penser aussi mais il n'en était pas certain.

— Avec lui, on n'est jamais sûr. Nous étions du bon côté aujourd'hui, Lily. Mais peut-être n'avons-nous rien changé ! Il y a de grandes chances pour que ces reporters continuent à se comporter comme avant.

— Pas tous.

— Peu importe. Je me sens mieux maintenant.

Lily regardait le ciel.

— Voilà les étoiles. Il est là-haut. Il sait. Il est d'accord.

— Dieu ?

— Gus.

John voulut écarter cette idée mais il n'y parvint pas. En contemplant Lily, conscient de sa bonté et de son amour, il se dit qu'elle avait peut-être raison.

REMERCIEMENTS

Tant de gens à remercier. Par où commencer ? Cela a débuté par deux démarches : acheter une maison au bord du lac et faire des recherches pour écrire mon livre. Je suis parvenue à mener à bien ces deux tâches, merci à la chaleur et à la générosité de Chip et Tina Maxfield, Susan Francesco et Sid Lovett – et Doug et Liz Hentz qui ont rendu ce travail si agréable !

Ma sœur, Helen Dempsey, m'a fourni avec diligence toutes les informations concernant l'église catholique, ce dont je la remercie du fond du cœur. Si j'ai commis des erreurs ou pris quelques libertés, la faute m'en incombe entièrement. En ce qui concerne les renseignements sur les journaux, je suis redevable à Maria Buckley et Ron Duce du *Needham TAB*. Je remercie Julie, Andrew et Jo des vergers Honey Pot Hill pour leurs informations sur la fabrication du cidre. Pour le reste, un grand merci à Martha Raddatz, Barbara Rosenberger et Phyllis Tickie. J'éprouve aussi beaucoup de reconnaissance envers Robin Mays, qui a disparu peu de temps après que j'ai fini ce livre. Elle nous regarde, cependant. J'en suis sûre. Robin, les volières, ce sont les tiennes !

Comme toujours, j'ai pu compter sur mon agent, Amy Berkower et son assistante Jodi Reamer, ainsi que sur ma propre assistante, Wendy Page. J'adresse de profonds remerciements à mes éditeurs Michael Korda et Chuck Adams, ainsi qu'une promesse future.

Je dédie ce livre à mon mari, Steve, qui s'est vraiment intéressé à cette histoire, et à nos enfants, qui sont toujours une grande source de fierté – Eric et Jodi, Andrew et Jeremy et Sherrie.

Enfin, à la Lily de Ellyn, le voilà !

Photocomposition Nord Compo
59650 Villeneuve-d'Ascq

Impression réalisée sur CAMERON par

BRODARD & TAUPIN
GROUPE CPI

La Flèche
en mars 2001

Imprimé en France
Dépôt légal : mars 2001
N° d'édition : 13196 – N° d'impression : 6510